Für alle, die wachsen, aber nicht altern.

Für alle, die träumen, aber nicht schlafen.

Für alle die zaubern, aber keine Magie anwenden.

# Prolog

„Lass mich dir eine Geschichte erzählen." Seine Stimme hatte einen unheilvollen Ton, der eine eigenartige Dringlichkeit ausdrückte. „Eine Geschichte von einer längst vergangenen Welt, in der die Grenzen zwischen himmlisch und irdisch nicht existierten. Engel lebten in Gemeinschaft mit uns weltlichen Wesen und die Erzengel wachten über den Frieden und den Wohlstand aller. Vor allem aber war es eine Zeit, in der der Tod unbekannt war. Durch die Wache der Engel kannte niemand Gewalt, und Zeit war nur ein philosophisches Konstrukt. Statt Alter und Vergänglichkeit schenkte die göttliche Anwesenheit der Welt Unsterblichkeit."

Er seufzte und massierte sich kurz die Schläfen, um gegen die pochenden Kopfschmerzen anzukämpfen. Die letzten Wochen hatten ihn viel Kraft gekostet. „Wir alle wissen jedoch nur zu gut, wie zerbrechlich Frieden sein kann. Eines Tages erblickten zwei junge Engel, die Söhne Bariels, das Licht der Welt: Auriel und Samael. Zwillinge von Geburt, doch Fremde im Leben, so beschrieb mein Freund sie mir. Auriel spiegelte das Gemüt des Vaters wider: er war von warmherziger Natur und sein helles Lachen versprühte Hoffnung und Liebe. Samael hingegen war ein schwermütiger kleiner Junge und sein kaltes Gemüt schreckte viele andere Kinder ab. Vom Bruder in den Schatten gestellt, vom Vater übersehen und vom Volk gemieden, wuchs eine Dunkelheit in seinem Herzen, die die Welt für immer verändern sollte. Es war der Geburtstag der Zwillinge, als Samael die Hand gegen seinen Vater erhob. Eine Tat, die es nie zuvor gegeben hatte. Eine Tat, die den Tod in die Welt brachte. Samael lehnte sich gegen die bisherige Ordnung des Friedens auf, er schmiedete die ersten Klingen und lehrte die Welt den Tod und das Töten. Erschüttert und von Angst gepeinigt, entschieden die Engel, eine Grenze zwischen Erde und Himmel zu ziehen. Niemals würden sie ihren eigenen himmlischen Frieden für den aufkeimenden Blutdurst der Irdischen opfern. Sie verbannten Samael aus dem Himmel und ließen ihn, und somit auch den Tod in der Welt zurück. Auch wenn Samaels Bruder ein Engel des Lichts und des Lebens war, so fürchteten sich die Erzengel davor, dass auch er seine Macht missbrauchen würde. Das Blut jenes gefallenen und verstoßenen Engels konnte verflucht sein und somit auch Auriels. Der Himmel schickte beide Brüder ins Exil. Durch die Anwesenheit dieser letzten Engel auf Erden, die das Leben und den Tod widerspiegelten, entstand ein neuer Kreislauf der Sterblichkeit. Irdische wurden geboren und starben. Solange die Engelsmacht in Balance gehalten wurde, würde dieser Kreislauf fortlaufen. Den Söhnen Bariels wurden die Erinnerungen an den Himmel genommen. Mit der Amnesie verloren sie auch ihre Kräfte und wurden ebenso sterblich, wie der Rest der Irdischen. Und wir Weltvölker machten das, was wir am besten können: wir vergaßen. Unsere Welt verschloss sich schon allzu bald der Wahrheit. Dem Ursprung dieser Welt." Er nahm einen Schluck aus seinem kristallenen Glas. Der rote Wein hinterließ einen glänzenden Film auf seinen Lippen. Ruhig strich er sich durch die Haare, die ihm strähnig ins Gesicht fielen. Sie schimmerten fast in demselben Ton wie das nasse Netz auf seinen Lippen. Violett.

„Bis zuletzt." Er atmete tief durch. „Die Zeit des Erinnerns ist gekommen. Wie du weißt, erschien ein junger Mann – von stürmischem Gemüt und barbarischer Grausamkeit. Einfach so tauchte er auf. Aus dem Nichts und mit einer Brutalität, die ihres Gleichen suchte. Die Klingen seines Schwertes brachten mit nur einem Kratzer den Tod. Seine Behauptung, er sei Samael selbst – erwacht aus seiner Lethargie und bereit die irdischen Bewohner zu unterwerfen – nutzte er zur Legitimierung seiner Taten." Nachdenklich tippte er sich mit seinen langen Fingern auf die weingefärbten Lippen. „Als Engel sei es in seiner Natur über die irdischen Geschöpfe zu herrschen und diese zu führen. Wer ihm gehorsam folgte, würde belohnt werden und mit ihm die neue Weltordnung erleben. Eine Weltordnung, die uns zurück in die Unsterblichkeit führen würde." Theatralisch verdrehte er die Augen. Eine Geste, die im flackernden Licht der Kerzen gespenstisch und unheilvoll aussah. Sein Gegenüber starrte ihn gebannt an. Diese Aufmerksamkeit gefiel ihm. „Es war der Anfang einer neuen Zeitrechnung." Ein schiefes Lächeln stahl sich auf sein Gesicht. „Das Erscheinen dieses ‚Samaels' war ein neuer Nullpunkt. Ein Wandel unserer Weltordnung. Eine Zeit nach dem Erwachen. Samaels

Entschlossenheit und die Furcht, die er verbreitete, weckte uns auf. Uns alle. Seine Anhänger, die schwarze Armee brachte Dunkelheit mit sich, wie sie nie zuvor gesehen wurde. Das Gleichgewicht zwischen Schatten und Licht geriet seit jeher ins Wanken und dieser Krieg bestimmt nun unseren Alltag – das Gefühl von Angst und Schrecken ist Teil eines jeden von uns geworden.“

Seine Augen flackerten wie wild. Dann, mit einem einzigen langen Atemausstoß, blies er die Kerzen aus, sodass sie beide nun von undurchdringlicher Dunkelheit umgeben waren

# 1. Kapitel

## *Caleb*

Die Sonne glitzerte auf den Wellen des mittleren Rings - einer der drei Flüsse, die das Gebiet des südlichen Wasserstammes umgaben. Ungewöhnlich große Otter mühten sich in dem Gewässer ab die großen Fische zu fangen, die sich hier tümmelten und geschickt den Tierpfoten auswichen.

Das Rauschen des Wassers und des sanften Windes war sanft und ruhig. Friedlich. Die Fische glitten ruhig und ohne Hetze an den Jägern vorbei. Die warmen Sonnenstrahlen schienen sie zu zähmen und ihnen Zutraulichkeit zu schenken. Ein Fehler.

Caleb, einer der Tiergeister in Otterform, schoss wie ein Pfeil durch das Wasser. Mit seinen ausgestreckten Krallen packte er den nächsten Fisch. Hochspritzendes Wasser schillerte in einem Regenbogen im grellen Sonnenlicht. Das zappelnde Tier, das der Otter jetzt in den Pfoten hielt, kämpfte um sein Leben. Links und rechts von Caleb schossen weitere Otter ins kalte Wasser – zielstrebig und erbarmungslos.

Der laue Wind machte die Tätigkeit angenehm - ein Vorbote des Frühlings. Kleine weiße Blüten durchbrachen den Schnee, der das Ufer am Fluss bedeckte. Ein Großteil der weißen Masse war bereits matschiger Schmelze gewichen und Caleb konnte den nahenden Jahreszeitenwechsel förmlich riechen. Der mittlere Ring war ein Süßwasserfluss, prall gefüllt mit Lachs, Forellen und Karpfen. Deswegen eignete er sich besonders gut zum Fischen. Caleb und die anderen Tiergeister des südlichen Stammes kamen oft hier her, anstatt zum nähergelegenen inneren Ring, um den Fischvorrat für die Stadt *Wa* – Hauptstadt des südlichen Wasserstammes – aufzustocken.

Die Taschen am Rande des Flusses bäulten sich bereits aus durch die prall gefüllte Beute. Der gefangene Fisch glänzten und schimmerten in den unterschiedlichsten Farben im Sonnenlicht. Ja, dachte Caleb zu sich, es war ein guter Tag. Als die Gruppe Otter ihre Fischpakete schulterte und sich auf den Heimweg machte, vibrierte die Luft vor guter Laune. Sie lachten und scherzten. Einer stimmte ein Lied an, während sie vergnügt in Richtung Heimat marschierten. Einige gingen so aufrecht wie Menschen, andere liefen auf allen vieren. Tiergeister waren Geschöpfe, die sich sowohl in der Tier- als auch der Menschenwelt zurecht fanden.

Gerade erreichten sie den Höhepunkt ihrer Jagdhymne, da brach Caleb inmitten seiner Strophe ab. Sie hatten noch nicht einmal den inneren Ring überquert und waren noch mehrere Kilometer weit von *Wa* entfernt. Doch eine seltsame Wahrnehmung hatte Calebs Aufmerksamkeit erregt und ihn vom Gesang abgelenkt. Mit zusammengekniffenen Augen erkannte der Otter Rauch am Horizont. Dicke, unheilvolle Schwaden, die die Sonne bedeckten. Unmerklich war es kälter geworden. Calebs Fell stellte sich in böser Vorahnung auf. Um ihn herum, verstummten auch die anderen Otter, seine Gefährten schienen die Gefahr ebenfalls zu wittern. Sie reckten ihre Schnauzen gen Himmel. Es roch nach Asche und... Verderben.

Calebs geschulter Geruchssinn konnte verkohltes Fleisch und versengtes Haar bereits aus dieser Entfernung erkennen. Ohne ein Wort wechseln zu müssen ließen die Otter ihre Fischtaschen fallen. Wie durch einen Blitz wurden sie aus ihrer Schockstarre gerissen. Jeder Nerv wurde zugleich von einer Art Elektrizität durchzuckt und die Otter sprinteten los. Die stählernen, trainierten Muskeln unter dem weichen Fell arbeiteten fehlerlos und sie preschten in einer unglaublichen Gechwindigkeit voran. Die Otter-Tiergeister waren eine elitäre Gruppe an Kriegern, die an der Seite der Menschen des Wasserstammes lebten, klein und wendig – doch zurzeit viel zu weit weg.

Während sie die Felder in einer Geschwindigkeit überquerten, wie nie zuvor, drehte der frisch aufgekommene Wind. Er schlug ihnen hart ins Gesicht. Mit den Böen aus Osten, erreichten auch die Geräusche Caleb und seine Gefährten. Schmerzverzerrte, angstvolle Schreie. Ein Schauder durchfuhr den Otter, als er schließlich seine größte Angst bestätigt sah: Die Hauptstadt stand in Flammen.

Caleb wusste instinktiv, dass sie zu spät kommen würden.

Er wusste, dass es **er** war, der die Mauern seiner Heimat einriss.

Er, der Todesengel.

Doch wie konnte das sein? *Wa* und der südliche Wasserstamm, der geschützt im Inneren dreier, kreisrunder Flüsse – der Ringe - lag, galt als die letzte Sicherheitszone für das Volk der Wasserstämmigen. Diese Ringe sollten sie doch schützen. Was war geschehen?

Die Geschichte, die man sich über Samael erzählte, hatte Caleb stets erschaudern lassen. Nur wenige flüchtige Wasserstämmige hatten aus den Schwesterstämmen im Norden und Westen fliehen und in *Wa* Schutz finden können. Ihre Seelen und Herzen waren von dem Horror und den Gräueltaten des angeblichen Engels für immer beschädigt. Samael sollte ihre Frauen restlos ermordet haben, um zu verhindern, dass die Wasser-Magie, die in den weiblichen Stammesmitgliedern ruhte, weiter gegeben wurde. Die Männer wurden deportiert oder ebenfalls getötet. Das war schlichtweg Genozid am Wasservolk. Deshalb hoffte der Otter inständig, dass seine Intuition in trügte. Dass dies kein Angriff der rot-schwarzen Allianz war.

Caleb horchte in sich hinein und versuchte die Stimme seines *Naka*me-Gefährten zu hören. Doch da war nichts. Nur sein viel zu schneller Herzschlag, der das Blut und das Adrenalin durch seinen Körper pumpte, als müsse er eine ganze Armee an Tiergeistern in Bewegung setzen. Das, gepaart mit der Angst, die sich wie ein dunkler Schatten über seine Sinneswahrnehmungen legte, ließ Caleb nur langsam und benommen denken. Es fiel ihm unglaublich schwer etwas anderes, als den Rauch und die grässlichen Geräsuche der Zerstörung wahrzuhnehmen.

Je näher die von Panik gepackten Otter *Wa* kamen, desto lauter wurden die Schreie, desto schwerer fiel das Atmen. Die dunkle erstickende Masse kroch in Calebs Lungen, und der Geruch nach Blut und Angst wurde immer stärker. Das Sonnenlicht war inzwischen vollends von dunklem Rauch eingenommen.

Als sie den Rand der einst wunderschönen Stadt *Wa* erreichten, traf sie das Ausmaß der Zerstörung. Hütten standen in Flammen, Mauern waren niedergerissen – überall lagen Leichen und Schwerverletzte des eigenen Volkes. Calebs Brust verengte sich und er hatte das Gefühl der Geist des Eises würde sein Herz herrausreißen und dabei seine Adern gefrieren lassen. Wenn die schmerzlichen Geräusche und Gerüche nicht so durchdringend gewesen wären, hätte Caleb meinen können, dass er träumte. Einen Albtraum. So surreal wirkte dieses blutrünstige Szenario. So fern von dem friedlichen Treiben, dass er vor wenigen Stunden genau hier hinter sich gelassen hatte.

Samaels Armee hatte *Wa* erreicht und niedergezwungen - an nur einem Nachmittag. Wie war das möglich? Hektisch rannte Caleb weiter, geradewegs in das Zentrum der Stadt, folgte den Schreien der anhaltenden Schlacht.

Von der Seite sprang ein Mann auf den sprinteten Otter zu, dunkel und von Blut durchtränkt – der Wahnsinn stand in seinen Augen. Noch bevor er seine Lanze in die Seite des Otters rammen konnte, wirbelte dieser herum, tat einen Satz und hatte innerhalb eines einzigen Wimpernschlag seine Krallen tief im Kehlkopf des Angreifers vergraben. Mit nur einer Bewegung riss Caleb ihn heraus und der Fremde sackte gurgelnd zusammen. Das heiße Blut ergoss sich über seinem Fell, doch der Otter zuckte nicht eine Sekunde.

Caleb preschte durch die brennenden Straßen von *Wa*, seine geschmeidigen Otterbewegungen ließen ihn mühelos über Trümmer und Hindernisse hinweggleiten. Seine klauenbewehrten Pfoten hinterließen tiefe Kerben im vom Rauch erfüllten Boden. Ein wildes Feuer loderte in seinen Augen, während er mit jedem Schritt seine Wut und Verzweiflung auf diejenigen entlud, die sich ihm in den Weg stellten. Mit einem einzigen, kraftvollen Sprung schickte er einen Soldaten zu Boden, der versucht hatte, ihm den Weg zu versperren. Die Luft erfüllte sich mit einem markerschütternden Schrei, der den Schmerz und die Zerstörung der Stadt widerspiegelte

Der dumpfe Klang von Metall auf Metall und die verzweifelten Schreie der Verwundeten drangen in seine Ohren, doch er blendete sie aus, um sich auf seine drängendste Aufgabe zu konzentrieren - die Suche nach seiner Familie. Seine klaren, bernsteinfarbenen Augen waren wachsam und suchend, als er zwischen den flackernden Schatten nach Anzeichen suchte, dass sie noch lebten. Wie der Fluss, der seinen Weg durch das dichte Gestrüpp bahnte, fühlte er sich vorangetrieben, durch die Enge der Gassen und Straßen.

Doch die Stadt, einst so vertraut und lebendig, lag nun in Trümmern und Flammen. Die Überreste seiner treuen Gefährten, Männer und Frauen, die einst mit ihm Seite an Seite kämpften, lagen wie schmerzliche Erinnerungen am Wegrand. Ihre Augen starrten ins Leere, und ihre Körper waren von Narben gezeichnet, die die grausame Schlacht hinterlassen hatte. Der Geruch von verbranntem Holz und der metallische Geschmack von Blut erfüllten die Luft und vermischten sich zu einer beklemmenden Atmosphäre. Calebs scharfen Sinne durchdrangen die Rauchschwaden, seine Ohren lauschten verzweifelt auf jedes Geräusch, das darauf hindeuten könnte, dass seine Familie noch am Leben war.

Kilian, ein stolzer und kraftvoller Otter-Tiergeist, folgte Caleb mit geschmeidigen Sprüngen, sein silbrig schimmerndes Fell glänzte im unheilvollen Licht der Flammen. Seine dunklen Augen spiegelten die Härte des Kampfes wider, aber auch die Entschlossenheit, seinen Freund nicht im Stich zu lassen. Er wusste, dass die tausenden Soldaten, die sich wie eine Flutwelle durch die Straßen wälzten, eine Übermacht darstellten, die sie kaum aufhalten konnten. Doch er konnte nicht zulassen, dass Caleb allein in dieser düsteren Stunde kämpfte.

Ein Gefühl der Verbundenheit durchströmte die beiden Otter, als sie sich gegenseitig stärkten und ermutigten, ohne auch nur ein einziges Wort zu wechseln. Ihre Seelen schienen miteinander verschmolzen zu sein, ein Band der Freundschaft und des Vertrauens, das die Wirren des Chaos überdauerte. Gemeinsam schlugen sie sich durch die flammenden Schatten und suchten nach einem Funken Hoffnung inmitten der Verzweiflung.

Caleb erschauderte, als er die Uniform der Fremden erkannte. Sie war tiefschwarz mit roten Nähten. Seine schlimmste Befürchtung war eingetroffen. Das war die Uniform des Bündnisses zwischen dem Todesengel und dem Flammen-Imperium - der so genannten rot-schwarzen Allianz. Diese Armee befehligte Lebewesen, die er außerhalb des Höllenfeuers nie für möglich gehalten hatte. Samael konnte kein Engel sein, dachte Caleb. Er musste der Teufel selbst sein, der seine Krieger direkt aus der Unterwelt mitbrachte.

Neben den gut ausgebildeten Kriegern und Feuer-Magiern des Flammen-Imperiums, die Samael auf seine Seite gezogen hatte, kämpften Schattenelfen in rot-schwarz. Schattenelfen waren so lange Caleb denken konnte, nur eine Gestalt aus dunklen Tagen der Vergangenheit, aus alten Geschichten. Doch ihm blieb keine Zeit darüber nachzudenken. Denn genau jene blasse, menschenähnliche Wesen mit spitzen Ohren und lilanen Augen standen nun vor ihm. Caleb erschauderte. Dann entdeckte er einen besonderen Schattenelf, von der er hinter vorgehaltenen Händen erzählt bekommen hatte und spürte wie sich sein Puls schlagartig beschleunigte.

Brutus.

Ein besonders gefürchteter Schattenelf.

Die Beschreibung dieses großen, dunklen Elfes wurde bereits seit Jahren im Lande verbreitet, zusammen mit den Schreckensgeschichten der Massaker, die er im Namen Samaels begangen hatte. Festen Schrittes bewegte sich nun eben diese Gestalt durch die Straßen *Was*. In den Rauchschwaden wirkte seine aschfahle Haut fast grau. Unheilvoll wehten seine langen, schwarzen Haar in einem Pferdeschwanz hin und her – wie ein Metronom. Wie hypnotisiert beobachtete Caleb diesen Takt, während sich die Gewissheit, dass die Geschichten wahr waren, langsam aber sicher in seinen Verstand schlich.

Als würde der Schattenelf merken, dass er beobachtet wurde, blieb er plötzlich stehen. Während er sich umdrehte, kräuselte er seine Nase, wie ein wildes Tier, dass seine Beute wittert. Nun konnte Caleb die linke Gesichtshälfte des Schattenelfs sehen. Die Hälfte, die durch eine lilafarbene, hässliche Verbrennung entstellt war. Die Narbengeschwüre erstreckten sich von dort weiter über seinen gesamten Oberkörper und den linken Arm. So als wäre dieser Mann geradewegs der lodernden Hölle entstiegen und diese Rückstände wären der Preis, den er dafür gezahlt hatte.

Die meisten Schattenelfen kämpften mit einem Shoto - einem besonderen Kurzschwert - und ihren bloßen Händen, deren spitzen Krallen mehr an die Klauen von Raubkatzen als an die Hände eines Menschen erinnerten. Brutus hingegen kämpfte – nein, korrigierte Caleb in Gedanken, Brutus schlachtete – mit zwei, strahlend silbernen, Schwertern. Sie blitzen kurz auf, als sich der Schattenelf umdrehte. Caleb erwischte sich dabei, wie er die Luft anhielt. Doch noch bevor er entscheiden konnte, wie er sich diesem Wesen stellen oder entkommen sollte, sprangen mehrere Gestalten auf Brutus zu. Wasserkrieger. Die Klingen des Schattenelfes wirbelten so dynamisch, als seien sie federleicht und beim Anblick des spritzenden Blutes seiner Stammesgenossen, wurde Caleb speiübel. Calebs Beine zitterten, als er den blutrünstigen Schlächter mit seinen kalten, leeren Augen betrachtete. Jeder Faser seines Körpers widerstrebte es, auch nur einen Schritt auf dieses entsetzliche Wesen zuzugehen. Die Furcht kroch in seine Seele und legte sich wie ein eisiger Griff um sein Herz.

"Verdammt", zischte Kilian, dessen Stimme von unterdrücktem Zorn erfüllt war. Er konnte die Wut und den Schmerz förmlich in der Luft spüren. "Das ist..." Die Worte blieben ihm im Hals stecken, denn es gab keine passenden Worte, um die Grausamkeit und die Ausweglosigkeit der Situation zu beschreiben.

"Ich weiß", antwortete Caleb leise, seine Stimme von tiefer Trauer geprägt. Sein Fell sträubte sich bei dem Anblick dieses Wesens, das nur Hass und Zerstörung zu kennen schien. Die Realität der aussichtslosen Schlacht drückte schwer auf seine Schultern.

"Wir müssen hier weg", flüsterte er, seine Stimme kaum mehr als ein Hauch. "Wir haben keine Chance gegen diese Übermacht." Die Erkenntnis traf ihn mit der Wucht eines Blitzschlags, der ins Wasser einschlägt - schmerzhaft und unausweichlich. Kilian nickte stumm, die Entschlossenheit in seinen Augen kämpfte gegen die Angst an.

Ohne weiter zu zögern, sprinteten die beiden Otter so schnell sie konnten weiter, geduckt und vor Angst zitternd. Ihr Instinkt trieb sie vorwärts, weg von der zerstörten Stadt und den schrecklichen Kreaturen, die sie bedrohten. Kein Training, keine Ausbildung konnte sie auf eine solche Bedrohung vorbereiten. Jetzt zählte nur noch ihr Überlebenswille und die Hoffnung, irgendwo einen sicheren Ort zu finden.

Schließlich erreichten Caleb und Kilian einen abgelegenen Hinterhof. Erschöpft und außer Atem, suchten sie Schutz hinter einer Mauer. Sie kauerten dort einen Moment lang, um ihre Atemzüge zu beruhigen und ihre Gedanken zu sammeln. Der Lärm der Schlacht und das Flüstern des Feuers begleiteten sie in diesem Moment der Ruhe, der ihnen kostbare Sekunden der Erholung schenkte, bevor sie erneut den Gefahren der Welt gegenüberstehen mussten..

Calebs dunkelbraune Augen huschten unruhig hin und her, bereit die nächste Gefahr zu erkennen. Seine Barthaare vibrierten, während er wachsam alles um ihn herum aufzunehmen versuchte.

Da sah er ihn.

Kori Gaido – Stammeshäuptling des südlichen Wasserstammes und dessen mächtigster Krieger. Der Familienname Gaido stand in den südlichen Wasserstämmen für die Familie des Stammeshäuptlings und der Name bedeutete so viel wie „leiten“ . Die Gaidos sollten den Stamm stets auf den richtigen Weg führen. Nun konnte der junge Häuptling jedoch niemanden mehr leiten. Das war Caleb mit nur einem Blick schmerzhaft bewusst. Die letzte Zeit dieses Anführers rann wie Sand durch Calebs Pfoten. Denn Kori lag auf dem verschmutzten Boden, zusammengekrümmt und zur Hälfte mit Schutt und Asche bedeckt. Um ihm herum stapelten sich die Leichen. Tote in rot-schwarzer Uniform. Er musste einige von ihnen niedergerissen haben, bevor er selbst zusammengebrochen war. Doch nun lag er reglos am Boden. Seine im Schock verzerrte Grimasse starrte in Richtung der beiden Otter.

War dieser Blick bereits leblos?

Caleb zögerte kurz. Unruhig sah er sich in der Umgebung um. Er konnte Brutus nicht mehr entdecken und auch sonst schien es, als seien die Schattenelfen und schwarz gekleideten Flammen-Krieger weit genug entfernt. Blitzschnell rannte er zu Kori hinüber – weiter auf der Hut, keine Aufmerksamkeit zu erregen.

Als er näher an die Gestalt des Mannes kam, erkannte er, dass sich sein Oberkörper ganz leicht hob und senkte.

Er lebte noch.

Kori Gaidos Gesicht sah um hundert Jahre gealtert aus, seine Augen waren auf eine weit entfernte Leere gerichtet und seine einst sympathischen Lachfalten, waren tiefen Kerben des Schmerzes und der Trauer gewichen. Calebs Herz schmerzte beim Anblick seines kühnen Stammeshäuptlings und Führers. Vor allem aber tat es weh, weil der hier liegende Mensch einer seiner engsten Freunde war. Er war Teil seiner Familie. Caleb spürte wie sich sein kleines Herz in seiner Brust zusammenzog und seine Pfoten zu zittern begangen. Gewaltsam ballte er sie zu Fäusten, um dieses Zeichen der Angst und Panik zu unterdrücken, doch es gelang ihm nur mäßig. Auf so etwas wie heute war er einfach nicht vorbereitet und all seine Sinne schrien auf. Der Geschmack von Ruß und Blut im Mund, der Geruch nach versengter Haut, die Geräusche der Schreie, der Anblick seiner verletzten Kameraden und schließlich das erstickende Gefühl seines viel zu schnell rasenden Herzens. Das alles war einfach zu viel.

Caleb hockte sich dicht neben Koris Gesicht und berührte sanft seine Stirn. Ein Gemisch aus Blut und kaltem Schweiß bedeckte jeden Zentimeter des tapferen Mannes. Die Berührung schien zu Kori durchzudringen, denn sein leerer Blick begann zu flackern. Leise murmelte er etwas.

Doch die Worte waren kaum zu verstehen. Das Dröhnen und der Lärm der Schlacht übertönte jedes Zischen und Stöhnen aus Koris Mund. Der Otter untersuchte vorsichtig Kori Gaidos Zustand, betastete seinen Körper, um zu entscheiden, wie verletzt der Mann war. Zu seinem Entsetzen stellte er fest, dass beide Beine bis auf wenige Muskelfasern vom Rumpf abgetrennt worden waren. Es hatte sich bereits so viel Blut aus Gaidos Körper über den Boden ergossen, dass dies die starre Abwesenheit im Blick des Mannes erklärte. Der einst stolze Stammesführer stand kurz vor dem Verbluten. Mit einem flauen Gefühl im Magen begriff Caleb, dass das die letzten Atemzüge seines Freundes waren.

Der Otter schluckte und schloss kurz die Augen, während er Kori Gaido die dunklen Locken aus dem Gesicht strich. Doch der erstickende Kloß in seinem Hals verschwand nicht. Koris Blick wanderte nun, ganz langsam und unter großer Anstrengung zu Caleb.

Als Koris glasklare, blaue Augen die des Otters trafen, formte er erneut unverständliche Laute mit seinem Mund. Dieses Mal lehnte sich Caleb vor und legte sein Ohr dicht an die Lippen des sterbenden Mannes.

Das Raunen war nur leise, doch die Worte bestimmt: „Caleb… mein Freund… rette sie… meine Kinder…sie… sie… sie werden Erlösung bringen.“

Caleb hob seinen Kopf wieder und legte seine Pfote auf die Hand seines Freundes. Er drückte sanft zu und spürte die verräterische Kälte, die sich bereits in seinen Fingern ausgebreitet hatte. Erneut versuchte Caleb seine Kehle freizubekommen, doch sie war wie zugeschnürt und nur mit mühevollen Keuchen hatte er das Gefühl noch Luft zu bekommen.

Kori blickte ihn durchdringend an. Der Mann atmete schwer und Caleb konnte an seinen Lippen erkennen, dass er den letzten Satz wieder und wieder wiederholte: Sie werden Erlösung bringen. Bevor der Otter etwas auf diese Bitte erwidern konnte, stieß Kilian einen schrillen Warnpfiff aus. Caleb schreckte zusammen und drehte sich alarmiert um.

Da sah er ihn.

Brutus.

Am Rande des Hofes, wo Kilian und er sich versteckt hatten, baute sich die große, schwarze Gestalt auf.

Seine Augen blitzten im gleißenden Sonnenlicht. Die blutüberströmten Hände hielten seine silber glänzenden Schwerter mit festem Griff.

Als Caleb in die dunklen, fast schwarzen Feindesaugen blickte, sprang er instinktiv von Koris Körper zurück, und duckte sich hinter der nächsten Mauer. In denselbem Augenblick war Brutus pfeilschnell in seine Richtung geschossen, und seine Klingen verfehlten ihn nur um Haaresbreite.

Der Schattenelf stand jetzt neben Kori Gaido – groß und unheilvoll.

Calebs Adern gefroren, als er in die glühenden Augen des Schattenelfen blickte. Brutus sprang jedoch nicht erneut auf den Otter zu. Er bedachte ihn mit einem letzten, grausamen Blick und drehte sich dann langsam um.

Caleb bebte vor Anspannung. Noch bevor er begriff, was Brutus tun würde, hatte dieser weit ausgeholt und mit einer einzigen Bewegung Koris Kopf von dem verstümmelten Rumpf getrennt.

„Nein!“

Der entsetzte Ausruf Calebs erstickte, als ihn jemand von hinten packte. Ihm wurde der Mund gewaltsam zugehalten und mit einem Ruck riss ihn jemand fort, weg von dem Ort, wo Brutus den Leichnam Koris weiter verstümmelte.

Wütend wehrte Caleb sich gegen den festen Griff, der sich um seinen Mund und Körper geschlossen hatte und ihn schleppend weiter wegzog. Als dieser gelockert wurde, versuchte Caleb den vermeintlichen Angreifer zu beißen, doch dieser schüttelte ihn. „Komm zur Besinnung, Bruder."

Es war Kilian.

„Das hat keinen Sinn. Du kannst Brutus nicht aufhalten. Wir müssen hier weg. Kori... Kori war schon dem Tod geweiht, bevor Brutus kam. Das weißt du."

Kilian sah Caleb tief in die Augen und rüttelte ihn erneut, um seinen Worten Nachdruck zu verleihen. „Wir müssen hier weg.", wiederholte er panisch.

Caleb nickte, ganz automatisch. Es fühlte sich an, als hätte jemand anderes Besitz von ihm ergriffen. Seine Gliedmaßen bewegten sich, ohne dass er es realisierte und seine Gedanken kreisten noch immer um Kori.

Die beiden Otter rappelten sich auf und rannten fort von dem Hof, wo ihr geliebter Anführer gestorben war. Caleb blickte sich ein letztes Mal um und sprach in Gedanken seine letzten Worte an seinen Freund Kori Gaido: *„Ich werde alles tun, was ich tun kann, um deine Kinder in Sicherheit zu bringen und dich zu rächen, mein alter Freund."*

Calebs Herz verkrampfte sich. Der schmerzliche Verlust seines Freundes war schlimmer, als jede körperliche Wunde, es sein könnte. Er verabschiedete sich in dem Bewusstsein, dass der leere Blick seines Freundes ihn den Rest seines Lebens verfolgen würde.

Kilian und Caleb eilten flink durch die tobenden Gassen des Krieges. Ihre oberste Priorität galt nun der Rettung der Kinder Gaidos. Ihre Sinne waren geschärft, während sie verzweifelt nach Anzeichen suchten, die ihnen den Weg zu den Kindern Gaidos weisen würden.

Sie bahnten sich beharrlich einen Weg durch die zerstörten Straßen, vorbei an brennenden Gebäuden und umgestürzten Trümmern. Immer im Schatten geduckt, und mit blitzschnellen Sprints, bewegten sich die Otter durch die Stadt. So näherten sie sich möglichst unauffällig ihrem Ziel. Wenn sie die Gaido Kinder finden und retten wollten, durften sie nicht erneut in einen Kampf verwickelt zu werden. Sie waren zwar gute Krieger, jedoch konnte ein alleiniger Kämpfer noch so stark sein, gegen eine zahlenmäßige Übermacht war auch dieser wehrlos. Und zahlenmäßig waren die Truppen Samaels weit überlegen.

Kilian und Caleb rannten eilig in Richtung der Festung, die Heimat der Gaidos, wo sie Koris Tochter und Sohn am ehesten zu finden hofften. Der Sohn war Calebs bester Freund und sie waren durch ein uraltes Ritual verbunden. Angespannt horchte er erneut in sich, um die Präsenz dieses jungen Mannes zu spüren. Doch da war nichts. Der Otter spürte eine furchtbare Enge in der Brust. Jeder Herzschlag glich jetzt dem Flügelschlag eines Kolibris. Die Angst hatte ihn fest im Griff. Caleb betete nicht noch einen engen Freund zu verlieren.

Bereits von weitem sah Caleb, dass auch die Festung in Flammen stand. Es war kaum mehr als ein Schatten übrig, von dem was einst die Heimat der Gaidos und das Zentrum der wichtigsten Zeromien des südlichen Wasserstammes war. Es war ein prachtvolles Gebäude aus Eis und Korleon-Stein gewesen. Ein türkisenes Mineral, dass es nur hier gab und der Festung den Glanz und Stolz eines ganzen Stammes verliehen hatte, überwuchert mit hunderten von Eisbeeren-Ranken, die nun in schwarzen Rußwolken starben. Die Mauern bröckelten und das verzauberte Eis hunderter Wassermagier rann in einem Fluss gemischt mit Blut und Asche auf die Wege und Straßen *Wa*s. Sie mussten sich beeilen. Bald würde nichts mehr von diesem spirituellen Ort mehr übrigs sein. Einige hundert Meter von dem Tor entfernt, erspähte der Otter eine herunter gebrochene Mauer.

Große Steine und Brocken, die aus der Mauer gesprengt worden zu sein schienen, versperrten den dahinter liegenden Weg. Caleb riss erschrocken die Augen auf. Unter einem der größeren Brocken ragten zwei schlanke Beine heraus. Kantige und spitze Korleon-Steine hatten den Kämpfer erwischt und eingeklemmt.

Sein Kopf war nur minimal verfehlt worden.

Die dunklen Haare waren wild im blutigen Gesicht verteilt. Calebs Atem ging schneller und er beschleunigte. Er erkannte den Mann sofort. Hektisch begann er die Trümmer fortzuschieben und zu heben. Das Adrenalin verlieh ihm ungeahnte Kräfte, sodass er auch die großen Brocken mühevoll beseitigen konnte. Die schlanke Männergestalt kam mehr und mehr zum Vorschein. Schließlich zog der Otter den jungen Mann geschickt und vorsichtig vollständig aus den Trümmern.

Caleb versuchte die aufkommenden Tränen wegzublinzeln.

Jetzt war keine Zeit, emotional zu werden, ermahnte er sich. Als er den dunkelhaarigen Jungen in den Armen hielt, schmerzte sein Herz. Der Otter hatte nicht geahnt, dass diese leidige kleine Pumpe noch mehr wehtun konnte, als sie es bereits tat. Dieser Junge war sein ein und alles. Er war sein bester Freund, sein *Naka*me-Gefährte und jetzt konnte er kaum seinen Atem spüren.

Caleb lehnte sein Ohr näher an seine Brust.

Erleichtert stellte er fest, dass ein Herzschlag zu hören war, jedoch ein sehr schwacher. Ray, Kori Gaidos Sohn, war schwer mitgenommen.

Die Quetschungen durch die Trümmer schimmerten bläulich und der Körper des jungen Wasserkriegers war über und über mit Schürfwunden versehrt. Aber nicht nur das. Aus tiefen Schnitten sickerte Blut, sodass die stammesübliche blaue Tracht nun feucht schwarz schien. Caleb zitterte, während er den schwarzen Ruß aus dem Gesicht seines Freundes wischte. Ein besonders tiefer Schnitt durchquerte seine rechte Gesichtshälfte. Wie das böse Grinsen eines Dämons klaffte die tiefrote Wunde. Das dunkle, dickflüssiges Blut hatte seine dunklen Strähnen an den Kopf geklebt. Verdammt, dachte Caleb. Das sah wirklich übel aus. *Bitte bleib bei mir*.

Er konnte seinen engsten Freund nicht verlieren, es würde ihm das Herz zerreißen. Caleb wusste, dass wenn er sich nicht sofort auf den Weg – auf die Flucht - machte, dann würde dieser Junge mitsamt der restlichen Stadt untergehen. Sie würden nicht verschont werden. Es gab keine Hoffnung. Flucht war ihre einzige Möglichkeit.

Kilian, der nun dicht neben ihm stand schien dieselben Gedanken zu haben und sprach, leise flüsternd: „Caleb. Nimm ein Pferd“, er deutete auf einen Stall etwas weiter von den Trümmern entfernt, „nimm es und reite nord-östlich zu den Ringen – überquere den ersten und warte dort auf mich. Flieh zum Hof der Kaitsen, er liegt etwas geschützt und ist, wenn wir Glück haben, noch nicht überfallen worden. Ich werde seine Schwester suchen und bis heute Abend bei euch sein.“

Caleb nickte. Er musste Ray hier rausholen, durfte eine Sekunde mehr verstreichen lassen. Kilian, würde Rays kleine Schwester allein finden müssen. Sonst waren sie alle verloren. Die beiden Tiergeister umarmten sich. Ihre letzte Umarmung, wie Caleb sich später schweren Herzens eingestehen musste.

Kilian würde nicht folgen.

# 2. Kapitel

## Kayla

„Du musst mir versprechen, dass du heute zu Hause bleibst, okay?", sagte die Frau mit den dunklen Locken. Ihre Stimme war freundlich und instinktiv wusste Kayla, dass sie wunderschön war. Ihr dunkler Teint und ihr Geruch kamen Kayla so bekannt vor. Ein Gefühl von Geborgenheit breitete sich in ihr aus und verspürte Wärme in ihrer Brust. Mit großen, runden Augen blickte sie die Frau an. Sie versuchte das Gesicht, die Gestalt und alles an dieser Frau aufzunehmen, gar aufzusaugen. Doch sie war nur schemenhaft zu erkennen, egal wie sehr Kayla sich anstrengte, ihren Blick scharf zu stellen. Aus irgendeinem Grund wusste das kleine Mädchen, dass sie die große Frau nicht gehen lassen wollte. Obwohl sie sie nicht erkannte, fühlte sie, dass es wichtig war, dass sie blieb. Nervös strecke sie ihre kleinen Finger nach ihr aus. Die Frau lachte. Glockenklar. „Es tut mir leid, meine Süße." Sie ging in die Hocke und streckte ihre Hand ebenfalls aus. Als ihre warmen, geschmeidigen Finger die kleine Hand Kaylas berührten, spürte Kayla wie sie die Wärme wie Blitze durchzuckte. Ohne, dass sie wusste, weshalb, liefen ihr die Tränen über die kleinen runden Wangen. Mit erstickter Stimme sagte sie: „Aber Mama ich..." Mama? Kayla hatte diese Frau intuitiv Mama genannt. Fast erschrocken blickte das kleine Mädchen die Frau erneut an, wollte wissen, ob das wirklich ihre Mutter war. Doch sie konnte ihr Gesicht einfach nicht erkennen. Es war zu verschwommen. „Kein aber", sagte die Frau, nun strenger. „Es ist zu gefährlich." Mit weicherem, liebevollem Ton fuhr sie fort: „Außerdem komme ich heute bereits zum Mittagessen wieder, meine Kleine. Das sind nur ein paar Stunden." Die Frau beugte sich vor und küsste Kayla auf das dunkle, lockige Haar. Kayla schob die Unterlippe vor, doch bevor sie noch etwas sagen konnte, war sie allein. „Geh nicht", wollte Kayla schreien. „Bleib hier!" Doch es kam kein Laut aus ihrer Kehle.

Zitternd wachte Kayla auf. Sie starrte an die verzierte Decke ihres viel zu großen Zimmers. Die weichen Kissen um sie herum erinnerten sie schnell daran, dass sie nicht mehr das kleine Mädchen aus ihrem Traum war. Sie lebte nicht mehr an dem Ort, den sie eben gesehen hatte und sie kannte auch diese Frau nicht mehr. Dennoch schmerzte ihr Herz und ihre Lunge verkrampfte sich.

Luft.

Sie brauchte Luft.

Geschickt, schwang sie sich aus ihrem Bett und durchquerte ihr Schlafgemacht. Hastig entriegelte sie das goldgerahmte Fenster und stieß die kristallklare Scheibe auf. Gierig atmete sie die kühle Nachtluft ein.

Kayla schloss die Augen und versuchte die schemenhafte Frau aus ihrem Traum zurückzurufen. Diese Nähe und Geborgenheit, die sie gefühlt hatte, war nicht irgendein Hirngespinst – es war eine Erinnerung gewesen. Da war sie sich sicher. Wieso konnte sie sich nicht an mehr erinnern?

Alle Zeichnungen, die Kaylas Mutter zeigten, waren in dem großen Feuer ihrer Heimatstadt verloren gegangen. Und wenn sie ehrlich zu sich war, hatte es auch ihre Erinnerungen genommen. Kayla seufzte und strich sich ihre dunklen Locken aus dem Gesicht. Angestrengt, runzelte sie die Stirn, doch sie konnte sich das Gesicht ihrer Mutter einfach nicht in Erinnerung rufen. Doch sie wusste, dass jener Tag, den sie eben im Traum erneut erlebt hatte, der Tag gewesen war, der ihr Leben für immer verändert hatte. Der Tag, an dem sie ihre Mutter das letzte Mal gesehen hatte.

Samael, damals ein frischer, junger Prediger, war im östlichen Flammen-Imperium, nicht weit von Kaylas Heimatstadt erschienen. Ob er tatsächlich ein Flammen-Stämmiger war, das wusste niemand – auch heute nicht. Doch dieser junge Mann hatte die richtige Zeit und den richtigen Ort für seine ersten Rekrutierungen ausgesucht. Denn sie waren ihm gefolgt, einer nach dem anderen. Und bald sogar das gesamte Flammen-Imperium.

Jetzt, Jahre später, kannte Kayla Samaels Macht, sein Charisma und das Lodern, das er ausstrahlte, um die Mengen zu überzeugen. Er sah noch genauso jung aus wie am ersten Tag, doch sein Handeln und sein Verstand waren keineswegs das eines so jungen Mannes.

Kayla konnte verstehen, warum ihm das einfache Volk blind vertraute. Er versprach den Zuhörern eine Welt, in der die Feuerkrieger und alle anderen, die sich ihm anschlossen eine goldene Zukunft haben würden. Eine Zukunft, die dem damals von Armut gepeinigtem Land, wie eine Erlösung vorkam.

Rasch hatte Samael den Osten des Imperiums unter seiner Gewalt. Seit diesen ersten, aggressiven Übernahmen, waren auch die anderen Landstriche des Imperiums in Alarmbereitschaft. An jenem Tag aus Kaylas Traum überfiel die schwarze Armee – Samaels ersten und loyalsten Anhänger - schließlich *Ceceres* – Kaylas Heimat und ließen die wüstennahe Stadt erzittern. Ein Großteil der Bevölkerung, die sich Samael widersetzte, wurde ausgelöscht oder gewaltsam unterworfen. Nur wenigen gelang es, Samaels Gunst zu gewinnen.

Eine von diesen wenigen war Kayla gewesen.

Sie hatte *Ceceres* lebend und frei verlassen können. Jahrelang hatte sie sich gefragt, warum ausgerechnet sie verschont und vor allem in den innersten Kreis Samaels aufgenommen worden war.

Die kalte Luft, die gerade Kaylas Körper umspielte, ließ sie frösteln. Oder vielleicht waren es die Gedanken an Samael? Die Erinnerungen an die Vergangenheit?

An den Moment, indem ihr eigenes Schicksal entschieden worden war, erinnerte Kayla sich noch ganz genau. Anders als an die Verabschiedung ihrer Mutter. Vielleicht weil sie damals Brutus das erste Mal begegnet war. Bei dem Gedanken an ihn schlug ihr Herz ein wenig schneller. Auch wenn dieser Mann gerade auf einer wichtigen Mission, weit entfernt von ihr war, fühlte sie sich ihm stets nah.

Er war es gewesen, der sie bei dem Angriff verschont, nein sogar gerettet hatte. Brutus, ein geheimnisvoller Schattenelf-Soldat, der erkannte, dass Kayla eine Amazone war. Brutus, der sie mit großen, beeindruckten Augen ansah und ihr versprach, für sie zu sorgen, solange sie ihre Kraft und Kampfgeist Samael und ihm widmen würde. Sie war damals jung und dankbar gewesen und war Brutus gefolgt. Der Elf war seitjeher ihr Beschützer. Er hatte auf sie aufgepasst, während sich die schwarze Armee Samaels durch die Städte des Flammenimperiums kämpfte und tagtäglich der Imperial-Hauptstadt *Liones* näherkamen. Er hielt Kaylas Hand, als Samael den einst so stolzen Imperator Nokoribi vor den Augen seines Volkes hinrichtete. Sie war dabei gewesen, als Samael dem ältesten, damals erst achtzehn Jahre alten Sohn Nokoribis – Kasō – zur Macht verhalf. So jung, doch in ihm brannte bereits ein unerbittlicher Ehrgeiz, gebündelt mit unbändiger Wut gegen die schwache Regentschaft seines Vaters. In Kasō fand Samael einen Verbündeten, der seine Truppen grausam Seite an Seite durch die restlichen Provinzen dieser Welt führen würde. Er würde Feuer säen und verbrennen, was sich ihm nicht unterwarf.

Gemeinsam mit Samael wurde Kasō zum neuen Imperator des Flammenreiches. In diesem Augenblick stand Kayla nur wenige Meter von ihm entfernt, Brutus fest umklammert. Sie erinnerte sich an Kasōs jugendlichen, aber lodernden Blick, der über sein Volk schweifte, als er offiziell die Vereinigung mit den schwarzen Truppen Samaels verkündete. Noch immer konnte sie ihr eigenens Zittern spüren und wie sie sich ängstlich hinter ihren Retter Brutus duckte. Mit eisiger, entschlossener Stimme kündigte Kasō den Friedenspakt mit den anderen Nationen auf. Noch immer hörte sie seine Worte, als seien sie in ihr Gedächtnis gebrannt.

„Die anderen Völker sollen zittern, wenn die Flammen an ihren Toren lecken!“

Die vereinigte Streitmacht des Flammen-Imperiums und der schwarzen Armee erhob sich seit jeher als *rot-schwarze Allianz*.

„Neun Jahre", flüsterte Kayla. Neun Jahre war das alles nun schon her. Seit neun Jahren lebte sie in diesem majestätischen Zimmer in der Imperial-Festung, unter einem Dach mit Kasō und Samael. Dennoch ließen sie die Träume von *Ceceres* nicht los.

# 3. Kapitel

## Caleb

Fahles Sonnenlicht drang durch die dichten Blätter. In der Nähe war das leise Plätschern eines Baches zu hören. Der Wald verschluckte jegliche Geräusche der Welt jenseits der dichten Bäume. Fast, als wären die Schreie und der Schmerz, die in der Entfernung hallten, nie da gewesen. Das Rauschen der kühlen Brise in den Blättern erstickte die Geräusche, wie ein Wattebausch auf den Ohren. Hier war es ruhig und fast friedlich. Das leise Surren von Insekten und Vögeln, die zwischen den dunkelgrünen Kronen hin und her flogen. Die Kulisse wurde von einem eifrigen Otter durchbrochen, der eilig durch das Unterholz huschte. Eine Pfote fest an ein Gefäß geklammert.

Hastiges Trippeln.

Calebs Fell war verfilzt und an manchen Stellen kahl. Als er den Fuß eines kalt aufragenden Berges erreichte, beschleunigte er. In nur wenigen Sprüngen erreichte der Otter den herausstehenden Felsvorsprung und die dort gelegene Höhle. Angekommen, lehnte sich das Tier über den jungen Mann, der zwischen blutigen Lumpen am Boden lag. Er war noch fast ein Junge.

Sanft berührte der Otter die heiße, fiebrige Stirn von Ray, tupfte sie vorsichtig ab und goss das Wasser, welches er geholt hatte in kleinen Rinnsalen in den Mund des Verwundeten.

Die Augenlider des Verletzten flatterten.

Seine Hände krampften und sein Körper bebte.

Caleb quiekte aufgeregt und tröpfelte weitere Tropfen in Rays Mund. Gierig schluckte dieser - die Augen immer noch geschlossen. Ray stöhnte leise. Der Otter legte die Schale Wasser beiseite und tupfte stattdessen mit einem kleinen Tuch Blut aus dem verletzten Gesicht. Gerade als er erneut das Tuch senkte durchzuckte Rays Körper ein Schauer und seine Hand schlug schnell und hart die fürsorgliche Pfote beiseite.

Der Otter stolperte rücklings. Ein Schauder der Erleichterung durchfuhr ihn und Caleb rappelte sich schnell wieder auf und rückte nah an den Verwundeten heran. Endlich bewegte Ray sich, endlich kehrte ein Hauch von Leben in ihm zurück. Mit seiner rauen Pfote griff er nach der Hand des Jungen, beugte sich vor und flüsterte leise und sanft: „Shh! Ich bin's nur mein Junge. Shh. Beruhige dich."

Caleb strich liebevoll mit seiner anderen Pfote durch die strähnigen dunklen Haare seines Kameraden.

Ein weiteres Beben durchfuhr das schmerzverzerrte Gesicht des Jungen. Dann öffnete er ganz langsam die Augen und blickte in das tierische Gesicht seines Pflegers. Das helle Blau der Iris wirkte fast grau, so fahl und kraftlos war er. Er hustete.

„Noch mehr Wasser für dich, Ray?"

Ray schreckte bei der erneuten Berührung von Calebs Pfote zusammen. Dann schüttelte er langsam den Kopf, verzog die Augen zu Schlitzen und versuchte sich aufzurichten. Bei jeder Bewegung zuckte er vor Schmerzen und die Bandagen an Brust und Schulter, die Caleb sorgsam gewickelt hatten, saugten sich weiter mit Blut voll.

„Shhh. Mach langsam, mein Junge."

Ray stöhnte. Sein Atem rasselte und Caleb merkte, dass er drohte, erneut das Bewusstsein zu verlieren. Caleb stützte ihn sanft, sodass er es schaffte sich zitternd aufzusetzen. Die Sonne schien durch den Höhleneingang herein und spiegelte sich glitzernd in dem goldenen Ring wider, der das Ohr des Otters durchstach. Caleb reichte Ray wortlos die Wasserschale. Dabei ließ er Rays Rücken nicht los und hielt ihn somit in aufrechter Position. Vor lauter verkrustetem Blut und Bandagen konnte man nicht einmal Rays Schulter-Tattoos erkennen. Er sah nicht aus, wie er selbst.

Dankbar nickend nahm Ray die Schale entgegen.

Dann blickte er sich mit gerunzelter Stirn um. Seine raue Stimme stand im Kontrast zu seinen jugendlichen, schönen Gesichtszügen.

„Wo.... wo sind wir? Caleb?“

„Am östlichen Rand des dritten Ringes.“

Der Otter zögerte kurz, bevor er fortfuhr: „Das heißt, wir sind außerhalb unserer geliebten Heimat. Es tut mir leid.“

*Ray*

„Was?!“ Entsetzt starrte Ray den Otter an.

Er konnte es nicht fassen. Der östliche Rand des dritten Ringes war mehre Wochenmärsche von seiner Heimat entfernt. Außerdem hieße dies, dass sie alle drei Flüsse, die die Ländereien des südlichen Wasserstammes umgaben, überquert hätten.

Ray konnte sich daran nicht erinnern.

Wie lange war er bewusstlos gewesen? Was war passiert?

Sein Körper schmerzte fürchterlich. Doch am schlimmsten fühlte sich sein Gesicht an. Vorsichtig tastete er seine rechte Wange ab. Sie war geschwollen. Sein rechtes Auge ebenfalls. Er ertastete eine Wunde, einen tiefen Schnitt, die fast seine komplette rechte Gesichtshälfte durchzog. Auch wenn die Heilung anscheinend bereits eingesetzt hatte, brannte die Berührung furchtbar und er konnte die Schmiere, die sich durch das Wundsekret und vermutlich eiternde Entzündungen gebildet hatte, unter seinen Fingern spüren.

Was war nur mit ihm geschehen? Was war überhaupt passiert? Wenn er und Caleb hier waren – wo waren dann alle anderen?

Suchend wanderte sein Blick durch die Höhle. Durch das einfallende

Sonnenlicht konnte er jeden Winkel erkennen.

Es war niemand sonst hier.

Nur er und Caleb, der Otter-Tiergeist.

Wenn sie hier waren und niemand sonst – hieß das...

Er konnte sich dumpf an Panik erinnern. Panik, weil Schiffe am Horizont des ersten Ringes erschienen waren.

Schwarze Schiffe.

Schlagartig wusste er wieder, dass die schwarze Armee in seine Stadt eingefallen war, dass sie die drei Ringe überquert haben. Aber wie konnte das sein? Keiner hatte mit einem Angriff gerechnet. Samael und Kasōs Truppen hätten zunächst durch die weiten Auen des *Shizen* Bistums vorstoßen müssen, um den südlichen Stamm zu erreichen. Doch davon hatte es keinerlei Berichte gegeben.

Der südliche Wasserstamm war eine Sicherheitszone.

Durch die Ringe als natürliche Hürde, sowie durch die geographische Entfernung zu dem Flammen-Imperium galt der südliche Wasserstamm als sicher. Sicher. Dieses Wort klang plötzlich so absurd und hallte schmerzhaft in Rays Gedanken nach. *Sicherheit*. Ihm wurde beinahe schlecht, wenn er an dieses Wort dachte. Seit Jahren war nichts mehr sicher. Sie hatten sich einer Illusion hingegeben und waren deswegen nicht vorbereitet gewesen. Nicht auf das, was geschehen war.

Sie waren gekommen.

Ray starrte in die leere Höhle. Ja, er erinnerte sich schemenhaft. Die rot-schwarze Allianz war urplötzlich und ohne Rücksicht in seiner Heimat eingefallen. Schreie und das Prasseln von erbarmungslosem Feuer hallten in seinen Gedanken nach. Der Geschmack von Blut und Schweiß lag ihm unverkennbar im Mund und jeder schmerzende Muskel war ein Mal dessen, was geschehen war. Doch er konnte sich einfach nicht an die

Einzelheiten der Schlacht erinnert. Unter Anstrengung runzelte er die Stirn und versuchte fieberhaft etwas zu greifen zu bekommen. Doch es gelang ihm nicht. Wieso war alles schwarz? Und wieso war er hier?

Als einziger.

Er musste die anderen suchen. Seine Familie. Seine Gefährten.

Niemals würde er hier tatenlost weiter rumliegen.

Ray versuchte sich von seinem provisorischen Schlafplatz zu erheben, doch die Schmerzen zwangen ihn wieder zu Boden. Sein Brustkorb fühlte sich an, als würde er zerreißen. Die Zähne zusammenbeißend versuchte es Ray erneut. Wie konnte er nur so schwach sein. Wie konnte er nur hier liegen und sich vor Schmerz krümmen und nicht stark genug sein, nach seinen Liebsten zu schauen. Zorn stieg im ihn hoch und er brüllte vor Wut, schlug mit der Faust auf den harten Steinboden. Der Schmerz durchzuckte ihn direkt, doch war er nicht vergleichbar mit jenem, der sich in seinem Herzen breit gemacht hatte.

Caleb sprang zu ihm hinüber und drückte ihn zurück auf die Matte.

„Bleib verdammt nochmal liegen Bursche. Ich habe dich nicht hierhergeschleppt und tagelang gepflegt damit du jetzt überstürzt ins Verderben stürmst." Die Stimme des Otters war aufgebracht und seinen Augen lag Sorge.

„Tagelang?"

Im Gegensatz zu seinem wütend ausgestoßenen Brüllen, war Rays Stimme nun kaum mehr als ein Flüstern und seine hellen Augen weiteten sich. Er wurde noch blasser, sodass seine sonst oliv-karamellfarbene Haut, der einer Albino Echse glich. Caleb strich Ray zärtlich über die Hand.

„Ich weiß, dass das jetzt schwierig für dich sein wird. Aber es ist wichtig, dass du ruhig bleibst."

Ray schluckte und Caleb schloss kurz die Augen. „Der südliche Stamm...

Unsere Heimat... alles ist zerstört. Unsere Familien wurden getötet oder verschleppt. Innerhalb der Ringe ist nichts mehr, wie es war. Alles liegt in Schutt und Asche."

Erneut brach ein Laut aus Rays Kehle hervor. Dieses Mal kein wütendes Brüllen, sondern ein schmerzverzerrter, viel zu schriller Schrei, für einen so kräftigen jungen Mann. Ohne zu wissen, was er tat, packte er Caleb und schüttelte den Otter. Er konnte und wollte es einfach nicht glauben.

„Nein, das kann nicht sein! Was redest du da?"

Seine Stimme bebte. „Sie können nicht... Sie sind doch... Nein!"

Der Otter drückte Rays Hand sanft.

„Es tut mir leid. Jetzt ist es wichtig, dass du stark bleibst, Ryujin."

Ryujin war ein besonders ehrenvoller Name in den südlichen Wasserstammen und bedeutete so viel wie Drachengott oder Meeresdrache. Nur vom Wassergeist gesegnete Familien durften ihren Sohn so nennen. Der Name sollte die unglaubliche Macht widerspiegeln, die die Häuptlings-Familie entfesseln konnte: Die Macht des Meeresdrachen, des Wasser-Geistes selbst. Ray wurde in dem Glauben aufgezogen, er könne der stärkste Wasserkrieger werden, wenn es ihm gelang, diese Kraft zu nutzen. Doch in diesem Moment verdiente Ray diesen Namen nicht. Wo waren diese besonderen Kräfte gewesen, als er sie am meisten gebraucht hatte? Er hatte gar keine Kraft. Sondern hatte bitterlich versagt. Wie hundert Ohrfeigen überfiel ihn diese Erkenntnis und er konnte nicht anders, als erneut laut aufzuheulen. Die heißen Tränen, die ihm über die Wangen liefen, bemerkte er kaum, so sehr nahm ihn das Gefühl von Verlust und Versagen ein.

Caleb schwieg eine Weile und ließ Ray weinen und schluchzen. In seinen Augen sah Ray, dass er den Schmerz nur allzu gut verstehen konnte. *Wa* war schließlich auch seine Heimat gewesen.

Der wasserstämmige Mann schmeckte die Bitterkeit dieses Gedankens.

Die Gewissheit, dass der letzte Stamm und somit seine Kultur gefallen war, schmerzte mehr als seine physischen Wunden. Er konnte nicht anders, als weiter um seine Liebsten qualvoll zu weinen und zu schluchzen. Nie hatte er sich so hoffnungslos gefühlt. Es war, als wäre ein Damm an Emotionen gebrochen, die nun flutartig und drängend aus ihm herausbrachen. Schmerz. Trauer. Angst. Panik. Nie hätte er gedacht, dass er so stark fühlen konnte

Ray brauchte Stunden, bevor er sich ein wenig beruhigt hatte. Danach war er so erschöpft, dass er weitere Stunden Schlaf brauchte, bevor die beiden Freunde ihre Konversation fortführen konnten.

Als Ray erneut aufwachte, stieg ihm der Geruch von gebratenem Fisch in die Nase und das Prasseln eines Lagerfeuers drang zu ihm. Caleb war nicht mehr neben ihm. Doch dieses Mal gelang es Ray auch allein, zitternd aufzustehen und langsam zum Ausgang der Höhle zu humpeln. Er wickelte das Fell, das ihm zuvor als Decke gedient hatte, um seinen nackten, blessierten Oberkörper und setzte sich ungeschickt zu Caleb ans Feuer. Die Flammen tanzten in der Dunkelheit auf und ab. Rauch stieg in den klaren, finsteren Sternenhimmel hinauf und der Duft von gebratener Fischhaut erfüllte den kleinen Platz vor der Höhle. Ray starrte ins Feuer – hypnotisiert von dem Flammentanz und gelähmt von der Trauer, die ihm seit dem kurzen Gespräch mit seinem Freund erfüllte.

Caleb schwieg und drehte den Fisch, der an einem angespitzten Ast steckte.

„Danke Caleb."

Ray sah nicht auf und erschreckte selbst ein wenig darüber, wie brüchig und heiser seine Stimme war. Er zitterte und wickelte das Fell noch enger um sich. Die Arme um seinen eigenen Körper geschlungen blickte er weiter in die Flammen. Sein Schatten wurde gespenstisch groß gegen die Steinwand hinter ihm geworfen. Dieser war bestimmt drei, viermal größer als der kleine Schatten des Otters, der am Boden hockte und sich auf seinen Fisch konzentrierte.

„Du musst mir nicht danken. Ich hätte dich niemals zurückgelassen."

Wieder schwiegen beide.

Es war nur das Rauschen des Windes in den Blättern und das Knistern des Feuers zu hören.

Caleb zog den Fisch aus dem Feuer. Er wedelte ihn ein wenig hin und her, damit die kühle Nachtluft das Essen zum Verzehr abkühlte. Danach zupfte er das weiße Fleisch mit seinen kastanienbraunen Pfoten in zwei Hälften und reichte die eine Ray. Beide kauten stumm auf dem trockenen Fischfleisch, spuckten die Gräten in regelmäßigem Abstand aus und schluckten. Es war ein mechanischer Rhythmus. Als der Fisch vollends verzehrt war, war auch das Feuer weit niedergebrannt und die Dunkelheit kam näher. In der Nähe krächzte eine Eule. Langsam drehte sich Ray zu Caleb und stellte fest, dass dieser ihn ansah. Seine Augen glänzten einerseits im Schein des Feuers, andererseits waren sie fahl und grau schimmernd von tief drin. „Erzähl mir bitte was passiert ist, ich kann mich nicht erinnern", fragte Ray, dieses Mal mit festerer Stimme.

Der Otter nickte, schloss die Augen und begann die Höllen der vergangenen Wochen ein weiteres Mal zu durchleben.

Schließlich schloss der Otter seine Erzählungen seines Entkommens mit einem tiefen Seufzer. Dann blickte er Ray fest an. „Die nächsten Tage bin ich ohne Halt und ohne Rast marschiert – angetrieben durch die Hoffnung, dass du, als Erbe deines Vaters unsere Heimat und das Leid was geschehen ist, rächen werden kannst. Nach der Überquerung des dritten Ringes brach ich selbst zusammen und wusste, dass weder du noch ich, eine weitere Reise überleben würden. Wir hatten Glück. Ein junges Mädchen hat uns gefunden und mit Heilkräutern und Fellen in dieser Höhle gebettet. Wir verdanken ihr viel."

Calebs Augen schimmerten inzwischen feucht. Seine Pfoten waren zu Fäusten geballt. Er befeuchtete seine Schnauze, bevor er weitersprach: „Hör mir zu. Ich weiß nicht, wie viel von unserer Stadt übrig ist, ich weiß auch nicht, wie viele unserer Freunde überlebten und in Gefangenschaft gerieten. Ich weiß nur, dass einige bereits während des Kampfes in Ketten fortgeschafft wurden und weitere, unzählige, niemals mehr aufwachen werden."

Unruhe hatte sich in Ray ausgebreitet und er sah den Otter fassungslos an. In ihm regte sich Wut darüber, dass sie ihre Heimat verraten und geflohen waren und gleichzeitig auch Dankbarkeit für seinen besten Freund.

Noch bevor er etwas sagen konnte, verteidigte Caleb mit belegter Stimme ihre Flucht, so als hätte er Rays inneren Kampf in seinen Augen sehen können. „Glaub mir Ray, gegen diese Armee hatten wir keinen einzigen Augenblick eine Chance. Samaels Krieger kommen direkt aus der Unterwelt. Es waren nicht nur die ausgebildeten Krieger und Feuer-Magier des Flammen-Imperiums. Er hatte Schattenelfen an seiner Seite!"

Ein Schauer durchfuhr Ray. Als könnte er erneut seine Gedanken lesen, sagte Caleb: „Ich kenne diese Wesen nur aus Erzählungen einer Zeit, wo Himmel und Erde, noch dicht beieinander lagen. Eine Zeit, wo die Hölle in greifbarer Nähe war. Schattenelfen sind Krieger des Teufels."

Beide Freunde schluckten bei dem Gedanken an diese Wesen. Mit ihren kurzen Schwertern und ihren krallenartigen Händen waren Schattenelfen radikale Nahkämpfer. Das grausamste war jedoch, dass wenn sie nah genug an ihren Gegner herankamen, sie diese durch den sogenannten Todeskuss in den Wahnsinn trieben. Die Schattenelfen konnten mit nur einer Berührung ihrer Lippen, die Seele eines Lebewesens zerstören. Sie töteten damit nicht, aber sie hinterließen ihren Gegner in einem Zustand, der schlimmer als der Tod war: Wahnsinn, Qual und endlose Dunkelheit. Indem sie ihrem Opfer die Freude stahlen, lebten Schattenelfen länger. Es hieß, dass jeder Kuss ihnen mehrere hundert Jahre weiteres Leben schenkte. So konnten sie beinahe unsterblich werden, wenn genügend

Opfer ihren Weg kreuzten.

Dieser Todeskuss war es, der laut einer Legende vor tausenden von Jahren die restliche Erdbevölkerung dazu veranlasste, diese Rasse der Elfen zu jagen, zu verbrennen und zu verbannen - seither waren keine Schattenelfen mehr gesichtet worden und Ray hatte nie an ihre Existenz geglaubt.

Caleb beendete das Gespräch, indem er seine Tränen wegblinzelte und den Kopf schüttelte. Es waren keine weiteren Worte mehr nötig. Auch Ray schwieg und richtete seine Augen still und starr auf die letzten kleinen Flammen gerichtet. Die Glut strahlte sein Gesicht purpurn an und warf tiefe, schwarze Schatten unter seine Augen. Sein dunkles Haar fiel ihm in fettigen Strähnen ins Gesicht. Die dunkelrote Farbe des langsam erlöschenden Feuers spiegelte sich in seinen matten Augen wider. Seine Miene war versteinert, denn genau so fühlte er sich. Taub und ausgelaugt, wie bröseliger alter Stein. Doch auch wenn seine Mimik so reglos war, verbarg sich pure Qual hinter seinen blauen Augen.

Um sie herum war inzwischen die völlige Dunkelheit hereingebrochen.

Es dauerte einige weitere Tage, bis Ray sich wieder einigermaßen bewegen konnte. Täglich lief er in der Höhle auf und ab, in der die beiden Gefährten sich versteckten. Am Anfang nur kleine Schritte, schleppend und unter großen Schmerzen, dann, nach und nach sicherer. Als sein Fieber sank, klarte auch sein Geist auf. Er erwachte aus einer verschwommenen, schmerzverzerrten Parallelwelt und begann langsam die Erzählungen Calebs mit eigenen Erinnerungen untermalen zu können. Umso wacher sein Verstand wurde, umso wahnsinniger machte ihn, seine körperliche Verfassung, seine Instabilität und seine Schwäche. Albträume und Schuldgefühle plagten den jungen Wasserkrieger.

Er fand es grausam, hier festgehalten zu sein, während irgendwo seine Liebsten entweder in Gefangenschaft saßen oder – und diesen Gedanken versuchte er so gut es ging zu verdrängen – verwesten.

Caleb fing tagtäglich Fisch, den er über der offenen Flamme briet. Das Trinkwasser schien er von einem nahegelegenen Hof zu bekommen, denn der Fluss nahe der Höhle, war salzig, denn er entsprang dem dritten, dem äußersten Ring des südlichen Wasserstammes. Dieser und auch der innerste waren salzig, wie das offene Meer war. Die Sonne ging auf und sie ging unter und die Einsamkeit des dichten Waldes hüllte die beiden in eine Surrealität – ein friedliches Parallel-Universum.

„Wenn ich noch einen Tag länger in dieser Höhle leben muss, dann werde ich eigenhändig meinem Vater folgen", knurrte Ray, als er abends erneut mit Caleb am Feuer saß. Die Bitterkeit in seiner Stimme lag nicht nur an dem weiteren, drögen Tag im Wald. Caleb hatte Rays toten Vater gesehen und erzählt, dass er ihn nicht mehr retten hatte können. Natürlich konnte er seinen Freund dafür nicht verurteilen und dennoch ließ es ihn nicht mehr los, dass sie beide einfach nicht genug getan hatten, um ihr Volk zu beschützen. Er wollte nicht länger rumsitzen.

„Wir müssen endlich aufbrechen. Wir können hier nicht verrotten und in Trance verweilen. Wir müssen..."

Caleb drehte sich zu Ray um und mit einer flinken Bewegung schlug er ihm mit seiner rechten Pfote ins Gesicht. Der Schlag war hart und Ray wurde zurückgeworfen. Der Otter holte erneut aus, doch bevor die zweite Pranke den jungen Mann erreichte, sprang Ray auf, packte Caleb am Schwanz und wirbelte ihn durch die Luft. Der Tiergeist krachte laut zu Boden, nachdem Ray ihn mitten in der Rotation los lies.

„Was soll das?", brüllte er den Otter an.

„Hast du sie noch alle? Die Wunde ist gerade geschlossen – ich kann keine zweite Narbe im Gesicht gebrauchen."

Wütend fixierten die tiefblauen Augen den Otter.

Rays Hände waren zu Fäusten geballt und der Krieger war bereit, sich gegen jeglichen Angriff zu verteidigen. Der Otter klopfte sich den Staub vom Fell. Er stand auf seinen Hinterbeinen und erwiderte Rays durchdringenden Blick.

Höflich neigte er den Kopf vor Ray und sagte: „Ich wollte nur testen, ob du bereit bist, die Sicherheit des Waldes hinter dir zu lassen. Doch wie ich sehe, kannst du dich wieder ganz ordentlich auf den Beinen halten."

„Ganz ordentlich? Ich zeig dir, wie ordentlich ich mich halten kann."

Ray ging leicht in die Hocke und sprang im nächsten Moment auf den Otter zu. Dieser reagierte blitzschnell und wich aus. Nach dem Sprung zur Seite folgte ein direkter Angriff auf Rays ungedeckte Seite. Dieser wirbelte herum und blockte den Schlag mit seinem linken Unterarm, während er mit dem rechten ausholte. Die beiden rangelten noch eine Weile, bevor sie keuchend in die Wiese sanken. Das Feuer war heruntergebrannt und die Dunkelheit machte jeden weiteren Angriff zu einem Selbstmordattentat, da der verwurzelte, unregelmäßige Boden mindestens genauso gefährlich war, wie der Kontrahent.

Ray lag rücklings im Gras und blickte in den klaren Sternenhimmel. Das sanfte Mondlicht reflektierte in seinen Augen, die in diesem Licht ebenso tief wirkten wie der dunkle Himmel selbst. Caleb, der an Rays Kopf saß, tätschelte ihm liebevoll die fast schwarzen Haare.

Ray streckte seinen linken Arm in die Luft und griff mit seiner Hand in den Himmel, als würde er die Sterne zu fassen bekommen, wenn er sich nur genug streckte. Dann legte er die Hand auf den Anhänger, der auf seiner nackten Brust ruhte. Er löste seinen Blick nicht vom Himmel, während er nachdenklich das Amulett nachdenklich durch seine Hände gleiten ließ.

„Caleb. Wir können sie nicht damit davonkommen lassen. Ich werde meinen Vater rächen. Ich werde unser Volk rächen."

Das Gesicht des Wasserkriegers war hart und spiegelte seine feste Entschlossenheit wider. So entschlossen, war er noch nie gewesen. Dieser Schmerz nährte seinen Drang nach Vergeltung. Es brodelte in ihm.

Caleb war es, der seinen Gedanken einen leichten Dämpfer gab. „Wenn wir jetzt überstürzt handeln, gibt es keine Hoffnung für die Wiedergewinnung unseres Landes. Ray, wir sind vermutlich die letzten, freien Landsleute. Blinde Rachlust kann nicht unser Kompass sein. Wir müssen überlegt und vernünftig handeln, wenn wir einen Unterschied machen wollen. Es wäre sinnlos, zwei weitere Körper auf dem Berg der Leichen zu sein, die den Grundstein der schwarz-roten Allianz bilden."

Der Wasserkrieger grunzte missbilligend. Er wusste, dass Caleb durchaus ein schlauer Stratege war. In diesem Moment konnte er seinen Pragmatismus nicht verstehen. Ihm brannte es unter der Haut und seine Gier nach Rache pulsierte fast unerträglich durch seine Adern.

„Nun denn mein Junge. Wir haben kein Gold und keine Waffen – das ist die erste Hürde, die wir bewältigen müssen, bevor wir weitere Pläne verfolgen können. Blut vergießen allein wird unserem Volk nicht helfen."

Calebs Stimme war ruhig und bestimmt. So als würde er ein kleines Kind Tadeln. Ray schwieg. Er wusste, dass Caleb recht hatte, doch ihm missfiel sein sachlicher Ton, teilte er denn seinen tiefen Schmerz nicht?

„Direkt morgen brechen wir in die nächste Stadt auf und ich suche mir eine Arbeit. Dadurch erhalten wir Gold und Waffen. Und dann werde ich diejenigen, die meine Heimat niedertrampelten, jagen und einen nach dem anderen um Vergebung betteln lassen. Sie werden sich wünschen, dass sie unseren Stamm niemals angegriffen hätten. Diese Misthunde werden winseln und das Höllenfeuer spüren, dass sie auch auf uns nieder prasseln ließen."

Ray richtete sich abrupt auf. In seinen Augen blitze Zorn und Blutgier.

„Ich bin Ryujin Gaido, Sohn des Kori Gaidos und rechtmäßiger Häuptling des südlichen Wasserstammes. In meinen Adern fließt das Blut eines heiligen Kriegers und ich werde all diejenigen, die sich mir in den Weg stellen, niederstrecken."

# 4. Kapitel

## *Ray*

Das Licht der aufgehenden Sonne erhellten die kleine Höhle, während Ray und Caleb die wenigen Habseligkeiten, die sie von der geheimnisvollen Retterin erhalten hatten, zusammenpackten. Es war nicht viel. Zwei Trinkgefäße, einige Tierfelle und noch ein getrockneter Fisch. Neben dem fehlenden Gold und der geringen Bewaffnung, fiel nun eine weitere Problematik auf. Ray kratzte sich am Kopf und sah ein wenig verlegen an seinem nackten Oberkörper herab.

Caleb, der denselben Gedanken zu haben schien seufzte und sagte mit einem Stirnrunzeln: „Das rot-schwarze Bündnis scheint es vor allem darauf abgesehen zu haben, die Wasserstämme vollends auszurotten. Ich denke daher, dass es keine gute Idee ist, unsere Abstammung so frei zu zeigen. Wir befinden uns schließlich nicht mehr in der Region des Wasserstammes, sondern im südlichsten Rand des *Shizen Bistums*."

Ray nickte. Nicht nur seine Hautfarbe war verräterisch fremd für das Bistum, sondern auch die großen, unübersehbaren Tattoos, verdeutlichten seine Stammeszugehörigkeit. Seine linke Schulter war bedeckt mit drei großen, schwarzen, eintätowierten Ringen – sie standen für die Ringe des südlichen Wasserstammes und wurden jedem Wasserkrieger in der Zeremonie zu seinem elften Lebensjahr auf die Schulter tätowiert. Es war ein Zeichen der Zugehörigkeit und der Hingabe zum Wohle des Stammes.

„Aufgrund der Richtung des Angriffs, bin ich mir ziemlich sicher, dass die Feinde, vom Bistum aus zu unserem Stamm gelangt sein mussten. Vorsicht und Misstrauen ist also ab jetzt unser bester Freund. Wir wissen nicht, inwiefern, der Erzbischof und Samael einen Pakt geschlossen haben. Der Feind könnte in dieser Region frei herumspazieren und uns jederzeit entdecken. Ich glaube kaum, dass sie einen entflohenen

Wasserkrieger und seinen Tiergeist einfach so am Leben lassen würden. Erst recht nicht, den Sohn des Stammeshäuptlings. Also sollten wir besser keine unnötige Aufmerksamkeit erregen."

Auch wenn Ray stets sehr stolz auf seine Tattoos und ihre Bedeutung war, wusste er, dass Caleb recht hatte. Ein öffentliches zur Schau stellen der symbolischen Tattoos konnte ihnen mehr Ärger als Sympathie einbringen. Er grinste Caleb schief an.

„Wir müssen wohl deiner Helferin von der nahegelegenen Farm einen Besuch abstatten und hoffen, dass sie mir mit ein wenig unauffälligerer Bekleidung aushelfen kann." Ein wenig neugierig war Ray außerdem, wem er sein Leben zu verdanken hatte. Der Otter nickte.

„Und was ist mit dir? Soweit ich weiß, gibt es im Bistum keine Tiergeister in Form von Ottern. Soll ich dich etwa in einem Sack umher schleppen?"

„Das verbitte ich mir."

Caleb schnaubte und seine Augen blitzten Ray an. Die Vorstellung, als verschnürtes Paket getragen zu werden, verletzte seinen Stolz. Er stellte sich auf die Hinterbeine und ging Ray nun bis über die Hüfte.

„Ich werde als Menschenkind mitkommen. Ich bin mir sicher, mit der richtigen Bekleidung, wird mein Fell und meine durchaus bessere Statur nicht weiter auffallen." Aufgrund von Calebs ernster Miene verkniff sich Ray sein Lachen, auch wenn er sich kaum vorstellen konnte, wie ein vollends haariger Otter mit einem Menschenkind zu verwechseln sein sollte. Stattdessen nickte er nur und hob das Bündel Habseligkeiten auf seine Schulter. Seite an Seite verließen die beiden ihren sicheren Unterschlupf. Sie machten sich auf den Weg, das dichte Dickicht und den Schutz des Waldes zu verlassen, noch nicht ahnend, dass dies der Beginn einer Reise war, die nicht nur ihr eigenes, sondern auch das Schicksal aller Völker beeinflussen würde.

# Jacob

Jacob schlug die Augen auf. Sonnenlicht schien durch die kristallenen Turmfenster und er musste sein Gesicht mit einer Hand abschirmen, um nicht geblendet zu werden. Dann berührte er sein Gesicht mit seinen Fingerspitzen und spürte die feuchten Spuren der Tränen. Er hatte geweint. Seine Vision war so klar gewesen, dass er den Schmerz und den Kummer körperlich gespürt hatte. Die grauen Augen des Mannes füllten sich erneut mit glasklaren Tränen. Er starrte an die Decke und ließ sie einfach hinab kullern, ließ es zu, dass sein Gesicht erneut von der salzigen Flüssigkeit des Kummers bedeckt wurde. Ein Zittern durchfuhr ihn. Es war so weit.

Der junge Druide schritt eilig die langen Flure des *Sora* Palastes entlang. Die aufgehende Sonne des frühen Morgens brach sich in den großen, prachtvollen Glasbögen. Legenden bezeugten, dass der *Sora* Palast vor tausenden von Jahren Heimat des himmlischen Rates auf Erden gewesen war. Heimat der Engel, als sie noch unter den Sterblichen gelebt hatten. Er sei aus reinem Himmelskristall erschaffen worden und seine Mauern somit unzerstörbar. Heutzutage gab es das Material, aus welchem die Mauern des Palastes geschaffen worden waren, nicht mehr. Vielleicht war die Mine, bzw. die Quelle dieses Rohstoffes versiegt, vielleicht war es aber auch mit den Engeln selbst verschwunden, als diese die Erde verließen. Immer wieder versuchten Personen Steine des Palastes abzutragen - für Untersuchungen, für Experimente oder auch aus Gier oder dem Trieb, unzerstörbare Rüstungen und Waffen zu bauen. Jedoch konnten kein Schwert, kein Hammer und kein Meißel, die Mauern einreißen, nicht einmal zerkratzen. So blieb der Palast ein Urbild der Überzeugung des lichten Volkes, dass sie direkte Nachkommen der Engel selbst seien und es ihnen deswegen erlaubt war, den Himmelspalast weiterhin als politisches Zentrum zu halten.

Jacob liebte diesen Ort. Er liebte die Legenden und während er durch die Gänge eilte und an einer der riesigen Statuen vorbeikam, die die Wege im Schloss säumten musste er an jene Geschichte denken, die der

Herrschaft der jetzigen Königsfamilie zugrunde lag. Die marmorme Figur zeigte einen Engel, der beide Arme ausgebreitet hatte und mit einem freundlichen Gesicht sah er auf Jacob hinab. Auriel. Der Begründer des Königreich des Lichts.

Wie so oft fragte er sich, ob jene Geschichte wohl der Wahrheit entsprach.

Es hieß, dass nachdem die Engel die Erde verließen, war es Auriel selbst, Sohn Bariels, der auf dem Thron *Soras* Platz nahm, so die Sagen des lichten Volks. Er war der Urheber des Königreiches des Lichts und somit der Urahne des Volkes des Lichts. Als das hohe Alter Auriel einholte, rief Auriel die wichtigsten Männer seines Volkes beisammen. Auriel blickte jedem einzelnen der Männer in die Augen, und befahl schließlich dem jüngsten unter ihnen, vor ihm niederzuknien. Er wäre ein Mann mit starker und reiner Seele, deswegen sollten er und seine Nachkommen anstelle Auriels eigener Nachkommen, das Königreich des Lichts, von nun an, führen. Er solle als neuer König des Lichts, den Palast und den Himmel stets heiligen und für Gerechtigkeit und Ordnung sorgen. Der neue König verneigte sich tiefer und küsste Auriels bare Füße, so die Legende. Er gab das Versprechen, dass Auriel von ihm verlangte und schwor, beim Himmel und bei der Erde, dass er das Volk des Lichts stets auf dem rechten Weg leiten würde. Daraufhin verschwand Auriel in der zufriedenen Gewissheit, dass er seinem Volk eine führende Hand gegeben hatte. Auch jeder seiner Nachkommen war beim nächsten Morgengrauen nicht mehr aufzufinden und es wurde nie mehr von den Engelskindern gesprochen. Seither thronte und regierte die neue Königsfamilie des Lichts in dem Palast *Sora*. Außerhalb der gläsernen Palast-Mauern gerieten die Zeugsagungen Auriels in Vergessenheit, Erzählungen wurden zu Legenden, Erfahrungen zu Mythen. Die Königsfamilie hielt gerade noch den Funken der Legende am Leben, die ihren Machtursprung als himmlische Legitimation verstand. Doch der Rest war schon lange aus den Gedanken der Masse verschwunden. Nur die Rasse der Druiden studierte und lehrte jede alte Sage, die es über die Engel gab. So wie Jacob es von Kindesbein an getan hatte.

Er erreichte eine gewaltige, mit bunten Steinen verzierte Tür, der Eingang zum Thronsaal. Er stieß sie auf und das laute Knarren hallte in dem dahinter liegenden Saal nach. Das Geräusch riss ihn aus seinen Gedanken über die vergangenen Tage dieses Landes und er befand sich wieder im Hier und Jetzt. Funkelnde Säulen säumten den Gang, der hinter der Tür auf den Thron zulief. Hastig eilte er die letzten Meter auf seinen König zu.

Dann, nur wenige Meter von dem kristallenen Thron entfernt kniete er nieder. Sein Gesicht war tief zu Boden gerichtet, seine Hände ehrfürchtig gefaltet. „Eure Hoheit." Der König, ein bärtiger, beleibter Mann mittleren Alters breitete die Arme aus und stand auf. Sein Haar war silbern und glänzte ebenso funkelnd im hereinfallenden Sonnenlicht, wie das Kristall des Throns hinter ihm. „Jacob, mein guter Junge." Jacob erhob sich und blickte in das freundlich lächelnde Gesicht seines Herrn und Meisters. Der König schritt die verbleibenden wenigen Meter auf Jacob zu, immer noch mit geöffneten Armen. Nun lächelte auch Jacob und erwiderte die herzliche Umarmung, in die der König ihn geschlossen hatte. Nachdem sie sich wieder voneinander gelöst hatten, sah Jacob dem König fest und ernst in die Augen. Mit klarer, deutlicher Stimme sagte er: „Ich habe ihn gesehen. Sein Weg hat begonnen."

## *Ray*

Nach nur einer knappen Stunde Fußmarsch erreichten Ray und Caleb den Rand des Waldes. An einer kleinen Anhöhe blieb Caleb stehen und hielt auch Ray davon ab weiterzugehen. Von hier aus konnten sie weit blicken. Bis zum Horizont erstreckten sich saftige, leicht im Winde wiegende Felder. Das Sonnenlicht verfing sich in den Blättern und verlieh der Szenerie einen goldenen Glanz.

„Mir wurde früher immer erzählt, dass das Bistum reicher an Getreide und Feldfrüchten sei als alle anderen Nationen. Mein Vater sagte oft, dass wenn der Erzbischof nicht so geizig und auf seinen eigenen Wohlstand bedacht wäre, niemand mehr Hunger leiden müsste."

Caleb lächelte. Sie hatten oft gemeinsam den Worten Kori Gaidos gelauscht und sich danach bis spät in die Nacht ausgemalt, wie wohl die Welt hinter den Ringen aussah.

„‚Mit den Feldern Shizens könne man ganze Armeen nähren, ohne auch nur nahe der Erschöpfungsgrenzen zu kommen. Aber Vincit, der heilige Gauner, kennt das Wort Teilen nicht.'", gab der Otter die Worte Koris wieder. Ray lächelte. Es war eine schöne Erinnerung. „Damals waren wir so fasziniert von Vaters Erzählungen und konnten es kaum erwarten, die Welt außerhalb der Ringe mit eigenen Augen zu sehen. Nie hätte ich gedacht, dass ich nun hier stehen würde. Leibhaftig. Und auf die Felden Shizens blicke."

Plötzlich ballte Ray die Fäuste und Zornestränen glitzerten in seinen Augenwinkeln. „Und das ohne ihn. Ich dachte immer Vater würde mir diese Welt eines Tages zeigen."

Caleb griff mit seiner Pfote liebevoll nach Rays Arm. Die andere legte er sich geschickt an die Lippen und stieß einen schrillen lang gezogenen Pfiff aus. Es folgten zwei kurze und dann wieder ein langer Pfiff. Verwirrt schaute Ray ihn an.

„Willst du, dass mein Trommelfell platzt?"

Bevor Caleb etwas erwidern konnte, ertönte dieselbe Abfolge an Pfiffen aus der Ferne. Als Ray in die Richtung blickte, aus der die Geräusche zu hören waren, erkannte er ein kleines, steinernes Bauernhaus. Caleb grinste.

„Komm. Das bedeutet, wir können kommen."

Sie stiegen die sanft bemooste Anhöhe, hinab und liefen auf das kleine Bauernhaus zu. Noch bevor sie es erreicht hatten, öffnete ein kleines Mädchen die Haustür. Ihr Gesicht strahlte mit der Morgensonne um die Wette, als sie die beiden Gefährten erblickte. Stürmisch rannte sie auf sie zu. Sie war ungefähr 11 Jahre alt, schätzte Ray. Die blasse Haut war über und über mit Sommersprossen übersät und ihr rot-blondes Haar wirbelte um ihr kleines Gesicht, als sie hüpfend näherkam. Ihr Gesicht bestand fast ausschließlich aus einem großen, breiten Lachen. Die weißen Zähne blendeten schon fast. Keuchend kam sie vor ihnen zum Stehen. Sie wischte sich die kleinen Schweiß-Tröpfchen, die sich aufgrund der bereits hochstehenden Sonne auf ihrer Stirn gesammelt hatten, mit dem Handrücken fort. Dann hob sie ihren hellblauen Rock damenhaft an und machte einen kleinen Knicks vor Ray.

„Mein Herr."

Ray errötete leicht, überrascht von der Geste.

„Eliza, mach keine Faxen. Der Herr hier ist kein edler Adliger."

Caleb schnaubte und ging einen Schritt auf das kleine Mädchen zu. Auf seinen Hinterpfoten war er nun ungefähr auf Augenhöhe mit der kleinen Rothaarigen. Der Otter tätschelte ihr liebevoll die Schulter. Eliza jauchzte vergnügt und wirbelte herum. In einer fließenden Bewegung hatte sie Caleb in die Arme geschlossen und kicherte fröhlich. Ray war nun noch mehr überrascht. Er kannte Caleb schon seit vielen Jahren als einen sehr stolzen und eher zurückhaltenden Otter – diese innige, überschwängliche Umarmung war nun gar nicht üblich. Im Gegenteil, als er noch ein Kind gewesen war, hatte er Ray immer gescholten, wenn dieser zu rührselig und anhänglich wurde. *„Zum Kuscheln kannst du dir ein Haustier suchen*." Diese Worte hatte Ray oft gehört. Doch dieses Mal erwiderte Caleb die Umarmung und verzog dabei nicht einmal seine Miene. Als die beiden mit ihrer Begrüßung fertig waren wandte sich Eliza erneut mit leicht geröteten Wangen an Ray.

„Ich freue mich, dich endlich kennenzulernen. Ich bin froh, dass es dir besser geht." Sie nickte, wie um sich selbst zu bestätigen, dass der junge Mann vor ihr in ordentlicher Verfassung zu sein schien.

„Kommt mit. Ich mache uns etwas zu essen."

Ray hob verwundert die Augenbraue hoch. Eine Elfjährige? Wo waren ihre Eltern? Doch er konnte diesen Gedankengang nicht beenden, denn ohne zu fragen oder zu zögern, ergriff das kleine Mädchen Ray und Caleb bei der Hand und zog sie in Richtung des Bauernhauses. Ray war sprachlos. Ohne sie je zuvor gesehen zu haben, konnte er nicht anders als Zuneigung für sie zu empfinden. Dieses kleine Wesen war voller Gutmütigkeit. Sie stapfte voraus und plapperte dabei einfach so vor sich hin. „...ich hab' ja auch gesagt, ihr könnt hier essen. Und nicht immer Fisch. Aber Caleb wollte nur Wasser... ich glaube er hat ein bisschen Angst, davor, dass man euch entdeckt... und wusstet ihr eigentlich... ach ja und meine Mutter hätte ja gar nichts dagegen... Ja aber meine Oma... und wisst ihr..."

Während die kleine Eliza in der Küche verschwunden war und laut mit Töpfen und Pfannen herumfuhrwerkte, saßen Ray und Caleb auf einem fleckigen Sofa vor der leeren Feuerstelle im Haus. Elizas junges, klares Stimmchen war summend aus der offenen Küchentür zu hören. Ray sah Caleb fragend an.

„Ihre Familie sind Bauern. Ihnen gehört das Land rings um den Wald, in dem wir uns versteckt haben. Als ich dich bewusstlos über den letzten Ring schleppte, war ich ebenfalls am Ende meiner Kräfte. Ich schaffte es noch ein paar Schritte in den Wald hinein, doch dann brach ich zusammen. Um ehrlich zu sein, hatte ich bereits angefangen für unser beider Seelen zu beten, da ertönte plötzlich Elizas Sing-Sang. Sie erschien wie ein Engel aus dem Nichts. Vor Erschöpfung konnte ich mich jedoch nicht bemerkbar machen. Ich betete nur und hoffte, dass sie kein Feind, sondern ein Freund war.

Und Ray ich sage dir, sie war nicht nur ein Freund, sondern wahrscheinlich unsere wahrhafte Rettung. Sie sah uns blutverschmiert und bewusstlos am Waldesboden und zögerte keine Sekunde, sondern rannte zurück zum Hof und holte ihr Pferd. So klein und zart, doch ein verdammt starker Wille. Ich kann dir nicht sagen wie, doch sie schleppte uns den ganzen Weg hierher. Ihre Mutter und Großmutter waren glücklicherweise verreist – auf einer Tagung in der Hauptstadt, um die Getreidepreise mit dem Erzbischof zu verhandeln."

Ray runzelte die Stirn. „Nur Frauen?"

„Ihr Großvater ist schon vor langer Zeit gestorben und ihr Vater wurde vom Erzbischof zum Dienst eingezogen. So ist das wohl hier in *Shizen* – der Erzbischof ruft und die Männer müssen Haus und Hof zurücklassen. Sie erzählte mir, dass ihre Mutter es ihr gleichgetan hätte, und sie niemals einen verwundeten Menschen und seinen Gefährten im Walde liegen lassen hätte. Obwohl sie vermutlich nicht in den Wald gegangen wäre, denn dort ging eigentlich nur Eliza zum Spielen hin und auch das nur heimlich, denn ihre Großmutter verbietet es ihr, den Wald zu betreten. *‚Sie hat Angst vor Wölfen und Geistern. Aber das sind alles meine Freunde.'*, erklärte sie mir lachend."

„Warum hat sie uns dann nicht hier aufgenommen?", fragte Ray.

„Ihre Großmutter würde es auch nicht gutheißen", sagte Caleb und zuckte mit den Achseln. „Sie ist wohl sehr misstrauisch gegenüber Fremden. Und wer kann es ihr in der heutigen Zeit verübeln. Eliza hingegen hat nicht mal hinterfragt, wie ein Tiergeist und ein Wasserstämmiger in ihren Wald kamen, sondern hat einfach unsere Wunden versorgt, gekocht und geredet. Sie ist so ein fröhlicher Mensch."

Caleb lächelte liebevoll. Ray hatte ihn noch nie so väterlich über jemanden sprechen hören. Andererseits hatte er Caleb auch generell nie in einer Situation erlebt, in der er Hilfe benötigte, sondern er war stets der Helfende selbst gewesen.

„Drei Tage hat sie uns hier versorgt, dann hat sie mir geholfen dich in die Höhle zu bringen, bevor ihre Großmutter und Mutter wieder kamen. Seitdem hat sie uns aber ab und zu mit Medizin und Trinkwasser versorgt. Wir schulden ihr eine Menge und ich hoffe, dass wir ihr eines Tages ebenfalls helfen können. Ich habe wirklich ein schlechtes Gewissen, sie erneut..."

Bevor Caleb den Satz beenden konnte, hüpfte Eliza mit einem dampfenden Topf herein. Sie trällerte: „Essen ist fertig! Kommt und setzt euch!"

Erst als der Geruch von Linsen-Eintopf in Rays Nase stieg, spürte er, wie hungrig er war. Er hielt eine Hand an seinen Magen und dieser ließ ein lautes Knurren verhören. „Danke Eliza. Danke, dass du meinem Freund Caleb und mir so geholfen hast. Ich hoffe wir haben dir keinen Ärger gemacht."

Eliza strahlte ihn an und klatschte in die Hände: „Nein! Nein. Komm setz dich, bitte. Aber bitte..." Sie errötete leicht „Leg dir die Decke dahinten über oder so. Ich bin immerhin eine Dame und du halbnackt."

Caleb grunzte laut, als er sich vor Lachen an seinem Eintopf verschluckte. Ray schlug sich die Hand vor die Stirn. So konnte das nicht weiter gehen. Er brauchte etwas anzuziehen. Das kleine Mädchen plauderte fröhlich und selbst über Calebs Gesicht huschte das ein oder andere Lächeln, während sie aßen. Ray spürte einen Kloß im Hals und es fiel im schwer, am Gespräch teilzunehmen. Die Szene wirkte schon fast normal, und dass, obwohl irgendwo Kilometer weit weg, seine Heimat in Schutt und Asche lag. Das löste ein Gefühl der Beklemmung in ihm aus und er fühlte sich schuldig.

„Eliza, ich... wir hätten noch eine letzte Bitte an dich."

Ihre Augen wurden groß.

„Letzte?"

„Ja, wir werden weiterreisen müssen, jetzt wo es uns besser geht. Das ist auch sicherer für dich."

Elizas strahlendes Gesicht verdunkelte sich ein wenig, doch sie sagte nichts, sondern nickte nur leicht. Sie schien für ihr Alter eine schnelle Auffassungsgabe zu besitzen. „Wir wollen in die nächste Stadt, allerdings müssen wir unerkannt bleiben. Deswegen müssen wir etwas zum Anziehen finden, sodass niemand erkennt, woher wir wirklich stammen. Dort wollen wir Gold verdienen und schließlich einen Weg finden, in unsere Heimat zurückzukehren." Wieder nickte Eliza nur. Mit ihren Fingern trommelten sie in ihrem Schoß. „Ich weiß!", rief sie aus und sprang von ihrem hölzernen Stuhl auf. Sie rannte aus dem Zimmer. Nach nur wenigen Sekunden konnte Ray sie über sich im Obergeschoss umherlaufen hören.

Wenig später kam sie kichernd zurück in die Stube gelaufen, in einer Hand einen Koffer mit Nähzeug, in der anderen einen Stapel Kleidung. Sie stürmte so energisch zurück ins Zimmer, dass sie über die Türschwelle stolperte und ins Straucheln geriet. Noch bevor sie aufschreien konnte, war Ray bei ihr und fing das leichte, schmächtige Mädchen auf. Der Näh-Koffer krachte geräuschvoll zu Boden und die verschiedenen Stoffe aus ihrem anderen Arm flatterten durch den Raum. Sicher in Rays starken Armen gelandet, kicherte Eliza erneut los, dieses Mal eher vor Scham und Nervosität anstatt vor Aufregung.

„Upsi."

Ihre Augen glänzten und ihre Haut bekam rote Flecken. Vorsichtig setzte Ray die kleine Dame wieder auf den Boden. Etwas skeptisch sah er die verteilten Stoffe auf dem Boden auf. Der Großteil bestand aus rosafarbenen, geblümten Kleidern und vielen Rüschen – sehr vielen Rüschen. Etwas irritiert hob er mit einer Hand ein besonders kitschiges Exemplar hoch; es war ein Kleid ganz in hell-rosa, das sowohl am Ausschnitt als auch am Saum eine geblümte Stickerei aufwies, gekrönt von zarten Puffärmeln. Alles in allem war dieses Kleidungsstück so klein, dass Ray vermutlich nur seinen Arm in den Teil, der eigentlich für den gesamten Körper bestimmt war, hineinstecken konnte, ohne es zu zerreißen. Mit einem schiefen Grinsen stellte er fest: „Ich glaube, dass das hier etwas eng wird für mich."

Caleb war auch nähergekommen und studierte die Kleidungsstücke. Seine Skepsis stand ihm ins Gesicht geschrieben. Eliza schluckte. „Ja... Wir sind leider nur Frauen und Mama und Oma würden direkt bemerken, wenn ich euch ihre Kleidung gäbe. Ich habe leider nur meine eigenen Kleider. Aber die würden Caleb bestimmt passen. Und..."

Das kleine Mädchen wirbelte herum und wühlte in einer antiken Truhe, die in einer Ecke stand.

„…und außerdem habe ich noch die hier."

Sie streckte den zweien zwei Strohhüte entgegen, ihr breites Lachen war nun einem etwas schüchternen Lächeln gewichen. Ihr war bewusst, dass sie nicht die Hilfe bieten konnte, die ihre neuen Freunde brauchten. Calebs Miene erstarrte. Ray sagte nichts. Eliza, die eben noch daran gedacht hatte, wie süß Caleb wohl in einem ihrer Kleider aussehen mochte, schien sich plötzlich lächerlich und dumm vorzukommen, denn sie stieg nervös von einem Fuß auf den anderen.

Beschämt schaute sie nun zu Boden und murmelte: „Ray, ich kann dir leider nichts anderes geben… Ich kann ein bisschen nähen aber…"

Ray sah zu seinem Entsetzen wie sich Elizas großen, grünen Augen mit Tränen füllten und ihr rote Hitze ins Gesicht stieg.

„Jetzt bloß nicht weinen. Nicht weinen. Dann bin ich noch nutzloser als sowieso schon", sagte Eliza und ballte die Hände zu Fäusten und versuchte den Kloß im Hals runterzuschlucken. Ray stand unbeholfen im Zimmer, wusste nicht recht, wie er sie trösten sollte. Schließlich war sie alles andere als nutzlos gewesen. Immerhin war sie ihre erste Verbündete in diesem fremden Land.

Zu Rays Überraschung seufzte Caleb laut auf und griff tatsächlich nach einem der verspielten Kleider. „Nun ja, einer jungen Dame wird man in der Stadt vielleicht weniger nahekommen als einem kleinem Menschenjungen. Das könnte gar nicht schlecht sein." Der Otter runzelte die Stirn, aber er hatte recht. Was sonst blieb ihnen übrig? Ray wusste, dass sein Freund es mehr als alles andere hasste, als ‚süß' bezeichnet zu werden, oder von irgendwem nicht ernst genommen zu werden. Ein rosa Plüsch-Kleid war entsprechend nicht unbedingt seine erste Wahl zur Tarnung. Doch sie beide wussten, dass sie keine Wahl hatten.

Schließlich wussten sie nicht, wie weit das Bistum eingenommen war und wo der Feind lauerte. Sie konnten nicht aufgrund eines falschen Stolzes ihr Leben und somit die Zukunft des Wasserstammes aufs Spiel setzten.

Caleb schluckte, schloss die Augen und zog rasch das rosafarbene Ding über seinen pelzigen Kopf. Eliza blickte ihn überrascht durch einen Schleier an Tränen an. Mit einem schiefen Grinsen drehte sich Caleb im Kreis. Sehr zur Belustigung Rays. Sowohl er als auch Eliza fingen laut an zu lachen. Dieses Lachen war so befreiend und Ray konnte spüren, wie sein Herz sich ein wenig leichter anfühlte. Er konnte nicht anders und lachte plötzlich so heftig, dass er sich an die Wand lehnen musste, sein Körper bebte und kleine Lachtränen liefen ihm bald über die Wangen. Dieser Anblick und dazu Elizas klares, kindliches Lachen – ja, für einen winzigen Augenblick war Ray wieder glücklich.

Nachdem Ray mehrmals erfolglos versucht hatte, eines von Elizas Kleidungsstücken anzuziehen, beschlossen sie und Caleb, dass Eliza die Felle, die sie als Decken benutzt hatten, notdürftig zu einem Mantel zusammennähen sollte. Obwohl das Ergebnis kein eleganter Mantel war, erfüllte es seinen Zweck. Ray betrachtete sich skeptisch im improvisierten Gewand und zog eine Augenbraue hoch.

Eliza lächelte liebevoll. "Du siehst jetzt wie ein wahrer Krieger aus, Ray!"

Ray zog an den Ecken des Fells und arrangierte es etwas besser. "Na ja, ich fühle mich eher wie ein zusammengewürfelter Haufen. Aber solange es seinen Zweck erfüllt..."

Caleb, der neugierig beobachtet hatte, kratzte sich am Ohr und kicherte leise. "Naja, Ray, zumindest wirst du jetzt nicht mehr halbnackt herumlaufen und deine Tätowierungen zur Schau stellen."

Der Wasserkrieger strich über das verfilze Fell und lächelte schief.

Eliza, mit Tränen in den Augen, drückte Ray und Caleb ihre paar Goldmünzen auf. "Bitte nehmt diese Münzen mit. Sie werden euch unterwegs helfen." Caleb, der aufmerksam zuhörte, zuckte mit den Schnurrhaaren und nickte. "Danke, Eliza. Das ist wirklich großzügig von dir. Wir werden gut auf sie aufpassen." Ray stimmte zu und klopfte Eliza sanft auf den Kopf. "Du bist ein bemerkenswertes Mädchen, Eliza. Ich danke dir."

Eliza lächelte, obwohl ihre Augen noch immer voller Tränen waren. "Ich werde auf euch warten. Passt auf euch auf da draußen, ihr beiden."

Mit einem letzten Winken von Eliza verabschiedeten sich Ray und Caleb. Ray konnte die Wärme in seinem Herzen spüren, als er den kleinen rothaarigen Wirbelwind ansah, der ihnen so viel bedeuten würde.

Ray zog seinen Strohhut tiefer ins Gesicht und wandte sich an Caleb. "Auf geht's, Caleb. Lasst uns diese nächste Stadt erreichen."

Caleb verbeugte sich Eliza gegenüber, bevor er sich schließlich an Ray wand und nickte. "Bereit, Ray! Wir haben eine Mission zu erfüllen."

Gemeinsam zogen sie los, während die Sonne langsam am Horizont unterging. Ray fühlte sich von einer Mischung aus Entschlossenheit und Vorfreude erfüllt. Obwohl sie Eliza zurücklassen mussten, wusste er, dass sie einen starken Verbündeten in ihr hatten. Sie würden sie nicht enttäuschen und alles in ihrer Macht Stehende tun, um auch ihre Zukunft zu retten.

Die kleine rothaarige Gestalt winkte noch lange hinterher, bis die beiden ungleichen Gestalten am Horizont verschwanden, um verborgen in der Dämmerung die nächste Stadt zu erreichen.

# 5. Kapitel

## *Ray*

Ray und Caleb erreichten *Tsubuki,* die nächstgelegene Stadt, innerhalb weniger Stunden. Als sie die Lichter der Stadt erblickten, sagte Ray: „Wir müssen uns auf alles gefasst machen und davon ausgehen, dass auch ein Großteil *Shizens* unter der Kontrolle Samaels stehen muss. Vielleicht ist diese Stadt bereits besetzt. Wir sollten vorsichtig sein."

Ray spürte, wie er sich automatisch verkrampfte und angespannt umher sah. Er erwartete, auch hier Chaos und Zerstörung anzufinden – leere Augen und Menschen mit zerstörten Träumen und Hoffnungen. Doch kaum hatten sie die Stadtmauern passiert, konnte der Anblick, der sich ihnen bot, nicht ferner ihrer Vorstellung sein.

*Tsubuki strahlte* im hellen Licht hunderter Laternen. Ein buntes Treiben an allerlei verschieden Menschen in bunten Gewändern und fröhliche Musik erfüllte die Straßen. Staunend oder eher fassungslos sah Ray sich um. Ein Wirtshaus am Straßenrand folgte dem anderen, Menschen strömten aus einer Institution in die nächste und grölten angetrunken. Immer wieder wurden sie von jemanden angestoßen. Alkoholatem streifte sie und wirre Stimmen entschuldigten sich bei ihnen. Irritiert blieben Ray und Caleb stehen und betrachteten das Fest, was sich vor ihnen über die Wege ergoss. „Es ist... es ist friedlich."

Ein weiterer Betrunkener stolperte und stieß gegen Ray. „Verzei... Verzeihung... Hicks", lallte der Mann. Sein alkohol-getrübter Blick schweifte über Ray und Caleb. Erst kniff er die Augen zusammen, dann riss er sie auf. Rays Adern gefroren, erkannte der Betrunkene ihre Abstammung etwa? Die Muskeln angespannt, machte sich Ray darauf gefasst sich mit den bloßen Fäusten zu verteidigen, falls nötig.

„Hachh neee. Du meine Güte, hicks… wie ulkig. So ein komischer Jäger und so ein holdes Kind!“ Die Stimme des Betrunkenen hallte laut durch die Straße, gefolgt von einem rauen Lachen, dass nur durch seinen Schluckauf unterbrochen wurde. Neugierig drehten sich nun andere Menschen in der Gasse um. Einer nach dem anderen zeigte mit dem Finger auf Ray und Caleb und schallendes Gelächter erhob sich. Caleb knurrte leise.

„Na da hätten wir uns die Verkleidung glatt sparen können. Die Aufmerksamkeit haben wir auf jeden Fall dadurch nicht von uns gelenkt“, flüsterte Ray seinem Freund leise zu. Schrille Pfiffe und betrunkene Ausrufe folgten ihnen, als sie ihren Gang fortsetzen. „Verdammt“, zischte Ray, der sich den Strohhut noch tiefer in das Gesicht zog. „Lass uns schnell den *‚tanzenden Hirsch‘* finden und von der Straße verschwinden.“

„Na, das ist wohl leichter als gedacht“, sagte Caleb und deutete mit seiner Pfote auf die bisher größte Menschenansammlung, die sich dicht vor einem Gebäude aus Ziegelsteinen drängte. Es war eine bunte Mischung an Männern und Frauen. Allesamt am Lallen und amüsiert miteinander plaudern. Der Geräuschpegel war beinahe unerträglich. Die Wangen waren gerötet und immer wieder drängte ein ekelhafter Schluckauf an Rays Ohr. Er verzog das Gesicht angewidert, während er sich durch diese stickende Menge kämpfte. Keiner kam auch nur auf die Idee Platz zu machen.

Das Haus, das hinter den Feiernden lag, war klein, aber ordentlich in Schuss gehalten. Die Fensterläden waren in einem sanften wald-grün bemalt und im Inneren mussten wohl genauso viele Menschen versammelt sein, wie vor der Tür. Die schwitzende Menge verzauberte die Fensterschreiben in undurchsichtige, trübe Oberflächen. Über dem großen runden Eingangsbogen prangte ein Hirschgeweih, so groß und prächtig, wie Ray und Caleb noch keines gesehen hatten. In geschwungen, goldenen Buchstaben stand darunter „Zum tanzenden Hirsch“. Caleb ging zielstrebig auf die Menschenmenge zu, die sich vor dem Gasthof tummelte. Das rosa Rüschenkleid machte bei jeder seiner Bewegungen raschelnde Geräusche und Ray musste sich ein erneutes Lachen unterdrücken. Die ernste Miene, mit der Caleb ihn tadelnd bedachte, war jedoch eindeutig genug und Ray schluckte sein Grinsen runter. Als die beiden die Menschentraube erreichten, grunzte Caleb laut: „Macht Platz. Macht einem jungen hübschen Mädchen verdammt nochmal Platz“ und bahnte so einen Weg durch die Menge. Ray folgte ihm. Von allen Seiten gafften die Männer und Frauen die Neuankömmlinge an. Manche riefen wütende, betrunkene „Hey“s aus, als Caleb sich durchdrängelte, während andere die Chance ergriffen und schamlos nach Calebs Hüfte oder Brust griffen. Gekonnt wehrte der Otter diese Übergriffe mit seinen muskulösen, rosa verzierten Armen ab. Ein Hieb links, ein Hieb rechts.

Schnell ließen die Männer von ihm ab und blieben bei zweideutigen Pfiffen und gierigen Blicken. Ray musste sich gegen keine Grabscher wehren, jedoch erhielt er ein wenig zu viel Aufmerksamkeit für seinen Geschmack. Frauen, die weit älter als er selbst schien, raunten ihm allerlei zu; „Hey Süßer, neu hier?“ „Na du bist aber ein Hübscher!“; während die Jüngeren ihm lediglich verstohlene Blicke zu warfen, oder sich beschämt kichernd umdrehten – nur um ihn dann kokette Schulterblicke zu zuwerfen.

Ray war auch in den Wasserstämmen als schöner Mann bekannt, das war ihm durchaus bewusst. Seine feinen Gesichtszüge und besonders großen, tiefblauen Augen, seine dunklen, langen Haare, sowie sein stählern trainierter Körper galten vielerorts als Schönheitsideal. Jedoch war er in seiner Heimat einer von vielen, jungen, gutaussehenden Kriegern gewesen und die weibliche Aufmerksamkeit teilte sich. Hier jedoch, im *Shizen* Bistum fiel neben seinem makellosen Körper und seinem hübschen Gesicht vor allem sein fremdes Aussehen auf. Einige der besonders mutigen Frauen streckten ihre Hände aus, um ihm Vorbeigehen seine Haut zu berühren, die einen dunkleren Teint aufwies als jeder *Shizen* Hautton.

Sie glich einer Mischung aus flüssigem Karamell und Olive-Ton und musste ein ein auffallender, schöner Anblick zwischen all den blass-rosafarbenen Männern sein. Normalerweise hätte ihm diese Aufmerksamkeit sogar gefallen, doch jetzt gerade ging sie ihm nur auf die Nerven. Er senkte den Kopf

„Oh ein Kriegsheld", hauchte eine der jüngeren Frauen und grabschte ihm ganz frech ins Gesicht. Ihre Fingerspitzen berührten nur leicht die breite, noch stark gerötete Narbe, die sein rechtes Auge und Wange frisch Durchschnitt, doch der Schmerz durchzuckte ihn direkt. Wütend funkelte Ray sie an. Erschrocken zuckte sie zurück. Anscheinend gab ihm diese Narben einen Hauch an Heldenhaftigkeit und Mysterium. Da schienen auch der lächerliche Strohhut und der wild vernähte Mantel aus Fell nicht weiter abzuschrecken. Ray seufzte und flüstere an Caleb gewandt: „Ich dachte, das Bistum sei ein heiliges, streng religiöses Land. Sieht eher nach versautem Bauern Bacchanal aus."

Die beiden hatten schnell das Innere des Gasthofes erreicht. Innen sah es nicht ganz so gepflegt aus, wie von außen. Schäbige dunkelrote Sofa standen in den Ecken und hölzerne Tische und Stühle schienen wahllos im beengten Raum verteilt zu sein. Die Wände waren voll gehangen mit weiteren, kleineren Hirschgeweihen und vergilbten Malereien, die die Jagd idealisierten oder berühmte Jäger porträtierten. „Ich sehe die Hirsche, aber nichts Tanzendes", schnaubte Caleb kaum hörbar. Dominiert wurde der Raum von einer großen, kitschig goldenen Theke, hinter der ein großer älterer Mann und eine junge Frau, die lauten Gäste bedienten. Das Regal an der Wand dahinter war ebenfalls golden und befüllt mit Schnäpsen und Wein, aus allen möglichen Regionen. Ray erkannte sogar den dunkel-lila Eisbeeren-Schnaps, der in den südlichen Wasserstämmen zu den beliebtesten Getränken gehörte. Er wusste gar nicht, dass der Schnaps auch in andere Regionen exportiert wurde. Die dunkle Flüssigkeit wurde ganz in der Nähe von *Wa* produziert und als Kind hatte er des Öfteren zwischen den stacheligen Eisbeeren-Sträuchern fangen und verstecken gespielt. Den süßlichen Schnaps, der im Abgang brannte, hatte er erst zu seinem 18 Lebensjahr das erste Mal probieren dürfen. Er konnte sich noch gut daran erinnern, wie er – sehr zur Belustigung seines Vaters und seines Großvaters – das Gesicht verziehen und laut husten musste. Um seinen Stolz wiederzugewinnen hatte er danach das ganze Glas, schnell und restlos leer getrunken. Das war nur knapp ein Jahr her und doch schien es ein ganzes Leben entfernt zu sein. Die Erinnerung an diesen sorgenfreien Abend schmerzte und der Anblick des Tropfen Heimat versetze ihm einen Stich ins Herz.

Caleb hatte sich bereits bis vorne an die Theke durchgekämpft. Schnell folgte Ray ihm. Der Otter reichte gerade so bis an den Rand des goldenen Ausschanks. Wild fuchtelnd, versuchte er sich bemerkbar zu machen, doch die umstehenden Männer schubsten und drückten ihn und drängelten sich mit Bestellungen vor. Die Mitarbeiter der Bar nahmen keine Notiz von dem scheinbar kleinen, minderjährigen Mädchen. Kinder würden wohl kaum zum Umsatz beitragen. Als Ray Calebs Seite erreichte, schäumte dieser bereits vor Wut und hatte die Pfoten zu Fäusten geballt. Diese Demütigung ließ er sich nur ungern gefallen und Ray wusste, dass er am liebsten alle Umstehenden bereits zu Boden geprügelt hätte. Ray konnte seine Wut gut nachvollziehen – er war von Natur aus eher von aufbrausendem Gemüt. Es war nicht ungewöhnlich, dass ein Wasserkrieger und sein durch das *Nakame-Ritual* verbundener Tiergeist einen ähnlichen Charakter besaßen. Im Gegensatz zu Caleb, konnte Ray jedoch souverän die Aufmerksamkeit der jungen Angestellten durch ein einfaches, schiefes Lächeln erlangen. Die junge Frau war es vermutlich nicht gewöhnt, dass junge Männer, und dazu auch noch fremdartig-gutaussehende, die Bar betraten, denn sie wirkte sichtlich überrascht.

Ray verübelte es ihr nicht, denn die Gäste wirkten alle samt mindestens zwanzig Jahre älter, wobei ihre durch das Wetter und die Sonne gegerbten Gesichter zumeist noch älter aussahen. Wenn er sich das so ansah, hatte er das Gefühl, dass die übliche Kundschaft direkt von der Feldarbeit herzukommen schien, um den Feierabend *genussvoll* und in Gesellschaft ausklingen zu lassen. Wenn man diese Sauferei noch als Genuss auslegen wollte.

Die junge Angestellte war ungefähr im selben Alter wie Ray, von eher unscheinbarer Erscheinung. Sie hatte ihr aschblondes Haar in einem praktischen Dutt hochgesteckt. Aufgrund der vermutlich bereits langen Arbeitsschicht hatten sich einige Strähnen gelöst, die ihr nun in das verschwitze, angestrengte Gesicht fielen. Sie trocknete gerade ein großes Glas ab, als sie sich zu den beiden Neuankömmlingen drehte. Mit einem eindeutig südlichen *Shizen* Dialekt und einer viel zu tiefen Stimme für ihre Erscheinung wandte sie sich an Ray: „Aye, was kann ich dir bringen?"

Ihre grauen Augen musterten ihn neugierig.

„Wir würden gerne ein Zimmer mieten und wenn es ginge mit dem Besitzer sprechen."

„Wir?"

Die junge Frau blickte Ray verwundert an, da sie niemanden an seiner Seite sehen konnte. Ihre Verwunderung wich einer offenen und leicht bestürzten Überraschung, als Ray den rosa bekleideten Caleb unsanft auf einen der samtenen Barhocker hub – sehr zu dessen offensichtlicher Verärgerung.

„Wir, das sind ich und..."

Ray sah Caleb fragend an.

„Ja also äh. Ich und meine... meine kleine Schwester."

Caleb verzog sein Gesicht, schwieg jedoch gehorsam.

„Na die sollte aber eher nicht an einem solchen Ort hausen."

„Sie ist älter als sie aussieht."

Die Barfrau bedachte Ray mit einem langen, skeptischen Blick, als überlege sie, ob sie ihm trauen könne, oder ob er ein Kinder-Schmuggler sein könnte. Geistesabwesend wischte sie weiter an dem bereits trockenen Glas in ihren Händen herum. Ray gab sich die größte Mühe ein breites, vertrauenswürdiges Lächeln aufzusetzen und ihren Blick mit seinen blauen Augen zu erweichen. Schließlich nickte sie kaum merklich, mehr zu sich selbst als zu Ray und Caleb.

„Na gut. Dann kommt mal mit.“

Sie stellte das trockene Glas hinter sich auf ein langes, dunkles Regal, das die Hinterwand säumte. Es war über und über mit den unterschiedlichsten Gläsern in allen möglichen Größen und Formen gefüllt. Sein dunkles Holz stellte einen starken Kontrast zu dem goldenen, hängenden Regal dar, welches darüber an der Wand hing und die Alkohol-Flaschen beinhaltete. Alles wirkte ein wenig schäbig, dennoch hatte diese Bar doch ihren ganz eigenen Reiz, stellte Ray fest. Es war urig gemütlich und lebendig zugleich. Wären sie in *Wa*, hätte sein Vater dieses Haus bestimmt auch gerne besucht und gemeinsam mit seinem Onkel über Verantwortung und Familie geklagt. Die aschblonde Frau warf sich das Geschirrtuch über die Schulter und nickte in Richtung einer Tür, die in der hinteren Ecke des Raumes aus dem Gastraum führte. Ray und Caleb bahnten sich ihren Weg, während die Frau hinter dem Tresen hervorkam. Sie schloss die Tür bereits mit einem großen, angelaufenen Schlüssel auf, als die beiden bei ihr ankamen. Dann folgten sie ihr in einen dunklen Flur, der muffig und nach Staub roch. Als sie die Tür hinter den beiden zu zog, wurden die lauten Stimmen der betrunkenen Gäste gedämmt und die entstandene Stille rauschte in Rays Ohren.

„Wir haben ein Zimmer frei, das ist ganz oben...“

Die Frau öffnete willkürlich Schubladen von einem überladenen Regal auf der Suche nach dem benötigten Schlüssel.

„...die niedrigen Decken sollten für die Kleine kein Problem sein. Und du musst dich halt ducken. Wo hab‘ ich denn...“

Ihr südlicher Dialekt zog das ‚u‘ in ‚du‘ furchtbar lang, wodurch sie noch forscher wirkte. Der Unterton wurde von Wort zu Wort ungeduldiger. Keine Geduld zum Suchen aber Ordnung halten scheint auch keine Alternative zu sein, komische Frau, dachte sich Ray, während er sie bei ihrer hektischen Suche beobachtete. Sie fluchte leise vor sich hin. Dann erhellte sich ihr Gesicht und sie zog triumphierend ein Schlüsselband aus einer Schublade. Das Band sah alles andere als neu aus, und das darauf gestickte Hirschgeweih war ausgefranst und ausgeblichen. Der Schlüssel schimmerte Kupfern in dem fahlen Flurlicht.

„Na also. Das ist euer Schlüssel. Ihr findet alles was ihr braucht, in eurem Zimmer. Folgt einfach den Treppen, bis nach ganz oben. Waschen könnt ihr euch unten." Unwirsch deutete sie mit einer Handbewegung auf eine Tür, die im Schatten der hölzernen Treppe lag, die sich an der rechten Wand des Flurs entlang erhob. „Die Nacht kostet zwei Silber. Das regeln wir aber am besten morgen – heute ist hier die Hölle los und ich muss zurück raus, um zu helfen. Morgen früh um sieben gibt es unten Frühstück. Wenn ihr erst spät runterkommt, ist das eure Schuld, dann ist halt schon alles weg." Barsch drückte sie das Schlüsselband Ray in die Hand und drehte sich um, bereit die beiden nun allein zu lassen. Bevor sie sich an ihnen vorbei zurück in den Gastraum zwängen konnte, fragte Ray hastig: „Und können wir mit dem Besitzer sprechen?" Genervt drehte sich die junge Frau nochmal um. „Du", wieder zog sie das ‚u' in Rays Ohren unnatürlich lange raus, was ihre Ungeduld untermalte.

„Du kannst meinen Vater morgen früh beim Frühstück stören. Heute nicht."

„Ah dein Vater also?" Sie zog eine Augenbraue hoch. „Ja, was dagegen?" Abwehrend hob Ray beide Hände. „Nein nein, alles gut. Bis morgen."

Die junge Frau nickte, hob die Hand wie zum Gruß und verschwand hinter der Tür, die den staubigen Flur vom Gastraum trennte. Ray seufzte.

Ray bezweifelte, dass das Zimmer wirklich zwei Silber wert war, als er dieses wenig später betrat. Der Aufstieg allein war bereits eine Zumutung. Die Treppe wurde immer schmaler nach oben hinaus, und er musste sich den letzten Abschnitt konstant ducken, um nicht mit seinem Kopf hängen zu bleiben. Hätten sie auch nur ein wenig mehr Gepäck gehabt als das bisschen Nichts, was sie besaßen, wäre der Platz bereits nicht mehr ausreichend gewesen, um sicher oben anzukommen. Das Zimmer selbst wirkte durch die großen, hölzernen Querbalken und die Dachschräge erdrückend und dunkel. Es gab nur ein einziges Fenster, mehr eine Luke, die oben im Dach eingelassen war. Der Mond schien heute nicht besonders hell, wodurch er das Zimmer nur in schummriges Licht hüllte. Das war vermutlich besser so, dachte Ray. Denn er wollte die Ecken und Oberflächen nun wirklich nicht genauer betrachten, da er den Staub und Dreck bereits riechen konnte. In der einen Ecke gab es aber immerhin einen, wenn auch schmutzigen Wasserhahn mit einem Eimer, um sich notdürftig auch im eigenen Zimmer abwaschen zu können. In der anderen Ecke hing eine Kleiderstange, die ihre besten Tage, bereits vor langem hinter sich hatte – Ray befürchtete, dass sie vermutlich herunterbrechen und ein Loch im Dach hinterlassen würde, wenn er seinen Pelz darauf ablegen würde. In der Mitte stand ein mindestens ebenso klappriges Bettgestell.

„Na das wird kuschelig."

Wenn auch wenig begeistert von der Unterkunft, war Ray dankbar, wieder ein richtiges Dach über dem Kopf zu haben und nicht den harten Höhlenboden unter sich zu spüren. Erschöpft sank er auf die geflickte Matratze. Sein Aufsetzen führte zu einer aufsteigenden Staubwolke und er musste husten. Das Husten trieb ihm die Tränen in die Augen und seine Narbe im Gesicht brannte. Hoffentlich würde dieser Schmutz nicht zu einer Entzündung führen.

Caleb hatte das rosa Kleid in der Sekunde von sich gerissen, als sie das Zimmer erreichten. Dann rollte er sich neben Ray auf dem Bett zusammen.

Ray wischte sich die Tränen aus den Augenwinkeln und betrachtete dann seine Hände, über die die Flüssigkeit glitt. Sie waren übersät mit Rissen und Schorf, teils Rückstände der Schlacht, teils entstanden durch das Fischen, das Unterholz und dem kurzen Leben im Wald. Was war nur aus ihm geworden? Er verkroch sich von einem Versteck ins nächste. Frustriert ballte er die geschundenen Hände zu Fäusten und schloss die

Augen. Ein Gefühl von Wut regte sich in ihm. Wut auf sich selbst – auf sein Versagen seine Heimat verteidigen zu können. Durch tiefes Ein- und Ausatmen versuchte er die aufsteigende Hitze, die durch seine Adern kroch zu bekämpfen. Caleb hatte recht, sie hätten niemals eine Chance gehabt. Er hätte den Untergang *Was* nicht verhindern können. Dennoch beruhigte dieser Gedanke ihn nicht. Im Gegenteil. Eine kleine fiese Stimme in seinem Kops sagte ihm, dass er nur sein feiges fliehen rechtfertigen wollte. Erneut atmete er tief durch und versuchte sich zu beruhigen.

Doch es gelang ihm nicht.

Es war kein klarer Gedanken zu fassen.

Sein Kopf war voller Bilder der brennenden Stadt, die er so sehr liebte.

Ray schnaufte und stieß seine Faust zornig gegen einen der Balken, die nur wenige Centimeter entfernt von ihm quer durch das Zimmer verliefen. Er wollte diese anklagende Stimme in seinem Kopf nicht mehr hören.

Immer und immer wieder schlug er zu, immer stärker. Er spürte, wie die Haut an seinen Knöcheln aufplatzte und das heiße Blut über seine Hand lief. Das lenkte wenigstens von dem pochenden Schmerz in seinem Inneren ab.

„Ich bin doch einfach nur armselig. Was soll das hier. Was soll ich hier? Ich muss...“ Erneut schlug er zu, konnte jetzt deutlich den Schmerz fühlen, der durch seine Hand fuhr. „Ich muss...“

Caleb setzte sich wieder auf und sah Ray ruhig an. Die Zorneshitze flammte durch Rays Körper und vernebelte seine Gedanken. Zitternd sagte er: „Ich muss zurück. Ich muss mein Volk retten. Ich muss...“

„Du musst dich zuallererst beruhigen. Gebrochene Finger bringen uns sicherlich nicht weiter.“ Calebs raue, ernste Stimme durchschnitt Rays zornige Ausflüche.

„Ich muss mich nicht beruhigen! Vielleicht solltest du dich auch nicht beruhigen. Ruhe bringt uns gar nichts. Wir müssen zurück! Wir können doch nicht rumsitzen und nichts tun. Was bin ich, wenn ich nichts unternehme!“

Ray Körper bebte vor Zorn und es fühlte sich an, als würde Strom durch seine Adern fließen.

„Lebendig, das bist du“, erwiderte Caleb trocken.

„Du hast uns zu Verrätern gemacht. Wir hätten Seite an Seite weiterkämpfen sollen. Du...“

Caleb schloss die Augen, ließ die Flüche und die Wut Rays über sich ergehen.

„Hör mir zu!“ Ray schrie den Otter jetzt fast an, seine Stimme bebte.

„Wir können nicht einfach rumsitzen.“, wiederholte er „Wir müssen...“

Gepackt von seiner eigenen Wut und seinem Drang, etwas zu ändern, sprang Ray von dem schäbigen Bett auf. Energisch und mit Schwung. Er krachte laut gegen die zu niedrige Decke und fiel rücklings zurück auf die Matratze. Sein Kopf pochte und er verstummte geschockt.

„Na da hast du's. Genau das passiert, wenn wir jetzt unüberlegt handeln.“

Caleb funkelte Ray an. Jetzt ergriff der Otter das Wort, jedoch ruhig und bestimmt: „Du meinst du kannst einfach Reden schwingen und mich des Verrats anklagen. Du meinst du kleiner Junge kannst im Alleingang einfach so zurückmarschieren und die rot-schwarze Armee niederstrecken? Das ich nicht lache.“

Der Tiergeist ließ ein lautes, ironisches Lachen verklingen. „Ha ha ha. Du bist ein arroganter und unglaublich dummer Wicht, wenn du das denkst. Du solltest froh sein, dass du am Leben bist. Du solltest froh sein, dass du so die Möglichkeit erhältst, einen Gegenschlag planen zu können und somit überhaupt eine klitzekleine Chance gegen diese Übermacht zu haben. Du hast die Möglichkeit, dir eine strategische Rück-Eroberung zu überlegen. Denn genau das wird es sein müssen. Denn es gibt derzeit nichts mehr zu dem du zurückkehren kanns.

*Wa* ist gefallen. Der südliche Wasserstamm ist gefallen. Dein Ausbruch an Tatendrang ist nichts anderes als jugendliche Naivität."

Calebs Augen sprühten Funken und mit Nachdruck und fester Stimme sagte er: „Du und ich sind vielleicht die letzte Hoffnung, die es überhaupt gibt, dass die Wasserstämme wieder aufleben können. Also reiß dich zusammen und überleg dir gut, was du als nächstes tun willst. Du kleiner, unbewaffneter, verwundeter Flegel. Denn so wie du dich jetzt gerade benimmst, bist du nichts weiter als genau das."

Der Otter schnaubte verächtlich.

„Ich dachte immer du seist zu Großem bestimmt und nicht nur der verzogene Häuptlings-Bengel. Aber vielleicht habe ich mich ja in dir..."

„Nein. Du..."

Ray schlug seine Arme vor seinem Kopf zusammen. Wut und Ärger durchzog noch immer seine Adern, doch er versuchte erneut tief durchzuatmen und sich zu beruhigen. Sein explosives Gemüt war fehl am Platz, das wurde ihm schlagartig bewusst.

„...du hast ja Recht. Du hast dich nicht in mir getäuscht. Ich... Ich kann das schaffen." Seine Stimme bebte. „Ich werde alle rächen", flüsterte er atemlos, während er sich zu Caleb umdrehte. „Und zwar gut überlegt. Ich werde nichts überstürzen, du hast recht. Verzeih mir."

Ray senkte den Kopf. Einerseits, um Caleb seinen Respekt und sein Eingeständnis seines Fehlverhaltens zu zeigen, andererseits um zu verbergen, dass heiße Tränen über seine Wangen flossen. Tränen, die so voller Wut und so voller Trauer waren, wie er es nie zuvor in seinem Leben gespürt hatte. Er kam sich so klein und so nutzlos vor. Caleb sah vielleicht etwas Großes in ihm – wenn auch nur manchmal – doch er konnte jetzt gerade nichts dergleichen sehen. Wenn er ehrlich war, war er vor allem wütend auf sich selbst und dass er es nicht geschafft hatte, sein Volk zu verteidigen. Wie erbärmlich.

Nach diesem Gefühlsausbruch waren beide schließlich in die Federkissen gesunken. Caleb schnarchte bereits leise, während Ray noch lange durch die Decken Luke in den dunklen Sternenhimmel blickte. Betäubt von der schweren Last, die nun auf seinen Schultern ruhte. In dieser Nacht schwor er sich, dass er sein Volk rächen würde, koste es, was es wolle. Er würde nicht eher ruhen, bevor die Verantwortlichen zur Rechenschaft gezogen worden waren.

Samael musste fallen.

# 6. Kapitel

## *Ray*

Mit dem rosa Kleid in der Hand, sah Caleb Ray fragend an. Ray runzelte die Stirn und überlegte kurz. Dann schüttelte er den Kopf und sagte: „Ich denke, wir sollten ehrlich auftreten. Wenn wir die Gunst und damit das Vertrauen des Wirtes gewinnen möchten, sollten wir ihm eben dieses auch entgegenbringen." Der Otter nickte und schubste das Kleid ein wenig zu freudig in die Ecke der staubigen Dachkammer.

Dieses Mal ohne Verkleidung und laut gähnen betraten die beiden Wasserstämmigen einen kurzen Augenblick später den Gastraum. Auf einem der dunkelroten Sofas saß ein schnarchender alter Mann, der einen leeren Teller vor sich stehen hatte. Sein Kopf war gegen die Lehne zurückgefallen, sodass Ray ihm direkt in die Mundhöhle schauen konnte, aus der die raschelnden, schnaufenden Schnarch-Geräusche kamen. Er sah ebenso mitgenommen aus wie das Polsterstück, das er für sich beanspruchte. Vermutlich noch ein Zurückgebliebener der vergangenen durchzechten Nacht, dachte Ray. Sein Blick wanderte durch den Rest des Raumes. Bis auf einer weiteren Gestalt, war er völlig leer. Sie saß ganz versteckt hinter einer riesigen, aufgeklappten Tageszeitung in der letzten Ecke des Raumes. Nur ihre filigranen Hände, die die Zeitung hochhielten, waren zu sehen und die gepflegten langen Fingernägel, die zu einem stummen Takt auf das Papier trommelten.

Doch die Luft war immer noch von dem Gedränge der letzten Nacht geschwängert; der Geruch von kaltem Rauch und ein Hauch alter Schweiß würden diesen Raum wohl nie verlassen. Heute Morgen lag jedoch noch etwas anderes in der Luft und noch ehe Ray erkannte, was es war, verriet es ihm sein lautes Magengrummeln, dass instinktiv auf die Wahrnehmung reagierte. Dem Geruch folgend blickte Ray in Richtung der kleinen Tür, die hinter der Theke verborgen gelegen hatte. Nun hörte er auch die passenden, brutzelnden Geräusche und das eindeutige Spritzen von Fett. Seine Magensäure begann zu arbeiten. „Ich besorge uns was zum Frühstücken“, sagte er fast tonlos zu Caleb. Sein Freund nickte und ließ sich seufzend auf einem der schäbigen Sofas nieder, während sich Ray der offenen Tür näherte. Ob er wohl ohne Geld bereits etwas zu essen bekommen würde? Er strich sich durch das schwarze Haar. Es war noch feucht von dem dringend nötigen Waschen heute Morgen und hing zerzaust bis auf seine Schultern. Außerdem trug er - sehr zu seinem eigenen Missfallen - wieder seinen pelzigen Mantel. Schließlich besaß er keine andere Kleidung mehr. In diesem Zustand konnte er nur hoffen, dass der Wirt kein oberflächlicher Idiot war, sondern den fleißigen jungen Mann hinter der Verwahrlosung erkennen würde. An der Küchentür angekommen, entdecke Ray zunächst die junge Frau vom Vorabend. Sie stand mit dem Rücken zu ihm an einer Pfanne, in der sie hochkonzentriert Speck anbriet. Dicht neben ihr entdeckte Ray einen kleinen, hageren Mann. Sein Haar war grau und licht, an seinem Hinterkopf hatte sich eine kreisrunde Glatze gebildet. Ray klopfte höflich an den Türrahmen, um auf sich aufmerksam zu machen. Der Mann drehte sich zu ihm um. Sein Gesicht war freundlich und offen, was durch die Lachfalten an seinen Augen, die genauso grau, wie die seiner Tochter waren, unterstrichen wurde. Er sah jünger aus, als sein Hinterkopf hatte erwarten lassen.

„Aye guten Morgen! Du musst der Fremde sein, der gestern angereist ist.“

Auch er zog das ‚u‘ in die Länge, jedoch wirkte es bei ihm weder forsch noch unfreundlich, sondern verlieh seiner Aussprache einen fröhlichen Singsang. Er ging auf Ray zu und streckte ihm lächeln die Hand entgegen.

„Bist ja ‘n richtig junger Bursch‘!“

Ray grinste schief und wusste nicht recht, was er darauf antworten sollte.

„Na komm, gleich gibt‘s Frühstück. Ich bin Marlow Bowe, Eigentümer dieses prachtvollen Schuppens. He, he, he.“ Marlow lachte rasselnd, wie jemand, der an einer chronischen Lungenentzündung litt. „Und das da drüben ist meine liebste Ulani. Der Name bedeutet die ‚Freudvolle‘. He, he, he." Wieder lachte er auf seine rostige Art. Ray verkniff sich anzumerken, dass dieser Name mehr als unpassend zu sein schien. Wie um seinen Gedanken zu bestätigen, drehte sich Ulani mürrisch um und sagte wortkarg: „Brot und Speck kommt gleich."

„Für uns bitte keinen Speck."

Ihr Blick durchbohrte Ray, als hätte er soeben gesagt, er sei Atheist. Auch wenn *Shizen*s Religion die Natur huldigte, so bedeutete dies keineswegs, dass die *Shizen*er die Fauna als Teil der Natur und somit als heilig wahrnahmen und sich vegetarisch ernährten. Ganz im Gegenteil. Die *Shizen*en glaubten nicht an die Sage der Engelskräfte, sondern waren davon überzeugt, dass nur Mutter Natur Leben und Tod geschaffen hatte. Mutter Natur sei es ebenfalls, die die Magie in die Welt geschafft hatte. Dies erklärte ihrer Meinung nach, warum die Menschen, die eine magische Kraft innehatten, oft an eines der Natur-Elemente gebunden waren. Durch diese von der Natur selbst gegebenen Gabe, waren die Menschen am obersten Ende die Nahrungskette und durften somit jegliches Fleisch darunter verspeisen. Diese natürlichen Regeln waren in diesem Land ein ungeschriebenes Gesetz.

Ray, der die Verwunderung in Marlows und die Skepsis Ulanis Augen sah, blickte verunsichert zu Boden. Er atmete tief durch.

„Wir sind Pescetarier – Brot reicht uns."

Ulani verdrehte die Augen und brummte: „Na was ein moralischer Heuchler. Pescetarier, aber von Kopf bis Fuß in Pelz gehüllt."

Ray gefiel der süffisante Ton der jungen Frau nicht – sie hatte doch keine Ahnung. Hätten sie eine Wahl gehabt, sähe er sicherlich nicht so aus. Er presste die Lippen zusammen und versuchte seinen angespannten Ton zu verbergen.

„Wir nehmen nur das Fell von bereits toten Tieren. Wir..." Ray wusste nicht so recht, wie er es erklären sollte und zögerte kurz.

„...töten keine Säugetiere, weil es den Geist eines gefallenen Kriegers tragen könnte“, beendete Marlow Rays Satz. Überrascht sah Ray auf. „Der südliche Wasserstamm ist fast so gläubig wie wir *Shizen*en. Nur glauben sie eben an die spirituelle Verbundenheit, nicht wahr?“ Marlow lächelte Ray freundlich an.

Dieser stammelte überrascht: „Wir... ich... also... wie?“

„Mein guter Junge. He, he, he.“ Der alte *Shizen*e klopfte Ray freundschaftlich auf den Arm. „Dem guten alten Marlow entgeht so leicht nichts.“ Er zwinkerte. „Außerdem ist deine Hautfarbe und der Fakt, dass du Pescetarier bist, äußerst unüblich in dieser Gegend.“ Ray errötete – tatsächlich war ihm bereits aufgefallen, dass er sich äußerlich mehr von dem Volk des *Shizen* Bistums unterschied, als er erwartet hatte. Marlow lachte erneut: „Wir sind eben blasse Bauern.“ Dann breitete er die Hände aus. „Also sprich. Wie kann ich dir behilflich sein? Wieso wolltest du mit mir reden?“ Ein ambivalentes Gefühl aus Dankbarkeit und gleichzeitig Scham schwappte durch Rays Körper. Immerhin hatte er eben noch Ulani quasi als ignoranten Tölpel gesehen und nun war ihr Vater nicht nur ehrlich freundlich, sondern auch noch durchaus wissend was die Brauchtümer seines Stammes anging. Ermahnend notierte er in Gedanken, dass er in Zukunft weniger schnell urteilen sollte. „Mein Gefährte Caleb und ich mussten vor einigen Wochen aus unserem Land fliehen. Samaels Truppen haben *Wa* und den südlichen Wasserstamm angegriffen. Sicherlich haben Sie davon gehört. Schließlich sind die Truppen bestimmt auch im *Shizen* Bistum am Wüten, da sie aus dem Osten her die Ringe überquerten.“ Seine ohnehin schon raue, brüchige Stimme brach ab. Die schmerzlichen Erinnerungen durchzuckten ihn wie die Peitsche eines Reiters.

Marlow zog die Stirn in Falten. Ray konnte nicht sagen, ob der Grund hierfür war, dass er sich Sorgen um Kriegsflüchtiger in seiner Küche machte, oder ob er noch nichts von dieser Angelegenheit gehört hatte. „Ihre Nichte Eliza hat uns sehr geholfen. Sie schickte uns auch hierher“, sagte er nun ein wenig von Marlows Reaktion verunsichert. Dieser ließ erneut einen seiner rauen Lacher hören und schüttelte scheinbar amüsiert den Kopf, während er so etwas wie; *‚diese Kleine‘* und *‚ach Eliza‘*, verlauten ließ. Ray fuhr fort: „Wie Ihr seht, haben wir nicht viel, nur ein bisschen Gold. Ich bitte Sie, um einen Platz zu schlafen und Arbeit, damit wir einen Weg zurück in unsere Heimat finden können. Ein kleiner Lohn, für Kleidung und Waffen und um uns schließlich auf den Heimweg machen zu können.“ Der Wasserkrieger neigte den Kopf, um seinen Respekt und seine Demut zu zeigen. Er hoffte inständig, dass es kein Fehler war, seine Identität und seine Bitte diesem Fremden anzuvertrauen.

„Dein Gefährte ist ein Tiergeist?“ Die Neugierde war unüberhörbar.

„Ja“, sagte Ray nach einem kurzen Zögern. Konnte er diesen Menschen wirklich vertrauen? „Lass uns zu ihm setzen, ich möchte ihn kennenlernen.“

Ulani, die das Gespräch bis dahin unkommentiert, aber skeptisch mit angehört hatte, blieb allein in der Küche zurück. Ihr Interesse an den Fremden schien genauso gering zu sein, wie ihre Freundlichkeit ihnen gegenüber. Indes schlenderte Marlow leise pfeifend und mit einem fröhlichen Gang zu dem Tisch hinüber, an den sich Caleb gesetzt hatte. Mit einem Schwing setzte er sich neben ihn auf die dunkelrote Couch und musterte den Otter nun mit unverblümter Neugier. „So so. He, he, he“, machte der Wirt. „So sagt mir, werter Otter...“ Obwohl sein Tonfall übertrieben höflich war, wirkte es keineswegs als spottete der Wirt. Nein, er wirkte aufrichtig ehrfürchtig und interessierte, musste Ray feststellen und spürte, wie seine innere Anspannung ein wenig nachließ.

„Caleb. Mein Name ist Caleb.“, sagte Caleb mit ruhigen, aber bestimmten Ton. „Okay, mein lieber Caleb.“ Das Lächeln, dass sich über Marlows Gesicht ausbreitete, erinnerte an einen kleinen Jungen, der soeben erfahren hatte, dass er den Rest seines Lebens so viel Schokolade essen durfte, wie er wollte. „Ihr seid also ein Tiergeist, welcher durch das *Nakame*-Ritual an jenen jungen Herrn gebunden ist?“ Marlows Augen blitzten vor Neugier.

„Ja", antwortete der Otter zögerlich - er schien dem Wirt noch nicht ganz über den Weg zu trauen. Seine Augen wanderten wachsam zwischen Marlows Gesicht und seinen gestikulierenden Händen hin und her, während er keine Miene verzog. „Erzählt mir mehr darüber, es würde mich sehr interessieren", drängte der Wirt. Weiterhin skeptisch schaute Caleb zu Ray. Dieser zuckte mit den Achseln und nickte dann. „Sie wissen, was man in den Wasserstämmen über Tiergeister sagt?", begann Caleb.

„Ohh ja, he, he, he. Die Wasserstämme glauben an Reinkarnation. Stirbt ein Mensch, so wird dieser wiedergeboren, vielleicht als Mensch, vielleicht als Tier, vielleicht auch... he, he, he ...als Pflanze?" Marlow lachte über seinen eignen Witz.

Caleb nickte und ergänzte: „Genau. Tiergeister sind in den Augen der Wasserstämmigen eine besondere Form der Reinkarnation. Denn sie glauben, dass die Seelen tapferer Krieger besondere Priorität bei der Wiedergeburt erhalten. Ihnen wird zugesprochen, dass sie zwar nicht als Mensch wiedergeboren werden, jedoch aber als ein sogenannter Tiergeist. Äußerlich ein Tierwesen, doch innerlich die kognitive Intelligenz, das emotionale Spektrum und die motorischen Fähigkeiten eines Menschen." Wie um seine Ausführung zu untermalen, hob Caleb seine Pfote, welche im Gegensatz zu Ottern, die keine Tiergeister waren, eine Art Daumen besaß. Er nahm das Messer, was vor ihm auf den Tisch lag, und ließ es geschickt durch die Finger gleiten. Marlow pfiff leise durch seine Zähn und beobachtete Caleb aufmerksam. „Tiergeister der Wasserstämme sind also ehemalige, besonders ehrenwürdige Wasserkrieger." „Und was ist mit Tiergeistern jenseits der Wasserstämme?", fragte Marlow. Caleb zuckte die Schultern. „Ich weiß es nicht. Unsere Rasse ist vermutlich einer der komplexesten Abstammung dieser Welt. Auch ich bin nicht einfach in *Wa* erschienen und schloss mich dem Stamm an. Nein, ich wurde wie viele andere wir als normaler Otter geboren. Einfältig und nur von Instinkten getrieben. Es ist das *Nakame*-Ritual, das unseren Geist erweckt." „Ich habe schon viel von diesem Ritual gehört, erzähl mir mehr", forderte der Wirt und ließ Caleb nicht einen Augenblick aus den Augen. Ray spürte, wie sich sein Herz ein wenig zusammenzog. Die Erinnerung an sein eigenes *Nakame*-Ritual hatten sich unwiderruflich in sein Herz und seine Seele gebrannt – und sie waren nicht positiv. Calebs Erzählungen brachten jene Bilder wieder an die Oberfläche seines Bewusstseins. „Ein Wasserstämmiger beginnt seine Kampf Ausbildung an seinem 10. Lebensjahr. An diesem Tag verlässt er sein zu Hause und muss sich mit den anderen 10-Jährigen seiner Stadt einen Platz als Wasserkrieger verdienen. Die Kinder haben eine Woche Zeit, um auf den höchsten Berg ihres Stammes zu klettern, dort ein spirituelles Ritual durchzuführen und anschließend gemeinsam mit ihrem neuen Gefährten, ihrem Tiergeist, heimzukehren. Danach beginnen sie, Hand in Hand mit diesem neuen Gefährten, die Ausbildung zu einem wahren Krieger. Viele Kinder schaffen es nicht bis nach oben, oder ihnen erscheint kein Tiergeist während des Rituals. Sie dürfen den Berg jedoch nicht ohne verlassen."

Caleb sah Ray an. Dieser blickte traurig zu Boden. Die Erfahrung des *Nakame*-Rituals war hart und er hatte einige seiner früheren Spielkameraden dort verloren. Die bittere Kälte in den Bergen hatte viele Leben gefordert. Marlow runzelte die Stirn und schüttelte kaum merklich den Kopf. Seien Neugier stand ihm zwar noch immer in den Augen, doch nun lag dort auch so etwas wie Ungläubigkeit, oder Entsetzen.

„Das Ritual ist ein spiritueller Gesang und Tanz, den die Kinder bereits Jahre zuvor lernen. Außerdem müssen sie ihr Blut in das prasselnde Feuer tropfen lassen und anschließend in eine tiefe Meditation versinken. In dieser Meditation erreicht ihr Geist dann das Tor der Welt der Geister. Dort rufen sie nach einem treuen Gefährten, einem Freund und einem Helfer, der bereit ist, sich ein Leben lang an sie zu binden. In dem Moment, als Ray sein Ritual auf dem höchsten Berg des südlichen Wasserstamm - Berg *Toshi* - durchführte, erwachte in mir etwas."

Calebs Fell stellte sich durch die Erinnerung elektrisiert auf.

„Ich konnte ihn hören, ihn nach *mir* rufen hören. Ich wusste, dass dieses Kind mein Schicksal war und ich ihm meine ewige Treue schenken würde. Ray meditierte einen gesamten Tag und ich lag still neben ihm und wartete auf sein Erwachen. Als er schließlich die Augen öffnete und sich unsere Blicke trafen, verbanden sich auch unsere Seelen. Ich werde nicht von seiner Seite weichen, bis der Tod uns scheidet."

Ein Frösteln durchzog Calebs Nacken und auch Ray dachte daran, dass sie erst vor Kurzem nah dran gewesen waren einander zu verlieren. Der junge Wasserkrieger wusste nicht, wie es sich anfühlen würde, wenn ihre Bande tatsächlich eines Tages reißen würde. Er streckte seine Hand nach Caleb aus und strich diesem sanft über das struppige Fell.

„Wunderbar. Ich liebe es, Neues über andere Kulturen zu erfahren!"

Marlow klatschte in die Hände. Seine plötzliche Begeisterung riss Ray und Caleb aus ihrer Melancholie und auch jede Spur von Entsetzen war aus Marlows Gesicht gewichen. „Das ist das Schöne an einer solchen Taverne." Mit einer ausladenden Bewegung deutete er einmal durch den verstaubten Gastraum des tanzenden Hirsches, als wolle er Ray und Caleb auf eine Schönheit um sie herum, aufmerksam machen, die sie zuvor nicht hatten sehen können. „So viele Leute mit so vielen Geschichten kommen hier her." Entzückt klatschte er erneut in die Hände. Da Marlow in Gedanken weit weg von Rays ursprünglicher Bitte geschweift zu sein schien, räusperte sich dieser, um ihn in die Realität zurückzuholen. Wie ein geweckter Träumender zuckte Marlow bei diesem Geräusch zusammen. „Ach ja. Ja. Gut, gut", sagte er. „Ich denke, eine weitere Aushilfe an den Abenden würde hinter der Theke ganz nützlich sein." Marlow nickte, sich selbst zustimmend. „Und du", er deutete auf Caleb, „könntest im nahegelegenen Fluss, Fische für uns fangen. Auch wenn die *Shizen*en ja eher die Fleischesser sind... he, he, he... so ein Wochenangebot Fisch wäre was Feines." Der Wirt grinste die beiden Wasserstämmigen warmherzig an und das Lächeln ließ seine Augen funkeln. Ihm schien die Aufregung eines Kriegsflüchtigen als Angestellten zu gefallen.

„Vielen Dank, Sir." Rays Stimme zitterte leicht – ob vor Dankbarkeit oder wegen der Erinnerung an die vergangenen Tage in seinem geliebten Wasserstamm wusste er nicht genau.

„Aber zieh dir was Vernünftiges an. Das ist ja lächerlich, dieser Pelz. Ulani wird dir eine Kiste an Zurückgelassenem zeigen. Nehmt, was ihr braucht.“ Seine Stimme klang freundlich und ein sanftes, warmes Prickeln breitete sich in Rays Brust aus. Ein Hauch von Hoffnung.

## Jacob

Es klopfte an Jacobs Schlafzimmertür und er legte das Buch beiseite, in dem er gelesen hatte. *„Stammbäume der großen Fünf“* stand in geschwungener Schrift auf dem Einband.

Wer klopfte zu so später Stunde noch an seine Tür? Jacob strich sich verwirrt seine langen, weißblonden Haare aus dem Gesicht und öffnete die Tür. Zu seiner Überraschung stand Eric davor - der älteste Sohn des Königs, sein Freund Kana's Zwillingsbruder und der ältere Bruder von Haru. Eric war hochgewachsen und muskulös, aber seine Gesichtszüge waren für sein Alter untypisch hart und ernst.

Ein Hauch von Nostalgie durchzog Jacob, als er an die Zeiten zurückdachte, als er und Eric unzertrennlich gewesen waren. Doch seit Jacob zu ihnen ins Schloss gezogen war, schien sich etwas zwischen ihnen verändert zu haben. Ein Stich durchzog Jacobs Herz, als er daran dachte, wie Eric von Kindesbeinen an für die Pflichten eines Thronfolgers trainieren und lernen musste. Während Jacob mit Kana und Haru am Wasser spielte und eine sorgenfreie Kindheit hatte, blieb Eric zurück. Die Verantwortung, die auf seinen Schultern lastete, konnte nicht einfach so abgeschüttelt werden.

Die Erinnerung daran, wie Eric lernen musste, sich die Aufmerksamkeit seines Vaters mit Jacob teilen zu müssen, ließ Jacob sich schuldig fühlen. Er wusste, dass er vom König stets liebevoll und aufmerksam behandelt wurde, aber er konnte nicht umhin, sich zu fragen, ob es echte Zuneigung war oder nur ein schlechtes Gewissen seines Vaters. Trotzdem war Jacob dankbar, dass er nach dem Verlust seiner eigenen Familie in diese neue Familie aufgenommen worden war.

Von Erics überraschendem Besuch irritiert, kämpfte Jacob mit seinen widersprüchlichen Gefühlen. Einerseits war er erfreut, Eric zu sehen, andererseits war da ein Hauch von Misstrauen und Unsicherheit. "Du hast dich wohl in der Tür geirrt, liebster Eric?", fragte er fast schon zynisch, um seine eigenen Emotionen zu verbergen.

„Ich wünschte, dass wäre dir vor 10 Jahren passiert", erwiderte Eric kühl.

Jacob schwieg, er kannte Erics bissige Kommentare schon zur Genüge. Ein Jahrzehnt als Schmarotzer und Eindringling behandelt zu werden, hatte ihn gelehrt, auf so etwas am besten gar nicht zu reagieren. Auch, wenn es ihm jedes Mal aufs Neue einen Stich im Herzen verlieh. Dieses Gefühl ignorierend, schaute er Eric erwartungsvoll an. Der Prinz wich seinem Blick aus. Sehr unüblich für ihn, stellte Jacob fest.

„Willst du mich nicht hereinbitten? Wenn ich schon deinetwegen bis ans Ende des Schlosses gekommen bin."

Anstatt zu antworten, trat Jacob einen Schritt zurück und gab Eric den Weg frei. Eric musterte Jacobs kleines Turmzimmer eingehend. Sein Blick wanderte an den Wänden entlang, die von Bücherregalen gesäumt waren. Gefüllt vom Boden bis zur Decke mit vorwiegend alt aussehenden, dicken Büchern – eine Unordnung, die es so im Schlafgemach des perfektionistischen Prinzen nicht gab. Jacob folgte Erics Blick, der nun auf die großen, bogenförmigen Fenster fiel, die einen atemberaubenden Blick auf das tosende Meer freigaben. Der Druide runzelte die Stirn. Er sah so etwas wie Sorge in Erics türkis schimmernden Augen. Eine Regung, die er schon lange nicht mehr gesehen hatte. Dem Prinzen gleichtuend blickte nun auch er aus den Fenstern in die dunkle Nacht hinein. Schloss *Sora* lag auf einer Insel. Der Ost-Flügen, ragte wie eine Fortsetzung der steilen Klippen aus dem tobenden Wasser hinaus. Es gab keine Vorhänge, mit denen man die großen Scheiben hätte abdunkeln können. Jacob hasste die Dunkelheit und hatte nichts zu verbergen. Der Prinz hingegen runzelte die Stirn.

„Du musst wohl täglich von dem Sonnenaufgang geweckt werden." Erics

Stimme war noch immer kälter als jeder Winterwind. „In der Tat“, sagte Jacob fast ebenso kühl. Er wollte dieses belanglose Gespräch so kurz wie möglich halten und zum wahren Grund von Erics Erscheinen kommen.

„Sind die Bücher aus unserer Bibliothek?“

„Zum Teil.“ Jacob rollte die Augen. Was sollte das hier?

Erics Blick schweifte weiter durch das Zimmer. Vor einem der großen Fensterbögen stand ein großer, schwerer Tisch, ebenfalls übersät mit allerhand aufgeschlagenen Büchern, sowie Tintenfässern und Federn.

„Eric, was willst du?“, sagte der Druide schließlich geradeheraus.

Der Prinz drehte sich zu Jacob um, welcher noch immer in der offenen Tür stand. „Brauche ich einen Grund, um mit meinem quasi-Bruder ein abendliches Pläuschchen halten zu wollen?“ Er deutete ein gequältes Lächeln an und öffnete die Arme, als sei er im Begriff Jacob eine Umarmung, vermutlich die erste in zehn Jahren, anzubieten. Jacob lachte hörbar gestellt auf.

„Wir wissen beide, dass du mich nicht als Bruder siehst.“

Eric ließ die Arme sinken. Seine Miene wurde ernst, fast finster.

„Schließ die Tür, Jacob.“ Der Druide tat wie ihm geheißen, blieb jedoch weiterhin in der Mitte des Zimmers stehen und bot auch Eric keinen Sitzplatz an. Diesen schien es nicht einmal aufzufallen und er trat stattdessen noch näher an eines der Fenster und blickte hinaus zum Mond. Das helle Licht spiegelte sich in seinen Augen wider und seine blonden Haare schimmerten wie flüssiges Gold. Jacob musste sich eingestehen, dass die Königskinder, ohne Zweifel die schönsten Junggesellen im Land waren. Insgeheim fragte er sich, warum Eric mit seinen 25 Jahren noch keine der Frauen zu seiner gemacht hatte. Eines Tages würde er eine Königin brauchen, um den Thron zu besteigen und seinen Vater an der Spitze der Macht abzulösen. Doch schien Eric keinerlei Interesse an den jungen Mädchen zu haben, die ihm regelmäßig vorgestellt wurden.

Jacob wartete geduldig, dass Eric wieder das Wort ergriff. Das Schweigen vom anderen Ende des Zimmers schien jedoch kein Ende nehmen zu wollen. Der junge Prinz legte seine Hand an die kühlte Fensterscheibe und schien mit den Gedanken weit entfernt zu sein.

Seufzend setzte sich der Druide nun doch auf die hellblaue Überdecke, die sein massives Himmelbett abdeckte, zog die Beine an und betrachtete den schönen jungen Mann, der so nah und dennoch so weit entfernt, von ihm stand. Die drahtigen, gut trainierten Muskeln des Rückens, den er Jacob zugewandt hatte, zeichneten sich deutlich unter dem dünnen Leinenstoff ab. Seine tiefe, feste Stimme durchbrach schließlich die Stille. „Deine Arbeit als Heiler ist sehr geschätzt und du bist äußerst talentiert."

Jacob wurde noch skeptischer. Traurigerweise konnte er sich nicht darin erinnern, wann Eric ihm jemals ein solches Kompliment gemacht hatte – zumindest nicht in den letzten zehn Jahren. Ganz vielleicht in den schönen, freundschaftlichen Jahren davor, die jedoch längst vergangen waren...

„Du solltest dich auf diese Gabe konzentrieren."

Ganz langsam drehte er sich schließlich zu Jacob um. Mit dem Mondlicht hinter sich, wirkte seine Gestalt noch größer und breiter als sonst und seine türkisenen Augen wirkten so dunkel wie das rauschende Meer, das hinter im lag.

„Damit meine ich, dass du dich *nur* auf diese Gabe konzentrieren solltest."

Der Blick des Prinzen war fest und bestimmt. Der Blick eines jungen Mannes, der keine Widerworte gewöhnt war. Jacob zog eine Augenbraue fragend hoch, sagte jedoch nichts. Diese Ruhe schien seinen Gegenüber nervös zu machen.

„Muss ich es dir ausbuchstabieren?", fuhr Eric ihn an und trat näher an das Bett. Drohend hob er einen Finger. „Hör auf, meinem Vater von deinen Visionen zu erzählen. Du sollst heilen, nicht sehen. Sei ein Heiler und kein Seher.“ Die tiefe Stimme des Prinzen war urplötzlich lauter geworden und er gestikulierte ein wenig zu stark, um seiner Aufforderung Nachdruck zu verleihen.

„Es ist in meiner Natur, zu sehen“, sagte Jacob nüchtern.

„Dann schließ deine verdammten Augen!“

Der Druide blieb ruhig. „Ich gebe meine Visionen stets mit Bedacht weiter. Dein Vater kann frei entscheiden, wie er sie deutet und nutzt, aber es ist meine Pflicht...“

Eric schnitt ihm das Wort ab. „Deine Pflicht ist es, unserem Land zu dienen und es zu schützen.“

„Und genau deswegen sollte der König Bescheid wissen...“, immer noch möglichst ruhig und bedacht.

„Über *vielleichts*? Über *eventuells*? Glaubst du wirklich, dass das sein Fokus sein sollte? Der König sollte sich Gedanken über das machen, was geschieht: hier und jetzt. Nicht über Schicksale, die vielleicht oder vielleicht auch nicht unsere Geschichte beeinflussen.“ Seine Stimme bebte bedrohlich.

„Eric es ist nicht deine Aufgabe, zu entscheiden, was dein Vater macht oder nicht macht.“ So langsam wurde auch Jacob ungeduldig und musste sich bemühen nicht ebenfalls lauter zu werden. Es war schließlich seine Pflicht als Druide am Königshof über seine Sehungen Bericht zu erstatten. Er konnte nicht einfach verschweigen, was er sah, ganz nach einem persönlichen Gusto. Das hatte sein Vater Gustav niemals gutgeheißen.

Der Prinz funkelte Jacob wild an. Doch plötzlich schien sein Gemüt erneut umzuschlagen. Er schloss seine wütend blitzenden Augen und atmete tief durch. Dann schritt er mit nur wenigen Schritten durch das Zimmer auf Jacob zu.

Eric kniete vor dem Druiden nieder, nahm seine Hände und drückte seine kalte, glatte Stirn gegen Jacobs Knie. Es war eine Geste von Untergebenheit und respektvoller Hingabe. Jacob stockte der Atem. Noch nie hatte er den stolzen Eric vor irgendwem niederknien sehen. Selbst vor seinem Vater neigte er stets nur den Kopf, jedoch würde nie auf den Boden gehen. Aber jetzt war er hier - knieend. Fast flehend. Vor ihm. Seinem verhassten Ziehbruder.

Erics Hände waren kalt und weich und hielten Jacobs mit festem Griff. Das gesenktes Haupt war ein solch unerwarteter Anblick, dass Jacobs Lippen verblüfft offenstanden. Dann hob der Prinz den Blick. Seine Züge waren plötzlich überraschend weich, sogar verletzlich und die türkisenen Augen fixierten Jacobs Blick. Die Schönheit des jungen Mannes in dieser untergebenen, verwundbaren Pose war hypnotisierend und beängstigend zugleich. Dieses Mal erhob er Wort, leise, samtweich und fast flehend: „Ich bitte dich, Jacob. Ich bitte dich aus tiefstem Herzen." Der Druide wusste nicht, was er sagen sollte, und war zutiefst verwirrt. Er konnte Erics Motivation nicht ergründen, er wusste nicht, warum er hier vor ihm kniete, und ihn anflehte, seine Visionen für sich zu behalten. Die Gedanken in ihm rasten, suchten nach dem Grund für dieses Zusammentreffen. Doch er fand nichts. Soweit er wusste, hatten seine Visionen bisher keine großen Bewegungen in den königlichen Strategien ausgelöst und auch sonst, konnte er sich nicht erinnern, besonders großen Einfluss auf König Kenshin zu haben. Doch Eric ließ nicht locker. „Jacob. Wenn nicht meinetwegen, dann um deiner selbst willen. Du musst damit aufhören."

Jacob glaubte so etwas wie verängstigte Verzweiflung in Erics Augen zu sehen. Wovor fürchtete sich dieser sonst so unerschrockene junge Mann? Was war es, dass er hier nicht begriff?

„Meiner selbst willen?", echote er. Sein Mund fühlte sich seltsam trocken an.

Erics Griff um Jacobs Hände wurde fester und seine Augen waren geweitet. Seine Iris glich einem weiten, glänzenden Spiegel. Jacob konnte seinen Blick nicht lösen. Er war wie in einem unbekannten Bann gefangen, konnte sich weder Erics Blick noch seiner Berührung entziehen. Die Stimme glich nun fast mehr einem Flüstern: „Erinnere dich daran, was das letzte Mal geschah, als Vater einem Seher vertraute."

Jener Seher war Jacobs verstorbener Vater gewesen.

Der zurückgebliebene Sohn erschauderte.

# 7. Kapitel

## *Ray*

Ray ließ seine dunklen Haare aus dem Knoten fallen und strich sich einige Strähnen aus dem Gesicht, während er geschäftig Gläser spülte, während Ulani die letzten Gäste des heutigen Abends hinausbeförderte. Seit einigen Wochen war er nun im tanzenden Hirsch angestellt, und Marlow Bowe war mehr als zufrieden mit ihm. Nicht nur wegen seiner Disziplin und Verantwortungsbewusstsein, sondern auch, weil er anscheinend neue Kunden anzog und die Bar dadurch voller als je zuvor war. Doch die verstohlenen Blicke der jungen Damen ließ Ray unbeachtet.

Plötzlich trat Ulani an die Theke und ließ sich seufzend auf einen Hocker fallen. Sie streckte sich kurz und begann schließlich die Einnahmen des heutigen Abends zu zählen. Ray beobachtete sie unauffällig, wie sie fokussiert die Münzen sortierte. Nach einer Weile brach Ulani das Schweigen. "Du hast wirklich eine Menge Trinkgeld bekommen heute Abend, Ray. Die Leute mögen dich hier."

Ray zuckte leicht mit den Schultern und verzog die Lippen zu einem halben Lächeln. "Ich tue nur meinen Job. Und vielleicht haben sie meine Gesellschaft satt." Ulani schüttelte den Kopf und blickte auf. "Nein, das ist es nicht. Ich muss ehrlich sein, ich hatte am Anfang meine Zweifel. Ich dachte, du wärst nur ein arroganter Kerl, der mit seinen Kriegsabenteuern angeben wollte."

Ray hob eine Augenbraue und ließ seinen Blick durch den Raum schweifen. "Und was hat dich davon überzeugt, dass ich mehr bin als das?"

Ulani lächelte leicht und legte die Einnahmen zur Seite. "Nun, du hast mich überrascht. Du bist nicht nur ein geschwätziger Flegel, sondern hinter deiner hübschen Fassade steckt ein todunglücklicher junger Mann mit einer realen und wahrhaftig grausamen Geschichte."

Ray runzelte die Stirn, unsicher, wie er darauf reagieren sollte. Die Worte von Ulani berührten ihn auf eine seltsame Art und Weise. "Ich habe nie versucht, Mitleid zu erregen oder meine Geschichte als Vorwand zu benutzen. Es ist einfach Teil meiner Vergangenheit."

Ulani lehnte sich an die Theke und sah ihm tief in die Augen. "Ray, ich respektiere dich dafür, wie du dich hier einbringst. Du bist kein Mann vieler Worte, aber deine Taten sprechen für sich."

Ray spürte eine Wärme in sich aufsteigen und senkte den Blick.

Ulani lächelte breit. "Also, Wasserkrieger, lass uns weiterhin dafür sorgen, dass dieser Ort hier ein Ort der Gemeinschaft und des Zusammenhalts bleibt." Noch nie hatte er die graue Ulani so lächeln sehen. Das sollte sie öfter tun. Er nickte zustimmend, auch wenn er wusste, dass nicht für immer hierbleiben würde. Da schwang die Tür zum tanzenden Hirsch auf und Caleb schlitterte herein. Der Otter gähnte ausgiebig und rieb sich die müden Augen.

"Na, wer hat denn da den Otter aus seinem Bau gelockt?", scherzte Ulani mit einem Hauch von Sarkasmus in der Stimme.

Caleb lächelte verschlafen. "Nun ja, ich war auf nächtlicher Erkundungstour und habe ein paar Delikatessen gefunden. Ich dachte, wir könnten uns zum Frühstück etwas Besonderes gönnen."

Ray schaute skeptisch zu Caleb und dann zu Ulani. "Was für Delikatessen? Bitte sag mir nicht, dass du wieder Seegurken gefunden hast, die letzten haben mich noch tagelang verfolgt."

Caleb lachte leise und schüttelte den Kopf. "Keine Sorge, Ray. Ich habe diesmal etwas Besseres gefunden. Austern. Frische Austern, um genau zu sein. Ein Frühstück für Krieger wie uns."

Ulani zog spöttisch eine Augenbraue hoch. "Oh, wie großzügig von dir, Caleb. Eine Delikatesse für die wahren Krieger des Alltags. Das lässt mich ja vor Freude auf den Tischen tanzen."

Caleb ließ sich nicht beirren und lächelte. "Kommt schon, Ulani. Es wird ein Festmahl für uns sein. Wir haben es uns verdient, etwas Besonderes zu genießen." Ray konnte sich ein Schmunzeln nicht verkneifen.

Ulani seufzte und nickte schließlich zustimmend. "Austern am Morgen können auch unsere Seelen beleben, oder?" Caleb strahlte und hob die Pfoten. "Genau das meine ich! Also lasst uns die Arbeit beenden und dann auf das köstliche Frühstück warten."

Die drei machten sich eifrig ans Aufräumen, während die Vorfreude auf die Austern in der Luft lag. Es war ein produktiver Abend, und Ray spürte, wie die Müdigkeit langsam nachließ. Die Aussicht auf ein besonderes Frühstück mit seinen ungewöhnlichen Freunden verlieh ihm neue Energie.

Als der Laden endlich sauber war, lächelte Ulani und sagte: "Gute Nacht, ihr beiden. Ich gehe jetzt ins Bett und freue mich schon auf unsere Austernmahlzeit morgen früh."

Am nächsten Morgen fanden Ray und Caleb tatsächlich die frischen Austern vor, jedoch ohne Ulani. Die beiden saßen an einem Tisch, und Caleb schlürfte die Austern genüsslich, während Ray mit einem leichten Lächeln zusah.

Ray: "Du und deine Austern, Caleb. Ich hätte mir denken können, dass du sie allein verspeisen wirst." Caleb, stolz grinsend: "Was soll ich sagen? Als Otter habe ich einen ausgezeichneten Geschmackssinn."

Gerade als die beiden ihr Frühstück genossen, betrat Marlow Bowe die Taverne und begrüßte sie mit einem Lächeln. "Morgen, Jungs. Na, wie schmecken die Austern?" Er erklärte ihnen anschließend, dass Ulani einige Erledigungen machen musste und wohl erst abends zurückkehren würde.

In der Tat kam Ulani zu späterer Stunde zurück und machte sich ohne Begrüßung daran, mit mürrischem Gesicht, die Tische im hinteren Teil des Gastraums zu bedienen, während Ray die Theke allein unter Kontrolle hatte. Er war effizienter als drei ihrer Angestellten zusammen. Verstohlen blickte Ulani zu Ray herüber. Er konnte ihren Blick nicht deuten, irgendwie war er seltsam, oder vielleicht auch einfach ihre Art von freundlich. Sein Blick traf ihren, er grinste schief und winkte ihr durch den überfüllten Raum zu. Dann beugte er sich zu einer jungen Frau, die sich selbstbewusst an der Theke positionierte. Nach dem er der Kundin ein ebenfalls breites Lächeln schenkte, nahm er aus dem Augenwinkel wahr, wie Ulani heftig den Kopf schüttelte. Na, da hatte er ihr Wohlwollen glatt wieder verspielt.

Ray schenkte der jungen kokettierenden Dame an der Theke ein Glas süßen Wein ein. Sie saß sehr oft an diesem Platz, seit er angefangen hatte hier zu arbeiten. Ihr volles Haar strahlte in einem unnatürlichem Flieder-Ton, der genau dem Ton ihrer Augen entsprach, die mindestens ebenso unmenschlich schön aussahen. Immer wieder musterte sie ihn mit neugierigen Blicken und er musste zugeben, dass er ihre Aufmerksamkeit als sehr angenehm empfand. Irgendetwas an ihr war... anders. Nicht so plump und einfach wie die anderen in der Kneipe, die hinter vorgehaltener Hand kicherten, wenn er ihnen Getränke servierte.

„Hach ich mag süßen Wein", säuselte sie, „so wie ich auch süße Männer mag." Sie zwinkerte Ray zu und klimperte zuckersüß mit den Wimpern. Dieser lachte nur kurz auf. Sie gab ihm mit einem Fingerzeichen den Wink, dass er ein wenig näherkommen sollte. Nachdem er kurz zögerte, lehnte er sich schließlich ein wenig weiter über die Theke. Ihre zarten Lippen kamen so nah an sein Ohr heran, dass er ihren Atem spürte. „Du bist nicht von hier, das sehe ich gleich. Sag..." Sie machte eine kurze, spannungsgeladene Pause. „...bist du etwa der entflohene Wasserkrieger?"

Rays Gesichtszüge gefroren. Sein Herz klopfte schnell in seiner Brust.

Bevor er etwas erwidern konnte, lehnte sich die Frau lachend zurück.

„Na da hab' ich dir aber einen Schreck eingejagt."

Sie lachte so herzhaft, dass es Ray noch mehr verunsicherte. Diese Frau kannte seine Identität. Sie klatschte in die Hände vor neckischer Freude, als eine kräftige Hand Ray zur Seite schob. „Na na. Was ist denn hier so lustig?" Marlow Bowe stand schmunzelnd neben Ray und hatte sich ein wenig in sein Sichtfeld gedrängt, sodass er seinen Blick auf die fremde Frau ein wenig verdeckte.

„Du weißt aber, dass das Flirten mit unseren Angestellten extra kostet."

Marlow schlug mit seiner linken Hand auf den Tresen vor die Frau und fiel ebenfalls in ihr Lachen ein. Der Wirt deutete erst auf sie, dann auf Ray.

„Ray, das ist Nao. Eine unserer Stammkundinnen. Mich wundert's, dass ihr euch nicht schon früher kennengelernt hat. Sie wohnt ebenfalls im Hause. Eine elegante Dame aus einer entfernten Stadt, die – nur Mutter Natur weiß wieso – eine Vorliebe für das dörfliche *Tsubuki* entwickelt hat."

Ray blickte die junge Frau verwundert an. Sie schlief auch im tanzenden Hirsch? Er musterte sie. Erst als er ihre Hände sah, dämmerte es ihm. Das war die Person gewesen, die bereits an seinem ersten Morgen und seit jeher jeden Morgen mit einer Zeitung im Gasthaus saß. Nao zwinkerte ihm erneut zu, als hätte sie seine Gedanken, seinen Geistesblitz lesen können.

„He, he, he", Marlow grinste schief, als er den vermeintlich mehrdeutigen Blickwechsel bemerkte und unterbrach die entstandene Stille dann, indem er sagte: „Ich wollte dir aber jemand anderen vorstellen, mein lieber Ray. Wechsel am besten die Position mit Ulani." Die beiden durchquerten den kleinen Gastraum und standen nun dicht hinter der aschblonden Wirtstochter. „Meine Liebe, geh' du mal hinter die Theke", forderte Marlow sie auf. Ulani schnaubte verächtlich an Ray gewandt: „Ist dir wohl zu anstrengend?"

„Aber, aber, meine Kleine", wies Marlow sie zurecht. Ray war es unergründlich, wie Marlow – stets gut gelaunt und unfassbar höflich – eine Tochter haben konnte, die seinem Gemüt nicht weniger ähnlich sein konnte. Ulani verdrehte die Augen und rauschte an den beiden vorbei zur Theke. Marlow klopfte dem Wasserstämmigen freundschaftlich auf die Schulter. „Mach dir nichts draus. Sie meint es nicht so. Ich glaube eigentlich, dass sie dich bereits ins Herz geschlossen hat. He, he, he." Dann wandte sich der Alte zu einem der Tische, an dem eine Gruppe Männer saß. „Hallo, hallo. Kleiner Schichtwechsel he, he, he."

Während Ray begann die leeren Bier- und Weingläser zusammen zu sammeln, reichte Marlow den Herren einem nach dem anderen die faltige Hand. Nach der kameradschaftlichen Begrüßung schob der Wirt Ray näher an den Tisch. „Darf ich dir vorstellen: Yong Riki."

„Sehr erfreut."

Hastig beugte sich Ray herüber, um die ihm entgegen gestreckte Hand zu schütteln. Zwei wachsame, braune Augen blickten ihn erwartungsvoll aus einem sonnengebräunten, Wetter gegerbten Gesicht an. Als der Mann mittleren Alters lächelte, vertieften sich die Furchen um seine Augen.

„Die Freude ist ganz meinerseits junger Mann."

„Yong ist Schmied – um genau zu sein, der beste Schmied in ganz Süd-*Shizen*. Du meintest doch, du seist auf der Suche nach Schwertern? Dann solltest du dich genau mit diesem Mann hier unterhalten", erklärte der freundliche Wirt.

Marlow klopfte Yong ebenso freundschaftlich auf die Schulter, wie Ray zuvor. Er war sichtlich stolz darauf, seiner Umwelt zu zeigen, wie eng er mit jedem seiner Besucher in Verbindung stand. „Nun denn. Nimm dir zehn Minuten Pause und klär, was du klären musst."

Der Wirt nickte erst Ray und dann freundlich lächelnd dem älteren Yong zu. Danach drehte er sich um und streifte zum nächsten Tisch, um die dort frisch angekommenen Gäste zu begrüßen. Ein wenig unsicher trat der flüchtige Wasserkrieger näher an den Tisch heran, um sich mit Yong über den Lärm im Wirtshaus hinweg unterhalten zu können. Hoffentlich würde er keinen Fehler begehen, einen Fremden um Hilfe zu bitten. „Ich suche ein paar passende Waffen und bin leider noch nicht fündig geworden, vielleicht können Sie mir weiterhelfen."

Yong hob die Augenbrauen und sein Blick musterte Ray skeptisch. „Ich bin mir nicht sicher, ob ein Kellner wie du, sich meine Waffen leisten kann."

„Wenn mir Ihre Schwerter gefallen, arbeite ich so viel, bis ich das tue."

Diese Entschlossenheit schien Yong zu gefallen. Er lächelte. Prüfend wanderte sein Blick und blieb an der langen, hässlichen Narbe, die sich senkrecht über Rays rechte, Gesichtshälfte zog, hängen. Sie pochte nicht mehr so stark, doch ab und zu durchzuckte Ray noch immer der Schmerz an jener Stelle, wo sein Versagen in *Wa* für immer in seine Haut gebrannt war.

Der Schmied murmelte leise, mehr zu sich selbst: „Diese Zeichnungen stammen nicht von Kinderspielereien. Nur ein Krieger, von entschlossener und mutiger Natur, kann so verwundet worden sein und nun so aufrecht vor mir stehen." Seine kleinen Augen zogen sich zu Schlitzen zusammen und er faltete die Hände in seinem Schoß, während er geschäftig sagte: "Dann werde ich sehen, was ich für dich tun kann. Was ist dein Kampfstil Junge?"

„Die Kunst des Nitōryū."

Yongs Augen weiteten sich. „Interessant. Interessant", murmelte er erneut in seinen nicht vorhandenen Bart. „Ich habe schon lange keine Schwerter mehr für einen Wasserkrieger geschmiedet."

Als er sah, wie Ray sich kurz umschaute, tippte er mit dem Finger an seine Lippen. „Schweigen ist Gold." Yong zwinkerte ihm zu und fuhr noch leiser fort: „Ich habe nichts gegen Wasserstämmige. Ganz im Gegensatz zu so manch anderem hier. Ich schätze ihre spezielle Kampfkunst sehr.

Außerdem…", jetzt grinste er Ray frech an, „…verdiene ich bei jedem Wasser-Krieger doppelt so viel."

Er lachte und prostete mit seinem Bier Ray zu, dem nicht nach Lachen zumute war, als er daran dachte, wie wenig er erst erspart hatte und wie lange es wohl dauern würde, bis er vernünftige Schwerter besäße.

„Gut. Ich schmiede dir zwei Schwerter, die all deine Schwerter, die du jeher besessen hast, übertreffen werden."

Die Augen des Schmieds funkelten vor Ehrgeiz.

„Sir, vielen Dank, aber ich…", sagte Ray zögerlich. Natürlich wollte er die besten Schwerter, doch ihm war schmerzlich bewusst, dass die Goldstücke in seiner Tasche mau aussahen. „Wegen des Preises einigen wir uns bestimmt", unterbrach Yong Ray. „Ich liebe die Herausforderung. Und ein Paar dünne Katana für die Kunst des Nitōryū ist wirklich eine Aufgabe, der ich mich widmen möchte." Er trank einen großen Zug von seinem Bier. „Komm in drei Wochen in meine Schmiede." Dann leerte er das Bier und hielt Ray den leeren Krug hin: „Ich denke, du solltest nun besser noch einige dieser Krüge verteilen."

Als die letzten Gäste endlich gegangen waren, die Stube gefegt und die Gläser gespült waren, kletterte Ray aus der kleinen Dachluke und setzte sich neben Caleb. Der Otter blickte in die Ferne. Richtung Westen. Die Richtung in der Elizas Hof, der kleine Wald dahinter und noch weiter hinten der äußere Ring, lagen. Die Richtung in der, irgendwo hinter alle dem, ihre Heimat lag. Mit einem Seufzer lehnte sich Ray an die Dachziegel.

„Drei Wochen, Caleb."

Die Nachtluft war angenehm kühl und es tat gut, nach einem langen Arbeitsabend die frische Luft einzuatmen. „Drei Wochen und dann können wir uns der schwarzen Armee entgegenstellen." Ray blickte hoch in den Himmel. Die Sterne funkelten und der Mond war unglaublich hell. Caleb schüttelte wortlos den Kopf.

„Mhm? Was ist los alter Freund?“

„Es wird mehr als drei Wochen brauchen…“

„Der Schmied meinte aber…“

„Ich rede nicht von deinen Schwertern. Ich rede davon, dass wir nicht einfach zu zweit nach *Wa* spazieren können und mal eben Schutt und Asche zurück zum Leben erwecken, während wir tausend Mann töten.“ Die Stimme des Otters war kühl und fast schon tadelnd, sein Blick hart.

Ray blickte Caleb ungläubig an. „Was meinst du damit? Sicherlich haben unsere Freunde, unsere Gefährten, sich schon längst der Besetzung widersetzt und wir müssen maximale ein paar übrig Gebliebene…“

„Du musst aufhören so naiv zu sein.“ Der Otter seufzte.

Fassungslos verstummte der Wasserkrieger und musterte seinen Freund. Wieso konnte er nicht einmal in seinen Optimismus einstimmen? Seit Wochen rackerte er sich in diesem Drecksschuppen ab. In einer Stadt, die im fremd war, unter einem Volk, dass eindeutig keinerlei Respekt vor Geistern oder anderen seiner Bräuche hatte. Jetzt hatte er endlich etwas, das nach einem Lichtblick aussah und dennoch sollte sich nicht darüber freuen? Dieses Trübsal blasen brachte nichts, dachte sich Ray. Doch er konnte Caleb ansehen, dass er dem Otter jetzt besser nicht widersprach. Auch wenn sie als *Nakame*-Gefährten eine besondere Verbindung hatten, so war es oft, als wäre Caleb mehr ein großer Bruder anstatt eines ebenbürtigen Kompagnons. In diesem Moment nervte es jedoch gewaltig.

Ray seufzte schließlich in die Stille hinein und fragte: „Bist du dir sicher, dass es so übel aussieht?“

Caleb nickte erneut. „Wie du weißt, habe ich mich die letzten Wochen in der Stadt ein wenig umgehört Ich wollte Informationen sammeln.

Gegebenenfalls Rebellen-Gruppen, die an unserer Seite marschieren würden, ausfindig machen…" Ray spürte wie er sich automatisch versteifte und seine Kiefer zu mahlen begann.

„Aber alles, was ich fand, waren Berichte darüber, dass *Wa* und der südliche Wasserstamm gefallen sind…" „Was…?" Ray keuchte laut. Am liebsten hätte er sich instinktiv die Ohren zu gehalten. Caleb schluckte, aber fuhr erbarmungslos fort: „Es wurden zwar Truppen der rot-schwarzen Allianz abgezogen… Der einzige Grund dafür ist, dass es dort nichts mehr zu besetzen oder zu erobern gibt. Unser Land soll dem Erdboden gleichgemacht worden sein. Schlimmer als beim westlichen und nördlichen Stamm."

Schmerzhaft sah Ray die sanften Hügel seines Landes, seiner Heimat, vor sich. Ein stechendes Gefühl machte sich in seiner Brust breit und seine Hände ballten sich zu Fäusten.

„Unsere Frauen wurden getötet."

Die Worte trafen ihn so stark, dass er nicht einmal mehr reagieren konnte, sondern sein Körper einfach nur unkontrollierbar zu zittern begann.

„Ein alter Mann hat mir eine Zeichnung gezeigt, die von der schwarzen Armee zu Propaganda Zwecken genutzt wird. Mehrere hundert Frauen unseres Stammes aufgereiht. Eine nach der anderen wurde hingerichtet. Sie wollen um jeden Preis die Wassermagie aus der Welt verbannen."

Heiße, brennende Tränen in Rays Augen ließen die Häuser *Tsubikis* verschwimmen. „Mehrere hundert Mann wurden wohl gefangen genommen." „Der Rest?", presste Ray hervor. „Der Rest wandert nun in der Geisterwelt unruhig umher und wartet darauf, dass wir sie rächen."

Caleb sprach mit einer ruhigen, fast teilnahmslosen Stimme. Selbst durch seinen Tränenschleier konnte Ray sehen, dass er geweint hatte. Die Otteraugen waren geschwollen und gerötet. Der Otter strecke die Pfote nach Rays bebendem Körper aus. „Ray, ich verstehe dich nur zu gut. Aber ich kann dich nicht in dein Verderben laufen lassen. Wir müssen eine ebenso mächtige Armee in die Schlacht führen, wie die der Allianz, um eine Chance zu haben.“ Nun begann auch die Stimme des Otters zu beben.

Der Wasserkrieger reagierte nicht. Er war tief in Gedanken versunken, nahm jedoch mechanisch Calebs Pfote entgegen und drückte sie fest. Caleb flüsterte: „Ich bin mir sicher, dass du zu dem Anführer werden wirst, den wir so dringend benötigten. Du wirst eine Einheit schaffen, die die Welt vor der einbrechenden Dunkelheit retten wird.“ Ray wusste, dass Caleb seine Worte ernst meinte, doch gleichzeitig war ihm so schmerzhaft wie noch nie bewusst, dass er nicht so weit war. Er war kein Anführer. Er war nicht sein Vater.

Die beiden Freunde saßen eine Weile so da. Schweigend, Hand in Hand. Den Blick in die Unendlichkeit des Himmels gerichtet. Das Herz voller Kummer.

So vergingen weitere zwei Wochen, in denen Ray jeden Abend diverse Süd-*Shizen*en bediente und sich nichts weiter wünschte, als dass er endlich genug Gold beisammenhatte, um dieses Wirtshaus zu verlassen. Marlow war gut zu ihm, aber das war kein Leben, das er führen wollte. Er war dazu bestimmt Stammeshäuptling zu werden und nicht die Teller kleiner, betrunkener Bauern zu spülen. Die Frauen in *Tsubuki* schienen ebenfalls ihr Interesse an dem Fremden verloren zu haben, sodass die monotonen Abende nun nicht einmal mehr von flüchtigen, charmanten Unterhaltungen mit Damen unterbrochen wurden. Stattdessen steigerte sich das Missfallen der Männer gegenüber seiner fremden Herkunft. Immer wieder erwischte er sie dabei, wie sie tuschelten und sich den Kopf darüber zerbrachen, woher wohl seine olivene Haut stammte. Er ignorierte es geflissentlich. Die einzige Person, die ihm immer wieder mit keckem Humor und anzüglichen Witzen ein wenig Heiterkeit bescherte, war die geheimnisvolle Nao. Doch selbst diese Freude endete vor zwei Tagen, mit ihrer plötzlichen Abreise in der stillen Nacht. Er hatte mit Caleb auf dem Dach gesessen, als er sah, wie die junge, schlanke Frau mit Koffern bepackt den tanzenden Hirsch verließ. Sie drehte sich nicht einmal um. Es juckte ihm in den Füßen, dieses Wirtshaus ebenfalls endlich hinter sich zu lassen. Die einzelnen, verlorenen Goldstücke in seiner Tasche hielten ihn jedoch jäh zurück.

Ray hing diesem bitteren Gedanken noch hinterher, als Marlow ihn jäh zurück in die Realität holte.

„Ray, heute arbeitest du bitte im Hintergrund. Abspülen, Essen kochen und so weiter…" sagte Marlow bestimmt. Sein Tonfall war ungewohnt distanziert. „Wieso? Ich bin effizient mit den Tischen und…" *Ich brauche das Trinkgeld, um hier fortzukommen*, beendete Ray den Satz in Gedanken.

„Es kommt heute eine Garde der Gladiole. Ich möchte nicht… nun ja. Ich denke wir wissen, beide, dass es besser wäre, wenn sie nicht direkt von deiner Herkunft erführen…" Marlows Brauen waren tiefgezogen und auf seinem Gesicht lag ein sanfter Schatten an Sorge.

Die Gladiolen waren eine hoch ausgebildete Elite-Truppe, eine Art interne Polizei des *Shizen* Bistums, die den Willen des Erzbischofs zur Not auch mit Gewalt durchsetzen. Die Garde war nach der Blüte der Gladiolen Pflanze benannt worden, da diese mit ihren spitzen Blättern und einzigartigen Blüten für Stärke, Stolz und Sieg stand. Die Garde sollte genau diese Eigenschaften widerspiegeln. Die persönliche und schwere Auswahl durch den Erzbischof führte im Bistum zu Anerkennung und Ehrfurcht. Die Erd-Magier, die dieser speziellen Garde angehörten, wurden auch die *Offiziellen* genannt.

Eine lächerliche Bezeichnung, dachte Ray, das konnten ja nur Wichtigtuer sein. Er zuckte mit den Achseln, und musste sich eingestehen, dass Marlow vermutlich recht hatte. Allein Rays Hautfarbe oder der Fakt, dass er kein Fleisch aß, konnte als Verstoß gegen die religiösen Gesetze des Bistums verstanden werden. Der Erzbischof und somit auch sein engstes Gefolge waren nicht für ihre Toleranz gegenüber Fremden bekannt.

Dennoch nahm er sich fest vor, dass er, wenn möglich, die Gespräche der Offiziellen mit anhören wollte. Trotz Calebs Bemühungen, hatten sie noch nicht herausgefunden, inwiefern das *Shizen* Bistum von der rot-schwarzen Allianz angegriffen worden war. Die Einheimischen waren seltsam verschwiegen. Aber irgendetwas musste auch im Bistum geschehen sein. Immerhin lag der Weg der Truppen zu den Ringen durch die Weiten des Bistums.

Ray erkannte die Offiziellen sofort. Das lag nicht nur an ihrer hellgrauen Uniform mit dem roten Abbild einer Gladiolen-Blüte, das ihre Schulter und Rücken dekorierte. Nein, vor allem ihre aalglatte Art war es, die es preisgab. Sie drängten sich an den anderen Gästen vorbei bis zur Bar, als sei es nur natürlich, dass sie zuerst bedient werden mussten. Es waren fünf Männer mittleren Alters, einer geschniegelter als der andere. Ihr Benehmen stand nur nach wenigen Schlucken Alkohol, im starken Kontrast zu ihrem ordentlichen Äußeren. Sehr bald schon dominierten ihre lauten, sexistischen und Rays Meinung nach unangebrachten Witzen, den gesamten Gastraum und sie ließen nicht unbemerkt, was sie von dem bäuerlichen ‚Pack', welches ebenfalls in der Bar trank, hielten. Einigen Beistehenden rollten nur die Augen und ließen sich nicht von ihrer eigenen Gesellschaft abbringen, andere verließen verunsichert oder erzürnt das Wirtshaus. Caleb stand in der Küche neben Ray und grunzte missbilligend vor sich hin. „Unmöglich. Die denken wohl, sie seien was ganz Besonderes. So etwas widert mich an." Ray nickte zustimmend und erwiderte: „Ich verstehe nicht, warum Marlow diese Geier sich so benehmen lässt. Es kostet ihn sicherlich einige Kundschaft, wenn sie hier so angemacht werden."

Es war als rhetorische Frage gemeint, doch Ulani, die kurz nach hinten gekommen war, um ein Gericht von Ray entgegenzunehmen, antworte ihm: „Sie verhalten sich so, weil sie es können. Ein Wort von denen und mein Vater kann dicht machen. Die Gladiolen haben eine enorm hohe politische Macht und entsprechend auch Mitspracherecht bei Ausschanklizenzen."

Ray schnaufte laut, das ganze System in *Shizen* war ihm zuwider.

Ulani verdrehte die Augen: „Nicht alles ist besser bei euch Wilden, weißt du?" Bevor Ray etwas erwidern konnte, war sie bereits zurück im Gastraum. Caleb streckte sich, er war heute bereits vor dem Morgengrauen auf Fischjagd gewesen. Gähnen wandte er sich an seinen *Naka*me-Freund. „Ich lass dich jetzt allein mit diesem Spektakel und geh nach oben."

Der Wasserstämmige nickte und hob zum Abschied die Hand. Der Otter huschte geschickt, verborgen vor den Blicken der Gäste in Richtung ihrer Dachbehausung. Ray seufzte – in Gesellschaft war das Kochen und Abspülen netter gewesen. Nun hatte er wenigstens die Möglichkeit ein wenig genauer zu zuhören, was die geschwätzigen Offiziellen erzählten, in der Hoffnung mehr über den derzeitigen Stand der Kriegsfronten zu erfahren.

Die Stunden verstrichen und die fünf Gladiolen-Mitglieder tranken ein Bier nach dem anderen. Ihre Stimmen wurden lauter und ihre Stimmung unerträglich: Die Witze derber, die Unhöflichkeiten und Arroganz offensichtlicher. Doch trotz dieser ungehaltenen Art, hatten sie bisher nur wenig Interessantes oder Neues preisgegeben. Vielleicht sollte Ray es wagen, in einen direkten Diskurs mit ihnen zu treten? Er war noch hin und her gerissen, als er bemerkte, dass die Stimmung im Gastraum langsam kippte.

„Heey hab' disch nicht sooo", lallte einer der uniformierten Männer. Ray trat in den Türrahmen und sah, wie der Mann Ulanis Arm fest umgriffen hatte. Diese wirkte ungewohnt verunsichert, ihre aschgrauen Augen schimmerten, als würden sich Tränen darin sammeln. Marlow stand weit hinten im Gastraum, den Rücken zu ihr gewandt, ganz so als würde er von der Szene nichts mitbekommen.

„Jetzt zeig schon her!", rief der Mann, der nun leicht an Ulanis Arm schüttelte. Diese verzog das Gesicht und versuchte erfolglos ihren Arm aus seinem Griff zu ziehen. Ray stand starr und seine Augen weiteten. Was war hier los? Was wollte dieser Mann? Die anderen Offiziellen lachten höhnisch.

„Ey Willy, die Olle will halt nicht."

„Die hat bestimmt eh nur Hänge-Titten"

„Ja genau, lass 'se gehen."

Willy, der Offizielle der Ulani nicht losließ, war inzwischen puterrot angelaufen, die gleiche Farbe, die seine zuvor so glatt gebürstete Mähne hatte. Diese war nun eher struppig und fiel ihm ins erzürnte Gesicht. Seine Augen waren gerötet und vom Alkohol verquollen. Ungläubig starrte Ray ihn an. Hatte er eben richtig verstanden? Er wollte, dass sich Ulani entblößte?

„Ich will aber!", brüllte er nun fast wie ein störrisches Kind und zog Ulani näher an sich heran. Erschrocken erkannte Ray, dass sie zitterte. Sie schaute Hilfe suchend zu Marlow. Ihrem Blick folgend, erschreckte Ray noch mehr. Marlow sah zu Ulani rüber – emotionslos und mit einem kalten, berechnenden Blick. Dann, als würde er eine unausgesprochene Frage beantworten nickte er stumm und drehte sich um. Ray starrte fassungslos den grau-blonden Hinterkopf an. Was hatte er da gerade gesehen? Der sonst so fröhliche, freundliche Marlow eilte seiner Tochter nicht zu Hilfe? Nein, schlimmer, er hatte genickt? Was bedeutete das? Wieso unternahm er nichts?

Mit einer unguten Vorahnung wandte Ray sich wieder Ulani zu. Er erschauderte. Die junge, sonst so störrische Frau, begann zitternd, ihre grau-karierte Bluse aufzuknöpfen. Willy jauchzte laut, ließ ihren Arm jedoch nicht los. Ein Knopf war geöffnet. Ray ballte die Fäuste und zitterte vor Anspannung, während der Widerling eines Staatsmannes sabberte wie ein tollwütiger Fuchs. Ein weiterer Knopf.

„Weiter, weiter!", brüllte der Widerling. Ulani zögerte. Sie fühlte sich sichtlich unwohl. Dennoch begann sie nun an dem dritten Knopf herumzufummeln. *Jetzt reicht es,* dachte Ray. Blitzschnell hatte er das Geschirrtuch zu Boden geworfen, war in einem Satz hinter der Bar, riss Ulani hinter sich und knallte die Faust auf den Tresen. Er funkelte den hochroten, betrunkenen Willy an. Der Schlag auf das Holz war so laut gewesen, dass es plötzlich ganz leise im Gastraum war. Zwei Dutzend Augenpaare waren auf Ray gerichtet. Ulani stöhnte leise hinter ihm, halb dankbar, halb ängstlich. Willy spie mit ebenso viel Sabber wie Wut aus: „Was soll der Scheiß? Was denkst du wer du bist?“

„Jemand, der ein wenig besser erzogen ist als ihr Widerlinge“, knurrte Ray.

Nun war es sowieso zu spät, der Wasserstämmige wusste, dass er nach dieser Situation wahrscheinlich seine Koffer packen konnte. Die vier anderen Offiziellen begannen laut zu lachen. Sie knallten nun die Fäuste ebenfalls auf die Theke und gluckerten vor Lachen und Rülpsen vor sich hin. Einer rief: „Ey Willy. Der Junge hat mehr Mumm als du.“ Auch wenn Ray es nicht für möglich gehalten hatte, lief Willy noch röter an. Seine Gesichtsfarbe glich nun den purpurnen Sofas, die hinten im Gastraum standen. Er sprudelte wütend los: „Keiner hat mehr Mumm als ich. Und das wisst ihr!“ Anstatt sich an Ray zu wenden, wandte Willy seinen Tomaten-Kopf in Richtung seiner Freunde. „Ich war ja schließlich derjenige, der...“

„Ach Willy, als ob du da was zu sagen hattest.“

„Jetzt tu nicht so!“

Die Offiziellen lachten weiter. Verblüfft ließ Ray Ulanis Hand, die er bis eben zum Schutz gehalten hatte, los. Er hatte nicht damit gerechnet, dass die Gladiolen anstatt ihn, einander zerpflückten. Willy brüllte zornig: „Ihr hättet euch niemals auch nur in die Nähe dieses Untoten getraut!“

„Vielleicht warst du ja nur entbehrlich genug, falls dieser Trottel den Pakt doch gebrochen hätte!“ Alarmiert spitzte Ray die Ohren. Untoter? Pakt?

Einer der Offiziellen wand sich direkt an Ray: „Ey, Bengel. Na, was meinst du? Unser Willy hier“, er klopfte dem Roten lachend auf die Schulter, „unser Willy durfte den Vincit zu einer Besprechung begleiten – einer Besprechung mit dem Bösen selbst.“

Ray sah ihn nur fragend an. Der Offizielle lachte wieder los. „Ach die Bauern haben ja keine Ahnung! Siehst du? So unwichtig war deine Heldentat, kein Mensch interessiert sich dafür.“

Ruckartig wandte Tomaten-Willy seinen Blick wieder auf Ray und schrie nun in voller Lautstärke und wutentbrannt: „Ihr habt euren Frieden mir zu verdanken! Ich war dabei, als Vincit Samael die Hand reichte, um ihn einfach durchreisen zu lassen! Ich war es, der Wache stand, als Vincit das Treffen hatte. Ich bin es, der geholfen hat, dass eurer beschissenes Wirtshaus jetzt nicht in Schutt und Asche liegt. Weil ich diesen bösen Engel oder Teufel oder was er sein soll im Auge hatte!“

Wellen an wütender Hitze durchfuhren Rays Körper. Sein Herz klopfte. Seine Fäuste ballten sich erneut.

„Ich habe dafür gesorgt, dass diese schwarzen Lachmänner ganz einfach hier durchlaufen konnten und fröhlich bei den Wilden im Süden rauskamen! Verdammt du Bengel, gib mir mein Weib, denn ich habe Vincit geholfen die rot-schwarzen in einen lächerlichen temporären Waffenstillstand zu lotsen. Und ich werde es auch sein, der sie…“

Bevor er weitersprechen konnte, traf ihn Rays Faust mitten ins Gesicht. Der rote Kopf flog wie eine faule Tomate zur Seite. Das Blut, was aus Willys Nase lief, hinterließ kaum eine Spur auf dem gleichfarbigen Kinn. Adrenalin schoss durch Rays Adern.

Sie. Hatten. Sie. Durchlaufen. Lassen.

Geradeaus in seine Heimat.

Die *Shizen*en waren keine Verbündeten. Stattdessen hatte es seine Heimat mit zerstört. Mit einem Satz war Ray über die Theke gesprungen. Ulani hatte noch versucht ihn zu packen, doch sein Shirt war nur durch ihre Finger geglitten. *Sie sind schuld,* pochte es in Rays Kopf. Er stand direkt neben Willy, als er erneut ausholte. Der zweite Schlag brachte seine Lippe zum Platzen. Gleichzeitig schien er die anderen Offiziellen aus ihrer Schockstarre zu wecken. Sie sprangen von ihren Hockern und gingen auf Ray los. Ray wich aus und versuchte gleichzeitig mit gezielten Hieben die Männer zu treffen. Die restlichen Gäste machten dem Tumult Platz und hielten sich erschrocken und verängstigt am Rand des Gastraumes auf. Ray war blind vor Wut.

Sie waren schuld.

Sie hatten seine Familie auf dem Gewissen.

Er brüllte inzwischen ebenso laut wie die Offiziellen und schlug immer wieder zu. Plötzlich packte ihn jemand von hinten. Ray wirbelte herum, bereit zuzuschlagen. Zu seiner Überraschung war es keiner der Gladiolen. Es war Marlow, der ihn wutentbrannt ansah. Der Wasserstämmige ließ die Hände sinken. Dafür erhielt er einen festen Faustschlag von der Seite ins Gesicht. Genau auf die ohnehin erneut pochende Narbe. Bevor er sich weiter wehren konnte, hatte Marlow ihn mithilfe von Rupert unsanft aus der Menge gezogen.

Der Wirt brüllte Ray an: „Du undankbarer Hund! Du bist eben doch nur ein Wilder!“ Ray war wie in Trance. Der Marlow, den er für einen netten, hilfsbereiten Mann gehalten hatte, war vollends verschwunden.

„Weißt du eigentlich, was ich riskiert habe so einen Elenden wie dich aufzunehmen? Du Undankbarer! Verzieh dich bloß! Hau ab!“

Marlow öffnete die Tür nach draußen. Die kühle Luft umspielte Rays geschwollene Lippen. Sein Kopf pochte. Dann stieß ihn Marlow unsanft nach draußen. Er spürte einen Tritt und einen zweiten, der ihn einen guten halben Meter in die dunkle Nacht beförderte. Erneut schubste Marlow ihn, bevor er die große Tür zum *tanzenden Hirschen* laut polternd zuwarf. Ray war durch den unsanften Stoß ins Straucheln geraten und über einen der dunkelgrauen Steine, die alle Straßen *Tsubikis* pflasterten, gestolpert. Unsanft war er auf dem harten Boden aufgekommen. Seine

Narbe pochte unerträglich stark. Dieser Dreckskerl eines Offiziellen hatte genau auf die offensichtlichste Schwachstelle gezielt. Ray schmeckte Blut und spuckte mit lautem Röcheln aus. Die klebrige Spucke war rot verfärbt. Na großartig.

Bevor er sich wieder vom Boden erheben konnte, hörte er wie weit oben hinter ihm das Dachfenster aufgerissen wurde. Wenig später segelten all seine Habseligkeiten zu ihm hinunter auf die Straße. Er drehte sich danach um und versuchte, so gut es ging, die Beutel und Kleidungsstücke aufzufangen. Das laute Schimpfen, was aus dem geöffneten Dachfenster zu vernehmen war, musste von Caleb stammen. Der Otter würde seinen Wutausbruch, der ihnen Job und Logie kostete, vermutlich nicht für gut befinden.

Immer noch zornig stieß Ray mit der geballten Faust gegen die Pflastersteine. *Verdammt*. Er schlug immer wieder zu, hörte die Knöchel knacken. Das hätte das Gesicht dieses feixen Dreckskerls sein sollen, dachte er.

Ein Knarzen durchzuckte die Stille und plötzlich fiel ein heller Lichtschein in die dunkle Gasse. Die laute Geräuschkulisse des überfüllten Gastraums drang zu nach draußen. Die Tür zum tanzenden Hirsch war erneut geöffnet worden.

Ray drehte sich abrupt um, die Fäuste erhoben, bereit sich wieder auf die arroganten Offiziellen zu stürzen. Zu seiner Überraschung stand nur ein einzelner, hagerer Mann im Türrahmen. Durch das Licht von innen erkannte Ray die Silhouette. Der Mann ging mit seltsam schlurfenden Schritten in die dunkle Nacht hinaus, gefolgt von einem kleineren Wesen. Die Tür schlug hinter den beiden Gestalten zu und sie waren wieder in Dunkelheit gehüllt. Die kleinere Gestalt, Ray erkannte nun Caleb darin wieder, huschte schnell auf ihn zu, in den Pfoten die letzten Besitztümer, die noch nicht durch das Fenster geflogen waren. Der andere schlurfte näher und als Rays Augen sich erneut an die dunkle Nacht gewöhnt hatte, erkannte er ihn. Seine Augen weiteten sich vor Überraschung.

Es war Yong Riki, der mit ausgestreckter, helfender Hand auf ihn zu kam und Ray mit einem Ruck vom Boden hochzog.

„Sammelt eure Sachen auf und dann lasst uns von diesem verseuchten Ort verschwinden“, sagte der Schmied und spuckte auf die Straße vor dem Wirtshaus.

# 8. Kapitel

## *Ray*

Ray und Caleb nahmen dankend den dampfenden Tee entgegen, den Yong ihnen reichte. Neben ihnen prasselte ein Feuer, dass die kleine, gemütliche Küche des Schmieds in flackerndes Licht tauchte und sie wärmte. Seufzend sackte der hagere Mann neben Ray auf die hölzerne Bank und zupfte das etwas ausgewaschene Kissen hinter seinem Rücken zurecht. „Danke“, murmelte Caleb, während er an der dampfenden Tasse roch. Ray nickte ebenfalls, stellte die Tasse jedoch erstmal wieder ab. Da die kleine, ruhige Frau des Schmieds in diesem Moment zurück in die Küche trag - mit einem Koffer voll Verband und Wundsalbe. Sie lächelte milde und sagte: „Ein guter Tee ist besser als jede Medizin.“ Ihre Stimme war seltsam rau und passte nicht zu ihrem sonst eher unscheinbaren Aussehen. Als sie Ray und Caleb die Tür geöffnet hatte, hatte sie kein Wort gesagt. Keine Frage gestellt. Und dass, obwohl ihr Mann zwei vollkommene Fremde mit ins Haus gebracht hatte und einer von ihnen blutete. Ihre ruhige und zurückhaltende Art war angenehm und Ray dankbar, dass er nicht mit Fragen gelöchert wurde. Geschäftig trug sie nun eine stark riechende Salbe auf Rays Gesicht auf. Von dem beißenden Geruch und dem folgenden brennenden Stich erschrocken, zuckte Ray zusammen. Erneut umspielte ein fast schon liebevolles Lächeln ihre Mundwinkel. „Das Brennen hört gleich auf.“

Nachdem sie Rays Wunde versorgt hatte, schaute sie ihren Mann fragend an. Dieser nickte stumm, worauf hin sie sagte: „Ich werde euch Decken und Kissen in der Stube bereitlegen. Dort könnt ihr schlafen.“ „Danke“, sagte der Otter erneut. Die Frau nickte und packte die Salben und Wundmittel zusammen. „Gute Nacht“, sagte sie dann und küsste ihren Mann auf die Stirn, nickte den beiden Wasserstämmigen zu und lächelte ein letztes Mal freundlich. „Ruht euch aus.“ Nur einen Augenblick später waren die drei Männer allein in der Küche. Yong stand auf und für einen kurzen Augenblick hatte Ray Sorge, dass auch er die Küche schnurstracks verlassen würde. Dabei brannten doch noch so viele Fragen in ihm. Doch der Schmied kramte lediglich in einer der hundert Schubladen, die die Küchenwand säumte. Zufrieden holte er ein Glas voller Kekse hervor und stellte es fast schon kindlich triumphierend auf den Tisch und ließ sich wieder neben Ray nieder. „Wieso helft ihr uns?“, fragte dieser Yong nun unverwandt. Nach seiner Täuschung in Marlow Bowe glaubte er nicht mehr daran, dass jemand aus reiner Freundlichkeit einen Fremden, der auch noch eine politische Gefahr für sie darstellte, aufnahm. Yong schwieg eine Weile. Caleb sah ihn nun ebenfalls skeptisch an und wiederholte: „Wieso? Was ist für Sie drin?“

Yong ballte seine Hand zu einer Faust, blickte starr auf den Tisch, seine Stirn lag in tiefen Falten und er flüsterte so leise, dass Ray es kaum hörte: „Rache.“

Er blickte auf, sein Blick war der eines einerseits gebrochenen und andererseits wild entschlossenen Mannes und hatte nichts mehr mit dem eines Mannes gemein, der um Gold für seine Schwerter feilschte.

„Ich hatte nie vor deine Schwerter für Gold zu schmieden. Ihr zwei hättet sie euch niemals leisten können. Meine Materialien, meine Kunst... dafür hättet ihr Jahre im tanzenden Hirsch bleiben müssen. Nein, ich sagte dir, dass ich sie dir schmieden würde, weil ich in dir einen Krieger sah. Einen Krieger, der Schmerz erlitten hatte und der vermutlich mein Leid teilte. Ich entdeckte in euch Hoffnung – für mich. Mein Plan war gefasst, in dem Moment, als ich eure Bitte hörte.“

Yong Rikis Fäuste zitterten und sein Gesicht war voller Schmerz, als er die nächsten Worte aussprach.

„Sie nahmen mir meine Tochter.“

Er schluckte. Das schwache Licht in der Küche ließ die Kanten und Schatten in Yongs Gesicht wie tiefe Krater erscheinen. Seine Augen glitzerten feucht, bevor er sie schnell schloss, als wolle er seine Tränen verbergen.

„Sie durchquerten *Tsubiki*, um zu dem südlichen Wasserstamm zu gelangen. Es waren tausende. Unsere Anweisung war es, sie einfach passieren zu lassen. Ihnen einfach den Weg freizumachen.“

„Wie konntet ihr nur...“ Ray konnte seine Entrüstung nicht unterdrücken und er ballte seine Hand zu einer Faust. Yong schüttelte traurig den Kopf und zuckte gleichzeitig mit den Schultern. „Man sagte uns, dass sei das Beste für unser Volk. Wir würden uns den eigenen Frieden damit bewahren. Unser Land, unsere führenden Männer, unser Bischof Vincit... Nun weiß ich es auch. Es geht ihnen nicht um unseren Frieden.“ Yong spukte den Namen des obersten Bischofs der Nation förmlich. Der Hass und die Abneigung waren deutlich zu hören.

„*Sie* sind Feiglinge und haben kein Sinn für Recht oder Unrecht. *Sie* wollen sich gut positionieren, doch nicht aus Hingabe für ihr Volk, sondern nur aus Angst ihren eigenen Einfluss und ihre Position zu verlieren.“

Yong lachte verbittert. „Aber wie...?“, Ray versuchte erneut seinen Unglauben auszudrücken. Doch Caleb blickte kurz zu ihm und legte seine Pfote auf seine Faust. Sein warmes Fell beruhigte Rays Puls ein wenig und er wusste, was sein Freund ihm damit sagen wollte. Jetzt war nicht der Zeitpunkt wütend zu sein, sondern zu zuhören.

„Ginge es um unseren Frieden, um das einfache Volk, so hätten sie diese Truppen niemals passieren lassen. Einige Truppen taten wie ihnen befohlen, sie durchquerten lediglich unsere Straßen und ließen sich nur dort nieder, wo eine Rast notwendig war. Sie waren freundlich und zeigten uns, dass sie keine Gefahr für uns darstellten. Andere jedoch...“

Der Schmied erschauderte bei der Erinnerung. Für einen Moment sah es so aus, als würde der hagere Mann in Tränen ausbrechen. Ray schluckte und versuchte ihn zum Weiterreden zu bewegen, indem er ihm mitfühlend zunickte und mit heiserer Stimme fragte: „Was ist geschehen? Yong, bitte erzähl uns alles.“ „...Andere wussten, dass sie dem einfachen Volk des südlichen *Shizen* Bistums überlegen waren. Ich meine, es waren gut ausgebildete, bewaffnete Krieger, sie konnten sich einfach nehmen, was sie wollten. Die meisten hier sind einfache Bauern, Handwerker... Nicht mehr."

„Das gibt ihnen nicht das Recht, sich über uns und unsere Heimaten zu stellen", flüsterte Ray. Vor ihm saß kein *Shizen*e mehr, sondern jemand, der ebenso großen Verlust erlitten hatte, wie er selbst. Dieselben Klingen hatten ihn verletzt. „Was haben sie euch angetan?"

„Die Frage ist, was sie nicht getan haben?", erwiderte Yong frustriert. „Sie zerstörten Läden, die ihnen nicht jede Ware, die sie verlangten, unentgeltlich aushändigten. Einige Landstriche wurden niedergebrannt, einfach aus Spaß. Diese Männer und Frauen hatten Lust und Freude an der Zerstörung und dem Leid, das sie verbreiteten. Vielleicht war es der Kick, den sie von der Macht erhielten, vielleicht war es Wahnsinn oder vielleicht waren es einfach dunkle Dämonen, die ihre Seele zu dem machten, was sie waren. Das schlimmste waren aber diejenigen, die durch das Land reisten und sich Frauen und Kinder nahmen, wie es ihnen nur gefiel. Misshandlungen, sexuelle Übergriffe..."

Caleb zog scharf die Luft ein und auch Ray spürte, wie sich sein Magen verkrampfte. Augenblicklich hatte er die großen blauen Augen seiner kleinen Schwester vor Augen und er spürte körperlich, wie sehr ihn diese Erzählung schmerzte. Yong war nun wie gefangen in seinem Bericht. Er starrte auf einen Punkt im Raum, nahm jedoch seine Umgebung nicht mehr wahr, sondern war weit entfernt. Wochen und Monate lagen zwischen dem hageren Mann und den Wasserstämmigen in seiner Küche.

„Es waren einige Dreckskerle auf dem Durchmarsch, die unsere Frauen verachtetet und gleichzeitig Begierde empfanden. So auch ein Trupp an Männern, die vor etwa einem halben Jahr durch *Tsubiki* kamen. Ich hatte meiner Frau und meiner Tochter gesagt, sie sollen unbedingt zu Hause bleiben, sich einschließen, solange dieser Trupp durch unsere Straßen reiste. Etwa eine Handvoll Männer. Zwei kamen aus dem Feuerimperium und ein Schattenelf, die anderen konnte ich nicht identifizieren. Trotz meiner Vorsicht und dem Versuch, mich während der Tage, die sie hier verbrachten, so unauffällig wie nur möglich zu verhalten, kamen sie schließlich in meine Schmiede. Sie wollten neue Speere, ein neues Shoto und hatten gehört, ich sei der beste Schmied. Widerwillig sagte ich ihnen zu. Ich wollte mich nicht mit ihnen anlegen. Als sie zwei Tage später ihre Klingen abholen wollten, sahen sie sie. Meine kleine Tochter. Unschuldig spielte sie im Hof – obwohl…"

Yong musste kurz unterbrechen, weil seine Stimme versagte. „Yong, du musst nicht…", setzte Caleb an. Doch der Schmied hob die Hand und redete weiter. „…obwohl ich ihr gesagt hatte, sie solle drinnen bleiben. Sumi war keine zehn Jahre und so unglaublich hübsch und liebenswert. Einer der Männer hielt mich fest und schnitt mir in beide Oberarme, als ich versuchte mich zu wehren." Die Stimme des Mannes zitterte nun unkontrolliert und die Worte wurden von schmerzverzehrtem Keuchen unterbrochen. Ray schluckte, doch der Kloß, der seinen Hals zuschnürte, wurde nur noch größer. „Es tut mir unglaublich leid…"

„Meine Frau war an diesem Tag zum Glück fort, nur Mutter Natur weiß, was sie mit ihr angerichtet hätten… wahrscheinlich…"

Yong schlug die Hände vor sein Gesicht, versuchte die Tränen aufzuhalten, die nun seine Wangen hinunterliefen.

„Wahrscheinlich dasselbe wie mit meiner Sumi."

Still reichte Caleb ihm ein Tuch, dass er aus seiner Tasche gezogen hatte. Ein besticktes Taschentuch. Eine der letzten Dinge, die sie noch als Andenken von ihrer eigenen Heimat bei sich trugen. Auch Ray fehlten die Worte. Es gab keine sinnvollen Sätze, die man einem Mann entgegnen konnte, der solches Leid erleben musste. Nichts, dass den Schmerz lindern würde. Der Schmied nahm es entgegen und tupfte seine Augen ab. Seine Hände zitterten inzwischen fast unkontrollierbar.

„Sie haben sie vergewaltig. Einer nach dem anderen. Und dann…"

Ray schloss die Augen. Er wollte es sich nicht vorstellen. Er wollte nicht das Bild eines kleinen Mädchens vor sich haben, wie sie misshandelt wurde. Diese entsetzlichen Menschen mussten aufgehalten werden. So etwas durfte nicht passieren. Er durfte so etwas nicht zu lassen. Egal ob Wasserstamm oder *Shizen* Bistum, so etwas durfte nicht passieren. Seine Gedanken drehten sich im Kreis.

„Der Schattenelf war als letzter an der Reihe. Als er mit ihr fertig war, drehte er sie zu sich um, noch während er ihren kleinen Kopf fest zwischen seinen widerlichen Krallen hielt. Und dann... dann küsste er sie.“

Ray und Caleb erschauderten, sie hatten auf dem Schlachtfeld in *Wa* mit ansehen müssen, was ein solcher Kuss mit einem Menschen anstellte. Wahnsinn war kein Ausdruck dafür.

„Sie verließen unseren Hof. Ließen mich zurück. Ließen Sumi zurück. Meine Kleine, die schrie und bebte und ich konnte sehen, dass sie Höllenqualen durchlitt. Nichts konnte sie beruhigen. Ihr Blick haftete nicht an mir, sondern war ins Leere gerichtet, in die Dunkelheit. Vier Tage lang hörte ich sie schreien und weinen und krampfen. Ihre Schmerzen mussten unmenschlich gewesen sein und ihre Seele zerbrach mit jeder Sekunde, die sie in dieser Dunkelheit gefangen war, mehr. Immer wieder bettelte und flehte sie, ich solle sie töten. Aber ich war ein Feigling und konnte es nicht. Nichts konnte ich tun, dass ihr helfen würde.

Am vierten Tag hörten ihre Schreie auf.

Als ich die Stille bemerkte, wusste ich, dass es vorbei war. Ich rannte nicht sofort zu ihrem Zimmer, sondern blieb einfach in der Küche sitzen. Genau hier.“

„Kaum einer, hätte eine solche Situation bewältigen können Yong...“, versuchte Ray den Mann zu trösten. Auch wenn er innerlich den Entschluss fasste, dass – würde er je eine ähnliche Situation erleben – anders handeln würde. „Es ist seltsam...“, fuhr der Schmied fort. „Ich kann meine Gefühle nicht in Worte fassen. Einerseits war ich unendlich dankbar und erleichtert, dass ihre Qualen, ihr Schmerz vergangen war und sie vielleicht nun die Hoffnung auf Seelenfrieden hatte. Andererseits, war nun jede Hoffnung, dass sie zurück zu dem kleinen, glücklichen Mädchen werden konnte, mit ihr gestorben.“

„Es war eine Erlösung“, wagte Ray zaghaft zu sagen, aber Yong schien ihn gar nicht zu hören. Der Mann war noch immer in seinen Erinnerungen gefangen. „Erst nach einigen Stunden wagte ich es, die Treppe zu ihrem Zimmer hinaufzusteigen. Ich öffnete ihre Tür und sah sie. Ihr kleiner, lebloser Körper baumelte von dem Dachpfosten. Der Dachpfosten, auf dem sie früher so oft lachend herumgeklettert war.“

Die Stille, die auf diese Erzählung folgte war beinahe unerträglich, wie ein Sack schwerer Steine, die einen im kalten Fluss nach unten zog. Fieberhaft überlegte Ray, was er sagen konnte, gleichzeitig hatte er das Gefühl, dass sein bestürztes Schweigen vielleicht genau die richtige Reaktion war. Yongs Schmerz und Trauer legte sich wie ein kaltfeuchter Nebel über die drei gestalten in der Küche - Unbehagen und ein dumpfes Gefühl von Panik.

Schließlich war es Yong Riki selbst, der die Stille durchbrach. Seine Stimme klang plötzlich ein wenig gefasster. „Die Trauer, die ich verspüre, wird mich ein Leben lang begleiten. Die Scham und der Selbsthass auf meine Unfähigkeit sie zu beschützen. Aber ich habe entschlossen, dass ich ihren Tod nicht einfach so hinnehmen werde. Ich bin wieder in die Stadt gegangen, habe mich unter die anderen gemischt, habe meinen Schmerz versteckt, um Informationen zu sammeln. Um herauszufinden, wo diese Kerle hinziehen werden. Und ich möchte, dass sie dafür büßen, was sie meiner Sumi angetan haben. Sie sollen die gleichen Schmerzen leiden wie sie.“

„...dafür braucht Ihr uns“, schlossfolgerte Ray.

Yong nickte, dankbar, dass Ray in verstand.

„Ja. Ich weiß, dass auch ihr meinen Schmerz teilt. Ihr seid durch die Hölle gegangen, ebenso wie ich. Eure Freunde und Familie wurden ebenso verletzt und ihr habt so viel Leid erlebt. All das durch dieselben grausamen Männer. Deswegen hoffe ich, dass ihr meinen Preis bezahlen werdet. Denn ich verlange von euch, dass ihr die Männer, die Sumi und den südlichen Wasserstamm überfallen haben, findet und tötet. Jeden

Einzelnen." Rikis Stimme bebte, dieses Mal nicht von dem Zurückhalten der Tränen, sondern vor Wut und kaltem Entschluss. „Ich wünsche mir, dass ihr uns rächt. Dass ihr Sumi rächt."

Ray hätte am liebsten direkt gerufen, er würde alles tun, was Yong verlangte, jedoch erinnerte er sich schmerzhaft an sein Gespräch mit Caleb. Daran, wie unbedeutend und schwach sie zu zweit waren, deswegen zögerte er.

Zu seiner Überraschung war es Caleb, der antwortete: „Yong Riki", er deutete eine respektvolle Verbeugung an „wir werden alles in unserer Macht Stehende tun, um Rache zu üben. Unser Ziel war und ist es, dass wir die Verantwortlichen, die *Wa* und unser Land zerstörten, zur Rechenschaft ziehen und das schließt die Männer, die euer Leben zerstörten, ein."

Die Augen des Schmieds leuchteten auf.

„Jedoch", Caleb räusperte sich. „Jedoch, sind wir nur zwei Krieger und Ihr sprecht von hunderten, wenn nicht sogar tausenden von Männern. Ihr dürft nicht verlangen, dass wir im direkten Weg ihre Truppen infiltrieren, denn das wäre unvernünftig und unrealistisch."

Yong nickte. „Ich weiß. Deswegen habe ich einen Brief an meinen Sohn vorbereitet. Bringt ihn ihm und ich bin mir sicher meine Worte werden ihn dazu bringen, dass er sich euch anschließt. Er ist ein hoher Offizier der Offiziellen und ein sehr starker Erd-Magier. Ihm folgen viele Männer. Krieger – ausgebildet, um die Elite-Garde dieses Landes zu unterstützen. Wenn ihr ihn überzeugt, könntet ihr an eine ganze Armee starker Verbündete kommen. Er könnte der Schlüssel zum Widerstand sein." Yongs Augen funkelten hoffnungsvoll. „Wieso habt ihr ihn nicht früher kontaktiert?", fragte Ray verwundert. Yong runzelte die Stirn. „Ich habe es versucht, doch ich glaube die Offiziellen fangen meine Briefe ab. Mein Sohn ist sehr wichtig für die Pläne des Erzbischofs und ich vermute, dass sie über die Vorfälle Bescheid wissen und ihn absichtlich im Unwissen lassen. Zumindest habe ich nie eine Antwort erhalten..." „Und wieso seid ihr nicht selbst hingereist?“ Yong schüttelte traurig den Kopf. „Seit dem Vorfall würde ich die Reise körperlich nicht mehr schaffen und ich weiß nicht, wem ich in diesem Land noch trauen kann. Das solltet ihr ebenfalls im Kopf behalten. Traut niemanden.“

Ray erinnerte sich an den schlurfenden Gang des hageren Mannes. Vermutlich waren nicht nur seine Arme verletzt worden. „Nun gut“, sagte Ray und streckte die Hand aus, um ihren Plan mit einem Handschlag zu besiegeln. „Wo finden wir deinen Sohn?“ Yong schlug ein und nickte dem Wasserkrieger dankbar zu. „Derzeit trainiert er die jüngere Generation an der Akademie der Gladiolen. Außerdem habe ich in der Stadt erfahren, dass die meisten Truppen, die eure Heimat überfallen haben, den südlichen Wasserstamm demnächst verlassen werden. Es heißt, sie würden sich am Rande der *Naka-Wüste* neuformieren. Dort werdet ihr die Dreckskerle also finden – diejenigen, die Sumi auf dem Gewissen haben und diejenigen, die eure Heimat zerstört habt.“

„Woher weißt du das?“, fragte Caleb überrascht. „Ich habe ebenfalls nach Informationen gesucht, jedoch..." „Nur weil ich ihnen nicht traue, bedeutet es nicht, dass meine Mitbürger mir ebenfalls misstrauen. Im tanzenden Hirsch wird viel geredet, wenn der Abend lang ist. Nur vor Fremden hüten die *Shizen*en sich. Und ihr... nun ja. Ihr seid unverkennbar fremd.“

Yong zog ein zerknülltes Papier aus seiner Hosentasche hervor. Er breitete es auf dem Tisch aus. Es war eine blasse Bleistiftzeichnung, die einen Mann mit langen, spitzen Ohren zeigte. Ein Schattenelf. Mit seiner knöchigen Hand tippte Yong darauf und sagte: „Das ist er. Das ist derjenige, der das Leben meiner Sumi zerstörte. Findet ihn und tötet ihn.“ Der Schmied schaute Ray und Caleb durchdringend an. Ray nickte entschlossen. „Du kannst dich auf uns verlassen.“ In seinem Kopf ergänzte er die Liste an Männern, an denen er sich rächen wollte. Bisher waren die Gesichter jener darauf, die er in *Wa* hatte kämpfen sehen. Er würde jeden einzelnen auf dieser Liste töten. Das schwor Ray sich.

Der Schmied räusperte sich und fuhr in einem sachlicheren Ton fort: „Die

Akademie der Garde des Bischofs, der Gladiolen, wo sich mein Sohn Izuya aufhält, liegt auf einer Insel, in der östlichen Küstenregion. Das ist die so genannte *Ventus-Region*. Es ist also ein kleiner Umweg dorthin, doch ich bin mir sicher es wird sich lohnen. Izuya ist ein starker Verbündeter."

Die drei saßen noch einige Zeit länger beisammen in der Küche. Sie besprachen, wie Ray und Caleb am besten zur Gladiolen-Akademie gelangen würden und dass sie bereits in zwei Tagen aufbrechen würden. Die Reise würde sie quer durch das Bistum führen und Ray hoffte inständig, dass sie Izuya Riki rechtzeitig erreichen würden, um die rot-schwarze Versammlung stürmen zu können. Als Ray und Caleb schließlich nur noch zu zweit zurückgeblieben waren, flüsterte der Otter: „Ray. Sollte ich jemals einem Todeskuss ausgesetzt sein, so erlöse mich. Ich bitte dich."

„Halt den Mund. Das wird nicht geschehen. Sei nicht immer so verdammt pessimistisch." Bevor Caleb etwas erwidern konnte, ergänzte Ray: „Welcher Verrückte sollte dich schon freiwillig küssen wollen?" Die beiden gluckten leise.

„Wir werden eine weitere Schlacht anzetteln, stimmt's?", fragte Caleb in die Dunkelheit.

„Mhmm." Ray missfiel der Gedanke, sich erneut auf einem Schlachtfeld der rot-schwarz gekleideten Armee zu stellen. Doch er wusste auch, dass er das Massaker Samaels nur so aufhalten konnte.

„Wir wissen, wo wir sie finden. Jetzt brauchen wir nur noch eine ebenbürtige Armee", sagte Ray leise. In seinem Kopf rasten die Gedanken und Sorgen nur so. „Na wenn's nichts weiter ist", murmelte Caleb undeutlich.

Dann endlich, nach diesem langen Tag, begrüßten sie den unruhigen Schlaf.

# 9. Kapitel

## *Ray*

Die Arbeit von Yong Riki wurde nicht umsonst so hoch gelobt. Ray drehte die beiden, blitzenden Klingen im Sonnenlicht. Die Katanas waren von einer Schmiedekunst, die er noch nie zuvor gesehen hatte. Sie waren unglaublich scharf, doch gleichzeitig leicht und wendig. Er hatte von solchen Schwertern bisher nur träumen können. Die schwache Marmorierung in dem Stahl machte sie gleichzeitig zu wahren Kunstwerken. Yong hatte Kezo-Stahl verwendet. Es war das stabilste Material, das zum Schmieden geeignet war und Ray wusste, dass es alles andere als günstig war. Auch Caleb hatte einen Dolch in der perfekten Größe für den Otter erhalten, ebenso geschmeidig und stabil. Die beiden Freunde waren zutiefst beeindruckt und dankbar für diese kostbare Ausrüstung. Riki hatte keine Kosten und Mühen gescheut und die beiden Gefährten somit zutiefst verpflichtet, ihm seine Bitte zu erfüllen. Deshalb schulterten sie bereits vor dem Morgengrauen ihre Rucksäcke, gefüllt mit so viel Proviant, wie Yongs Frau ihnen nur einpacken konnte, einem Zelt und weiterer, frischer Kleidung. Es fühlte sich gut an, dachte Ray. Endlich fühlte er sich vorbereitet, endlich konnte er seinem Ziel entgegentreten. Der Tatendrang durchfloss ihn warm und wohlig. Sie waren bereit. Bereit, die rot-schwarze Armee, welche Sumi und den Wasserstamm auf dem Gewissen hatte, zu finden und zu besiegen. Koste es, was es wolle. Caleb und er winkten noch lange, als sie das Haus des Schmieds verließen und sich in Richtung Nord-Osten aufmachten. Die beiden Reisenden würden die Region *Süd-Shizen* schnell hinter sich lassen und danach die *Sakura-Region* erreichen. Gegenden, von denen Ray bisher nur gehört hatte.

## *Kayla*

Kayla blickte in die Weite. Die Amazone hatte ihre Arme fest um sich geschlungen. Ihre dunklen Haare wehten im sanften Wind. Es war ungewöhnlich kühl und die leichte Brise ließ sie frösteln. Das Flammen-Imperium war das Land des ewigen Sommers. Verlor man dadurch etwa jegliche Resistenz gegen Kälte? Sie sah sich selbst als stark, stolz und unabhängig. Da passte es nicht, dass man durch eine leichte Brise bereits fröstelte. Als wolle sie sich selbst etwas beweisen, ließ sie ihre Arme nieder, hob den Brustkorb an und streckte sich.

Die Sonne ging am Horizont auf und tauchte die Hügel des Imperiums in ein strahlendes orange. Kayla schaute direkt in die Strahlen, doch das Licht blendete sie nicht, viel mehr nahm sie die Wärme des Lichts durch ihre ebenfalls orange leuchtenden Iris noch intensiver auf als durch ihre entblößte Haut. Sie war nur in eine seidene Nacht-Robe gehüllt, die ihre schlanke Figur kaum bedeckte. Ihre Füße waren nackt und ihr dunkles Haar lag offen und von den tausenden Locken beschwert auf ihren Schultern. Die Nacht war unruhig gewesen und Albträume hatten sie geplagt. Jedes Jahr schlief sie besonders schlecht, wenn ihr Geburtstag nahte. Es war ein Tag, den sie früher mit ihrer Mutter verbracht hatte. Nun war es ein Tag, an dem sie noch intensiver an ihre Abwesenheit erinnert wurde. Auch wenn sie sich kaum an sie erinnerte, war die gähnende Leere, die sie in ihrem Herzen hinterlassen hatte, deutlich spürbar. Bei dem Gedanken wurde ihr kälter und sie biss sich auf die Lippe. Eine unsichtbare Hand ihr Herz bei diesen Gedanken in einem festen Griff hielt und mit unsichtbaren Nadeln zustieß, so konnte Kayla keine Tränen mehr für ihre Mutter weinen. Jahr um Jahr, hatte sie unendlich viele Tränen geweint, solange bis sie eines Tages versiegt waren. Während die Erinnerungen an *Ceceres* und ihr vergangenes Leben verblasst waren, so verstummten auch ihre nächtlichen Schreie und Schluchzer mehr und mehr. Dieses alte Leben lag schon lange hinter ihr.

„Hier bist du." Die Stimme ließ Kayla zusammenzucken. Sie hatte nicht damit gerechnet, dass jemand sie so früh bereits aufsuchen würde. Vor allem nicht hier draußen. Sie war mit Absicht auf den höchsten Turm der Flammenfestung *Reshira* in *Liones* gestiegen, weit weg von ihrem Schlafgemach, sodass sie diese ersten Tagesstunden ihres Geburtstages allein verbringen konnte. Ihr war bewusst gewesen, dass schon morgens, bei Anbruch des Tages, die ersten nach ihr suchen würden. Schließlich war es ihr Geburtstag. Ohne sich umzudrehen, wusste sie, wer sie gefunden hatte. „Kasō. Woher wusstest du...?“

„Du bist nicht so mysteriös und undurchschaubar, wie du immer denkst.“

Kayla spürte, dass der junge Imperator dicht hinter sie trat. Sie konnte seinen Atem in ihren Haaren spüren. Seine Nähe war ihr vertraut. Immerhin hatte die Amazone länger in seiner Festung gelebt als in ihrem kleinen Wohnhaus mit ihrer Mutter. Dennoch missfiel es ihr, wie er in letzter Zeit vermehrt ihre Nähe suchte. Vor allem, wenn sie allein miteinander waren.

Sie drehte sich zu ihm herum. Ihre Augen, die denen eines Tigers glichen, funkelten ihn an. „Du hättest mir noch ein wenig Zeit lassen können.“ Wie erwartet, stand Kasō dicht hinter ihr. Sein jungenhaftes Gesicht wirkte in dem Licht der aufgehenden Sonne fast zart und verletzlich. Er lächelte sie an. Die Zähne waren makellos weiß und reflektierten die Strahlen, die nun die Festung erreichten und den Tagesanbruch offiziell machten. Der junge Mann sprach mit einer aufgesetzten süßlichen Stimme: „Es ist dein sechzehnter Geburtstag. Ein besonderer Tag, da wollte ich dich keine Stunde allein lassen.“

Kayla schnaubte. Kasō tat so, als sei es ihr Wunsch, immer in Gesellschaft zu sein, dabei genoss sie vor allem die Momente, in denen sie ungestört war. Es gab nur wenige Wesen, die sie wirklich gerne um sich hatte: Einige der anderen Amazonen, ein paar der Diener des Imperators und vor allem Brutus. Doch Kasō war keiner dieser ausgewählten Personen, auch wenn er sich seit seiner Ankunft in *Reshira* stets um sie bemüht hatte. Sie konnte nicht einmal erklären weshalb. Unverblümt und ohne diese Abneigung griff er nach ihrer Hand. „Komm, wir gehen hinunter. Ein Festmahl ist angerichtet.“ Der junge Imperator ließ den Blick über die Amazone schweifen. „Nun ja, vielleicht solltest du dir erst einmal etwas anziehen. Auch wenn...“ Er lächelte anzüglich, „du mir so besonders gut gefällst.“ Kayla ignorierte seinen Kommentar und schritt energischen Schrittes an ihm vorbei. Mit einer Sache hatte er immerhin recht; es war

Zeit sich für den Tag fertig zu machen.

Sie tauschte die sanfte Seidenrobe gegen ein Kleid aus festerem, steifem Stoff. Es lag eng an und betonte ihre frischen, weiblichen Züge, die sich erst in den letzten Monaten so wirklich entwickelt hatten. Das Kleid war blass-rot und wirkte verspielt und mädchenhaft. Eine Seltenheit. Normalerweise legte sie mehr Wert auf pragmatische, flexible Kleidung, die sich dehnen ließ und somit bei ihrer Verwandlung nicht direkt in Stücke zerfetzt wurde. Der helle Rotton setzte einen Akzent auf ihrer schwarzen Haut. Prüfend betrachtete sie sich im Spiegel.

Sechzehn Jahre.

Ihr gefiel, wie sich ihr Körper verändert hatte. Die Gliedmaßen waren länger geworden und ihre weiblichen Formen spannten den Stoff ihres Kleides genau im richtigen Maß. Außerdem hatte sie ihre kindlichen Bäckchen verloren und stattdessen traten ihre Wangenknochen nun hoch und spitz hervor. Ob Brutus die Veränderungen bemerken würde? Leider auf jeden Fall nicht heute, dachte sie, denn er war vor ungefähr einem halben Jahr auf eine Mission zum südlichen Wasserstamm gezogen. Soweit sie gehört hatte, sollten seine Truppen nicht allzu bald zurück in die Imperial Stadt kommen. Ihre Tigeraugen blitzten ihr frech aus dem nachtdunklen, geschmeidigen Gesicht entgegen. Nur ihre spitzen, gestreiften Ohren, die aus ihren dunklen Locken hervortraten, störten sie - wie üblich. Sie waren ebenfalls gewachsen und wurden immer schwerer zu kaschieren. Seufzend nahm Kayla ein paar Haarklammern zur Hand und stecke ihre Locken in einem lockeren Dutt hoch, sodass ihre Ohren in der Masse an Haaren verborgen blieben. Lächelnd betrachtete sie ihr Kunstwerk. Einerseits war sie sehr stolz darauf, eine Amazone zu sein, andererseits war es ihr lästig. Sie wurde oft mit Namen wie „Kitty“ oder „Kätzchen“ aufgezogen, was sie als herabwürdigend empfand. Amazonen waren Raubkatzen und keine Kätzchen.

Als Kayla die Tür zum Speisesaal aufschlug, stieg ihr direkt der Duft von diversen Köstlichkeiten in die Nase. Der lange große Raum war festlich geschmückt und die Sonne fiel durch die großen Fenster. Dieser Saal war der einzige in der Festung mit einer so offenen Struktur. Die meisten anderen hatten nur kleinere Fenster oder gar Schlitze in den Mauern, da die Imperial Stadt ursprünglich erbaut wurde, um Feinde abzuhalten und nicht um Gäste zu empfangen. Doch heute war dieser Saal gefüllt mit bunt gekleideten Gestalten und eine wuselige Geräuschkulisse empfing Kayla. *Reshira* war vollkommen aus dem hellen Sandstein der Flammenregion erbaut, dadurch wirkten die Räume hell und warm. Der gelb-beige Steine erstrahlte, auch ohne Sonnenlicht. Lächelnd sah sie sich um.

Entzückt stellte sie fest, dass die Kronleuchter festlich mit Blumen behangen waren, rote Zalyden – Kaylas Lieblingsblumen. Zalyden wuchsen in den Wüstenregionen, ihrer einstigen Heimat. Es waren Wildblumen – wild und frei – so wie sie gerne ihr eigenes Leben gestalten würde. Die Tafel, die den langen Raum dominierte, war aus dunklem Stahl geschmiedet. Eine feine Tischdecke, die dem Stoff Kaylas Kleides glich, bedeckte ihn und darauf waren allerlei Speisen aufgetischt. Dampfende Suppen, cremige Eintöpfe und ein glänzender Spießbraten thronten in der Mitte des Tisches. Auch wenn es noch früh am Morgen war, wurde im Flammen-Imperium immer warm gegessen. Brot und kalte Speisen gehörten nicht zu der Kultur des hitzigen Volkes. Das Einzige, dass nicht herzhaft köstlich vor sich hin brodelte, war die riesige Geburtstagstorte, die so prächtig war, dass man niemals meinen würde, dass sie für den Geburtstag eines Mädchens mit niederer Abstammung bestimmt war. Der weiße Zuckerguss glänzte im Sonnenlicht und die frischen Erdbeeren waren prall und von so roter Farbe, wie Blut. Nicht nur jetzt, fragte sich Kayla, wie es sein konnte, dass sie inmitten dieser Mauern des elitären Lebens aufgewachsen war. Sie war eine Amazone, das war etwas Besonderes, ja. Jedoch gab es einige Amazonen im Land und keine sonst lebte in *Reshira*. Die Antwort war Brutus, dachte sie sich. Der Schattenelf hatte sie damals verschont und mit hierhergebracht. Bereits sehr früh hatte sich sein Ehrgeiz hervorgetan und er war schnell an Kasōs und Samaels Seite zu einem der obersten Kommandanten der rot-schwarzen Allianz aufgestiegen. Er befehligte den Großteil der

Schattenelfen, die der Allianz angehörten. Wenn sie an ihn dachte, hatte sie stets gemischte Gefühle. Auf eine Art und Weise fühlte sie sich niemandem sonst in ihrem Leben so hingezogen und dankbar. Andererseits wusste sie, dass auch er Gräueltäten begangen hatte und Teil der wütenden Zerstörung war, die das Flammen-Imperium vor zehn Jahren überkommen hatte. Doch zu Kayla war er stets liebevoll und aufmerksam gewesen. Rechtfertigte dies allein ihre Gefühle, ihre Zuneigung für ihn? Sie war sich nicht sicher.

„Komm her! Setz dich!" Kasō strahlte sie an. Der Imperator saß natürlich am Kopfende der langen Tafel. Sein schwarzes Haar war ordentlich zurückgekämmt und Kayla musste sich zu einem Lächeln zwingen. Auch er hatte sich umgezogen und trug nun seine feinste Uniform – die des Imperators des Flammenreiches. Er hatte die Schultern gestrafft, um so seine gute Statur zur Geltung zu bringen.

Während sie ihm sanft zuwinkte und den Saal durchquerte, wanderte ihr blick über die restlichen Anwesenden. Einige der Generäle waren am südlichen Wasserstamm und befanden sich deshalb derzeit nicht in *Reshira*. Die Übrigen jedoch, schienen sich heute hier an ihrer Geburtstagstafel zusammengefunden zu haben. Das verblüffte sie ein wenig und ein seltsames Gefühl machte sich in ihrem Magen breit. Warum sollten all diese wichtigen Personen zu ihrer Feier geladen werden?

Lady Nura, derzeitige Kommandantin der Amazonen und somit ihre direkte Vorgesetzte, saß zu Kasōs rechter Seite, während der Platz zu seiner linken noch frei war. Neben Nura lehnte Taro mit verschränkten Armen in seinem Stuhl. Er war ein Mann, der aussah wie ein Schattenelf, doch laut Brutus keiner seiner Rasse war. Taro hatte einen kahl geschorenen Kopf, wodurch seine aschfahle graue Kopfhaut durchschimmerte und seine Augen hatten stets eine Kälte in sich, die Kayla jedes Mal erschaudern ließ. Weiter hinten am Tisch, unterhielten sich Rashid und Rohan geschäftig - zwei der obersten Generäle der Feuer-Magier.

Und außerdem... Kaylas Herz setzte kurz aus und sie versteifte ihre Haltung. Ein kalter Schauer durchzuckte ungewollt ihre Gliedmaßen. Etwas abseits von den anderen, am anderen Ende des langen Tisches, saß *er*. Samael. Höchstpersönlich. Obwohl sie ihn bereits ein paar Mal getroffen hatte, war sie jedes Mal erneut erschüttert, wie stark seine Anwesenheit die Atmosphäre einer Versammlung beherrschte. Es war, als wäre die Luft um ihn herum dünner und die Temperatur kälter. Er saß ruhig und mit ausdrucksloser Miene da, doch Kayla nahm wahr, wie seine wachen, blass-gelben Augen alles beobachteten, umrandet von den ebenso blassen und hellen Wimpern. Neben dem dunklen Flammenvolk wirkte er wie ein Albino. Sein weißblondes Haar war an den Seiten abrasiert und nur der obere Teil war zu einem festen Dutt gebunden. Obwohl er nicht in Kaylas Richtung sah, schien er ihren Blick zu spüren, denn seine Nase kräuselte sich und er drehte sich so abrupt zu ihr um, dass er einem Raubtier glich, der Beute witterte. Sein Blick traf ihren und er hob kaum merklich eine Augenbraue. Schnell wand sie sich ab. Sie hatte Gerüchte gehört, er könne einzig und allein mit seinem Blick das Lebenslicht auslöschen. Diese Gefahr wollte sie nicht riskieren.

Die Anwesenheit all dieser hochgestellten Männer und Frauen erschien Kayla merkwürdig viel Aufmerksamkeit für ihren sechzehnten Geburtstag. Besonders die Anwesenheit von Samael beunruhigte sie und das flaue Gefühl in der Magengegend wollte nicht mehr verschwinden. Auch ihr Appetit war wie weggewischt. Samaels Freundschaft und Verbundenheit zu Kasō war zwar allseits bekannt, jedoch war er dennoch nur selten in *Reshira* anwesend. Sein Besuch schien die Bediensteten ebenso nervös zu machen wie sie, denn Kayla bemerkte, dass vor allem die Jüngeren unablässig ihr Gewicht von einem auf das andere Bein verlagerten, während sie in Bereitschaft am Rande des Saals standen und immer wieder zu Samel hinüber schielten.

Kasō wiederholte seine Worte: „Setz dich!", und trommelte ungeduldig auf den Platz neben ihm. Kayla würde nicht den Fehler begehen und ihn erneut ignorieren, denn er konnte rasend schnell in einen unbändigen Zorn verfallen, der alles um ihn herum in Schutt und Asche zu legen vermochte. Geduld war keineswegs eine seiner Tugenden. Als sich die Amazone auf den Sitzplatz neben ihm fallen ließ, raschelte ihr Kleid. Kasō lächelte sie an. „Hübsch siehst du aus, meine Liebe."

„Danke", sagte Kayla und runzelte die Stirn. Der Imperator ignorierte geflissentlich ihre Skepsis und anstatt ihr eine Antwort auf die ungestellte Frage zu geben, hob er sein Glas. „Ein Tost auf Kayla." Dann drehte er sich erneut zu ihr herum. Seine Augen waren von so dunkler Farbe, dass Kayla nicht einmal den Rand zwischen Pupille und Iris ausmachen konnte. Das gemeine Volk nahm Kasō als überaus hübsch wahr, lobte seine feinen Gesichtszüge und sprach über seinen mystischen und tiefen Blick. Kayla jedoch, sah in seinen Augen nur Dunkelheit. Dunkelheit und das Verlangen nach Grausamkeit. Er räusperte sich und fixierte sie erneut, noch eindringlicher.

„Du bist nun eine Frau und kein Mädchen mehr. Deine Schönheit übertrifft die der meisten Frauen unseres Landes und deine Kampfkunst ist vorbildlich. Du kannst stolz auf dich sein." Er hob sein Glas noch ein kleines bisschen weiter. Bei seinen Worten hatte Kayla fast ein schlechtes Gewissen für ihre eigenen, abwertenden Gedanken ihm gegenüber. Sie gab sich Mühe ihn möglichst offen und ehrlich anzulächeln und hob ihr gefülltes Glas ebenfalls. Kasō sagte nun mit lauter Stimme: „Esperanz toya kaen ne faenzara." Das bedeutete so viel wie: „Möge deine Flamme nie erlöschen" und war das Kredo des Flammen-Imperiums. Es war einerseits ein Ausdruck des Glückwunsches, zu Geburtstagen und Festen. Gleichzeitig waren es die Worte, die jede Beerdigung beenden, da sie ausdrücken, dass der Geist, die Flamme des Gestorbenen weiterlebte. Diese Worte durften nur von dem Rangobersten in einer Versammlung gesprochen werden. Die Gemeinschaft hob ihre Gläser, stieß an und trank den kalten, herben Wein. Kayla musste ein Husten unterdrücken. Es war das erste Mal, dass sie Alkohol probieren durfte. Die Generäle unterhielten sich gedämpft. Obwohl es ihr eigener Geburtstag war, fühlte sich Kayla unangenehm fehl am Platz und wusste nicht so recht, ob sie sich an den Gesprächen über Pläne und Strategien anschließen sollte, oder lieber still ihren Kuchen essen sollte. Bevor sie sich dazu durchrang, selbstbewusst in das Gespräch von Lady Nura und Kasō über den Trainingsfortschritt der jüngeren Amazonen einzubringen, ließ letzterer plötzlich die Gabel sinken. Immer noch lächelnd, drehte er sich zu ihr um. Seine dunkle Haut schien die Sonne, die inzwischen durch die großen Fenster einfiel, zu absorbieren. „Anlässlich deines Geburtstages habe ich die ein oder andere Überraschung für dich, meine Liebe“, sagte Kasō und zwinkerte Kayla zu. Sie sah ihn überrascht an. Mehr als dieses Fest?

„Ich weiß, dass du nur halb so gut gelaunt bist, wenn dein Vormund nicht mit uns speist“, sagte mit einem so süßlichen Unterton, als würde er jeden im Raum davon überzeugen wollen, dass er nichts anderes tat als über Kaylas Wünsche und Hoffnungen nachzudenken. Was ein Heuchler, dachte Kayla aber errötete dennoch leicht. Ihr war nicht bewusst gewesen, dass ihre Gefühle selbst für einen dermaßen ich-bezogenen Menschen wie Kasō offen zu erkennen waren. Zur Ablenkung schüttelte sie energisch ihre Locken und antwortete fast patzig: „Ich glaube du hast da etwas missverstanden. Eigentlich ist es mir ziemlich egal, was Brutus...“ Bevor sie den Satz beenden konnte, lachte Kasō laut auf. „Ach herrje, das ist jetzt aber ein Schlag ins Gesicht, nicht wahr mein Freund?“ Ein erneutes Lachen durchzuckte ihn, das ungewohnt jungenhaft klang – überhaupt nicht passend für den obersten Herren eines Imperiums. Seine Worte brachten Kayla zum Verstummen. Eine Vorahnung durchzuckte sie. Sie hatte nicht mitbekommen, dass die Tür zum Speisesaal ein weiteres Mal geöffnet worden war. Langsam drehte sie sich auf ihrem Stuhl herum - Ihre orangenen Augen erschrocken geweitet. Und da war er. Nur wenige Schritte hinter ihr.

Brutus stand mit dem Rücken zu einem der Fenster, sodass seine hochgewachsene Gestalt einen langen Schatten warf und sein Gesicht kaum zu erkennen war. Seine langen Haare glänzten im Licht und seine blasse Haut, die für Schattenelfen typisch war, wirkte unwirklich hell. Es war als stünde ein Geist vor ihr. Kayla schluckte. Das schallende Gelächter von Kasō noch immer im Ohr.

„Brutus, ich...“, stammelte sie. Er kam einen Schritt näher und sie erwartete fast, er würde sie dafür schelten, dass sie so undankbar und respektlos über ihn gesprochen hatte. Auf ihre verdiente Abmahnung vorbereitet senkte sie den Kopf. Doch Brutus ließ kein Wort erklingen. Stattdessen kam er ganz nah, kniete sich vor sie und nahm mit einer Hand die ihrige, während er mit der anderen ihr gesenktes Kinn ein wenig anhob, sodass sie ihm ins Gesicht sehen musste. Die meisten wären bei dem nahen Anblick seines zum Teil vernarbten Gesichtes vermutlich zurückgewichen oder hätten sich panisch aus seinem Griff gelöst. Doch Kayla sah den liebevollen Blick, mit dem er sie bedachte. Er blickte ihr tief in die Augen und sagte: „Eines Tages wird dir noch deine freche Zunge herausgeschnitten." Dann lächelte er schief. Sein linker Mundwinkel konnte aufgrund des tiefen Narbengewebes nicht dieselbe Höhe erreichen wie die rechte. Dieses Lächeln, so voller Ehrlich- und Herzlichkeit ließ Kaylas Herz ein wenig schneller schlagen. Sie streckte ihm die Zunge heraus. Brutus lachte. Er hatte ein überraschend klares, helles Lachen. Kayla erschauderte, jedoch nicht vor Furcht oder Unbehagen, sondern vor Freude und Zuneigung. Brutus erhob sich wieder und tätschelte ihr dickes, schwarzes Haar. „Alles Gute zum Geburtstag Kayla."

Nachdem sich Brutus auf die andere Seite des Tisches gesetzt hatte, erhob Kasō erneut das Wort. „Wie ihr wisst, liebe Freunde...", Er war aufgestanden und hob beide Arme in die Luft, als wolle er alle Anwesenden umarmen. Seine Art, die Generäle als „Freunde" anzusprechen, hatte er sich angeeignet, um den Kontrast seiner Herrschaft gegenüber der seines Vaters Nokoribi zu zeigen. Nokoribi war ein Gelehrter, fern des Volkes und vor allem fern des Militärs gewesen. Er hatte zwar das Bildungssystem und die Kultur im Lande vorangetrieben, war jedoch nie zu der breiten einfachen Masse des Volkes durchgedrungen. Sein Sohn hingegen wollte als Imperator des Volkes und der militärischen Stärke wahrgenommen werden und zeigen, dass er Seite an Seite mit seinem Volk in den Krieg zog.

„Wie ihr wisst, liebe Freunde...", wiederholte Kasō räuspernd. „...hat unser starker Verbündeter Brutus, sichergestellt, dass keine Bedrohung mehr von dem südlichen Wasserstamm ausgeht. Er hat unsere Truppen erfolgreich in die Schlacht geführt und wir danken ihm hierfür." Während er sprach, begann er um den Tisch herumzulaufen und erneut sein Glas zu heben. Die restliche Gemeinschaft stimmte mit ein. Brutus lächelte nicht, sondern nickte nur. „Jedoch habe ich nun andere Pläne mit diesem werten Herrn", Kasō der jetzt direkt hinter Brutus stand, legte ihm eine Hand auf die Schulter. „Deswegen wird nun Taro zu den Streitmächten im Süden stoßen und unsere Kameraden sicher durch *Shizen* zur *Naka*-Wüste führen, um sich dort neu zu formieren." Der kahle Schattenelf lächelte. Kein freudiges, mehr ein ehrgeiziges, blutdurstiges Lächeln. Seine Zähne, die er entblößte, waren ebenso spitz wie die Krallen an seinen Fingern. Erneut wurde angestoßen, dieses Mal auf den stolzen Taro. Kasō ging weiter um den Tisch herum, schwang eine Rede über die Ehre und den Stolz, den er gegenüber seinen tapferen Kriegern hegte. Kayla hatte das alles bereits hundert Mal gehört und hörte deswegen nur mit halbem Ohre zu. In Gedanken war sie bei Brutus und fragte sich, was wohl diese neuen Pläne waren, von denen Kasō gesprochen hatte. Würde er womöglich längere Zeit in der Festung bleiben? Würden sie Zeit miteinander verbringen können?

„...was mich zu meinem eigentlichen Grund für diese Versammlung bringt. Liebste Kayla." Bei der Erwähnung ihres Namens schreckte Kayla hoch. Zu ihrer Überraschung stellte sie fest, dass Kasō den Tisch bereits vollständig umrundet hatte und nun direkt neben ihr stand. Sie lächelte ihn an, um wettzumachen, dass sie nicht mitbekommen hatte, worüber er soeben gesprochen hatte. Ihr Lächeln schien zu genügen, denn Kasō erwiderte ein noch breiteres. Sein Gesicht strahlte voller Erwartung und Freude. Hoffentlich hatte er keine Frage gestellt, dachte sie. Dann trat er einen weiteren Schritt auf sie zu und stand damit so nah vor hier, dass sie seinen süßlichen Geruch riechen konnte. Er schien eigens für dieses Fest Parfüm aufgelegt zu haben. Parfüm, welches den Geruch von Zalyden zu imitieren versuchte, stellte Kayla fest. Plötzlich, und Kayla konnte ihre Überraschung nicht verbergen, ging Kasō vor ihr auf die Knie. Würde sie stehen, wären ihre eigenen in diesem Moment so wachsweich geworden, sie wäre zu Boden gesunken. Und zwar nicht vor Freude. Jegliches Blut schwand aus ihrem Gesicht und sie musste weiß wie Kreide sein. Doch der Imperator schien ihre Gefühlsregung nicht wahrzunehmen, denn sein Lächeln wurde nicht auch nur um eine Nuance getrübt. Stattdessen nickte er ihr sogar aufmunternd zu.

„Kayla. Du bist nun sechzehn Jahre alt. Somit nicht nur alt genug für den Kampf und für die Versuchung des Alkohols, sondern auch in einem Alter, in dem du zur Frau genommen werden kannst. Kayla die schönste Frau, die ich kenne. Mit dir an meiner Seite bin ich gewachsen und habe beobachten können, wie du zu der starken Amazone geworden bist, die ich nun hier vor mir sitzen habe. Dein Feuer, deine Leidenschaft. gesehen. Du faszinierst mich, wie es keine Frau zuvor vermocht hat." Kaylas Lippen fühlten sich plötzlich furchtbar trocken an. Das Herz schlug ihr bis zum Hals. Panik begann sich in ihrem Körper breit zu machen. Sie spürte sie in ihren zitternden Fingerspitzen und in dem kalten Schweiß, der sich in ihrem Nacken bildete. „Ich sehe keine andere Frau an meiner Seite. Und ich denke, das Volk wird es wertschätzen, wenn ich – Imperator des Flammenreichs – eine Frau des Volkes zu der meinen erkläre. Deswegen", Kasō griff nach ihrer Hand. Er musste ihr Zittern spüren, denn er hielt kurz inne. Dann lächelte er erneut und fuhr fort: „Deswegen, halte ich hiermit um deine Hand an. Unter unseren Freunden, die meine ehrlichen und ernsthaften Absichten mit dir bezeugen können, möchte ich dir das Versprechen geben, dich zur wichtigsten Frau des Landes zu machen, sowie zur wichtigsten Frau meines Lebens."

Der Raum füllte sich mit angespannter Stille. Kayla starrte Kasō an. Sie war geschockt. Er wollte sie zur Frau nehmen? Sie? Er? Wenn sie ehrlich zu sich selbst war, konnte Kayla ihn nicht einmal besonders leiden. In Ihrem Kopf schwirrten nur so die Gedanken und ihr Herz raste voller Panik. Was sollte sie nur tun? Kasō war ihr Imperator. Er war ihr Gönner. Doch heiraten? Das Bett teilen? Kalter Schweiß lief ihr den Rücken herunter. Tropfen für Tropfen eine Erinnerung daran, wie sehr sie sich gerade an einen anderen Ort wünschte.

Nein. Sie konnte ihn nicht heiraten. Jemand musste sie hier rausholen. Jemand musste sie retten. Kasō sah sie erwartungsvoll an, seine Hände immer noch um ihre geschlungen. Die dunklen Augen fest auf sie gerichtet. Kayla schluckte. Sie hatte einen Kloß im Hals, der drohte sie zu ersticken. Hilfesuchend drehte sie sich nun zu Brutus. Der Schattenelf hatte den Kopf gesenkt, schaute als einziger nicht zu ihr und dieser Szene hinüber. Stattdessen hatte er den Blick starr auf den Tisch gesenkt, als gäbe es dort etwas Interessanteres als den Antrag seines eigenen Herrschers zu sehen. Mit bebender Stimme flüsterte Kayla: „Mein Vormund... er..." Kasō lachte kurz auf. „Dein Vormund?" Der Imperator hob eine Augenbraue. „Seit wann bist du denn so konservativ meine Liebste?" Kayla versagte die Stimme, als sie etwas erwidern wollte. „Aber keine Angst, Kayla. Ich habe auch deinen Vormund bereits um deine Hand gebeten. Er stimmt zu und freut sich für unser beider Glück", sagte er mit tiefer Genugtuung in der Stimme. Ein fast schon süffisantes lächeln umspielte Kasōs Lippen, als Kayla in erschrocken ansah. Brutus hatte hiervon gewusst? Von alle dem, was heute passieren würde. Erneut sah sie zu ihm hinüber, zu ihrem Vormund, ihrem besten Freund, ihrem... Geliebten?

Endlich hob Brutus den Kopf, er hatte gehört, dass sie nach ihm gefragt hatte. Er sah sie nur ganz kurz an, in seinen Augen flackerte etwas auf, dass sich als Scham und Flehen deuten ließ. Nur einen Augenblick. Vielleicht ein Bruchteil einer Sekunde. Dann senkte er den Blick erneut und nickte kaum merklich. Die Bewegung war gerade stark genug, sodass Kayla sie wahrnahm. Ihr Atem stockte. Sie konnte es nicht glauben. Er hatte sie fortgegeben. Er hatte sie an ihn, an diesen grausamen Mann, versprochen. Ihre Augen füllten sich mit Tränen und ohne, dass sie es bemerkt hatte, hatte sie Brutus zögerliches Nicken imitiert. Es war kein Nicken der Zustimmung, sondern ein Nicken der Resignation. Kasō sprang auf und klatschte in die Hände.

„Wir haben eine Hochzeit vorzubereiten!"

# 10. Kapitel

## *Ray*

Rays Magen knurrte. Es war heiß und die Bäche, die sie passierten, waren fischleer. Immer wieder blickten der Otter und er in das sanft plätschernde Wasser, nur um ein weiteres Mal enttäuscht zu werden, während die Magensäure ein leises Knurren verursachte. Dennoch wollte der Wasserkrieger wollte nicht zum Dieb werden. So bedienten sie sich nicht der Felder, die sie passierten. Diese trugen ohnehin meist nur Blumen und keine essbaren Früchte. Und wenn, dann schienen diese durch das heiße Klima nur eine magere Ernte zu versprechen. Doch es wurde Zeit, dass sie etwas zu essen erhielten.

„Caleb, lass uns in das Dorf dort hinten gehen." Ray deutete in östliche Richtung. „Dort gibt es bestimmt einen Markt oder ähnliches. Ich verhungere."

„Na gut, aber lass uns das Zentrum schnell durchqueren. Nach *Tsubiki* möchte ich ungern eine weitere Auseinandersetzung erleben." Die Stimme des Otters hatte einen tadelnden Unterton. Ray grinste. „Ich verspreche hoch und heilig mich zu benehmen." Albernd hob der junge Mann seine Hand ans Herz, wie zu einem traditionellen Schwur.

Die beiden Reisenden vor knapp zwei Tagen die ersten weiten Alleen – von Kirschbäumen gesäumt – erblickten, hatten sie die sofort erkannt, dass sie die *Sakura-Region* erreicht haben mussten. Sie machte ihrem Namen alle Ehren. Denn *Sakura* bedeutete Kirschblüten man sagte, es sei die schönste und prächtigste Region des ganzen Bistums.

Es war Spät-Frühling und die großen Bäume blühten in ihrem vollen Glanze. Nie zuvor hatten Ray so viele, weiß-rosa Blüten auf einmal gesehen. Naja. Generell hatte er bisher nur wenige Kirschblüten gesehen. Diese wuchsen nicht im Lande des südlichen Wasserstamms. Bisher kannte er die Blüten nur als getrockneten Tee, den seine Großmutter gerne aufbrühte. In den Stamm gebracht von den reisenden Händlern. Die Freude über die schönen, prächtigen Bäume verflog jedoch mit jeder Stunde, die verstrich und mit der sie tiefer in die Region gelangten. Denn es wurde wärmer und wärmer und erschwerte so das Reisen. Sie mussten häufiger eine Pause einlegen als eingeplant, weswegen sie nur langsam vorankamen. Bisher passierten sie verteilte Höfe, die sich zwischen der Zierlandschaft von Kirschbäumen und Blumenfeldern schmiegten. Das Dorf, auf das Ray nun zeigte, war die erste größere Ansammlung an Häusern, die sie in dieser Region des *Shizen* Bistums erblickt hatten. Aber es war kein Vergleich zu *Tsubiki*. Rays Blick schweifte über die sauber gezimmerten Häuser, durch die sich ihr Weg schlängelte. Hübsch und ordentlich. Keine Steinmauern, keine Pflastersteine und bestimmt kaum mehr als hundert Seelen, die hier lebten. Ray runzelte die Stirn. Hoffentlich gab es einen Markt.

Ein junger Mann stieß unsanft mit Ray zusammen. „Pass doch auf", murmelte er, während er eilig die heruntergefallenen weißen Lilien zusammensammelte. Der Strauß war so groß, dass er vermutlich deswegen den schlendernden Wasserkrieger nicht um die Ecke biegen sehen hatte. „Der Markt?", fragte Ray eilig, bevor der Mann leise fluchend weiterlief. Mit einer Handbewegung deutete er in eine Richtung. „Danke dir", erwiderte Ray, doch der Passant war bereits verschwunden.

Kaum waren sie um eine weitere Reihe, säuberlich gezimmerter Häuser gegangen, stießen Ray und Caleb auf den Marktplatz. Er war überraschend groß für die überschaubare Größe des Dorfes und noch überraschender voll. Dicht an dicht drängten sich die Menschen zu den Bretterbuden.

„Das muss wohl auch der Markt für alle umliegenden Bewohner sein", murmelte Ray. „Warte hier", sagte er an den Otter gewandt. „Es reicht, wenn sich einer von uns zu Tode trampeln lässt." Caleb nickte.

Eilig drückte Ray sich von einem Marktstand zum nächsten. Nur um feststellen zu müssen, dass die meisten der Stände wie leergefegt waren. Die einzige Ware, die übermäßig zu sehen war, waren die verschiedensten bunten Blumen. Manche Standbesitzer blickten ihnen mit ebenso leeren Blicken wie Auslagen nach. Andere, deren Tische wenigstens noch wenige, essbare Dinge bereithielten, waren so mit der Meute beschäftigt, dass sie die beiden Fremden gar nicht registrierten. Ein Stand war von einer besonders dichten Menschenmenge umgeben. Auf einem kleinen hölzernen Schild stand in geschwungener Schrift: *Wund- und Heilmittel.*

„Die Menschen scheinen hier stärker von der Krise betroffen als in *Tsubiki*. Vielleicht sollten die Offiziellen mal lieber in dieser Gegend ihrer eigentlichen Arbeit nachgehen, anstatt sich zu betrinken", dachte Ray. Er beobachtete das Treiben noch kurz, bevor er sich schließlich mit Mühe an einen kleinen Bäckerstand drängte.

Die kleine, ältere Frau sah sie fragend an.

„Zwei Laib Brot bitte."

„Haben wir nicht." Ihre Stimme war so ausdruckslos, wie die von jemand, der zum zigsten Mal dasselbe aufsagen musste und Ray erkannte sofort einen hörbaren Unterschied in dem Sakura-Dialekt verglichen zu dem Südlichen, der in *Tsubiki* gesprochen wurde. Die Aussprache war irgendwie härter. Wie das Leben anscheinend auch. „Dann ähm...", er zögerte. „Was gibt es denn?"

Wenig zufrieden, kehrte Ray schließlich mit einer trockenen Brezel und drei harten Brötchen zu Caleb zurück. Der Otter hob die zerzausten Augenbrauen: „Das sieht aber nicht besonders lecker aus." Ray zuckte mit den Achseln. „Es ist essbar. Komm lass uns aus diesem Dorf hinaus gehen. Ich habe vorhin eine kleine Anhöhe weiter östlich gesehen, dort können wir in Ruhe rasten, ohne den fragenden Blicken ausgeliefert zu sein." Caleb nahm die halbe Brezel entgegen und knabberte, daran herum, offensichtlich wenig erfreut über den Geschmack.

Als sie den sanften, begrünten Hügel hinaufstiegen, legte Ray eine Hand an sein Gesicht, um die Augen von der Sonne abzuschirmen. Der Schweiß, der ihm wegen der für ihn als Wasserstämmiger ungewohnten Wärme auf der Stirn stand, brannte in seiner Narbe und er wünschte sich, die Wunde bald ein wenig säubern zu können. Außerdem sehnte er sich nach der gewohnten Brise, die in seiner Heimat stets herrschte. Abrupt hielt er inne. Eine Beobachtung hatte ihn aus seinen Gedanken gerissen. Caleb stieß mit ihm zusammen und brummte.

„Shh" Beunruhigt gab Ray dem Otter ein Zeichen leise zu sein. Aufgrund seines beträchtlichen Größenunterschiedes konnte Caleb die Anhöhe und was dort für Unruhe sorgte, nicht erkennen. Entgeistert sah er seinen Freund an und brummte: „Ich will ein Nickerchen machen, also lass uns weiter gehen."

Noch bevor er einen Schritt weiter machen konnte, hob ihn Ray von den Füßen. Caleb wollte protestieren, doch da hatte Ray ihn bereits auf seine Schultern gesetzt und der Otter konnte nun ebenfalls die Anhöhe erblicken.

Einige Männer unterschiedlichen Alters rasteten auf dem kleinen Hügel. Manche von ihnen an die Mauern einer unscheinbaren Ruine gelehnt, andere standen in Grüppchen beisammen und plauderten. Doch eine Gruppe, die weiter am Rand stand, stach heraus. Sie stand im Kreis und schienen irgendwas in ihrer Mitte zu betrachten, während sie wild gestikulierend diskutierten. Was jedoch besonders hervorstach, war die unverkennbare schwarze Uniform der Männer, die in der Sonne matt glänzte.

Es waren Gefolgsleute Samaels.

Ray spürte, wie sich Calebs Fell in Entsetzen aufstellte und hörte, wie seine Stimme vibrierte, als er ihm ins Ort flüsterte. „Ray, lass uns gehen. Es sind ungefähr ein Dutzend Männer und wir nur zu zweit." Der Wasserkrieger nickte langsam. „Ich will sie nicht angreifen." Trotzdem ging Ray in die Hocke, setzte Caleb ab und schlich näher an die Gruppe heran.

„Ray“, wiederholte Caleb und zog an dem Hosenbein seines Freundes.

„Ryujin Gaido“, versuchte er es erneut, doch Ray war wie gebannt und bewegte sich ganz langsam immer weiter an die Gruppe heran. „Caleb, ich möchte nur hören, was die Gruppe bespricht. Ich werde mich versteckt halten.“

Der Otter brummte unglücklich und Ray wusste, dass es seinem Freund missfiel, dass er so ein absoluter Sturkopf war. Aber er konnte einfach nicht anders. Jeder Funke Information vom Feind könnte ihnen behilflich sein Samael für seine Gräueltaten zu bestrafen und seine Heimat zu rächen.

„Da bleibt mir wohl nichts anderes übrig“, murmelte Caleb und folgte Ray.

Geschickt duckten sie sich hinter einem Gestrüpp und beobachteten das kleine Grüppchen, das im Kreis diskutierte. Ray kniff die Augen zusammen. Einer von den Männern in Uniform hatte lange dunkle Haare aus denen spitze Ohren herausragten und hielt eine kurze Klinge, in der Hand. Typische Merkmale eines Schattenelfs. Ray durchfuhr ein Schauder, denn Yong Rikis Erzählung klang noch in seinen Ohren nach. Ein anderer hatte ebenfalls spitze Ohren, jedoch ein Katana und sehr kurz geschorene Haare. Ein Schattenelf mit einem Langschwert? Das war ungewöhnlich und weckte auch Calebs Interesse, wie Ray an seiner Anspannung spürte. Er kauerte sich tiefer in den Busch, hinter dem sie Deckung bezogen hatten.

Ein weiterer der Männer im Kreis war eindeutig ein Flammen-Magier, seine Hand war in Richtung der Mitte des Kreises gerichtet und eine kleine lodernde Flamme tänzelte auf seiner bloßen Handfläche.

„Ich glaube da liegt etwas in der Mitte“, flüsterte Ray. Caleb kniff die Augen zusammen, um besser sehen zu können. Zwischen den Beinen der Männer, die ihm den Rücken zugewandt hatten, lag ein kleines Bündel am Boden.

„Verdammt“, entfuhr es Caleb, als jenes vermeintliche *Bündel* leicht den Kopf hob. Es war kein Bündel. Es war ein kleines Mädchen.

Ray spürte das Adrenalin durch seine Adern pumpen. Sein gesamter Körper war innerhalb eines Bruchteiles einer Sekunde angespannt und bereit zum Angriff. Er machte sich auf das schlimmste gefasst und ihm wurde schlagartig bewusst, dass er sein Versprechen an Caleb nicht halten werden würde. Denn dieses Mädchen war in Gefahr. In großer Gefahr.

Der Schattenelf mit den langen Haaren hob die Kleine hoch und leckte sich mit einer langen, echsenartigen Zunge über die Lippen.

„Na das nenne ich mal einen Mittagssnack.“ Die umstehenden Männer lachten. Ray musste unwillkürlich an die kleine Sumi denken. Ob sie wohl genauso lüstern, gierig begutachtet wurde? Sie musste ungefähr im selben Alter wie die Kleine vor ihm gewesen sein. Alles in ihm schrie auf. Er konnte und würde das nicht geschehen lassen. Nicht schon wieder. Caleb knurrte leise. Ray schloss die Augen und überlegte kurz. Dann sagte er mit fester Stimme: „Ich lenke sie ab, du schnappst dir das Mädchen und bringst sie von diesem Hügel weg.“ Ohne auf eine Bestätigung zu warten, verließ Ray den sicheren Schutz des Gebüsches und stand nur eine Sekunde später direkt hinter der Gruppe, die sich um das Mädchen gebildet hatte.

„Guten Tag meine Herren.“ Rays Stimme war fest und entschlossen.

Die Männer zuckten zusammen. Doch noch ehe sie begreifen konnten, was geschah, zückte Ray eine seiner zwei neuen Klingen die Yong Riki für ihn angefertigt hatte. Sie sauste durch die Luft und schnitt quer durch die Kehle des langhaarigen Schattenelfes gezogen, der die Kleine festhielt. Seine Augen weiteten sich, vor Überraschung und Panik. Hektisch riss er seine bekrallten Hände hoch, ließ dabei das Mädchen achtlos fallen und griff sich an an den verwundeten Hals. Das Blut quoll durch seine Finger. Der Schrei erstickte, stattdessen entfuhr ihm nur ein gurgelndes

Geräusch., während er mit vor Entsetzen weit aufgerissenen Augen zu Boden sank. Dieser überraschende Niedergang ließ seine umstehenden Kameraden aus der Schockstarre erwachen. In nur wenigen Sekunden, waren mehrere Klingen auf Ray gerichtet und das lodernde Feuer eines Flammen-magiers erhöhte die Außentemperatur noch weiter.

Gleichzeitig hastete Caleb aus seinem Versteck und packte das kleine Mädchen. Der Otter sprintete den sanft abfallenden Hügel hinunter. Ray hatte ihm eingebrannt, erst die Kleine in Sicherheit zu bringen, bevor er schließlich Ra selbst beistehen konnte. Erleichtert sah Ray im Augenwinkel, wie sich das Mädchen an den haarigen Körper des Otters presste, während er den Klingen auswich. Nun waren sowohl der kurzhaarige Schattenelf als auch einige weitere, die nicht mit im Kreis gestanden hatte, dicht an ihm dran. Immer wieder duckte er sich, wich einem Schwert aus, oder blockte ein anderes mit einer seiner Klingen ab. Dennoch gelang es ihm bisher noch, sich gut zu halten. Wie lange er sein Tempo aufrechterhalten konnte, war jedoch fragwürdig. Er schwang herum, beide Klingen hoch erhoben und stach einem weiteren Feind tief in den Magen.

Gleichzeitig spürte er, wie die bereits unerträgliche Hitze immer heißer wurde. Ganz in seiner Nähe hatte sich ein Feuer-Magier positioniert, aus dessen Händen zwei gleißende Flammen sprühten. Verdammt. Ray war kein Magier und konnte entsprechend keine der Elemente beherrschen, die dem Feuer Einhalt gebieten würden. Der feindliche Magier wirbelte herum und holte aus, bereit, Ray mit lodernd aufgehen zu sehen. Er würde lebendig gegrillt werden, schoss es Ray durch den Kopf. Flammen züngelten an den Fingerspitzen des Kriegers, während er wie in Zeitlupe ausholte. Ganz langsam, formte sich ein gleißend heller Ball zwischen den gekrümmten Fingerspitzen. Die Hitze war bereits jetzt abscheulich.

Gerade wollte der Krieger seinen Arm senken und somit den schmerzen bringenden Ball loslassen, da sprang ein schwarzer Schatten auf ihn zu. Kleine, haarige Krallen packten seinen Kopf und rissen ihn herum. Caleb brachte ihn zu Fall. Das Feuer spie in den Himmel und nicht gen Ray. Bevor Ray durchatmen konnte, spürte er einen hässlichen, stechenden

Schmerz im rechten Unterarm. Brüllend wirbelte herum, um den der Person, die ihm so eben die Klinge in den Arm gerammt hatte, anzugreifen. Der kurzhaarige Schattenelf von vorhin wich seinem ersten Hieb aus. Mit einem lauten Schrei vor Wut und Schmerz, setzte Ray erneut an, den Elf mit seiner Klinge zu durchstoßen. Die linke Klinge, die die von dem Arm gehalten wurde, aus dem noch kein dickflüssiges Blut quoll. Er zielte auf die Brust. Dieser wich nicht rechtzeitig aus - Ray stach zu, zielsicher und mit einer Schnelligkeit und Wucht, dass er bereits zu spüren schien, wie die Knochen unter seiner Gewalt brechen würden und die Klinge durch das Fleisch gleiten. Doch dieses Gefühl trat nicht ein. Obwohl er nicht bemerkt hatte, wie der Schattenelf sich bewegt hatte, dennoch traf er nur die Luft.

Wo eben noch die Brust des Kurzhaarigen gewesen war, war nichts mehr.

Anstelle des Kriegers, stand nun ein kleiner, sommersprossiger Junge vor Ray, dasselbe Katana des Elfes fest mit seinen kleinen Händen umschlossen. Er war so klein, dass Rays Hieb ihn verfehlt hatte. Entsetzt starrte Ray den Jungen an. Das hämische Grinsen des nicht mal zehnjährigen schien Ray zu verspotten. Die Haare waren genauso kurz geschoren wie die des Schattenelfes.

Was war das? Ein Zauber?

Der Junge machten einen Satz nach vorne und rammte seine Klinge tief in die zuvor aufgerissene Wunde an Rays rechten Arm. Der Schmerz durchfuhr Ray so heftig, dass er nicht anders konnte, als sein rechtes Schwert fallen zu lassen. Doch nun war der Angreifer so nah, dass Ray blitzartig seine rechte Klinge direkt hochriss und auf ihn zu sausen ließ. Er tangierte ihn, spürte wie die Klinge durch das junge Fleisch schnitt, doch noch bevor er den Knochen berührte, wurde Ray mit einem starken Ruck zurückgestoßen.

Wo eben noch der kleine Junge gewesen war, stand nun ein großer, bärenartiger Mann, so muskulös und riesig, dass diese plötzliche Transformation und der plötzliche muskuläre Widerstand unter der

Klinge, Ray aus dem Gleichgewicht gebracht hatte.

*Was zum Teufel,* dachte Ray erschrocken.

Was für ein Wesen bekämpfte er hier?

Der Bär vor ihm nutzte Rays kurzen Moment des Ungleichgewichts und packte ihn, hob ihn hoch und schleuderte ihn mit einer unmenschlichen Kraft zurück auf den Boden. Ein reflexartiger Schwindel packte Ray bei der Erschütterung und für einen kurzen Moment verschwamm seine Sicht. *Nein, du darfst nicht aufgeben*. Wütend biss er die Zähne zusammen und rappelte sich mit zitternden Beinen wieder auf. Die Welt drehte sich und Ray versuchte krampfhaft sich auf seinen Angreifer zu konzentrieren. Ein Auge zugekniffen, um das Gelichgewicht und den Fokus wiederzugewinnen. Noch ehe er selbst angreifen konnte, zischte das Kantana des Elfes haarscharf an seinem Kopf vorbei. Wäre seine Reaktion auch nur einen Wimpernschlag langsamer gewesen, hätte er hier und jetzt das Zeitliche gesegnet. Wieder stieß das Wesen zu. Allein der Windstoß, der Ray streifte, als es ihm gelang erneut auszuweichen zeigte ihm, wie stark diese Bärenform des Mannes war. Jedoch langsamer als die Form des Schattenelfes zuvor. Ray nahm Anlauf und sprang auf den Bären zu, das gezückte Schwert in der linken Hand. Doch dann geschah es schon wieder. Bevor er seine Klinge in das Fleisch des Monstrums bohren konnte, hatte er sich erneut verwandelt.

Der kleine Junge war flink ausgewichen und stand nun in einem fatalen Winkel zu dem herunter sausenden Ray. *Verdammt,* schoss es Ray durch den Kopf, er war schon wieder darauf hereingefallen.

Wie konnte er diese Transformationen nur vorhersehen?

Der Junge riss mit einer Hand sein eigenes Schwert hoch, mit der anderen packte er Rays linkes Handgelenk. Ray konnte nicht schnell genug reagieren und spürte jäh, wie sich die gegnerische Klinge erneut in seine Haut bohrte. Dieses Mal in den anderen Unterarm. Der Schmerz durchzuckte ihn und er konnte den Schrei nicht unterdrücken. Vollkommen unbeeindruckt und mit einer Wendigkeit, die Ray nicht erwartet hatte, trat der Junge ihm ins Gesicht, während er mit einem eisernen Griff Rays linkes Handgelenk weiter festhielt. Ray spürte, wie seine Finger langsam taub wurden. Nach und nach verlor er jegliches Gespür in der Hand. Ein fatales und vollkommen hilfloses Gefühl. Er würde sein zweites Schwert nicht mehr so sicher führen können, wenn er sich nicht sofort aus diesem Griff befreien konnte. Irgendwie.

Eine simple Eingebung durchzuckte Ray. Ohne zu zögern, fletschte er die Zähn wie ein wildes Tier und biss zu. Die Augen des Jungen weiteten sich vor Überraschung. Mit all seiner Kraft presste er seinen Kiefer weiter zu. Der Schmerzensschrei der Kreatur erhöhte Rays Adrenalin. Nun gelang es ihm, sich loszureißen. Blitzschnell holte er aus und traf den Jungen am Oberschenkel, der sich inzwischen wieder in die Bärenform transformiert hatte. Das Blut spritze. Doch der Bär zuckte kaum zusammen, stattdessen brüllte er vor Wut und packte Rays Klinge mit der bloßen Hand. Mit einer unmenschlichen Kraft riss er die Klinge herum, während er sich dabei die eigene Hand aufschnitt. Die Augen zu wütenden Schlitzen zusammengezogen. Ehe Ray erkannte, wie ihm geschah, hörte er die Klinge klirrend zu Boden gehen und wurde von der riesigen, blutüberströmten Pranke in die Luft gehoben. Mit nur einem Arm wurde er baumelnd in der Höhe festgehalten. Der Griff war fest um Rays Kehle geschlossen und drückte ihm die Luft ab. Ray röchelte und spürte wie ihm erneut schwindelig wurde. *Nein. Er durfte nicht aufgeben.* Bebend kämpfte er mit der Ohnmacht und rang panisch nach Luft. Mit dem noch freien Arm riss das Wesen Ray die zweite Klinge aus der Hand, scheinbar mühelos und warf sie zu Boden. Dann, mit einem fürchterlichen Gebrüll, warf er den Körper des Wasserkrieger erneut auf die Erde. Zeitgleich verwandelte er sich zurück in die Gestalt des kurzhaarigen Schattenelfes, das Katana erneut in der lang-gliedrigen Hand.

Ray spürte den harten Stein unter sich, als er zu Boden ging. Das Blut lief ihm heiß über den Körper. In beiden Armen klafften große Wunden. Seine Kleidung klebte durchtrieft von Schweiß und Blut an seiner Haut. Sein gesamter Körper zitterte von der Anstrengung und sein Atem rasselte. Die Sonne strahlte erbarmungslos auf seinen geschwächten Körper. Er wusste, dass er nicht mehr lange das Bewusstsein halten könnte. Er musste einen Ausweg finden.

Ray konnte Caleb nicht mehr entdecken und hörte auch keine vertraute Stimme – dafür konnte er noch weitere schwarze Krieger sehen, die einen immer dichteren Kreis um ihn formten. Es waren einfach zu viele. *Verdammt. Verdammt. Verdammt.* Er hatte die Situation maßlos unterschätzt und somit Caleb und sich selbst in einen aussichtslosen Kampf verwickelt. Wie sollte er sie beide nur aus dieser Situation befreien? Wie ein Mantra schoss es ihm immer wieder durch den Kopf: *Ich muss es schaffen. Ich muss aufstehen. Ich muss es schaffen. Steh auf, Ray.*

Aus dem Augenwinkel sah der verwundete Wasserkrieger seine Schwerter, weit hinter seinem Angreifer. Dieser, nun wieder in Form des schwarzen Kriegers, der einem kahlrasierten Schattenelf glich, baute sich über Ray auf. Die Schwerter waren unerreichbar. Frustriert biss sich Ray auf die Lippe und schmeckte die eisenhaltige, salzige Mischung aus Blut und Schweiß. *Verdammt nochmal.* Sein Herz pochte unkontrolliert und er spannte mühevoll seine Muskeln an. *Beweg dich, steh auf*, befiehl er still seinem schmerzenden Körper. versuchte sich zu bewegen, aufzustehen. Doch ehe auch nur ein Muskel gehorchte, holte der vermeintliche Schattenelf aus, und schnitt ihm mit einer langen, fließenden Bewegung ins Bein. Ray spürte, wie die glänzende Klinge seine Haut zerriss und noch mehr heißes Blut aus ihm herausströmte. Erneut wurde seine Sicht unscharf und schließlich komplett schwarz. Mühevoll schüttelte er den Kopf und schaffte es tatsächlich, dass er wieder fleckige Farbkleckse seiner Umgebung wahrnahm. Es rauschte in seinen Ohren und der Blutgeschmack mischte sich mit der bitteren Galle. Der Schattenelf sah Ray hämisch grinsend an. Er schien den Anblick zu genießen, wie Ray sich auf dem Boden vor Schmerzen verkrampfte und seinem sicheren Tod ins Auge blickte. Dies war niemand, der aus einem Pflichtgefühl tötete. Nein. Dieses Wesen *liebte* es. Er wollte Ray nicht nur töten, er wollte sich zuvor an seinen Schmerzen ergötzen. Das verursachte einen fast noch größeren Brechreiz als die Schmerzen. Ray spuckte auf den Boden.

„Du widerlicher Sadist“, entfuhr es ihm rasselnd und unter Schmerzen.

Zu seinem Entsetzen stellte Ray fest, dass die Spucke ebenfalls mit Blut durchzogen war. *Verdammt, verdammt, das sieht nicht gut aus*, dachte er. Mit zusammen gekniffenen Augen blickte er wieder zu dem Schattenelfen.

Dieser hob sein Schwert hoch über den Kopf und flüsterte gerade laut genug, dass Ray es hören konnte: „Verabschiede dich, Junge.“

Die Klinge glitzerte in dem gleißenden Licht der Sonne. Der Elf zog sie noch ein Stück weiter über die Schulter. Dann riss er sie mit unglaublicher Gewalt, zielgerichtet auf Rays Herz, herunter.

Ray hörte seinen eigenen Schrei wie aus weiter Ferne.

Die Klinge raste näher und näher.

Der Wasserstämmige konnte sich selbst bereits sehen, wie er von der Klinge zerrissen werden würde, wie das Metall sein pochendes Herz spalten würde.

Er kniff die Augen weiter zusammen, weil die Sonne, die sich in der Klinge reflektierte blendete.

Urplötzlich nahm er eine Bewegung in seinem linken Sehfeld wahr.

Eine schnelle, rasche Bewegung.

Ein kalter Luftzug rauschte durch Rays Haare. Das musste der Luftzug der reißenden Klinge sein. Er hörte das laute Aufschlagen von Metall.

Doch der Schmerz setzte nicht ein.

Sein Herz pochte immer noch – schnell und ohne Rast.

Was war geschehen?

Ray öffnete die Augen, die er vor Schock geschlossen hatte und sah, dass die lange Klinge des Schattenelfen nicht ihn getroffen hatte. Nein. Das silber-glänzende, blutüberzogene Katana war auf einer strahlendgoldenen Glefe eingeschlagen. Die Sonne brach sich in der goldenen Waffe in hundert Richtungen. Ray konnte seinen Retter, der so plötzlich schützend vor ihn gesprungen war, nicht erkennen.

Es war nur eine schwarze Silhouette mit goldener Waffe.

# 11. Kapitel

## Sola

Das kalte, klare Wasser verfärbte sich trüb, als sie das Tuch darin auswusch. Nachdenklich ließ sie den Lappen durch ihre Finger gleiten, während ihr Blick aus dem Fenster hinaus in die Ferne gerichtet war. Er haftete an nichts Besonderem, sondern schweifte über den Horizont, wo die Sonne gerade aufging. Schon in wenigen Stunden würde die Hitze wieder unerträglich sein. In der Sakura-Region des Shizen Bistums wurde es bereits früh im Jahr sehr warm. Die Winde, die hier wehten, kamen direkt aus der Naka-Wüste, die zwar weit entfernt lag, jedoch gab es keine Gebirge oder Tiefdruckgebiete, welche die heißen Luftströme abkühlen würden.

Hinter ihr hustete jemand. Erschrocken fuhr Sola zusammen, löste den Blick vom Horizont und drehte sich ruckartig um. Ihr Großvater stand auf wackeligen Beinen am Türrahmen gelehnt. Er sah nicht gut aus. Seine einst kräftige Figur war einem schmächtigen, zerbrechlichen Körper gewichen, der von so dünner, faltiger Haut überzogen war, dass sie fast durchsichtig schien. Die kastanien-farbenen Augen lagen in tiefen Höhlen und die Schatten, die sie umrahmten, waren dunkler als sein schwarzer Bademantel, in dem er eingewickelt in der Tür lehnte. Er war einmal ein bekannter Kämpfer gewesen, Meister der Kampfkunst und Senpai für viele Kampfkunstschüler, stark und ein Vorbild für jeden seiner Schüler. Doch nun war er nur noch ein Schatten seiner selbst.

Sola seufzte. Es tat ihr im Herzen weh, ihren geliebten Großvater Herold so zu sehen. Sie stellte das Wasser ab und wrang das Handtuch in ihren Händen aus. Ging auf den gebrechlichen Mann zu und nahm seine alte, runzlige Hand. Er reagierte kaum bei der Bewegung. Seine Augen flackerten nur desorientiert hin und her.

„Komm mit", flüsterte sie ihm liebevoll zu. Ihre Hand um seine, führte sie ihn zurück zu dem zerwühlten Bett. Seufzend half sie ihm, sich wieder hinzulegen. Bereits seit Wochen konnte musste er hier verweilen, einer unbekannten Krankheit erlegen. Ein Kloß schnürte Sola die Kehle zu, während sie ihn zudeckte und sich neben ihn kniete. Schweigend legte das feuchte, frisch gewaschene Handtuch auf seine fiebrige, pulsierende Stirn. Der alte Mann lächelte dankend und schwach, doch schwieg ebenfalls. Ein kleines Lächeln umspielte Solas Lippen, denn das hatten sie und Großvater gemein, sie waren beide nie gut mit Worten gewesen.

„Das Fieber ist immer noch nicht besser geworden", sagte sie mehr zu sich selbst und tupfte behutsam mit einem zweiten, feuchten Handtuch das Gesicht und den Hals des alten Mannes ab. Dieser atmete langsam flacher und ruhiger. Das war gut, er musste viel schlafen, um wieder zu Kräften zu kommen. Er brauchte Ruhe und dann würde alles wieder gut werden, das versicherte Sola sich immer wieder. Während sie sich zurücklehnte und abwartete, dass Herold einschlief, fasste sie den Entschluss, dass sie heute erneut versuchen würde, Medizin im Dorf zu bekommen. Seit die Jiyū1 Nomaden nicht mehr durch die Regionen wanderten und somit die verschiedenen Produkte und Güter im Land verbreiteten, hatte sie große Probleme, die richtigen Kräuter zu erhalten.

Die meisten Nomaden hatten sich in den letzten Jahren des Krieges in den Schutz der Berge des Arashi Gebirges zurück zogen, wo ihre Hauptstadt lag. Das Reisen und Streifen durch die Welt war normalerweise üblich für das Luft-Volk. Durch den abrupten Rückzug in das Gebirge und den damit ausbleibenden Handelsbetrieb, litten vor allem abgelegene Regionen

---

[1] Die Bezeichnung Jiyū steht für „Freiheit" und spiegelt den Lebensstil dieses Volkes wider. Die Jiyūs haben die am wenigsten institutionalisierte Völkerordnung. Außerdem bewegen sie sich frei durch die Welt, auch durch die Länder und Provinzen anderer Völker. Das ist möglich, da die Nomaden als friedliches Volk gelten und als Volk, dass sich nur selten in fremde Angelegenheiten mischt – leben und leben lassen. Häufig werden sie auch Luft-Nomaden, einerseits aufgrund der Luft-Magier unter ihnen genannt, andererseits weil auch das Element der Luft das Element ist, das am „freiesten" ist. Es lässt sich von nichts und niemanden etwas vorschreiben und ist gleichzeitig überall und nirgendwo greifbar.

zusätzlich zum Krieg unter wachsender Ressourcen-Knappheit, so auch Solas Heimat.

Sakura war eine besonders schöne Gegend des Shizen Bistums, reich an Blumen und geistlichen Gedenkstätten, jedoch hatten sie nur wenig andere Ressourcen. Sie lebten hauptsächlich von Reisenden, die die Tempel und Gegend besichtigen oder dem Export von Zierpflanzen. Die Blumen und Gewächse, die normalerweise verkauft wurden, gab es nun im Überdruss, da kein Händler sie mehr abholte, doch die wirklich lebensnotwendigen Ressourcen wurden immer knapper. Ausgerechnet in dieser Krisenzeit war ihr Großvater vor einigen Wochen zusammengebrochen. Das Fieber hatte schnell seine Zurechnungsfähigkeit beeinträchtigt und er war Tag für Tag körperlich schwächer geworden.

*Saka* war nur ein kleines Dorf. Jeder kannte jeden und so blieb es Sola auch nicht erspart, dass sie auf der Suche nach medizinischen Kräutern mehrmals den Gesundheitszustand ihres Großvaters erläutern musste. Er war ein allseits beliebter Mann – ganz im Gegenteil zu seiner zurückhaltenden, verschlossenen Enkelin. So wurde sie mit mitleidigen Blicken bedacht und Bekundungen der guten Besserung folgten jeder weiteren Verneinung, wenn sie nach den Kräutern fragte. Suchend blickte sie über die restlichen Marktstände. An einem drängten sich mehrere ältere Frauen herum, also sollte dieser Stand zumindest noch Ware haben. Ganz im Gegensatz zu vielen anderen, die aufgrund der fehlenden Belieferung durch die Nomaden seit Wochen leer und vereinsamt die Straßenränder säumten. Leise vor sich hin murmelnd, drängte Sola sich durch das kleine Grüppchen und fing einige der Wortfetzen des Gesprächs auf.

„Nein wirklich? Wie schrecklich!“

„Ja, ich habe gehört, dass sie zum Teil sogar ihre Feuer Magie einsetzen, wenn sie nicht bekommen, was sie wollen.“

„Ja, aber das sind doch nur Einzelfälle.“

„Besser so, als der direkte Feind zu sein!“

„Das glaub ich nicht.“

Sola war seit Wochen fast täglich zum Markt gekommen, um zu fragen, ob neue Medizin eingetroffen war, deswegen kannte sie diese Geschichten bereits. Das Bistum hatte die rot-schwarze Allianz passieren lassen, um den südlichen Wasserstamm anzugreifen. Einige der Bewohner waren der Meinung, damit einen Genozid unterstützt zu haben, andere stellten sich auf die Seite des Erzbischofs und ließen verlauten, dass es besser sei, sich mit dem neuen Todesmagier gut zu stellen, solange nicht einschätzbar, wie der Krieg sich entwickeln würde. Todesmagier war Samaels Titel im *Shizen*en Volksmund. Grund dafür war das todbringende Schwert, welches ihrer Meinung nach nur durch Magie so mächtig sein konnte.

Der Erzbischof hatte Großteile der internen Polizei und Einheiten in die Hauptstadt berufen, um die äußeren Bezirke für den Durchmarsch freizumachen. Er verlangte, dass das Volk besagte Truppen Samaels ohne Widerstand vorüberziehen ließ. Jedoch waren vereinzelt Gerüchte aufgekommen, dass die rot-schwarze Armee aus reiner Lust und Tyrannei einzelne Dörfer überfiel, Gold, Schmuck und andere wertvolle Habseligkeiten eingeforderte. Bei Weigerung waren die Eindringlinge angeblich sogar zu Gewalt gegenüber *Shizen*en geschritten. Einige sprachen sogar davon, dass sich die Krieger schamlos an Frauen und Kinder vergingen.

Sola war nicht besonders politisch und ihr war es ehrlich gesagt gleichgültig, wie die anderen Völker miteinander auskamen - ob Wasserstämmige oder Flammenkrieger, sie waren ihr alle fremd und somit herzlichst egal. Sollten sie sich doch bekriegen. Und obwohl die Gerüchte Gewalt gegenüber *Shizen*en beinhalteten, interessierte sie sich dafür nur wenig. Sie fühlte nicht dafür verantwortlich und wusste nicht einmal, ob darin ein wahrer Kern steckte. Denn sie sie kanntes dieses Volk und die Angewohnheit der *Shizen*en zur Übertreibung und zum Wichtigtuen zu neigen. Wahrscheinlich wollten sie einfach nicht wahrhaben, dass die ach so bösartige rot-schwarze Allianz kein Interesse an dem frommen Volk des Bistums hatte und es lediglich auf die ‚wilden' Wasserstämme abgesehen hatten. Sola war durchaus ein gutherziger Mensch, jedoch beschränkte sich das eher auf den kleinen Rahmen an geliebten Menschen, der ihr nahestand.

Als Sola es geschafft hatte, sich bis zur Verkäuferin vorzudrängen, schüttelte diese traurig den Kopf: „Nein tut mir leid Kindchen, wir haben heute nur Zierpflanzen und frisches Ziegenfleisch im Angebot."

Enttäuscht drehte sie sich um und zog weiter zum nächsten Stand. Es frustrierte sie jeden Tag mehr und gleichzeitig machte es ihr auch ein wenig Angst. Wie sollte sie bald noch weiter für ihren kranken Großvater sorgen?

Sie war bereits den Großteil des kleinen Marktplatzes abgelaufen, als sie jemanden ihren Namen rufen hörte.

„Sola!"

*Bitte lass es nicht wieder jemand sein, der jedes Detail der Krankheit wissen möchte,* dachte sie sich. Doch es war Jamie, ein Freund, den sie bereits von klein auf kannte und nun freudestrahlend auf sie zu lief. Früher hatte er es oft geschafft, sie mit seinem unerschütterlichen Optimismus anzustecken und ein Lächeln auf ihre Lippen zu zaubern. Dafür allein war sie ihm schon immer dankbar. Sie war dieses traurige, einsame kleine Mädchen gewesen und er ein übermütiger, lachender Rabauke mit einem großen Herzen. Sie wusste nicht, ob er damals einfach Mitleid mit ihr gehabt hatte, oder ob er sich wirklich mit ihr anfreunden wollte, doch er hatte es getan. Er war ihr erster und wenn sie ehrlich zu sich selbst war, einziger Freund in *Saka*. Allein deswegen rang sie sich ein Lächeln ab, als er sie erreicht hatte.

„Hallo, Jamie."

Er strahlte sie an. „Ich..."

Ein fast wieherndes Schnaufen entglitt ihm. Er musste sich wirklich beeilt haben, sie zu sehen. „Ich habe welche gefunden."

Ihre Augen weiteten sich und sie griff unwillkürlich nach seiner Hand und erlaubte sich einen Funken Freude zu verspüren. Ein kleines, warmes Gefühl von Hoffnung machte sich in ihrem Herzen breit. Ungläubig fragte sie: „Kalia-Blüten?"

Jamie errötete leicht bei ihrer Berührung und nickte eifrig: „Ja, ja genau. Komm mit."

Solas Herz schlug schneller. Kalia-Blüten waren eine sehr seltene Pflanze aus dem *Arashi* Gebirge und ein starkes Heilmittel für Fieber und Entzündungen. Die blassgrüne Pflanze war eines der wichtigsten Handelsgüter der Jiyū Nomaden, da die hohen Gipfel und Felskanten, an denen der Pflänzling wuchs, fast ausschließlich für Luft-Magier erreichbar waren. Und diese Luft-Magier waren Teil der Jiyū Nomaden. Jamie hielt Solas Hand fest in seiner und zog sie hinter sich her, als er sich einen Weg durch die Menschenmenge bahnte, die über den Marktplatz strömte.

Er wohnte ein wenig außerhalb des Dorfzentrums in einem Hof, an den ein größere Pferdestall anknüpfte und hatte erst vor Kurzem seine Ausbildung zum Hufschmied abgeschlossen, um den Familienbetrieb seines Vaters zu übernehmen. In ihrer Kindheit hatte Sola Jamie oft unterstützt, sich um die Pferde in den Stallungen der Familie Cantan zu kümmern und hatte sogar reiten lernen dürfen. Die Cantans waren eine einfache, aber fleißige Familie, die ihren Familienbetrieb traditionsreich und verantwortungsbewusst führten. Bereits im Alter von acht Jahren sprach Jamie davon, wie er eines Tages das Hufschmieden lernen würde und dann die Verantwortung für die Stallungen, in denen die Cantans sich um die Pferde der Reichen aus der Gegend kümmerten, übernehmen würde. Sola hatte ihn oft dafür beneidet, dass er ein so klares und einfaches Ziel vor Augen hatte. Es schien ihm gar nicht die Idee zu kommen, dass er sein Leben anders leben könnte als seine Eltern. Er fühlte sich heimisch in *Saka*. Sola war sich sicher, dass er selbst ebenfalls hier eine Familie gründen und zufrieden in diesem kleinen Ort sterben würde, ohne je die Welt außerhalb der *Sakura-Region* gesehen zu haben. Sola hingegen war erst mit acht Jahren hergezogen und hatte immer ihre Schwierigkeiten gehabt, sich in die Strukturen *Sakas* zu fügen. Sie fühlte sich nur wenig mit diesem Ort verbunden. Vielleicht lag es daran, dass die Bewohner *Sakas* stets zu einem Pläuschchen aufgelegt waren, während sie lieber still ein Buch las.

Als sie sich von dem vollen Dorfplatz entfernten, ließ Sola Jamies Hand los. Er drehte sich irritiert um, überspielte seine enttäuschte Miene dann jedoch direkt mit einem strahlenden Lächeln. Kurz bevor sie auf die weiten Weiden gelangten, die die Stallungen der Catans umsäumten, deutete Jamie nicht in die Richtung des Hauses, sondern in eine andere. In die Richtung *ihres Hügels.*

In der Nähe des Cantan Hauses gab es eine kleine Anhöhe, auf der die Ruinen eines ehemaligen Tempels standen. Es waren nicht mehr als die Andeutungen der Grundmauern. Deswegen war dieser Ort nicht im Interesse von Touristen und Anwohnern, im Gegensatz der vielen anderen Gedenkstätte in der Region. Nur Jamie und Sola waren als Kinder oft dorthin gegangen, hatten fangen und verstecken gespielt, oder gemeinsam ihre Aikido Künste geübt, um Solas Großvater Herold stolz zu machen. Die anderen Kinder hatten sie deswegen oft aufgezogen, da es doch viel ‚schönere', dedizierte Spielplätze in der Region gab. Doch genau das hatte Sola hieran gemocht. Es war einsam und friedlich. Es musste Jahre her sein, seit Sola das letzte Mal da gewesen war.

„Weißt du noch damals…?", fragte Jamie vergnügt, stets bemüht Solas Laune aufzuhellen wie eh und je. „Wir haben hier doch immer gespielt, besonders das eine Mal…" Es folgten kleine Anekdoten, das jedoch nur von einem kleinen „Mhm", kommentiert wurde. Denn Sola hörte nur mit halbem Ohre hin. In Gedanken war sie bereits bei ihrem Großvater und der Hoffnung, dass die Kalia-Blüten ihn genesen lassen würden.

Als sich die beiden Freunde den Ruinen näherten, erblickte Sola eine Gestalt, die auf einer der herunter gekommenen Mauern saß. Das Gesicht zur Sonne gewandt, die Augen geschlossen. Der junge Mann rührte sich nicht, auch wenn er Sola und Jamie schon längst gehört haben musste. Er hatte helle Haut, fast so ungewöhnlich hell wie Solas eigene und seine langen, geschwungenen Wimpern ließen seine Gesichtszüge fein und zart wirken. Sein Haar schimmerte in einem hellen lila Ton – fremdartig, unnatürlich, aber auch beruhigend und wunderschön.

„Hey." Jamie stupste den Fremden, der in der Mittagssonne eingeschlafen zu sein schien, leicht an. Dieser brummte leise. Dann flackerten seine Augenlider kurz, bevor er die leicht langgezogenen, fremd aussehenden, Augen öffnete. Sie schimmerten ebenso fliederfarben wie sein Haar. Als hätte er bereits mit geschlossenen Augen die Ankömmlinge genaustens registriert, blickte er beim ersten Augenaufschlag direkt in Solas Augen. Sein Blick wirkte prüfend und abschätzend. Unwillkürlich durchzuckte Sola ein Schauder und es fühlte sich an, als würde sich eine eisige Hand in ihren Nacken legen. Sie versteifte sich und schluckte kaum merklich. *Wer oder was war das?*

Der Junge sprang in einer fließenden Bewegung von der Mauer, nahm Solas Hand, drückte ihr seine zarten, weichen Lippen auf den Handrücken und machte einen angedeuteten Knicks. Die Berührung war so überraschend und Sola erwartete fast einen erneuten Schauder zu verspüren, doch stattdessen wurde die Kälte nun durch einen Wärmefluss vertrieben, der von der Stelle ausging, wo der Fremde sie berührte.

„Heeey", wiederholte Jamie, sichtlich erschüttert über die Dreistigkeit des Jungen. Der Fremde konnte kaum volljährig sein, registrierte Sola. Doch die Weichheit in seinen Zügen stand im Gegensatz zu seinen kühlen, wachsamen Augen. Sola erwiderte seinen Blick, genauso prüfend und achtsam. Der Fremde löste seinen Griff um ihre Hand und wühlte ohne Umschweife in seinem umgehängten Beutel.

Dabei murmelte er, ohne bisher Jamie auch nur einen Funken Aufmerksamkeit bisher geschenkt zu haben: „Man muss die Gelegenheit ergreifen, wenn sie sich einem bietet. Ich habe lange nicht mehr ein solch' schönes Mädchen gesehen."

Jamie starrte ihn verdattert an und errötete leicht. Sola ignorierte sowohl die Bemerkung des Fremden als auch Jamies beschämte Blicke. Ihr war bewusst, dass ihr Jugendfreund sie ebenfalls des Öfteren als schön bezeichnete. Sie selbst sah das jedoch anders und empfand sich als viel zu dünn und zu blass.

Der Fremde holte ein kleines, seidenes Säckchen hervor und öffnete es. Es war gefüllt mit weißen Blüten, Kalia-Blüten. Jamie strahlte nun wieder. „Siehst du Sola. Ich habe dir doch gesagt, ich habe welche gefunden! Oder zumindest habe ich einen der letzten reisenden Jiyū Händlern gefunden." Solas Herz klopfte schneller, das konnte ihre Rettung sein, die Rettung ihres Großvaters. Doch sie hatte ihr anfängliches Misstrauen nicht vergessen. Diese Kälte. Dieser berechnende Blick. Die Skepsis legte eine Hand auf ihr freudiges Herz und zwang es, sich zu zügeln. Dieser Junge war kein Jiyū Nomade. Sie wusste nicht wieso, aber sie war sich dessen sicher.

„Du bist kein Händler", sagte sie, ohne darüber nachzudenken, was ihre Worte für Konsequenzen haben könnten. Der Fremde zog eine seiner dünnen, wohlgeformten Augenbrauen in die Höhe. Ein amüsiertes Lächeln umspielte seine Lippen.

„Ach nein?"

„Und du bist auch kein Jiyū Nomade."

Die fliederfarbenen Augen hafteten durchdringend auf Sola. Er hatte den Blick keine Sekunde lang von ihr genommen, seit er die Augen geöffnet hatte.

„Und du bist keine *Shizen*in", stellte er schmunzelnd fest. Als er ihre Überraschung registrierte, grinste er noch spöttischer.

„Blasse Haut und helles Haar gibt es hier zwar wie Sand am Meer, aber das macht dich nicht zu einer von ihnen."

Sola schwieg und presste die Lippen zusammen. Er war aufmerksam.

Jamie lachte nervös. So hatte er sich diese Begegnung wahrscheinlich nicht vorgestellt, sondern sich stattdessen ausgemalt, wie Sola ein wenig feilschte, danach die Blüten entgegennahm und ihm danach dankbar um den Hals fiel.

Der fremde Junge schloss das Seidensäckchen und wollte es wieder einstecken.

„Na also, wenn du nur mit einem ‚echten' Jiyū Händler handeln magst..."

Er zuckte mit den Schultern.

Jamie wurde unruhig. „Nein, sie meinte nicht..."

„Schon gut, Jamie." Sola legte eine Hand auf seine Schulter, als dieser nach dem Seidensäckchen greifen wollte.

„Mir ist es egal, wer oder was du bist."

„Na prima." Der Fremde hielt in der Bewegung inne und lächelte. Keinerlei Überraschung im Gesicht. Er hatte gewusst, dass sie ihn nicht gehen lassen würde. „Da sind wir schon einmal zwei."

„Was willst du dafür haben? Ich wäre bereit dir drei Gold..."

Unerwartet ergriff der Junge erneut Solas Hände und kam einen Schritt näher. „Ich steh' nicht so auf monetäre Bezahlungen."

„Hey!" Jamie drängelte sich entschieden zwischen die beiden und schob den Fremden unsanft zurück. Auch wenn der Händler einen halben Kopf größer war, so war Jamie um einiges kräftiger. Zu Jamies Überraschung lachte der Jüngling nur auf und hob entschuldigend die Hände.

„Im Gegensatz zu dir..." Er tippte mit einem seiner langen, feingliedrigen Finger auf Jamies Brust, „...möchte ich der Dame nicht an die Wäsche."

Jamie wurde puterrot. „Ich glaube du spinnst wohl", spie er laut und entrüstet aus, war aber gleichzeitig zu peinlich berührt, um in Solas Richtung zu blicken.

Sola verdrehte unbeeindruckt die Augen und wiederholte: „Was willst du dafür haben?“ Ernster als zuvor erwiderte der Fremde: „Nichts, es ist ein Geschenk. Ich bitte dich nur, dass du mich zu Herold führst und mich mit ihm sprechen lässt.“

„Du kennst meinen Großvater?“ Die Überraschung in ihrer Stimme war unverkennbar und sie runzelte reflexartig die Stirn. Das konnte nicht sein. Der Jüngling war höchstens in ihrem eigenen Alter, womöglich jünger. Und sie hatte ihn nie zuvor gesehen. Fragen drehte sie sich zu Jamie. Immerhin hatte er sie hergeführt und diesen seltsamen Jungen ausfindig gemacht. Doch Jamie wirkte mindestens genauso verblüfft. Anscheinend war er also zuvor nicht eingeweiht geworden, welche Bitte mit den Blüten kam. Unwillkürlich verschränkte Sola die Arme. *Einfach einen Fremden zu sich nach Hause bringen? War das eine gute Idee? Vor allem jetzt, wo es Herold so schlecht ging? Andererseits könnten die Blüten seine Heilung bedeuten…*

„Also?“, fragte der Fremde und zog eine Augenbraue hoch.

Sola nickte zögerlich. Dann strecke sie widerwillig dem Jungen die Hand hin, um den Handel zu besiegeln.

Die Sonne war indes an ihren höchsten Punkt gelangt, sodass die Hitze die drei erdrückend ummantelte. Sowohl Sola als auch Jamie stand der Schweiß auf der Stirn, als sie den sanften Hügel der Ruinen herunter stiegen. Der Fremde lief, anscheinend immun gegen die Wärme, trocken und mühelos neben ihnen her.

Am Fuße des Hügels wandte er sich an Jamie: „Wir gehen ohne dich.“

„Ganz sicher nicht. Ich habe euch zusammengebracht, ich habe diesen Handel…“, fuhr Jamie sie an. Das Gesicht fleckig vor Aufregung. Doch, bevor er etwas weiteres sagen konnte, hatte Sola ihn bereits unterbrochen.

„Kein Problem. Jamie geh‘ nach Hause. Wir sehen uns bald.“

Die großen, roten Flecken breiteten sich weiter in Jamies Gesicht aus und er funkelte Sola verärgert an. Er runzelte die Stirn und kaute auf seiner Unterlippe – so wie er es immer tat, wenn er gekränkt war. Sola seufzte und kam einen Schritt auf Jamie zu und nahm seine Hand. Dann sah sie ihm tief in die Augen und sagte: „Ich bin dir wirklich sehr dankbar. Wirklich."

Das Sonnenlicht brach sich in ihrer goldenen Iris. Er drehte sich gerade noch zur Seite, bevor sie sein erneutes Erröten sehen konnte. Dieses Mal jedoch nicht vor Wut. „Na gut. Dann viel Glück", murmelte er.

„Danke." Sola drückte ihm einen flüchtigen Kuss auf die Wange.

Sola stieß die Tür des Dojos auf. „Großvater, ich bin zurück und habe dir jemanden mitgebracht..." Noch ehe sie sich versah, hatte sich der seltsame Schönling vorbeigedrängt und kniete bereits neben Herold, bevor Sola auch nur die Stube betreten hatte. Ein genervtes Schnauben entfuhr ihr. Dieser Mann war aber auch dreist. Sie sollte vorsichtig sein. Mit wachsamem Blick trat sie zu den beiden Männern und musste überrascht feststellen, dass ihr Großvater die langen, feingliedrigen Hände des Jungen hielt. Ein Kloß machte sich in Solas Hals breit. Herold war kein Mann der Sentimentalität, zumindest hatte sie das immer geglaubt. Doch nun saß er da und seine Augen leuchtet in einer Klarheit wie schon lange nicht mehr, mit einem wohligen Lächeln auf den Lippen. Ganz so, als hätte er einen verlorenen Sohn wiedergefunden. Aber konnte das sein? Nein. Kaum merklich schüttelte Sola den Kopf. Das wüsste sie. „Lass uns bitte einen Augenblick allein", flüsterte der Unbekannte jetzt. Sola reagierte nicht sondern starrte weiterhin die verschlungenen Hände der beiden an. Der Junge seufzte, doch sein Gesicht zeigte keinerlei Gefühlsregung.

„Mach bitte am besten direkt einen Tee mit den Kalia Blüten", sagte er nun stattdessen, während ein zartes Lächeln seine Lippen umspielte. „Ich...", versuchte Sola zu protestieren. Sie würde ihn bestimmt nicht mit ihrem Großvater alleine lassen. Doch zu ihrer Überraschung nickte Herold plötzlich voller Eifer und seine knarzende alte Stimme bekräftigte die Bitte. „Ja, Liebes. Das wäre wunderbar."

„Na gut..." Skeptisch zog Sola ihre Augenbrauen zusammen, aber gehorchte. So entschlossen hatte er seit Wochen nicht mehr geklungen. Wer war dieser Junge? Tief in Gedanken versunken ging sie in die Küche, tupfte die blassen Blüten mit einem feuchten Tuch ab und zupfte sie schließlich in eine eiserne Teekanne. In dampfenden Wassern aufgelöst, entfalteten Kalia-Blüten die meiste ihrer Wirkung, so hieß es. Mit einem Handgriff zündete sie die Gasflamme an und stellte die Kanne darauf. Während sich langsam Blasen in dem nun leicht trüben Wasser bildeten, kreisten Solas Gedanken weiterhin um den Fremden. Irgendwie kam er ihr seltsam bekannt vor. Doch woher nur?

„Du solltest jetzt bei ihm sein." Sola zuckte zusammen. Sie hatte gar nicht mitbekommen, dass jemand in die Küche gekommen war. Die Stimme des Unbekannten war sanft und fast mütterlich, seine Augen leicht gerötet. *Hatte er geweint? Stand er ihrem Großvater so nahe?*

Er trat einen Schritt zur Seite, damit sie mit der Teekanne in der Hand an ihm vorbeikonnte. Als sie sich mit dem Rücken zu ihm gewandt, neben ihren Großvater kniete, hauchte er: „Es tut mir leid." Bei diesem Satz stellten sich Sola die Nackenhaare auf. Ein Schauder durchzog sie. Sie drehte sich um, und wollte fragen, was ihm leidtäte, doch wo eben noch der hochgewachsene junge Mann gestanden hatte, war nur die offene Tür, die den Blick auf eine verlassene Küche bot. Er war verschwunden.

Irritiert blinzelte Sola.

Es gab in der Küche keine Tür nach draußen.

# 12. Kapitel

## Sola

Einige Stunden nachdem Herold den Tee restlos geleert hatte, kniete Sola erneut neben ihm. Als sie sanft seine Stirn abtupfte, bemerkte Sola, dass er nicht mehr so fiebrig heiß war. Sie lächelte. Sie lächelte zum ersten Mal seit Langem ein ehrliches, aufrichtiges Lächeln. Nicht so ein falsches, wie jenes, das sie für zur Beruhigung anderer in den letzten Wochen aufrechterhalten hatte.

Unerwartet nahm der alte Mann ihre Hand. Er öffnete die Augen und sah sie an. Sie strich ihm liebevoll durch die schlohweißen Haare. Sein Blick war immer noch so klar wie am Nachmittag als der Fremde ihn besucht hatte. Das musste ein Zeichen der Besserung sein. Freudige Wärme floss durch Solas Körper und ihre Finger kribbelten vor Aufregung.

„Mein Kind." Der Alte lächelte sie an. Sola spürte schon wieder einen Kloß im Hal. Verflixt.  Sie hatte ihre Gefühle nicht unter Kontrolle. Es war so lange her, dass er sie so vertraut angesprochen hatte und dass seine Augen keinen fiebrigen Schleier gehabt hatten. Wann hatte er sie das letzte Mal ‚sein Kind' genannt? Sie wusste es nicht. Leise zog sie die Nase hoch, die gefährlich feucht geworden war und wischte sich mit dem Handrücken über die Augen. Die Tränen würden Herold bestimmt nur beunruhigen. Doch er hatte sie bereits gesehen, und tätschelte liebevoll ihre Hand.

„Ich möchte dir eine Geschichte erzählen."

Ihr Großvater zog sie von den Knien in seine Arme, sodass ihr Kopf nun auf seiner alten, gebrechlichen Brust lag. Wann hatte er sie das letzte Mal so in den Arm genommen? Hatte er das überhaupt jemals? Sie kannte ihn zumeist strengen Lehrer und mutiges Vorbild, doch so weich und liebevoll war er nur selten gewesen. Fast aus Angst, dass dieser Moment wie eine

Seifenblase zerplatzen würde, wenn sie sich auch nur minimal bewegte, hielt sie die Luft an, rührte sich nicht und blieb mucksmäuschen still liegen. Sie wollte seine Zärtlichkeit nicht hinterfragen, sondern es einfach genießen in seinen Armen zu liegen, seinen Duft einzuatmen und sich zu Hause zu fühlen. Während er fortfuhr, lauschte sie mit einem Ohr seiner kräftigen, tiefen Stimme und mit dem anderen, seinem sanften, gleichmäßigem Herzschlag in der Brust unter ihr.

„Als ich in deinem Alter war, noch nicht ganz volljährig, war ich ein Wilder. Du hättest mich nicht wieder erkannt. Meine Mutter, nun, sie war keine einsame Frau. Sie wechselte oft das Bett und ich kann dir nicht mal sagen, welche der verschwommenen Gestalten, die sich in meinen frühen Kindheitstagen abwechselten, mein Vater war. War er der reisende Nomade, der alle Jahre wieder an unsere Haustür klopfte? War es der kühne Wasserkrieger, den wir einst hoch im Norden besuchten? Oder doch der stille Kardinal?" Der alte Mann zuckte mit den knochigen Schultern.

„Eine Frau von Welt – in der Tat", sagte er mit zynischem Unterton. „Tut mir leid", flüsterte Sola leise. Ihr war nie bewusst gewesen, dass ihr Großvater seinen Vater nicht kannte. Etwas, dass sie sich insgeheim auch selbst wünschte. Zu gern hätte sie ihren eigenen Vater vergessen.

„Nicht doch", sagte er und streichelte seine Enkelin sanft, bevor er fortfuhr. „Eines Tages jedoch nahm sie mich hoch und sagte, wir würden nun endlich eine richtige Familie werden. Ich solle nur warten, sie würde bald zurückkommen." Er seufzte schwer und Sola spürte, wie ihr Herz ein wenig schneller schlug. Sie wusste so wenig über seine Vergangenheit und sog jedes Wort begierig auf. „Ich weiß nicht, ob sie diese glückliche Familie jemals gefunden hat – hoffentlich. Ich wünschte es ihr von Herzen, auch wenn ich wohl nicht Teil davon sein sollte." Es lag keinerlei Bitterkeit in seiner Stimme. Nur, eine tiefe Müdigkeit, die die Wörter aus seinem Mund ein wenig hohl und schal klingen ließen.

„Tag für Tag wartete ich auf sie. Das Essen wurde knapper und ich dünner und schwächer. Eines Tages musste ich schließlich einsehen, dass das

Warten mich ihr nur näherbrächte, wenn ich hier am Hunger sterben würde und sie bereits tot war. Wir lebten damals nicht weit des *Akashi* Gebirges, in der *Furuda*-Region.“ Sola kannte diese Region aus den Schulbüchern, hatte sie jedoch selbst noch nicht bereist. So wie die meisten Regionen des Landes.

„Aufgrund des fehlenden Einkommens meiner Mutter hatten wir oft Beeren und essbare Pflanzen im Gebirge gesammelt. Überzeugt davon, dass ich dort auch allein etwas zu essen finden würde, kletterte ich am nächsten Tag in die Berge hinauf. In der Tat fand ich viele Früchte, Nüsse und Kerne. Doch durch den Hunger und die Gier getrieben lief ich weiter und weiter in das Gebirge hinein.“ Der alte Mann schüttelte sanft den Kopf, als würde er den kleinen Jungen von damals tadeln wollen. „Was passierte dann?“, fragte Sola, hoffend, dass ihr Großvater weiterreden würde. „Das *Akashi* Gebirge ist tückisch, weißt du?“ Nun war es Sola die sanft den Kopf schüttelte. Nein, sie kannte das Gebirge nicht. „Vor allem für einen jungen, unerfahrenen Knaben, wie ich es damals war. Vielleicht war ich zehn, elf Jahre? Ich weiß es nicht mehr. Aber ich weiß, dass ich die Orientierung schnell verloren hatte. Jahre, ja sehr viele lange Jahre verbrachte ich dort draußen. In der Wildnis. In der Einsamkeit.“ Sola spürte, wie sie leicht erschauderte. Sie versuchte sich vorzustellen, wie das gewesen sein musste. So allein. So weit weg von der Zivilisation. „Ein Teil von mir sagte sich, es sei mein eigener Entschluss in dieser Einöde zu leben, ein anderer Teil sagte mir, dass es zunächst die Orientierungslosigkeit war, die mich von der Zivilisation trennte und letzten Endes die Angst, zurückzukehren, als Wilder, als Aussätziger, als Heimatloser.“ Wie hätte sie sich gefühlt? Sola brauchten nicht viele Menschen um sich. Aber gar keine?

„Eines Tages wachte ich auf, in meiner kleinen Höhle, hoch oben in den Gipfeln und blickte in ein vermeintlich menschliches Gesicht. Du kannst dir nicht vorstellen wie erschrocken ich war. Denn für eine halbe Ewigkeit hatte ich nur Tiere und Geister gesehen und dann plötzlich… dieses Gesicht, diese Augen.“

Der alte Mann lachte auf.

„Hast du schon mal einen Formwandler gesehen?“

Ohne auf Solas Antwort zu warten, fuhr er vor: „Nun, vermutlich weißt du es einfach nicht. Denn manche sind so gut, dass sie unter uns leben, als seien sie von menschlichem Blut. Wieder andere leben in Tiergestalt und jagen Jahrzehnte lang ihrer Beute hinterher. Man kann nie wissen, wo sich einer von ihnen versteckt.“

„Woher wusstest du, dass du einem begegnet bist?“, fragte Sola.

„In dem Augenblick, als ich in diese Augen blickte, wusste ich genau, dass ich ein solches Wesen vor mir hatte. Mein Kind, ich kann die nicht sagen, weshalb, aber es war so. Vielleicht war es die Komplexität in seinem Blick, vielleicht war es die unnatürliche Schönheit, die nicht in diese einsame Wildnis passte. Sie, er, es erschien mir als erstes in Gestalt eines schönen jungen Mannes. Er redete nur kurz mit mir, plauderte, als sei es das Normalste der Welt, dass er einfach so aufgetaucht war. Dann wenig später, gesellte er sich als kecke Frau zu mir, als ich im Fluss badete.“

Herolds Gesicht erfüllte sich mit leichter Röte. Er hatte mit solcher Begeisterung von diesem Wesen gesprochen, dass Sola wünschte, sie hätte ihm auch begegnen können. Es musste wunderbar sein, seine Form wandeln zu können und so ungebunden von Natur und Mensch leben zu können.

„Oh sie war sehr frech, das kann ich dir sagen. An einem Tag ließ er mich auf seinem Rücken in Form eines wunderschönen Hengstes durch die Wälder reiten. Es war die erste Freundschaft, die ich in meinem Leben machte und vermutlich die wichtigste. Denn es war mein Formwandler, der eines Tages vor mir stand und sprach: ‚Herold. Du bist jetzt siebzehn Jahre alt. Du solltest bald nach einer Braut Ausschau halten.‘ Ich lachte nur. ‚Wie wär's mit der Hirschkuh, die über unserem Feuer brät?‘ Doch der Formwandler, in Gestalt einer tadelnden Mutter, stimmte nur kurz in mein Lachen mit ein. ‚Nein, die ist schon mir versprochen.‘“

Sola kicherte leise, Herolds Redefluss ließ sich jedoch nicht unterbrechen. Es schien fast, als würde er in diesem Augenblick die vergangenen Tage erneut erleben. „Überraschend ernst, sagte mein Freund dann jedoch: ‚Ich werde dich zurück ins Leben führen und du wirst deinen Teil zu der Geschichte dieser Welt beitragen'. Ja..."

Herold lachte auch, ein Lachen, das seltsam traurig und gleichzeitig froh klang. „...hochgestochene Reden halten konnte er wirklich. Er wandelte seine Gestalt erneut und war plötzlich das majestätischste Wesen, das ich je gesehen hatte: Ein silberner, riesiger Greif, mit Flügeln, die sich über gut zehn Meter spannten. Der Greif packte mich unsanft und flog los."

„Fliegen?", hauchte Sole. Herold nickte. „Ich sage dir, wenn du eines Tages fliegst, wirst du hoffentlich das gleiche Glück spüren, was ich zu diesem Zeitpunkt empfunden hatte. Pures Glück und Lebensfreude. Jubelnd und jauchzend sauste ich durch die Luft, auf dem Rücken meines Freundes. Der Greif überquerte mit mir über das gesamte *Akashi* Gebirge. Er musste eine unglaubliche Geschwindigkeit haben, denn wir brauchten nur wenige Stunden, bis ich die Wiesen und Felder des Königreichs des Lichts erblickte. Ländereien, die durch glasklare Bäche und kleine Wasserfälle unterbrochen wurden. Ich war zuvor noch nie in diesem Land gewesen, aber konnte es direkt anhand der Geschichten meiner Mutter erkennen. Es sei das schönste Land der fünf Völker, so hieß es und so stimmt es."

„Großmutter stammt aus dem Königreich...", stellte Sola fest.

„Genau. Der Greif brachte mich, ohne auch nur eine einzige Pause zu machen zu einem wunderschönen, prunkvollen Hof. Nie zuvor hatte ich ein solch großes und schönes Gebäude gesehen. Marmorner Steinbau, Engelsfiguren beschmückten die Zinnen und das Dach funkelte regenbogenfarben im Sonnenlicht. Das Geländer war umschlossen von einem goldenen, schmalen Zaun und ein großes goldenes Tor lud Neuankömmlinge in die Ländereien ein. Wir landeten genau vor diesem Tor."

Sola kannte dieses Tor. Jedoch nur von einer einzigen Zeichnung. Ein altes Papier, dass Herold stets in seiner Jackentasche zu tragen gepflegte. ‚Ein

Stück Heimat', nannte er es. „Und dort? Was geschah dann?", fragte Sola auffordern nach. „Dort erwartete mich bereits ein Mann, um einiges älter als ich. Mein Freund, nun wieder in Menschengestalt, und ich wurden unglaublich herzlich empfangen. Wie es schien, war ich nicht der einzige Freund des Formwandlers. Dieser Herr war Geoffrey Amare..." Sola zog die Luft scharf ein. Sie kannte diesen Namen. „Genau", bestätigte Herold. „Dein Urgroßvater, liebe Sola. Und die Anlage, vor der wir landeten, war seine Akademie der Kampfkunst. Ähnlich wie bei meinem Freund dem Formwandler, wusste ich direkt, dass diese Begegnung mein Leben verändern würde. Das Leben in der Wildnis war nun Vergangenheit. Es gab Stunden da war ich fast wehmütig, wenn ich die Berge am Horizont erblickte, doch ich wünschte mir nie die Einsamkeit zurück, denn ich fand in dieser Akademie eine Heimat, die ich nie hatte. Mein Freund der Formwandler verabschiedete sich an jenem schicksalsvollen Tag von mir und ich habe ihn seitjeher nie wieder gesehen. Ich konnte ihm nie danken, für das Leben, was er oder sie mir ebnete."

Herolds Augen schimmerten im Glanze der Kerzen. Sola hatte diese Geschichte nie zuvor gehört. Sie wusste nicht, dass ihr Großvater ein solch schwieriges Leben gehabt hatte, stattdessen war sie davon ausgegangen, dass er in den behüteten Pforten der Akademie Amare aufgewachsen sei. Jener Akademie, die auch sie aus ihren frühen Kinderjahren kannte.

„Geoffrey empfing mich mit offenen Armen und lehrte mich alles, was ich brauchte. Den richtigen Umgang, die richtige Kleidung, Pflege und Benehmen. Doch vor allem wies er mich in die Welt der Kampfkunst ein. Ich wurde schon bald zu seinem besten Schüler und ich liebte es. Doch nicht nur das. Ich wollte der Beste sein, um ihn stolz zu machen. Der Sohn für ihn sein, den er nie hatte. Denn er hatte nur eine Tochter, Amalie. Ach ja." Herold seufzte verträumt. „Großmutter..." „Deine Großmutter war bereits in jungen Jahren wunderschön und unerschrocken. Ich verliebte mich in dem Moment, wo ich sie das erste Mal erblickte." Sole drückte die Hand ihres Großvaters ein wenig stärker. „Du musst nicht von ihr reden, wenn es zu sehr schmerzt." „Schmerzen tut jede Sekunde ohne sie, mein Kind. Aber über sie reden ist es, was mir ihr Gesicht ein weiteres Mal vor Augen führt. Also hör nur zu.

Deine Großmutter konnte einen verzaubern, anders kann ich es nicht beschreiben. Als Geoffrey älter wurde, übernahm ich nach und nach die Pflichten der Akademie und wurde Meister und Senpai für die vielen Jugendlichen, die durch unsere Hallen kamen. Ich nahm Amalie zur Frau und wir bekamen bald einen Sohn, deinen Vater." Sola schluckte und in ihrem Magen machte sich ein flaues Gefühl breit.

„Bevor Geoffrey von uns gehen musste, bat er mich an sein Bett. ‚Herold', sprach er. ‚Du warst wie ein Sohn für mich und ich weiß, dass du Amalie glücklicher machst als jeder andere. Deswegen bitte ich dich, eine Last von mir zu nehmen.' Ich hätte alles für ihn getan, schließlich verdankte ich auch ihm jegliches Glück meines Lebens. So teilte er mir mit, dass ich gemeinsam mit Amalie das Familienerbstück, die sogenannte Kralle des Lichts, erben sollte. Er sagte mir, dass er nichts Kostbareres besäße als dieses Werkzeug. Ich solle Amalie unterstützen, darauf Acht zu geben, denn sie müsse unbedingt in Familienbesitz bleiben. Nur die Familie, könne sie nutzen, es sei ein heiliges Band. Er zwang mich zu schwören, dass ich den Erhalt der Kralle über mein eigenes Leben stellen würde. Mein Schwur, war das letzte, was er hörte."

Die gebrechliche Stimme Herold spiegelte den Schmerz wider, den dieser Verlust mit sich gebracht hatte. Sie zitterte, als er wieder ansetzte. Gerne hätte Sola ihm gesagt, dass alles gut werden würde und dass sein Schmerz gelindert werden würde. Doch das wäre gelogen. Denn wie sollten die Toten wiedererwachen?

"Amalie und ich ehrten unseren Schwur und gaben die Kralle nicht aus der Hand und würden sie eines Tages an deinen Vater weitergeben. Doch dann heiratete dein Vater eine junge Frau und du erblicktest schon bald das Licht der Welt, meine Liebe."

Herold drückte Solas Hand nun fester. Sie schluckte und war sich sicher, dass sie Teile von dem, was jetzt kommen würde bereits kannte. Teile, die sie lieber vergessen wollte, anstatt sie erneut durch Erzählungen zu erleben. Doch sie blieb still liegen, denn trotz der Panik, die in ihr durch die Erinnerungen ausgelöst wurde, wollte sie nicht, dass Herold aufhörte zu erzählen, denn sie befürchtete, dass dies auch das Ende seiner zärtlichen Umarmung sein würde. Und sie genoss es so sehr, gehalten und sanft gewiegt zu werden. Dieses Gefühl hatte seit ihrer frühen Kindheit nicht mehr empfunden.

„Ich weiß, dass du diesen Teil der Geschichte kennst, aber es ist wichtig, dass du die Relevanz verstehst. Es ist wichtig, dass du nie vergisst, wie wichtig die Kralle ist, mein Kind." Herolds Stimme wurde ernster. Die Nostalgie wurde von einer fast dunklen, bitteren Stimmung vertrieben. „Ich verspreche es", sagte Sola so hastig, dass sich ihre Stimme fast überschlug. „Ich werde immer daran denken!" Sanft strich Herold durch das helle Haar seiner Enkelin. „Du erblicktest also das Licht der Welt, doch mit diesem Licht, erblickte deine Mutter wiederum die Dunkelheit. Sie verfiel einer sehr starken postnatalen Depression, von der sie sich nie richtig erholte. Die folgenden Jahre, waren die Finstersten unserer Familie. Als du vier Jahre alt warst, erhängte sich deine Mutter. Dein Vater hat sie so aufgefunden."

Ihre Kehle war nun wie zugeschnürt und Sola musste sich zwingen durch ihre gepressten Lippen ein und auszuatmen. Natürlich wusste sie, was geschehen war. Doch nie hatten sie so ausführlich und so intim darüber geredet. Es war als weckten Herolds Worte eine tief brodelnde Quelle an Gefühlen in Sola, die sie lange Zeit in den Schlaf gezwungen hatte.

„Etwas zerbrach in deinem Vater, das weder ich noch deine Großmutter retten konnten." „Ich..." „Auch du nicht, mein liebes Kind. Ein Dämon ergriff von ihm Besitz, den keiner von uns hätte bändigen können. Er wurde jähzornig, wurde suchtkrank und hatte sich nicht mehr im Griff. Vor allem aber, machte er dich für ihren Tod verantwortlich und ich weiß, dass er dich quälte. Es tut mir so leid, dass wir dich nicht besser beschützen konnten."

Sola liefen heiße Tränen über die Wangen. Ihr Vater war eine dunkle

Gestalt ihrer tiefsten Ängste und schlimmsten Alpträume. Am liebsten würde sie sich die Ohren zuhalten, doch sie war wie gelähmt. Schonungslos fuhr ihr Großvater fort.

„Eines Tages, kam er volltrunken nach Hause. Er stürmte auf mich zu und forderte mich auf, ihm die Kralle des Lichts auszuhändigen. Es sei eh demnächst seine, wenn ich ins Grab stiege. Ich weigerte mich, ihm auch nur zu verraten, wo wir sie lagerten. Dein Vater tobte. Er würde Geld brauchen und es sei sein Recht, sein Erbe zu verprassen. Glaube mir, es brach mir das Herz, den Menschen, den ich so liebte, in dieser Verfassung zu sehen. Doch mein Versprechen an Geoffrey, die Kralle zu schützen, würde ich nicht brechen.

Ich wusste, dass sie nicht an diesen Sohn gehen durfte, der sie nicht heiligte und nur als Zahlungsmittel für seine Sucht sah. So verwies ich ihn der Akademie."

„Wie...?", fragte Sola, auch wenn sie nicht wusste, ob sie die Antwort hören wollte. „Gewaltsam. Ich bin nicht stolz darauf, die Hand gegen meinen eigenen Sohn zu erheben." Herold schluckte. Die Luft um sie herum war inzwischen elektrisiert vor Anspannung. „Dein Vater drohte mir, er würde sie holen kommen, er würde dafür sorgen, dass sie ihm rechtmäßig gehören würde. Ich hielt es für betrunkenes, aufgeblasenes Gerede, denn ich hatte keine Angst vor ihm. Er war stets ein Schwächling gewesen. Seine Kampfkunst war miserabel, egal wie sehr ich ihn unterrichtete. Sollte er mich zu einem Duell herausfordern, würde ich ihn in die Knie zwingen."

„Wie konntest du nur glauben..."

„Ja", unterbrach Herold sie. „Du hast recht. Wie konnte ich nur glauben, dass dieser Mann - mein eigener Sohn zu ehrlichen Mitteln wie einem Duell greifen würde. Mein größter Fehler meines Lebens ist es, unterschätzt zu haben, wie verdorben er geworden war und zu welchen Mitteln er greifen würde." Schweigend drückte sich Sola enger an ihren Großvater, während ihr die Tränen feucht über das Gesicht liefen.

Tropfen für Tropfen fielen sie an ihrem Kinn herab und befeuchteten Herolds Hemd. „Noch in derselben Nacht legte er einen Brand, der unsere Akademie bis auf die Grundmauern niederbrannte. Der Wahnsinn stand in seinen Augen, als er vor dem Tor dem Flammenspiel zusah. Ich stand in dieser sengenden Hitze, taub vor Entsetzen, gelähmt von der Scham meines Versagens als Vater.“ Mit den nächsten Worten zitterte der alte Mann am ganzen Körper. „Amalie war es, die dich aus deinem Bettchen hob, in nasse Tücher wickelte und aus dem Gebäude brachte. Sie war es auch, die die Kralle des Lichts aus dem von Flammen umschlossenen Keller barg und mir in die Arme drückte. Ich kann mich genau daran erinnern, wie sie meine Hand kurz festhielt, wie sie mich voller Liebe ansah, während es nach verbanntem Fleisch und lodernden Haaren roch. Der beißende Geruch sucht mich in meinen Träumen immer wieder heim. ‚Nimm die beiden‘, sagte sie ‚nimm sie und lauf, soweit du kannst. Er wird euch sonst nie in Frieden lassen.“ Das Beben seiner Brust und die Tropfen, die auf ihren Scheitel fielen, verrieten Sola, dass nun auch ihr Großvater weinte.

„Ich konnte die Kralle des Lichts kaum einen Zentimeter heben. Wie sollte ich damit rennen? Ich hatte Panik und solche Angst. Doch dann trat Amalie näher an mich. Sie flüsterte leise: ‚Du bist meine ganze Familie und ich liebe dich‘. Sie küsste mich ein letztes Mal und starb in meine Armen.

Als die letzte Lebensenergie ihre Adern verließ, war es, als wäre ihr Geist in mich übergegangen. So, als hätte ich ihre Wärme und ihre Stärke in mir aufgenommen. Ein magisches Gefühl durchzuckte mich und mein Körper erzitterte. Plötzlich, mit nur einer Hand, hob ich die Kralle an, in den zweiten Arm bettete ich das kleine weißblonde Bündel. Ich rannte los, wie nie zuvor in meinem Leben. Ganz instinktiv in die Richtung, die mich schon einmal gerettet hatte – zum Gebirge am Horizont.

Als mich meine Kräfte verließen und ich bereits spürte, wie meine Knie drohten nachzugeben, blickte ich in deine angsterfüllten, goldenen Augen und spürte, wie deine kleinen Hände sich an mich klammerten. Ich konnte nicht aufgeben, ich konnte nicht aufhören zu laufen.“ Wie ein

Mantra wiederholte Herold die letzten Worte ein paar Mal, bevor er schließlich tief schluckte und zischend ausatmete. „Ich kann dir nicht genau sagen, wann ich das Bewusstsein verlor, ich bin mir nicht sicher, ob ich das *Akashi* Gebirge jemals erreichte oder bereits zuvor zusammengebrochen war. Ich weiß nur, dass ich irgendwann aufwachte, genau hier, wo ich jetzt liege. Du neben mir. Die Kralle auf der anderen Seite. Wir beide gebettet auf silbernen Federn. Greifen Federn."

„Der Formwandler..."

Herold nickte. „Ich weiß nicht, wie und ich weiß nicht warum, aber ich bin mir sicher, dass ich ein zweites Mal von dieser unheimlichen und doch unglaublichen Gestalt gerettet wurde." Herold lachte verbittert, aber sein Lachen war gedämpft von den Tränen, die unaufhörlich über sein Gesicht und auf Sola hinab liefen.

„Erbärmlich, nicht wahr? Ohne die Hilfe von anderen wäre ich vermutlich als einsamer Wilder irgendwo schon vor vielen Jahren gestorben. Letzten Endes bin ich hier. Und durfte noch einige, schöne Jahre verbringen. Mit dir an meiner Seite. Du warst die Schülerin, die mein eigener Sohn nie sein konnte und du warst das Licht, das meine Dunkelheit eindämmte."

Seine Worte berührten sie zutiefst. Herold streichelte sanft Solas langes, fast weißes Haar und jede Berührung schickte einen Stromschlag durch ihren Körper. Es war wunderschön und schrecklich zugleich.

„Sola ich erzähle dir das alles, nicht damit du dich schlecht fühlst. Ich erzähle es dir, damit du weißt, dass die Welt da draußen neben all der Dunkelheit auch wunderbare Wesen in sich trägt. Dass es dort draußen Liebe gibt, die stärker ist als alles andere. Denn ohne die Liebe deiner Großmutter wären wir beide auf der anderen Seite des Gebirges verbrannt. Ohne meine eine, bedeutsame Freundschaft, wären wir gestorben. Glaube meinen Worten, wenn ich dir sage du wirst immer einen Freund finden, der dich an die Hand nimmt und dir zeigt, wohin dein Weg geht. Dein Urgroßvater meinte einst zu mir, die Kralle sei genau aus diesem Grund geschmiedet worden, um die Liebe und die

Freundschaft der Welt zu schützen. Deswegen möchte ich sie nun dir anvertrauen. Du sollst sie tragen und ehren.“ Der letzte Satz dröhnte so voller Bedeutung, dass es in Solas Ohren rauschte. Nie hatte sie eine solche Dringlichkeit in der Stimme ihres Großvaters gehört und nie ein solches Pflichtgefühl empfunden. Sie drehte ihren Kopf leicht, um aus der Umarmung heraus an die Wand zu blicken, an der besagte Kralle hing. Sie schluckte. Das war es also. Ihr Schicksal. Ein goldenes, strahlendes und gleichzeitig blutbehaftetes Schicksal, das sie forttragen sollte.

Sola hatte immer gewusst, dass diese Waffe ein wichtiges Familienerbstück war, doch war sie es tatsächlich wert gewesen, dass ihre Großmutter und ihre Heimat zerstört wurden? Das kam ihr absurd und unfair vor. Hätte sie sie hergegeben, um dafür die Liebe ihrer Großmutter erneut spüren zu können? Vermutlich. Doch das sagte sie nicht, denn sie wollte ihrem Großvater keinen Kummer bereiten. Sie wollte nicht, dass dieser Augenblick, diese innige Umarmung je endete.

Die beiden lagen eine Weile weiterhin verschlungen da und weinten. Jeder für sich und doch beide zusammen. Als der Morgen schließlich hereinbrach und Sola ihre, von den Tränen und Schlaf verkrusteten Augen öffnete, öffnete Herold seine nicht.

Er hatte seine Augen nun für immer geschlossen.

# 13. Kapitel

## *Sola*

Sola spürte die Blicke der anderen, als sie, in schwarz gehüllt, zu dem Blumenstand schritt. Sie hörte das Tuscheln und senkte den Blick. Sollte die Welt ruhig tuscheln und ihr falsches Mitleid kundtun. Es war ihr egal, solange sie nur in Ruhe gelassen wurde und sie alle an der Außenlinie stehen blieben.

„Sola, mein Kind." Die ältere Verkäuferin lächelte sie traurig an „Es tut mir sehr leid. Wir alle hatte Herold sehr gerne. Er war..."

„Weiße Nelken", sagte Sola kühl.

Die Verkäuferin zuckte zusammen – in *Saka* waren die Bewohner eine oberflächliche Freundlichkeit gewohnt und auch wenn Sola bereits früher für ihre unterkühlte, abweisende Art bekannt gewesen war, so glich ihr derzeitiger Ausdruck einem Schockfrost.

„Natürlich, wie viele Liebes?", mit gespitzten Lippen und süßlichem Säuseln, versuchte die Verkäuferin das Gespräch in eine wärmere Gemütszone zu bringen.

„Alle."

Der heuchlerische Versuch der Freundlichkeit war schnell verflogen. Achselzuckend begann die Alte die Nelken zusammen zu binden, das Lächeln wie weggeblasen. Nach und nach reichte sie die Blumen der hellblonden Sola und schnell waren es so viele, dass Sola sie kaum halten konnte.

„Reicht das nicht?", fragte die Alte nun fast schon patzig.

„Nein." Trotzig machte Sola Platz für mehr Blumen, indem sie einige Stiele nun mit der Armbeuge festklemmte. Als die Verkäuferin ihr das nächste Bündel reichen wollte, kamen Sola ein Paar anderer Arme zuvor, die sie entgegennahmen. Sie wollte bereits einen wütenden Protest erheben, da erkannte sie Jamies Stimme.

„Ich nehme den Rest, danke."

Sie hatte ihn seit Tagen nicht mehr gesehen, denn sie hatte die Haustür verschlossen gehalten und nicht geöffnet, als er besorgt davorgestanden hatte und auch nicht, als er wütend dagegen getrommelt hatte. Denn sie hatte es nicht ertragen Menschen, um sich zu haben, sie hatte Zeit gebraucht, bevor sie wieder rausgehen konnte und der Realität ins Auge blicken konnte. Jetzt hatte sie keine Tränen mehr übrig und war bereit ihrem Großvater die letzte Ehre zu erweisen.

Zu ihrer Überraschung, tadelte Jamie sie nicht für ihre Abweisung der letzten Tage. Er sagte auch nichts zu ihrem Blumenüberfluss. Stattdessen schritt er einfach schweigend neben ihr her. Danach half er ihr, das alte Dojo, in dem sie und ihr Großvater die letzten neun Jahre gelebt hatten, für den Trauerschmaus herzurichten. Herold hatte immer davon gesprochen, dass er bei den Ruinen nahe Jamies Anwesen beerdigt werden wollte. Scherzend hatte er gesagt, dass die heruntergekommenen Mauern genau das richtige waren für einen heruntergekommenen Mann wie ihn. Sola hatte es damals als albern und lächerlich empfunden. Doch nach der Geschichte an seinem letzten Abend verstand sie seinen Wunsch. Die Mauern waren ebenso zerstört und ausgebrannt, wie die der Akademie im Königreich des Lichts. Seine geliebte Amalie hatte ihre ewige Ruhe ebenfalls in solch zerstörter Mauern gefunden. Vielleicht konnte diese Verbundenheit sie wieder zusammenführen. Im Himmel, oder in der Geisterwelt oder als Staub, der von den wilden Winden dieser Welt verweht wird[2]. Sola wusste nicht, an welches der religiösen Schicksale sie glauben sollte, doch sie wünschte

---

[2] Das Königreich des Lichts glaubt aufgrund ihrer vermeintlich himmlischen Abstammung und den Legenden der Engel an ein Leben im Himmel nach dem Tod, während die Wasserstämme an die Geisterwelt, sowie die Wiedergeburt glauben. Die Religion der *Shizen*, die an Mutter Natur glauben, glauben daran, dass jeder nach seinem Tod eins mit der Natur wird, indem man zu Erde, bzw. Staub verfällt.

sich, dass es Herold und Amalie erneut in Liebe vereinte. Deswegen würde heute Abend eine Beerdigung auf dem Hügel nahe des Cantan Anwesens stattfinden.

Jamie hatte mehr als bereitwillig geholfen, das Grab vorzubereiten und einen besonders schönen Marmorstein zu gravieren, der nun zwischen den zerstörten Mauern als Gedenkplatte in den Boden eingelassen worden war. Sie hatte ihn murmelnd durch die verschlossene Tür darum gebeten und war dankbar, dass er sie ohne groß weiter zu fragen unterstützt hatte. Während die beiden Freunde Kuchen und Sandwiches vorbereiteten, war Sola froh über Jamies Schweigen. Danach gingen sie gemeinsam zu der Anhöhe, an der ein *Shizen*ischer Geistlicher die Beerdigung abhielt. Im Gegensatz zu den Geistlichen des Königreichs des Lichts, die stets in weiß gehüllt waren, trugen die *Shizen*ischen Priester üppig bestickte Roben. Die bunte Seide und die zahlreichen aufgenähten Blumen spiegelten die Verbundenheit und Schönheit Mutter Natur wider. Wenn sie so drüber nachdachte, war sie sich gar nicht mehr sicher, ob Herold den *Shizen* Glauben geteilt hatte, da sie nie darüber gesprochen hatten. Doch sie wusste, dass er seine Zeit in *Saka* sehr geschätzt hatte. Er hatte sich schnell in die Gemeinde eingefunden und war ein allseits beliebter Mensch gewesen. Deswegen erschien es ihr richtig, ihm eine Beerdigung zu schenken, die ebenfalls allseits beliebt sein würde. Die Ruinen waren mit den weißen Nelken bedeckt und die Worte des Priesters gewählt und einfühlsam.

Sola hielt keine Rede. Der Priester klopfte ihr andächtig auf die Schulter und sah ihr tief in die Augen. „Mein Kind, unsere Pforte steht dir immer offen." Sie nickte dankend und sah ihm nach, als sein buntes Antlitz den Hügel hinablief, gefolgt von den zahlreichen Gästen, die sich für die letzte Ehre Herolds versammelt hatten. Sie würden sich nun im Dojo für Kaffee und Kuchen einfinden, so war es Tradition. Sola blieb noch eine Weile am Grabe ihres Großvaters stehen, sie würde später folgen. Erneut war Jamie an ihrer Seite.

„Sola, ich bin für dich da. Immer." Er griff nach ihrer Hand. Sie ließ es geschehen. Ermutigt sprach er weiter: „Ich weiß, dass das sehr schwierig für dich sein muss. Und ich verstehe, dass du..."

„Was verstehst du schon", zischte Sola leise.

Jamie zuckte bei dem kalten Tonfall zusammen. Dennoch hatte er sich schnell wieder gefangen und drückte ihre Hand fester.

„Naja, ich verstehe, dass er deine ganze Familie war. Doch ich möchte, dass du weißt, dass auch ich... Ich...also... ich möchte gerne deine Familie sein, dir eine neue Familie schenken. Ich werde für dich da sein und für dich sorgen."

Sola verkrampfte sich. *Er soll aufhören zu reden*, dachte sie. Er sollte einfach nur aufhören zu reden. Seine Hand fühlte sich plötzlich schwitzig und schwer an. Er engte sie ein.

„Weil Sola, weißt du... für mich gab es immer nur dich."

Sola schluckte. Sie wollte jetzt nicht reden. Sie wollte Jamies Gefühlsduselei nicht hören. Nicht jetzt. Und sie wollte keine schwitzige, erdrückende Hand an ihr. Sie wollte einfach ihre Ruhe. Wie konnte er sagen, er verstünde sie, wenn er all das nicht sehen konnte?

„...denn ich liebe dich."

Seine Stimme dröhnte in ihren Ohren. Das war alles andere als die Ruhe, die sie ersehnt hatte. Er hatte es ausgesprochen. Auch wenn Sola tief in ihrem innersten so etwas bereits geahnt hatte, spürte sie, wie sie blinde Panik packte. Überforderung. Sie wünschte, sie hätte ihm den Mund zugehalten, bevor er diese unheilvollen Worte gesagt hatte. Worte, die ihre Freundschaft für immer verändern würden. Ihre einzige Freundschaft hier in *Saka*.

Ungeschickt lehnte sich Jamie vor und versuchte sie zu küssen. Als sie seinen heißen, dampfenden Atem auf ihrem Gesicht spürte, konnte sie nicht mehr.

Sie riss ihre Hand zurück, brachte ihn durch diesen Ruck aus dem

Gleichgewicht, trat blitzschnell zur Seite und beförderte ihn mit einem harten Handkanten Schlag auf den Boden. Überrascht schrie Jamie auf, als er sich mit einem Mal auf dem Boden wieder fand. Sola stand über ihm. Ihr Körper bebte und ihr Blick war eiskalt. „Halt den Mund", zischte sie leise, aber bedrohlich. „Halt einfach den Mund."

„Aber..."

Dann schrie sie plötzlich los, gellend und laut. Geschockt verstummte Jamie.

„Halt verdammt nochmal einfach die Klappe. Wie kannst du es wagen? Hier und jetzt. Er ist tot und du nutzt das aus."

„Nein, nein so meinte ich das nicht." Jamie hob ängstlich die Arme über den Kopf, weil Sola ihm mit den Fäusten drohte. Sie schrie blind vor Wut weiter. Oder war es Verzweiflung? Sola wusste es nicht. Sobald sie einmal angefangen hatte, sprudelten ihre Gefühle, die sie lange verschlossen, hatte, aus ihr hervor.

„Ich will das nicht. Ich will nicht, dass du mich anfasst. Ich will nicht, dass du so redest. Ich will meine RUHE. Verdammt nochmal! Glaubst du wirklich ich würde das hier wollen?" Sie machte eine ausladende Bewegung über die Landschaft, die Weiden, Jamies Heimat. „Glaubst du wirklich ich will hier dran gebunden sein?" Wütend und unverständlich brüllte sie weiter. Jamie kauerte sich verunsichert und geschockt zugleich zusammen. Gedemütigt und schmerzverzerrt senkte er den Blick.

Wutentbrannt trat Sola in seine Richtung, verfehlte sein Bein um ein Haar und prallte mit einem lauten Knall mit ihrer Fußsohle gegen einen Stein. Der Aufprall schien ihren blinden Zorn in sich aufzunehmen, denn anstatt laut schreiend und mit wedelnden Fäusten auf ihn loszugehen, ließ sie nun die Schultern hängen. Ihr wurde schlagartig bewusst, dass sie gerade dabei war auch den letzten Menschen, der ihr nahestand zu verlieren. Doch anstatt sich zu entschuldigen, oder die Situation zu retten, schluckte sie nur und zog ihre goldenen Augen zu Schlitzen zusammen.

Sie sah ihn kalt von oben herab an und flüsterte: „Ich brauche dich nicht." Dann drehte sie sich um und ging.

Jamie blieb weinend liegen und starrte in den blauen Mittagshimmel.

Immer noch wütend stürmte Sola zurück zu ihrem Dojo. Durch ihre hektische Atmung verkrampfte sich ihr Zwerchfell. Schmerz durchzuckte sie.

Ob das Karma ist, dachte sie.

Der kalte Schweiß lief ihr den Nacken herunter, als sie ihr überfülltes zuhause erblickte. All diese Menschen. Wie sie da standen und Kuchen in sich hereinschaufelten, als sei es ein Geburtstag und keine Trauerfeier, es machte sie krank. Sie brauchte Wasser. Die Hand an die Hüfte gestemmt und hektisch atmend, um das Gefühl der Beklemmung loszuwerden, drängelte sie sich in die Küche. Sie nahm direkt einen vollen Krug Wasser und sank zu Boden.

Dort unten verweilte sie, abwechselnd trinkend und atmend, bis der Zorn, die Panik und der Schmerz sie verließen. Kraftlos lauschte sie dem Gespräch der anderen, die sich in der Küche versammelt hatten, um sich auf etwas anderes, als dem Schmerz in Brust und Bauch zu konzentrieren.

„Ja ich habe auch gehört, dass sie bald durch *Sakura* kommen. Sie sammeln sich wohl nahe der *Naka-Wüste*."

„Genau. Es müssen wirklich viele sein."

„Also ich lass meine Kinder deswegen nicht mehr raus zum Spielen."

„Naja ich weiß ja nicht, ob sie wirklich durch *Saka* kommen?"

„Doch, doch, das ist die kürzeste Route"

„Es sind wohl mehrere Trupps, die in Abständen von wenigen Tagen hier durchkommen sollen."

„Hätten wir dieses Dojo mal früher besucht, ein paar Kampfstunden hätten vielleicht nicht schlecht getan. Wir wissen ja alle, was geschehen kann."

„Ja auf jeden Fall. Am besten bewaffnen wir uns ab jetzt, wenn wir das Haus verlassen."

„Bewaffnen? Dass ich nicht lache. Du kannst ja nicht mal eine Karotte schneiden, wie willst du dich dagegen richtige Krieger verteidigen?"

„Na du wirst schon sehen. Und meine Karotten sind übrigens hervorragend geschnitten, sieh da hinten der Salat ist von mir. Den habe ich mitgebracht."

„Ach ja Gerda, der ist wirklich vorzüglich."

„Auf jeden Fall. Also kochen, das kannst du!"

Als sei es das Normalste der Welt, schwankte die kleine Gesellschaft von einem Thema zum nächsten. Nun ging es bereits seit mehreren Minuten um Salate und Dressings und Sola spürte, wie ihre Wut erneut hochkochte. Sie erkannte sich selbst kaum wieder. Stets das ruhige, eher melancholische Mädchen. Doch heute, glühte etwas in ihr. Es missfiel ihr, dass anstelle einer bedächtigen Andacht an ihren Großvater ein Getratsche über Salate von statten ging. Sie ballte die Fäuste. Dann erhob sie sich ganz langsam vom Boden.

Die kleine Gesellschaft drehte sich überrascht zu ihr um, sie schienen sie zuvor gar nicht bemerkt zu haben. Erst leise, dann immer laute zischte sie: „Verschwindet." Bis sie schließlich erneut in unkontrolliertem Brüllen und Toben endete. „Verschwindet! Ihr alle! Verschwindet!"

Von dem emotionalen Ausbruch irritiert und empört, bewegte sich die Menge pikiert zum Ausgang. Sie tuschelten. Sie konnten tuscheln so viel sie wollten. Sola brüllte den letzten hinterher, bevor sie die Tür hinter ihnen zuknallte und zusammenbrach. Wieder allein, im Licht der Nachmittagssonne, die durch die Fenster schien, rollte sie sich auf dem Boden zusammen. Sola hatte sich noch nie so einsam und gleichzeitig so bedrängt gefühlt. Sie brauchte Nähe, doch wollte sie niemanden um sich herumhaben.

Ihr Herz war leer und gleichzeitig so voller Gefühle.

Am nächsten Morgen sammelte Sola den Blumenschmuck, mit dem sie auch das Dojo dekoriert hatte, zusammen. Sie würde zum Grab gehen, und die Blüten dort zu dem Marmorstein legen. Seltsam, dachte sie, während sie die Stiele zusammenband, sie hatte ihrem Großvater nie Blumen geschenkt, als er noch lebte. Eigentlich hatte sie ihm generell nie etwas geschenkt. Ihre Beziehung war kompliziert gewesen. Er war ihr Meister und Senpai. Sollten jedoch die Wasserstämme letzten Endes recht haben und er als Geist an den Ort seiner letzten Ruhe zurückkehren können, so wollte sie, dass er wenigstens jetzt ihre Zärtlichkeit sehen konnte. Das drückten Blumen aus, oder nicht?

Sie schob ein Bund nach dem anderen in ihren Beutel. Dieses Mal würde Jamie ihr wohl nicht beim Tragen helfen.

Sola schloss die Augen.

Jamie. Verdammt.

Sie würde auf dem Rückweg bei ihm vorbeigehen und sich entschuldigen. Es war nicht richtig gewesen, wie sie sich verhalten hatte, das wusste sie. Auch wenn sie nichts für ihn empfand, so war er dennoch immer ein wichtiger Freund gewesen und sie wollte ihn nicht verlieren. Sie musste das wieder geradebiegen.

Sola seufzte. Vielleicht sollte sie einen der Blumenkränze für ihn aufheben. Als sie die Haustür öffnete, zögerte sie kurz. Ihr kamen wieder die Stimmen des gestrigen Tages in den Kopf. Sie hatte noch gar nicht über den Sinn des mitangehörten Gesprächs nachgedacht. *‚Am besten bewaffnen wir uns jedes Mal, wenn wir das Haus verlassen.‘* Im Gegensatz zu den meisten in *Saka*, vor allem solchen wie diese Gerda, war Sola eine gute Boxerin, gut in Aikido, Karate und eigentlich auch allen anderen Kampfkünsten, die ihr Großvater sie gelehrt hatte. Doch sollte sie es darauf anlegen, unbewaffnet einer Schar lüsterner, bewaffneter Krieger der rot-schwarzen Allianz gegenüberzutreten? Sie wusste schließlich immer noch nicht, wie viele der Gerüchte wahr waren.

Suchend blickte sie durch das Dojo. Ein heller Sonnenstrahl fiel durch ein Fenster. Er brach an der Wand und wurde von etwas Goldenem reflektiert. Sola zögerte kurz. Sie trat entschlossen darauf zu. In dem Moment, als ihre Fingerspitzen das kalte, goldene Metall berührten, durchfuhr sie ein elektrisierender Impuls. Energie durchströmte sie. Dann griff sie zu und fühlte das harte Material in ihrer Hand.

Vorsichtig hob sie die *Kralle des Lichts* von der Halterung an der Wand. Es war eine in Gold gefasste Glefe, fast genauso lang wie Sola groß war und mit einer großen, gezackten Spitze an dem einen Ende, die der Kralle eines Drachens glich.

Die Waffe war wunderschön. Sola war überrascht, wie leicht sie sich in ihrer Hand anfühlte. Sie hatte erwartet sie beidhändig herabheben zu müssen, doch stattdessen konnte sie sie ganz leicht anheben. *Der wahre Besitzer, kann die Kralle tragen*, schoss es ihr durch den Kopf. So etwas oder so ähnlich hatte sie einst Herold sagen hören. Dann war es jetzt wohl so weit. Die Aufgabe und der Besitz der goldenen Kralle war auf sie übergegangen.

Mit einem Lederriemen schulterte sie die prunkvolle Waffe. *Keine Angst, Großvater, ich werde sie ehren und beschützen*, versprach Sola in Gedanken ihrem verstorbenen Großvater. Bewaffnet mit Glefe und Blumen, trat sie ins gleißende Sonnenlicht.

Sola durchquerte nicht den Stadtkern *Sakas*, sondern machte einen kleinen Umweg, um möglichst wenig Leuten auf dem Weg zum Grab zu begegnen. Aus einer anderen Richtung kommend als sonst, konnte sie erst spät den Hügel erblicken, auf dem die Ruinen und ihr Großvater lagen. Als sie es schließlich tat, gefror das Blut in ihren Adern.

Dort drüben stieg dunkler Rauch auf.

In dem Moment setzten auch ihre anderen Sinne ein und sie konnte den Geruch von versengendem Fleisch riechen und dumpfe Schreie hören.

Längst vergessene Erinnerungen wurden in ihr wach. Augenblicklich ließ sie die Blumen fallen und setzte zum Sprint an. Umso näher sie kam, desto mehr konnte sie erkennen. Ungefähr ein Dutzend schwarz gekleideter Soldaten preschten mit Klingen und Flammen auf zwei ihr unbekannte Wesen ein.

Ein kleiner Otter, der flink und geschickt auswich, und mit seinem Dolch in nur einem Augenblick zwei Kehlen durchtrennt hatte. Und ein junger Mann, schwarze Haare und goldene Haut, der mit bloßen Händen kämpfte.

Nur kurz hinter ihm, die weiße Marmorplatte.

„Nein!“, entfuhr es ihr, „Sie entweihen seine letzte Ruhestätte“. Sola rannte schneller, ihre Beine brannten bereits. Doch sie ignorierte den Schmerz und fokussierte sich allein auf die Platte und ignorierte den Rest des wilden Kampfes.

Der junge Mann wurde zu Boden gerissen, er schlug rücklings auf der Platte auf. Sein Blut ergoss sich auf den weißen Stein. *Nein, nein, nein,* dachte Sola. Es konnte kein anderer auf dieser Platte sterben, es durfte keine zwei Seelen an diesen Ort gebunden werden.

Nur ihr Großvater sollte dort ruhen.

Wie konnten sie es wagen?

Sie sah, wie ein schwarz gekleideter Krieger sein Schwert zu seinem letzten, erbarmungslosen Angriff gegen den gefallenen Jungen anhob.

Sola war nur noch wenige Meter entfernt.

Die Klinge des Kriegers blitzte im Sonnenlicht auf, bevor sie sich bedrohlich begann zu senken.

Im letzten Augenblick, fast nur ein Wimpernschlag, warf sie sich dazwischen.

Sie hatte ihre Glefe aus dem Lederriemen gerissen und mit all ihrer Kraft das vergleichbar dünne Schwert des Kriegers entgegengeworfen.

Der Aufprall war hart und ohrenbetäubend.

Das silberne Metall des Angreifers war mit solch einer Wucht eingeschlagen, dass sie die goldene Glefe kaum halten konnte und fast einen halben Meter zurückweichen musste, um ihr Gleichgewicht zu halten. Der Mann unter ihr stöhnte leise, doch ihn hatte keine Klinge getroffen.

„Steh auf!“, schrie Sola den Unbekannten an.

*Ray*

Leicht benommen rappelte Ray sich auf. Die blonde Unbekannte stürmte laut schreiend auf die schwarz gekleideten Angreifer zu und hatte mit nur einem Schwung ihrer übergroßen Waffe direkt zwei Soldaten enthauptet. Im Schutze der jungen Frau sprintete Ray zu seinen Schwertern.

Nun sprangen zwei Angreifer gleichzeitig auf Ray zu, während dieser gerade seine Klingen erreichte. Er wirbelte herum und parierte den Schwertangriff des einen. Der andere, ein Feuer-Magier, wich Rays Klingen geschickt aus. Die Hitze war fast unerträglich, als der Magier eine lodernde Flamme aus seiner Faust in Richtung Rays schickte.

Von der Seite sprintete Caleb zu ihm. Sein Fell dunkel und von Blut durchtränkt. Noch bevor der Feuer-Magier seine Hand erneut erheben konnte, sprang Caleb mit einem Satz auf ihn zu und hatte innerhalb eines Wimpernschlag seine Krallen tief im Hals des Angreifers vergraben. Caleb riss ruckartig daran und der Fremde sackte gurgelnd zusammen. Das heiße Blut ergoss sich über das Fell des Otters, doch er zuckte nicht eine Sekunde.

Ray, dankbar für die Unterstützung konzentrierte sich wieder auf den Schwertkämpfer. Mit einer Klinge parierte er die Schläge des Angreifers, mit der anderen versuchte er in die Nähe der dunklen Haut des Kriegers zu kommen.

Plötzlich wurde Ray herumgerissen. Es war erneut der Krieger, der sich verwandeln konnte.

Hass stand in seinen Augen.

Mit seiner Klinge griff er an.

Dieses Mal parierte Ray den Angriff.

Blitzschnell drehte er sich, wich seinem Angreifer aus und wirbelte um ihn herum. In nur einem einzigen Augenblick war es ihm gelungen, um den Krieger herum zu treten und hinter ihm zu stehen.

Ray nutze die Gelegenheit sofort.

Mit einer einzigen fließenden Bewegung stach er sein rechtes Schwert tief zwischen die Schulterblätter des Kriegers, während er mit der anderen auf seinen Kopf zielte.

Der Kahlrasierte zuckte kaum. *Er muss wahnsinnig sein,* dachte Ray.

Als würde er keinerlei Schmerzen verspüren, drehte er sich hastig zur Seite, wich dem zweiten Schwert aus und – Ray konnte kaum seinen eigenen Augen trauen – finge die Klinge mit der bloßen Hand ab. Der glänzende Keso-Stahl schnitt durch das fahle Fleisch. Obwohl der Mann durch seine Verteidigung einen Finger verlor, zuckte er nicht. Das ist kein Mensch, durchfuhr es Ray. Das ist abnormal.

Ray wich zurück und versuchte sich erneut in eine geschickte Angriffsstellung zu bringen. Doch noch bevor Ray erneut angreifen konnte, sprang der kahlrasierte, vermeintliche Schattenelf zur Seite. Sein Blick glitt prüfend über die Szenerie und seine gefallenen Kameraden. Er kniff die Augen zusammen.

Der Wasserkrieger stürzte auf ihn zu. Ich werde dieses Wesen nicht davonkommen lassen. Niemals. Egal wie oft er sich verwandeln wird.

Bevor er ihn erreichte, war es wieder geschehen. Formwandlung.

Irritiert zögerte Ray einen Augenblick. Einen Augenblick zu lange.

Denn noch bevor er sich wieder gefangen hatte, war die pechschwarze Krähe bereits in die Lüfte gestiegen. Ein hämisches Krächzen ging von dem Tier aus, als würde es Ray auslachen. Dann flog es mit einer Eleganz und Geschwindigkeit davon, wie Ray es nie bei einem so großen Vogel gesehen hatte. Wütend starrte er der schwarzen Krähe hinterher, bis sie am Horizont verschwand.

„Verdammt", murmelte er. Im gleichen Moment setzte der Schmerz ein. Ray war plötzlich wie gelähmt und hörte, wie das Blut in seinen Ohren rauschte. Er begann unkontrolliert zu zittern und versuchte krampfhaft aufrecht stehen zu bleiben. Dann wurde es schwarz um ihn herum und er sank keuchend zu Boden.

## Sola

Sola senkte ihren Arm mit der blutverschmierten Glefe. Ihr Blick schweifte über den Ruinen-Hügel. Einst ein Ort der Sicherheit und Geborgenheit, nun ein Platz der Zerstörung. Die weiße Marmorplatte war von Blut verschmutzt und zeigte kleine, feine Risse auf. Diese Risse spannten sich ebenso durch ihr Herz.

„Es tut mir leid, Großvater", flüsterte sie.

Etwas zupfte an ihrem Ärmel. Der kleine Otter stand neben ihr, aufrecht auf seinen Hinterpfoten – fast menschlich. Sein Fell war verkrustet und verklebt vom Blut. Er blickte zu ihr hoch in einer Mischung aus Anerkennung, Dankbarkeit und Sorge. Seine Geschicklichkeit mit dem Dolch war beeindruckend gewesen. Sola wusste, dass er kein gewöhnliches Tierwesen sein konnte.

„Danke", seine Stimme war rau und tief, sie klang älter Sola es erwartet hatte. Hatte sie denn überhaupt erwartet, dass er sprechen konnte? Ihr Großvater hatte ihr schon mal von sprechenden Tieren erzählt. Von sogenannten Tiergeistern.

„Bitte, hilf mir. Er ist schwerverletzt."

Sola blickte sich um. Der junge Mann, den sie mit ihrer Glefe geschützt hatte, war zu Boden gesunken. Er keuchte und sah nicht gut aus.

Sie schnallte die Kralle des Lichts auf den Rücken und lief rasch zu ihm. Mit beiden Händen zog sie ihn hoch, schlang seinen Arm, um ihren Hals und stützte ihn beim Gehen. Unter schwerem Atem brachte er ein schwaches „Danke" hervor.

Sola hatte die Wunden der beiden Fremden im Dojo versorgt und sie auf weichen Matten nahe dem Ofen gebettet. Auch wenn die Tage heiß waren, so hatte sie Angst, sie könnten in der kalten Nacht durch ihren geschwächten Zustand an Fieber erkranken, so wie Herold.

Es kam ihr seltsam vertraut vor, wieder für jemanden zu sorgen, der geschwächt in ihrer Obhut lag. Ihre eigenen Wunden hielten sich in Grenzen. Eilig reinigte sie die oberflächlichen Schnitte an ihrem Oberarm und salbte die leichte Verbrennung, die sie sich zugezogen hatte. Das sollte in wenigen Tagen verheilt sein. Der Fremde war deutlich schlimmer verletzt.

Als es Abend geworden war, setzte sie sich neben die beiden Fremden und reichte ihnen Schalen mit dampfender Suppe. Dankend nahmen sie es entgegen. Beide sahen bereits weniger blass aus als einige Stunden zuvor, sie schienen von starker, kämpferischer Natur und sich schnell zu erholen. Gierig schaufelten sie die heiße Suppe in sich hinein. Noch mit vollem Mund sagte der Otter: „Vielen Dank. Du hast uns vermutlich das Leben gerettet."

Sola nickte nur schweigend. Sie hatte keine große Lust darauf, oberflächliche Nettigkeiten auszutauschen. Der Otter nahm einen weiteren Bissen. Dann sah er sich neugierig um: „Ein Dojo, huh?"

Sola nickte erneut.

„Das erklärt natürlich, warum du so eine talentierte Kämpferin bist. Bist du des hiesigen Meisters Tochter?"

Dieses Mal nickte Sola nicht, sondern schwieg. Der Otter schien zu registrieren, dass sie nicht darüber reden mochte. Seine Feinfühligkeit gefiel ihr. Ganz anders als die Neugierde der hiesigen Dorfbewohner.

Um das Thema zu wechseln, brach Sola die Stille und richtete sich das erste Mal an den jungen Mann, der schweigend auf seinem notdürftigen Krankenlager saß.

„Wieso hast du sie nicht einfach eingefroren? Können Wasser-Magier so etwas nicht? Dann hättest du dir diese Schnitte sparen können."

Der Junge drehte sich zu ihr. Das Feuer des Ofens reflektierte in seinen Augen. Auf seinem Gesicht lag eine Mischung aus Unverständnis und Bedauern und ohne auch nur einen kleinen Anflug von Scham sah er ihr direkt in die Augen – so als würde er versuchen bis auf den Grund ihrer Seele zu schauen. Sola hatte noch nie so klar blaue Augen gesehen und sie konnte nicht anders, als ihren eigenen Blick zu senken, um den intensiven Blickkontakt zu unterbrechen. Ihr Herz schlug plötzlich unangenehm unruhig und sie spürte, dass ihre Hände warm und feucht geworden waren. *Wieso machte er sie nervös?*

Als müsse sie sich erklären fügte sie hinzu: „Ich habe deine Tattoos gesehen beim Reinigen deiner Wunden gesehen. Das... das sind doch Wasserstamm-Tattoos, oder?" Auch wenn sie weiterhin den Boden fixierte, spürte sie seinen Blick auf ihr ruhen. *Was war mit ihm? Wieso musste er denn so starren?*

Er räusperte sich und antworte mit rauer, doch wohlklingender Stimme, die einen kleinen Schauer in ihrem Nacken verursachte: „Ja. Aber ich bin kein Wasser-Magier. Wasser-Magie liegt nur in den Adern der weiblichen Stammesmitglieder.“

Überrascht schaute Sola nun doch hoch und hob eine Augenbraue. Als hätte er ihre Gedanken gelesen ergänzte er, nun lächelnd: „Ja, ich weiß. Erd-Magie hingegen kann nur von männlichen Kriegern getragen werden.“

Er zuckte mit den Achseln. „Das ist bei Wasser eben anders.“

„Achso. Das wusste ich nicht.“ In diesem Moment wurde Sola bewusst, dass sie, wenn sie ehrlich war, generell nicht viel über die Völker außerhalb des *Shizen* Bistums wusste. Sie kam sich plötzlich naiv vor und wollte sich nicht weiter bloßstellen, weswegen sie zu erneutem Schweigen überging.

„Es war vermutlich nicht meine überlegteste Idee, mich mit der kleinen Truppe anzulegen, das gebe ich zu“, redete der Junge ungefragt weiter.

Der Otter lachte kurz auf. Es war ein freudloses trockenes Lachen. Schmatzend sagte er: „Ist ja nicht so, als könntest du in solchen Momenten wirklich klar denken. Und überlegt waren wenige deiner Handlungen.“

Der Wasserstämmige stupste den Otter an: „Hey, seit wann bist du ein Dachs? Frechdachs.“

Die beiden lachten innig und vertraut.

Sola sah sie verständnislos an. *Nochmal, was ist los mit denen?* Eben waren sie um ein Haar gestorben und nun saßen sie hier und krümmten sich vor Lachen? Was war nur los bei ihnen? Gleichzeitig musste sie sich eingestehen, dass die Vertrautheit und Kameradschaft, die die beiden ausstrahlten, sie tief berührte. Sie fühlte eine Mischung aus Bewunderung und Neid. Fühlte sie sich jemandem so vertraut? Ihre Gedanken schweiften unwillkürlich zu Jamie. Verdammt, sie hatte sich nicht bei ihm entschuldigt und nun war die Nacht bereits hereingebrochen.

Ein kleiner Stupser an ihrem Knie riss sie aus ihren Gedanken, der Otter sah sie fragend an. Auch Ray blickte sie wieder an. Sie hatten wohl eine Frage gestellt.

„Ähm, was?“

„Kennst du sie?“

„Wen?“

„Ein kleines Mädchen...“ Caleb beschrieb das Mädchen, dass er vorhin zu dem naheliegenden Hof gebracht hatte und erklärte Sola, was geschehen war. Sola schauderte es. Sie war zutiefst beunruhigt. Wenn diese Männer im Stande waren, ein kleines, reizendes Mädchen zu überfallen, was würden sie wohl noch alles tun?

„Das muss Jamies kleine Schwester gewesen sein. Marissa“, sagte sie nachdenklich. *Hoffentlich geht es ihr gut,* ergänzte sie in Gedanken.

„Danke, dass ihr ihr geholfen habt. Sie ist... sie ist mir sehr am Herzen gelegen.“

Der Tiergeist klopfte mit seiner Pfote auf ihr Knie.

„Wir würden so etwas nicht zulassen, wenn wir es verhindern können.“

Sola sah den Otter an. Seine Augen strahlten eine solche Ehrlichkeit aus. Diese beiden Fremden hatten ein gutes Herz, da war sie sich sicher.

„Aber, Held sein macht auch Hunger. Gibt es noch Suppe?“ Der Otter hielt Sola seine leere Schale hin und lächelte breit.

„Caleb du Gauner.“ Der junge Mann lachte erneut.

Sola lächelte kurz. Caleb. Das war also der Name des Tiergeistes, notierte sie in Gedanken. Dann stand sie auf, nahm Calebs Schale aus seiner ausgestreckten Hand und wand sich mit fragendem Blick an den jungen Mann.

„Oh, ja gern."

Er streckte seine Schale ebenfalls aus. Sola nahm sie entgegen, dabei streiften ihre kalten Hände seine. Sie waren rau, aber warm und ein merkwürdig elektrisierendes Gefühl zuckte durch ihre Fingerspitzen. Bevor die Röte in ihrem Gesicht sichtbar wurde, drehte sie sich schnell um und ging in die Küche, um mehr Suppe zu holen. Als sie zurückkehrte, hatte sich der Wasserstämmige an die Wand gelehnt und die Augen geschlossen. Er atmete gleichmäßig.

Caleb sagte: „Er würde nie zugeben, wie mitgenommen er tatsächlich ist. Aber kein Problem, ich nehme auch seine Portion."

Sola stellte die beiden Schalen vor dem Otter hin.

Dann musterte sie verstohlen den Wasserkrieger. Er sah nun viel jünger aus, konnte kaum älter als sie selbst sein, überlegte Sola. Doch ihn umgab dennoch bereits eine so entschlossene und so verbitterte Aura. Während sie ihn anschaute, konnte sie nicht anders, als Mitleid zu empfinden. Egal was es war, aber dieser Junge hatte bereits eine Menge durchmachen müssen, um hier anzukommen. Das war Sola bewusst. Er sah so verletzlich aus. Die große Narbe in seinem Gesicht glänzte im flackernden Licht, seine Haare fielen dunkel und strähnig darüber. Wer oder was hatte ihn so verletzt? Trotz dieser Entstellung war sein Gesicht vermutlich das schönste, was sie bisher gesehen hatte. Der dunklere Teint, der starke Kiefer, die ausgeprägten Wangenknochen, seine dichten Augenbrauen...

Es war das Gesicht eines Kriegers.

Seltsamerweise erinnerte er sie an ihren Großvater, auch wenn dieser viel heller von Haut und Haar war. Unwillkürlich streckte sie ihre Hand nach ihm aus.

Sie wollte ihm die Haare aus dem Gesicht streichen.

Noch bevor sie ihn berührte, bemerkte sie was sie tat und stoppte erschrocken ihre Hand. Was war nur in sie gefahren? Beschämt drehte sie sich zur Seite.

Der Otter war so in seine Suppe vertieft, dass er es zum Glück nicht bemerkt zu haben schien. Sola atmete tief aus.

Es war bestimmt nur die Erschöpfung, die ihre Gedanken benebelte.

Caleb schluckte einen Bissen und fragte sie: „Weißt du, was dieser...Mann oder...dieses Wesen war?“

Sola, dankbar für die Ablenkung überlegte kurz, bevor sie sagte: „Ich denke, es war ein Formwandler.“

Der Otter stieß einen Pfiff aus. „Ich habe nie zuvor einen getroffen.“

„Ich auch nicht. Aber mein ...“, Sola schluckte kurz und schloss die Augen, um den Schmerz zu verbergen, der sie durchzuckte, wenn sie über ihn sprach. „Mein Großvater kannte einen. Es sind Wesen, die nach Belieben ihre Form und Gestalt verändern können. Sie können sogar die Gestalt von Personen annehmen, die du und ich kennen. Jedoch nur wenige können auf mehr als zwei drei Gestalten zurückgreifen. Ich glaube derjenige, den wir da getroffen haben, muss ein besonders mächtiger Formwandler gewesen sein.“

Caleb nickte eifrig. Es war erschreckend gewesen wie schnell derjenige, den sie getroffen hatten, zwischen den Formen wechseln konnte und sie so in seine Kampfstrategie mit einbeziehen konnte.

„Du bist eine starke Kriegerin“, wiederholte Caleb anerkennend.

„Wir könnten jemanden wie dich an unserer Seite gebrauchen.“

Er sah Sola direkt an. Es war keine offene Frage, eher eine Feststellung. Sola erwiderte nichts, sondern stocherte schweigend in ihrer eigenen Schale. Bevor Caleb seine Backen erneut füllte, fragte er:

„Ich bin übrigens Caleb. Und der da…“, Caleb nickte in Richtung des schlafenden Kriegers. „…heißt Ray. Wie ist dein Name?“

„Sola“

„Solar?“ Caleb lächelte sie breit an. „Wie die Sonne? Wie passend. Du warst immerhin ein strahlender Held.“ Er lachte vergnügt über seinen eigenen Witz.

„Nein. Sola. Sola, wie ‚allein‘.“ Sie blickte den Otter mit finsterer Miene an. „Sobald ihr euch erholt habt, will ich das auch wieder sein. Verzieht euch, sobald es geht.“

Calebs Lachen erstarb und er sah Sola irritiert an. Mit dieser Kälte hatte er wohl nicht gerechnet. Sola stand entschieden auf und ging nach draußen. Sie brauchte frische Luft. Sollten sie sie doch für unfreundlich halten, was kümmerte es sie. Sie hatte bereits mehr als nötig für sie getan. Und sie sah sich keineswegs an ihrer Seite.

# 14. Kapitel

## *Ray*

*Der kurz geschorene Schattenelf lachte höhnisch. Er tänzelte um Ray herum, wie ein Zirkusartist. Dabei stieß er mit seinem Schwert zu und hinterließ blutige Spuren auf Rays nacktem Oberkörper.*

*Jedes Mal, wenn Ray nach ihm greifen wollte, verschwand er und tauchte an einer anderen Stelle wieder auf. Das Gesicht stets zu einem fratzenartigen Grinsen verzogen. Doch egal was er tat, Ray konnte nicht zurückstoßen.*

*Er erreichte ihn einfach nicht.*

*Den Formwandler von Saka.*

*Verzweifelt versuchte Ray es erneut.*

*Plötzlich wandelte sich das Gesicht des Formwandlers in eine andere Schattenelfen Gestalt. Die kurzgeschorenen Haare wurden länger und die Gesichtszüge härter.*

*Die Haut des Wesens wurde noch blasser, sodass sie eher grau als beige erschien. Die schwarzen Haare waren zu einem Pferdeschwanz gebunden. Wie Ranken, bildeten sich lilafarbene, hässliche Narbengeschwüre über die linke Gesichtshälfte. Diese Verbrennung erstreckten sich von dort weiter über den gesamten Oberkörper und den linken Arm.*

*Entsetzen machte sich in Ray breit, als er dieses Wesen erkannte.*

*Er war so nah, nur wenige Meter entfernt.*

*Ray kannte diesen Schattenelf. Es war einer der gefürchtetsten und grausamsten.*

*Brutus.*

*Und Ray stand ihm direkt gegenüber.*

*Angesicht zu Angesicht.*

*Dem Mörder seines Vaters.*

*Der Hintergrund verschwamm und verwandelte sich in eine andere Szene. Ray war nicht mehr an der Tempelruine in Saka. Er roch das verbrannte Fleisch und hörte die Schreie, noch bevor er erkannte, wo er sich befand.*

*Die Szenerie zeigte ein brennendes Wa.*

*Die Silhouette eines Mannes erschien, der sich dem Schattenelf entgegenwarf. Der wallende Mantel und die langen, geflochtenen Haare waren unverkennbar.*

*Vater.*

*Ray versuchte ihm zur Hilfe zu eilen, doch er konnte sich nicht bewegen. Sein Körper war wie gelähmt. So sah er nur hilflos zu wie sein Vater und Brutus in einem hitzigen Schwertkampf aneinandergerieten.*

*Brutus riss Kori Gaido herum.*

*Kori fiel.*

*Ohne zu zögern versenkte Brutus sein langes Schwert in den Körper Koris. Ray wollte schreien, aber kein Ton kam über seine Lippen. Brutus blickte auf und sah Ray in die Augen. Lächelte er?*

*Dann verschwand Brutus im Hauch eines Windes und einzig der dunkle Schatten Kori Gaidos blieb zurück.*

*Endlich gelang es Ray loszurennen.*

*Lief zu seinem Vater und erstarrte, als er den geschundenen Körper des einstig mächtigen und stolzen Stammesführers sah. Er war totenbleich.*

*Blutleer.*

*Tot.*

Schweiß gebadet schreckte Ray hoch. Er brauchte einen Moment, um in die Realität zurückzukommen. Die Bilder und die Gefühle waren zu real gewesen. Und das waren sie auch. Obwohl es ein Traum war, so wusste Ray, dass jene Schreckensbilder der Realität entsprachen. Kori Gaido war gefallen.

Sein Vater war tot. Brutus hatte ihn getötet.

Nervös und von der Erinnerung zum Zittern gebracht, blickte Ray sich um. Das Dojo, in dem er und Caleb untergekommen waren, war vollkommen dunkel und ruhig. Er war in Sicherheit.

Doch Ray wusste, diese beiden Gesichter würden ihm nie wieder aus dem Kopf gehen. Der Formwandler und der Schattenelf.

In der stillen Nacht gab Ray seinem verstorbenen Vater ein Versprechen.

Er würde nicht ruhen, bevor er diese Schreckenskreaturen aus der Welt verbannt hatte. Wenn es sein musste, würde er die gesamte rot-schwarze Allianz niederstrecken, nur um zu diesen beiden Personen zu gelangen und sich an ihnen zu rächen. Die Liste derjenigen, die Ray töten würde, war auf drei Personen der rot-schwarzen Armee gestiegen. Sie sollten zittern und um Gnade winseln, wenn Ray sie erreichte. Und Ray hielt seine Versprechen.

Brutus. Der Formwandler. Sumi Rikis Peiniger.

Ich komme euch holen.

## *Jacob*

Jacob blinzelte. Die Sonne schien ihm hell ins Gesicht. Er war wohl kurz eingeschlafen. Während er sich ein wenig verschlafen streckte, legte das Buch beiseite, in dem er gelesen hatte. Laute Stimmen hatten ihn geweckt. Als er sich von der Bank in der Gartenlaube erhob, flossen seine langen Haare über seine Schultern, wie sanfte Wellen an einem Sommertag. Der Schlossgarten *Soras* erstreckte sich über eine Fläche, die größer als so manchen Bauers Felder war. Jacob kam oft hierher, um sich seinen Büchern und Schriften zu widmen. Es war ein friedlicher Ort. Die unterschiedlichsten Pflanzen dämpften Geräusche und nur das Surren der Insekten war an sonnigen Tagen zu hören. Der Duft der Blumen, die aus aller Welt hergebracht worden waren, wirkte beruhigend. Er hatte mehrere Jahre gebraucht, um den Ursprung und die Namen aller hier gepflanzten Blüten und Blätter zu lernen. Einheimische Seelenranken überwucherten jeden Zaun und jede Laube, sodass kein Stein und kein Metall mehr zu sehen waren. Ihre weißen, flauschigen Blüten blühten das gesamte Jahr über. Im Winter waren sie kaum von dem Schnee zu unterscheiden, der den Garten bedeckte. An anderen Stellen wuchsen dunkelrote Zalyden, die eins der Imperator Nokoribi dem Hofe *Soras* gestiftet hatte. Es war eine seltene Wüstenblume, an der Jacob besonders Gefallen gefunden hatte. In anderen Ecken wuchsen Eisbeeren, die aus dem südlichen Wasserstamm stammten. Der Kräutergarten, den Jacob oft aufsuchte, um Medizin und andere Tränke zu bereiten, war gesäumt mit den allheiligen Kalia-Blüten der Jiyū Nomaden. Alles in einem, bildete der Garten *Soras* ein Miniatur Abbild der Welt. Ein Abbild der Flora jeden Winkels und jeden Volkes. Der Garten war der Beweis dafür, dass, wenn sie es wollten, sie alle im Einklang gedeihen und leben konnten. Dies war auch Jacobs Überzeugung. Wenn die Flora es so einfach vorleben konnte, warum konnten die Völker diesem Beispiel nicht einfach folgen?

Heute jedoch war es nicht vollkommen still um ihn herum. Es hatten ihn laute Stimmen geweckt. Neugierig ging er auf die Geräuschquelle zu. Inmitten von Sträuchern, die zitronengelbe Blüten trugen, sah er Eric. Er stand dort und schimpfte, den Blick auf etwas gerichtet, das hinter dem Busch versteckt war und Jacob somit zunächst verborgen blieb. Jacob schluckte unwillkürlich.

„Du benimmst dich unmöglich. Verdammt nochmal! Jetzt raff dich auf und…“ Eric gestikulierte wild, doch als er Jacob sah hielt er inne. Er starrte ihn an. Die türkisenen Augen waren zu wütenden Schlitzen verzogen. Sie hatten sich seit dem Abend, an dem er Jacob aufgesucht hatte, nicht mehr gesehen. Eine ungewohnte Anspannung lag in der Luft. Das gefiel Jacob nicht.

„Jacob.“

„Eric.“

Eric widmete sich wieder der Person, die er zusammen schimpfte.

„Da hast du es. Druiden. Das sind diejenigen, die hier im Garten rumlungern können und ihren Tag dem Müßiggang hingeben können. Du hingegen …“

Noch bevor Jacob den Busch umrundet hatte und den Blick auf den Jungen erhaschte, der im Gras saß, beide Beine ausgestreckt und von einem Meer aus Blüten und Schmetterlingen umgeben, wusste er, wen Eric hier ermahnte.

„Du hingegen, junger Mann“, Eric hob drohend den Finger. „Du solltest unten im Hof trainieren. Wie die anderen Erd-Magier.“

Haru, das jüngste der Thron-Kinder zuckte nur mit den Schultern. Sein blondes Haar glich dem goldenen Haar seines Bruders – es war sogar fast einen Glanz goldener. Der Junge war klein, seine Gliedmaßen eher schmächtig und seine Gesichtszüge hatten etwas Feminines an sich. „Ich bin nicht wie die anderen Erd-Magier, liebster Bruder“, erwiderte Haru fast spöttisch. Eric kochte vor Wut.

„Stimmt“, stieß er aus, „Du bist schlechter als jeder Einzelne von ihnen.“

Haru ließ sich nicht aus der Ruhe bringen. Er ließ seine Hand durch die Luft fahren, malte einen unsichtbaren Kreis und fing dann die Rose auf, die er soeben mit seiner Magie erschaffen hatte. Der Junge führte die blass-rosanen Blüten zu seiner Nase und roch provokant ruhig daran, während seine ebenfalls türkisenen Augen seinen älteren Bruder fixierten. „Ich genieße eben die Schönheit des Lebens, anstatt so verbittert nur an den Krieg zu denken, wie du“, sagte der Jüngere mit samtweicher, ruhiger Stimme. Eric schnaubte verächtlich. „Die Schönheit des Lebens, ja?“

Wie um sein Argument zu untermalen, zauberte Haru weitere Blumen herbei, eine prächtiger als die anderen. Mit einem unsichtbaren Band wurden sie in der Luft zu einem Strauß aus rosa, veilchenblauen und weißen Blüten gebunden. Dann schwebte dieser Strauß auf den Älteren zu. „Für dich Bruderherz. Wenn du schon keinen Frauen Blumen schenkst…“

Eric holte wütend aus und schlug die tänzelnden Blüten zu Boden. Anschließend sprang er auf Haru zu, die Faust erhoben. Er wollte gerade zuschlagen, doch Haru war blitzschnell ausgewichen, sodass die geballte Hand nur ein zischendes Geräusch in der Luft verursachte. Haru lachte. Eric wollte erneut ausholen, da schritt Jacob ein. „Beruhigt euch, ihr zwei.“ Ohne die Konsequenzen zu bedenken stellte er sich zwischen Haru und Eric und hob schlichtend die Hände. Der ältere Prinz erkannte zu spät, dass nun nicht mehr sein kleiner, zarter Bruder vor ihm stand, und seine Faust prallte mit voller Wucht gegen Jacobs Brust. Dieser wurde ein Stück zurückgeschleudert und taumelte. Hustend und prustend hielt sich der Druide die Stelle, an der er getroffen worden war. Eric starrte Jacob an und für einen kleinen Augenblick, meinte Jacob einen Hauch an Erschütterung über sein Gesicht huschen zu sehen. Es schien fast, als wolle er sich entschuldigen, denn sein Blick sah plötzlich weich und flehend aus. Aber dann war die kühle Mauer wieder errichtet und er nur: „Verdammter Druide, das hast du davon, wenn du dich immer einmischen musst.“ Abrupt drehte er sich um und stapfte wütend davon.

Jacob sank ins Gras. Ihm war schwindelig. Er hatte unterschätzt, wie stark Eric zuschlagen konnte. Haru ging neben ihm in die Hocke und sah ihn forsch an. „Ich hab‘ dich nicht darum gebeten.“ Der Druide blinzelte, um den Schwindel loszuwerden. „Ja, ja ich weiß.“ Erneutes Husten durchschüttelte Jacob und er setzte sich aufrechter hin, um Haru direkt ansehen zu können.

„Weißt du, du könntest ihn auch einfach um Hilfe bitten.“ Haru runzelte die Stirn.

„Bitte?“

„Na du weißt schon. Wegen der Erd-Magie.“

Haru fixierte Jacob. „Wieso sollte ich? Ich bin ein sehr guter Magier“, blaffte der junge Prinz.

„Ja mit Blumen und Pflanzen und derlei. Aber ich weiß, dass es dir schwer fällt die andere Art der Erd-Magie zu bewältigen. Brocken und Steine und all das grobe...“

„Pah.“ Haru machte eine abwehrende Handbewegung.

„Wer braucht das schon. Wenn ich wollte, könnte ich...“

„Hör zu, Haru. Eric meint es nur gut mit dir. Er hat Angst, dass du dich eines Tages nicht verteidigen kannst...“, sagte Jacob beschwichtigend.

„Was weißt du denn? Seit wann verteidigst du ihn? Ihr zwei seid alles andere als Freunde.“ Der Frust in Harus Stimme war unverkennbar. Jacob schwieg. Die Sturheit dieser Familie war grenzenlos. Er kannte Haru lange genug und wusste, dass er zu stolz war, um Eric um Hilfe zu bitten. Er hatte gesehen, wie Haru heimlich übte, Felsen und Erde zu bewegen; es gelang ihm nicht. Seine Art der Erd-Magie sah schön aus, aber würde auf einem Schlachtfeld wenig nützen. Eric hingegen begriff nicht, dass er Haru ein Lehrer sein sollte, anstatt ihn für seine vermeintliche Faulheit zu schelten. Jacob wusste, dass Haru nicht dem Training fernblieb, weil er faul war, sondern weil er sich schämte. Als Sohn des Königs, sollte ihm das Meistern der Erd-Magie leichtfallen, so wie seinem großen Bruder Eric. Keiner von beiden schien zu erahnen oder wollte es einfach nicht wahrhaben, wie sich der jeweils andere fühlte.

Haru ließ sich neben Jacob ins Gras plumpsen. Er grinste Jacob neckisch an und tätschelte seine Wange. „Alles guter, großer Bruder."

Im Gegensatz zu Eric hatte Haru Jacob, Ziehkind seines Vaters, stets als Bruder anerkannt. Er war erst 3 Jahre gewesen, als Jacob vor einem guten Jahrzehnt zu ihnen gezogen war und er stand ihm näher als seinem echten Bruder. „Ich wäre ihm mit Leichtigkeit ausgewichen." Haru grinste noch breiter. Jacob seufzte. Vermutlich hatte der Bengel sogar recht, Haru war flinker als die meisten Hasen.

„Ach Haru." Jacob seufzte ein weiteres Mal und knuffte den dreizehnjährigen Blonden in die Seite. Er wollte ihm keine weitere Standpauke halten. Schließlich waren sie in keiner Weise tatsächlich verwandt und somit verantwortlich für ihn, obwohl er sich innerlich anders fühlte. Auch er würde es lieber sehen, wenn Haru sich ebenfalls mit der vollen Kraft der Erde verteidigen könnte. In den letzten Jahren, die Samaels Schreckensvormarsch dominierte, hatten selbst Druide wie er, die nicht zum Kampf geboren waren, den Umgang mit Waffen erlernt – für den Fall der Fälle.

Wind frischte auf, sodass Jacob Gänsehaut bekam. Die kühle Luft war ein Bote dafür, dass bald die Blüten des Sommers verwelken würden und die Farben des Herbsts in den Garten Einzug hielten. Er freute sich fast darauf, denn dann sah es besonders farbenfroh am Hofe aus. Die beiden unechten Brüder saßen schweigend da, die Gesichter der Sonne zugewandt. Die Schmetterlinge, die von Harus Blumen angezogen worden waren, flatterten um sie herum. Das sanfte Farbenspiel der bunten Flügel in der Sonne war beruhigend anzusehen.

„Jacob?"

„Mhm." Jacob hatte die Augen inzwischen geschlossen. Er wollte noch die letzten Strahlen der Spätsommersonne genießen.

„Hast du gesehen, ob ich die Erd-Magie denn brauchen werde?"

„Was meinst du?"

„Na, ich meine…“ Harus Stimme stockte. Der Junge war normalerweise für sein Alter überraschend selbstbewusst und vorlaut und geriet nur selten in Verlegenheit. „Ich meine, ob du mich im Krieg gegen die Dunkelheit gesehen hast.“ Mit der „Dunkelheit“, sprachen die Lichtler über Samael und seine Verbündeten. Als gefallener Engel symbolisiert Samael für sie das Gegenteil des himmlischen Lichts.

Jacob zögerte. Er wusste, dass viele aufgrund seiner Sehungen ihn oft als sehr viel mehr wissend wahrnahmen, als er es tatsächlich war. Damit übertrugen diejenigen ihm und seinen Worten eine Verantwortung, die er lieber nicht haben wollte. So nun auch Haru. Würde er verneinen, würde der Junge sich vermeintlich darauf ausruhen und sollte er doch zur Waffe greifen müssen, nicht vorbereitet sein. Sollte er es bejahen, würde er zum einem lügen, da er nichts dergleichen gesehen hatte und gleichzeitig einen Jungen in sorgenvollen Aufruhr versetzten, der ihm sehr am Herzen lag. Was sollte er also antworten? Haru sah ihn erwartungsvoll an, das konnte er fühlen, ohne dass er seine Augen öffnete. Vielleicht sollte er einfach so tun, als sei er in der Sonne eingeschlafen. Er musste fast laut loslachen, denn damit würde er den jungen Haru wohl kaum austricksen können. Dafür war der kleine Prinz viel zu aufgeweckt. Bevor Jacob entscheiden konnte, wie er antworten würde, hörte er laute Schritte. Er hatte sofort erkannt, dass es Eric war, der zurückgekommen war. Sein stolzer Gang war unverkennbar. Leicht überrascht öffnete er nun doch die Augen und blickte den hochgewachsenen Mann an, der erneut vor ihnen stand.

„Ihr lümmelt ja weiterhin hier herum“, sagte er. Sein Tonfall war jedoch weder wütend noch tadelnd, sondern viel mehr neckend. Jacob grinste ihn an. Eric blickte kaum in seine Richtung, obwohl er ihn direkt ansprach: „Auch Druiden werden ab und zu zur Pflicht gerufen, Jacob. Vater hat eine Ratssitzung einberufen. Du sollst ihr beiwohnen. Komm.“

„Hey wir reden gerade!“, sagte Haru störrisch.

„Sei kein kleines Kind“, erwiderte Eric barsch.

„Will Vater, dass ich auch mitkomme, und der wichtigen Sitzung beiwohne?“

„Nein. Du bist noch ein Kind.“

„Ja was denn nun?“, fragte Haru bewusst provokant. „Soll ich jetzt ein Kind sein oder nicht?“ Jacob konnte einen Lacher nicht unterdrücken. Eric sah ihn scharf an. Der Druide hielt sich die Hand vor dem Mund und statt des Lachens, ertönte ein unterdrücktes Glucksen.

Eric schritt schnellen Schrittes, sodass Jacob kaum neben ihm herkam. Nun tadelte er auch ihn: „Du solltest Haru nicht so verziehen. Er ist ein Prinz und sollte ein starker Krieger werden.“

„Nicht jeder Prinz muss ein Krieger sein“, stellte Jacob nüchtern fest.

Eric verdrehte die Augen. „Bei euch Druiden vielleicht nicht.“

„Ich lebe in demselben Staat, wie du.“ Jakob konnte seinen spöttischen Unterton nicht verstecken.

„Dann solltest du es besser wissen. Haru sollte sich nicht darauf ausruhen, dass Kana und ich so viel älter sind und uns um die schwierigen Teile des Aristokraten Daseins kümmern, während er spielt“, sagte Eric bestimmt.

„Er ist erst 13. Du hast damals bestimmt auch noch…“, fing Jakob an.

Eric stoppte so abrupt, dass Jacob, der einen halben Schritt hinter ihm geeilt war, fast gegen ihn stieß. Er wirbelte zu Jacob herum und zischte mit zorniger Stimme: „Du hast doch keine Ahnung, was ich bereits mit 13 machen musste.“

Jacob sah ihn ruhig an. Dieser stille, sanfte Blick schien Eric fast noch wütender zu machen. Der Druide wusste, dass Eric sich insgeheim wünschte, dass Jacob wenigstens einmal ebenfalls aus der Haut fahren würde. Diese Genugtuung würde er ihm nicht geben, er würde ihn nicht anschreien.

Das war nicht seine Art. Er beließ es dabei, dass es Eric war, der ihn anfeindete und nicht umgekehrt. Einmal hatte er überhört, wie Eric sich darüber Kana gegenüber erzürnte und Jacob gab zu, dass dies ihn nur weiter bekräftige, dem Prinzen ruhig entgegenzutreten. Vielleicht würde Eric eines Tages auf ihn zukommen und sie konnten ihr Beil begraben.

Erics Stimme zitterte vor Zorn: „Du“, er hob den Zeigefinger und stach Jacob aggressiv gegen die Brust. „Du kommst hierher und meinst jeden zu kennen und die Menschen zu verstehen. Doch du verstehst nichts.“

Jacob hielt weiterhin seinen Blick stumm und klar auf Eric gerichtet. Dieser stieß ein Geräusch aus, dass dem eines knurrenden Hundes glich. Dann atmete er tief durch und wollte weitergehen.

„Ich kenne nicht jeden. Aber ich kenne zwei kleine Jungen und ein Mädchen, die bereits zu früh ihrer Kindheit beraubt wurden“, sagte Jacob mit ruhiger, aber bestimmter Stimme. Den Blick auf Eric fixiert, der nun verächtlich schnaubte und mit zusammengekniffenen Augen sagte: „Du bist keiner von uns.“

„Nein. Aber ich weiß genau, wo ich an meinem 13. Geburtstag war.“

Eric schwieg. Schamesröte schoss in sein Gesicht und er neigte sich zur Seite, so als würde er versuchen es vor Jacob zu verstecken.

Ob es die Scham für seine Aussagen war, oder die Erinnerung an jenen Tag, die Eric verstummen ließ, wusste Jacob nicht. Das war das letzte Mal gewesen, dass Eric an Jacobs Seite gewesen war, als der Freund, der er früher einmal gewesen war. Er hatte Jacob gestützt und seine Tränen getrocknet. Wie lange das schon her war, dachte Jacob wehmütig.

An Jacobs dreizehntem Geburtstag musste er seinen zweiten Elternteil, seine Mutter, begraben.

Seitdem hatte sich Eric verändert. Obwohl König Kenshin Jacob als Ziehjungen aufnahm, war es ausgerechnet sein Freund Eric gewesen, der ihm stets die volle Familienzugehörigkeit zu seiner Familie verwehrt hatte. Er hatte sich von Jacob abgewandt. Und so hatte Jacob an seinem dreizehnten Geburtstag nicht nur seine Familie, sondern auch seinen besten Freund verloren.

Egal wie leicht Kana, Haru und das Königspaar Jacob in ihr Herz und in ihre Familie geschlossen hatten, Eric fehlte ihm.

Das wurde ihm erst jetzt so richtig bewusst. Jetzt, wo er den Prinzen vor sich sah, voller Wut und Scham. Auch wenn Eric derjenige war, der ihn stets daran erinnert hatte, dass er nicht dazu gehörte, dass er nur zu Gast war, konnte Jacob nicht anders als Sehnsucht zu verspüren. Sehnsucht nach einer längst verlorenen Beziehung. Er wusste, dass auch er Eric allein gelassen hatte. Eine Freundschaft war eine Münze mit zwei Seiten. Sie hatten einander vor langer Zeit verraten und verloren und Eric hatte seine Gefühle vor ihm verschlossen. Der Prinz stand reglos in dem Flur Soras, den Blick gesenkt. Ob er ähnlich fühlte, wie Jacob?

„Nun komm, wir sind schon zu spät“, sagte Jacob schließlich.

Die beiden betraten den Saal, der bereits mit den Lords des Landes, sowie König Kenshin gefüllt waren. Der Titel des Lords ist äquivalent eines Generals im Königreich des Lichts.

„Verzeihung“, murmelten Eric und Jacob und verneigten sich vor ihrer Hoheit. Kenshin nickte den beiden kurz zu und übertönte das Gemurmel der Anwesenden schließlich: „Setzt euch. Wir wollen nun beginnen.“

Die Ratssitzungen des Lichts wurden seit jeher regelmäßig abgehalten, um vor allem die innerstaatlichen Affären zu regeln. Die Lords des Landes entschieden gemeinsam über Steuern, Staatsausgaben sowie die Veranstaltung der größeren religiösen Feste des Landes. Doch seit dem Aufstieg Samaels war der letzte Tagespunkt, inwiefern das Königreich sich in die Konflikte einmischen sollte. Auch wenn das Königreich bisher selbst keinen direkten Angriff der rot-schwarzen Allianz erlitten hatte, so waren sie dennoch betroffen. Einerseits, da das Königreich von dem

Fernbleiben der Nomaden betroffen war und andererseits, da sie unter anderem einen Bund mit den Wasserstämmen geschlossen hatten. Sie waren dem westlichen Wasserstamm zu Hilfe geeilt, als diese angegriffen wurden. Denn dieser Stamm lag nur unweit des Königreiches. Jedoch waren nur wenige Männer von dieser Mission zurückgekehrt. Wer heimgekehrt war, war traumatisiert. Sie hatten von Samael selbst erzählt und seiner Macht, den Tod mit nur einer Berührung zu bringen. Diese Geschichten und der zahlenmäßige Verlust hatten dazu geführt, dass seither das Königreich in passiver Anspannung lebte. Sie rüsteten auf und machten sich bereit für einen Angriff, hatten jedoch bisher über keine Gegenangriffe oder proaktive Maßnahmen entschieden.

„Unsere Informanten haben uns mitgeteilt, dass der Großteil der Truppen, die den südlichen Wasserstamm dem Erdboden gleich machten, sich nahe der *Naka-Wüste* neu formatieren werden. Das müssten mehrere tausend Mann sein. Vielleicht sogar zehntausend. Da sie dies auf der *Shizen* Seite tun, unter Erlaubnis des Erzbischofs, müssen wir davon ausgehen, dass es einen Einmarsch in unser Königreich bedeuten könnte. Würde es einen einfachen Rückzug sein, würden die Truppen auf direkten Wegen in das Flammen-Imperium zurückkehren und sich nicht in Stellung bringen. Vor allem nicht an jenem Ort, von wo die Wüste am leichtesten in Richtung des Königreichs zu durchqueren ist“, führte Lord Jakut aus.

Er war ein bärtiger Mann, der ebenfalls in der Schlacht um den westlichen Wasserstamm gekämpft hatte. Obwohl er einen Arm verloren hatte, diente er weiterhin treu der Krone. Jakut war ein so mächtiger Erd-Magier, dass er seit dem Verlust eine Prothese aus Gestein anstelle seines Armes trug, welche er durch seine reine Gedankenkraft in einen voll-dynamischen Arm verwandelte. Jakut war einer der stärksten Krieger, die das Königreich hatte. „Entsprechend, sollten wir davon ausgehen, dass wir das nächste Ziel des dunklen Angriffes sein werden. Vermutlich nicht nur aus Richtung der *Naka-Wüste*. Die Truppen dort allein wären uns zahlenmäßig zu weit unterlegen. Das würde weder Samael noch Kasō wagen. Wir sollten uns also eine Strategie überlegen, die unsere Grenzen sichert.“

Bevor Jakut, dessen strategische Weitsicht meist einen Großteil der Sitzung einnahm, seinen Bericht weiter ausführen konnte, unterbrach ihn Kana, die ebenfalls der Ratsrunde beisaß. „Ihr seid Euch sicher, dass Vincit dies erlaubt? Vielleicht ist es auch ein Zeichen, dass das nächste Ziel das Bistum sein wird?“

„Geschätzte Prinzessin, ich bezweifle dies“, Jakut sah in Richtung des Königs. Sein Blick war vielsagend. Kenshin und er schienen mehr zu wissen als der Rest. Kana, deren goldenes Haar zu einem prächtigen Dutt geflochten war und somit ihre spitzen Lichtelfenohren zur Schau stellten, blickte nun ihren Vater anstelle von Jakut fragend an. König Kenshin seufzte gequält. „Erzbischof Vincit hatte uns vor dem Angriff auf den südlichen Wasserstamm mitgeteilt, dass er die Dunkelheit passieren lassen würde. Es war eine Warnung, dass auch wir lieber in der Diplomatie einen Ausweg für den Zwiespalt, den wir durch unseren Beistand am westlichen Wasserstamm ausgelöst haben, herbeiführen sollten. Er sagte, wir sollen uns dem Laufe der Natur nicht in den Weg stellen“ „Pah.“ Kana spie ein Geräusch der Missgunst aus. Sie war zwar ebenfalls stark gläubig, jedoch konnte sie die Religion des *Shizen* Bistums nicht verstehen. Denn wie die meisten des Königreichs, gehörte die Prinzessin dem himmlischen Glauben des Lichts an. Eine Religion, die den Himmel und die Macht der Engel huldigte. Aufgrund der Entstehungsgeschichte des Königreiches schien dies nur natürlich.

Unbeeindruckt fuhr der weniger gläubige Kenshin fort: „Zu dem damaligen Zeitpunkt war ich erzürnt. Er würde damit unseren gemeinsamen Pakt mit dem südlichen Wasserstamm verraten und somit versuchte ich ihn von seinem Waffenstillstand mit der Allianz abzubringen.“ Kenshins Augen waren trüb, vom Alter, aber auch von den Sorgen und der Last, die er als Staatsoberhaupt des Königreiches trug.

„Nun ...“ Kenshin seufzte schwer, „er hörte nicht auf mich und teilte mir stattdessen mit, dass er einen Pakt geschlossen hatte, um seinem eigenen Volk Frieden zu schenken, solange es möglich sei. Nachdem ich von Jakuts Informationen hörte, sendete ich einen weiteren Falken zu Vincit, da auch ich glaubte, dass die Formatierung einen Angriff auf das Bistum bedeuten konnte. Ich wollte ihn warnen – vielleicht wusste er von der Sammlung noch nichts. Doch heute kam seine Antwort."

Kenshin breitete ein Pergament vor sich aus. Selbst von dem anderen Ende des Tisches konnte Jacob sehen, dass das Papier kaum beschrieben war.

Kenshin las vor: „Mein lieber Freund, ich danke dir für deine Sorge. Auch ich sorge mich, jedoch nicht um mich, sondern um dich. Denn mein Abkommen steht weiterhin."

Ein Raunen fuhr durch den Raum. Tuscheln breitete sich unter den Lords aus. Die steinerne Hand Jakuts trommelte nervös auf dem Tisch. Kenshin und Vincit waren lange, gute Freunde. Die Tatsache, dass Vincit eine mögliche Truppenformation zum Angriff auf Kenshins Königreich auf seinem Lande zuließ, war unglaublich. In Kenshins Gesicht war tiefer Schmerz zu sehen. Schmerz, der von dem Verrat einer langen Freundschaft herrührte, aber ebenfalls der Schmerz, aufgrund der Zukunft, die vor ihnen lag.

Lord Sossa, ein eher rundlicher, kleiner Mann, der nicht für sein Kampfgeschick, dafür jeodch für seinen messerscharfen Verstand bekannt war, erhob das Wort über die tuschelnde Gesellschaft.

„Ruhe. Ruhe."

Die kleine Gruppe an elitären Männern und Frauen verstummte.

„Wie Lord Jakut ausführte, gehe ich davon aus, dass die Versammlung nahe der *Naka-Wüste* nicht die einzige Streitmacht sein wird, die uns erreichen wird. Um zu vermeiden an mehreren Fronten gleichzeitig kämpfen zu müssen, schlage ich also vor, dass wir einen kleineren, jedoch sehr starken Elite-Trupp in die *Naka-Wüste* schicken, die diese Formation auslöscht, bevor sie bereit für den Vormarsch sind. Somit hätten wir im besten Fall mit einem Angriff aus einer Richtung zu rechnen."

Zustimmendes Nicken.

„Am besten erwarten wir sie bereits an ihrem Sammelpunkt."

Weiteres Nicken.

Kenshin erwiderte mit ruhigem, aber bestimmtem Ton: „Lord Sossa, ich verstehe Ihren Vorschlag nur zu gut. Ich möchte es jedoch möchte ich es vermeiden, auf dem Territorium Vincits einen Anschlag vorzunehmen."

„Dann erwarten wir sie beim Durchqueren der Wüste, ich meine..." Sossa konnte den Satz nicht beende, da Kenshin seine Hand hob.

„Wir werden noch abwarten", sagte der König ruhig, aber bestimmt.

Sossa, nun ungläubig, fragte: „Sodass sie ihre Kräfte wieder vereint haben und womöglich doch zwei Fronten eröffnen?"

„Das Risiko werden wir eventuell eingehen", sagte Kenshin – immer noch mit ebenso tiefer Entschlossenheit.

„Aber Ihre Hoheit... wieso?" Sossa klang verärgert.

„Wir warten auf den Jungen."

„Den Jungen?", fragte einer der anderen Generäle. Verwirrte Gesicht drehten einander zu. Nur Jacob starrte auf den Tisch. Er spürte, wie ihm erst heiß, dann kalt wurde. Er begann zu zittern und er hatte plötzlich einen Kloß im Hals. Eric, der ihm direkt gegenübersaß, funkelte ihn wütend an. Jacob traute sich kaum, einen der anderen Anwesenden anzusehen. Der Druide begriff, weswegen er heute an der Ratssitzung teilnehmen sollte, und es missfiel ihm sehr. Er war noch nicht als offizieller Seher an Seite des Königs eingesetzt worden. Bisher hatte er dem König höchstens ab und zu persönliche Ratschläge gegeben. Nun war seine Sehung entscheidend. Kriegsentscheidend. Sein Mund fühlte sich seltsam trocken an und er konnte nicht genügend Spucke sammeln, um den Kloß, der seinen Hals verschnürte, runterzuschlucken. Sein Herz pochte so laut, dass er Angst hatte, er konnte deswegen das weitere

Gespräch nicht mehr hören. Oder war es das Rauschen, welches in seinen Ohren tobte, dass ihn taub machte? Er musste versuchen ruhig zu atmen, sonst würde ihn seine Panik jeden Moment ohnmächtig werden lassen.

„Jacob hat ihn gesehen. Doch nicht nur ihn. Er hat die Schlacht in der *Naka-Wüste* erkannt. Unser guter Jacob wusste von der Wüsten-Formation, noch bevor Jakut uns berichten konnte. Diese Sehung muss also der Wahrheit entsprechen. Sie wird eintreten. Da bin ich mir sicher." Einige der Anwesenden drehten sich zu Jacob um, manche voller Anerkennung, andere voller Argwohn und Eric voller Hass. „Bereits sein Vater war ein besonders starker Druide und vor allem Seher", hauchte einer der Lords, der so nah an Jacob saß, dass dieser ihn hörte. Die Erwähnung seines Vaters schnürte seine Kehle noch weiter zu. Die Seiten seines Sichtfelds verfärbten sich bereits dunkel, es fehlte nicht mehr viel, dann würde er das Bewusstsein verlieren.

Eine Panikattacke.

Inmitten des Rats des Lichts.

Das ging nicht.

Er musste sich beruhigen, dachte der Druide verzweifelt, während er unauffällig versuchte, wiederholt tief ein und auszuatmen. Das war es, wovor Eric ihn gewarnt hatte. Eric hatte gewusst, dass Kenshin zu viel Gewicht auf seine Vorsehung legen würde.

„Ein junger Krieger des Wasserstamms wird Seite an Seite mit Erd-Magiern die Truppen an der *Naka-Wüste* zu Fall bringen. Er ist es, der die siegreiche Gruppe anführt", führte Kenshin mit schicksalschwangeren Stimme aus.

Und derjenige, der leiden wird, ergänzte Jacob in seinen Gedanken. Er hatte seinen Schmerz gespürt, er hatte sein Leid geteilt, als er ihn gesehen hatte.

Einen Schmerz, den er niemanden auf der Welt wünschte. Eric schüttelte wütend den Kopf. Ohne ihn anzusehen, konnte Jacob den Windhauch spüren, den diese Geste verursachte. „Ich höre nicht auf solchen Visions-Mist, ganz im Gegenteil zu meinem Vater", flüsterte der junge Prinz seinem Nachbarn zu. Gerade so laut, dass er sicher gehen konnte, dass Jacob ihn auch auf jeden Fall hören konnte. „Wir wissen, was wir davon habe."

Jacob schluckte. Doch der Kloß, der seinen Atem erschwerte, wurde dadurch nicht gelöst. Kenshin fuhr unbedacht der Unruhe, die sich in dem Saal gebildet hatte, fort: „Wir werden also auf jenen Krieger warten, der unsere Erd-Magier anführen wird, bevor wir in diesen Kampf ziehen. Dann wird uns der Sieg sicher sein."

# 15. Kapitel

*Ray*

Ray wachte durch die Sonnenstrahlen auf, die ihm direkt ins Gesicht fielen. Er blinzelte. Wo war er? Als er schließlich ein Pochen und Stechen in den Unterarmen spürte und den sorgfältig angebrachten Verband sah, erinnerte er sich. Dieses seltsam zurückhaltende Mädchen. Sie hatte sie gerettet. Wie ein Engel war sie aus dem Nichts erschienen und hatte tapferer gekämpft als so einige Krieger, die er kannte. Gleichzeitig kam sein Versprechen zu ihm zurück.

Mühsam rappelte Ray sich auf. Caleb lag noch zusammengerollt am Boden. Sein Atem ging sanft und seine flauschige Brust senkte und hob sich. Ray war froh zu sehen, dass es ihm gut ging.

Er trat in das Hauptzimmer des Dojos trat und konnte Sola durch eine Tür erblicken, die in den zweiten Schlafraum führte. Die Tür war nur einen kleinen Spalt breit offen, wahrscheinlich versehentlich. Ray schluckte, als sein Blick auf sie fiel. Sie hatte ihm den Rücken zugedreht. Ihr rechtes Bein hatte sie auf die leicht erhöhte Matratze gesetzt, um ihre hellen Strümpfe hochzuziehen. Ihre langen weißblonden Haare fielen ihr über die nackten Schultern. Ray errötete. Die Sonne verfing sich in ihrem Haar und ihre blasse Haut schien zu leuchten. Ihm war bewusst, dass er gerade alle Linien der Privatsphäre übertrat, doch er konnte nicht wegschauen. Ihr Körper war so zart und schlank. Noch bevor er sich wegdrehen konnte, hörte er ein Geräusch hinter sich.

Ein Räuspern. Erschrocken und gleichzeitig beschämt, weil er sich ertappt fühlte, fuhr Ray herum. Caleb sah Ray tadelnd an und hob den Finger, um seinen zum Unterstreichen. Ray wollte sich gerade verteidigen, als die beiden ein Klopfen an der Tür hörten. Schnell ging Ray darauf zu. Er wollte nicht, dass Sola ihn und Caleb vor ihrer Tür erwischte. Sie würde sie direkt rausschmeißen – zu Recht.

Ray öffnete die Tür. Erst als er den entgeisterten Blick seines Gegenübers sah, fiel ihm auf, dass er sich selbst ebenfalls noch nicht richtig angezogen hatte. Er stand nur mit Hose und ohne Hemd, mit nackter Brust und entblößten Tattoos im Türrahmen. „Ähm. Moment."

Der Wasserkrieger drehte sich um, wollte sich schnell etwas zum Anziehen holen. Doch noch während er sich abwandte, packte ihn ein fester Griff und wirbelte ihn wieder herum. Der Ankömmling funkelte ihn wütend an. „Wer zum Teufel bist du?", zischte der junge Mann, der etwa einen halben Kopf kleiner als Ray war. Ein einziger prüfender blickt genügte, das Ray wusste, dass er es ohne große Mühe und selbst im verletzten Zustand mit dem eher schmächtigen Kerl aufnehmen könnte. Er entspannte sich, trotz des festen Griffs um seinen linken Arm und grinste schief, während er seine Hand zum Gruß ausstreckte. „Ray. Und du bist?"

Das Funkeln in den Augen des Kerls flackerte erneut auf. „Geh aus dem Weg, ich möchte zu Sola.", sagte er barsch.

Der Wasserstämmige musste schmunzeln, denn ihm war nicht entgangen, wie der Fremde ihn gemustert hatte. Ihm stand ins Gesicht geschrieben, dass er nicht so unbeeindruckt war, wie er tat. Zufrieden stemmte Ray die Hände in die Hüfte, auch wenn ihm die unfreundliche Art nicht gefiel, die der fremde *Shizen*e ihm entgegenbrachte. Er wusste, dass er in letzter Zeit oft genug hitzköpfig überreagiert hatte. Bevor sich der Fremde an ihm vorbeidrängen konnte, hatte Ray wieder das Bild der ebenfalls halbnackten Sola im Kopf. Schamesröte stieg ihm in den Kopf. Rasch versperrte Ray nun doch den Weg in das Innere des Dojos. Das sollte nicht jeder daher gelaufene zu sehen bekommen.

Der Ankömmling knurrte. *Ruhig bleiben*, ermahnte Ray sich, *bleib entspannt.*

„Was hat das hier zu bedeuten. Wer bist du und was willst du? Ray?" Er spuckte Rays Namen förmlich aus. Ray sah die blanke Wut, die in den dunklen Augen des jungen Mannes aufflammte, während er die Fäuste ballte, und seine Wangen hatten sich rot vor Zorn verfärbt. Entschieden verschränkte Ray die Arme und trat nicht zur Seite. Sollte dieser Wutzwerg ruhig versuchen vorbeizukommen. Möglichst unbeeindruckt musterte er den *Shizen*en. Ray würde ihm die Befriedigung nicht geben, dass er aus der Haut fuhr. Auch wenn er innerlich mit seinem überschäumenden Gemüt zu kämpfen hatte. Diese Selbstgefälligkeit missfiel Ray gehörig. Doch seine aufgesetzte Miene funktioniert und schien den Besucher zur Weißglut zu bringen. Anstatt auf Ray loszugehen, ließ er schließlich seinen Arm los und sagte mit bissigem Unterton: „Richte deiner Freundin aus, sie ist wirklich das Allerletzte. Sie braucht nicht mehr mit mir zu rechnen." Dann drehte er sich auf dem Absatz um und stürmte wütend davon.

Verblüfft über den Stimmungswechsel, blieb Ray im Türrahmen zurück. Wäre er an der Stelle des Fremden gewesen, hätte er vermutlich bereits alles kurz und klein geschlagen. Als hätte er seine Gedanken gelesen, sagte Caleb hinter ihm: „Ist nicht jeder so ein Hitzkopf wie du. Manch einer beherrscht sich, trotz aufsteigender Wut."

Ray grinste seinen Freund schief an.

„Der war wohl ganz schön..."

Bevor Ray weiterreden konnte, ertönte Solas Stimme hinter den beiden Wasserstämmigen: „Wer war das? Was war hier los?" Ray zuckte mit den Achseln. „Jemand, der anscheinend ganz schön eifersüchtig ist. Vielleicht solltest du..." „Ach verdammt."

Ray hatte seinen Satz nicht beendet, da war Sola bereits aus der Tür gestürmt, dem fremden Jungen hinterher.

## Sola

„Jamie warte!", rief Sola ihm hinterher. Er wartete nicht. Stattdessen beschleunigte er. Sola rannte los. Sie würde ihn nicht so einfach davonkommen lassen. Keuchend holte sie ihn schließlich ein und versperrte ihm den Weg. Doch er schaute ihr nicht in die Augen, sondern drehte sich weg. „Jamie“, sagte sie fast flehen und wollte eine Hand auf seinen Arm legen, doch er zog ihn ruckartig weg. Dabei bemerkte sie, dass er am ganzen Körper zitterte. Etwa vor Wut? Mist, das würde nicht einfach werden. Sie atmete tief durch. „Lass mich erklären...“

„Was? Was willst du erklären?“ Jamie hob seinen Blick – seine braunen Augen wirkten trotz des hellen Lichts schwarz und trüb. Tiefe Schatten umrahmten sie. Sola erschrak, sie hatte ihn noch nie so erschöpft und mitgenommen gesehen. Der Junge, den sie bereits so viele Jahre kannte, lachte kalt, beim Anblick ihres erschrockenen Gesichtes. „Ja ich bin wohl nicht so hübsch anzusehen, wie dein netter Liebhaber.“

„Jamie, er ist nicht...“

„Ach hör doch auf! Du verachtest mich. Du spielst mit mir und dann komme ich... ich dämlicher Hund... und dann steht da... also...“ Seine Stimme zitterte. Das schien ihn noch wütender zu machen. „Jamie es ist ganz anders, als du denkst. Ray ist...“, versuchte Sola zu erklären. Aber ihr Freund wollte nicht zu hören. Die Wut verfärbte sein Gesicht purpurrot. „Ach hör doch auf“, wiederholte er, schrie jetzt fast. „Hör doch auf mich zu belügen!“

Solas Augen weiteten sich, sie hatte Jamie noch nie so wütend erlebt. Er war sonst so eine Frohnatur. „Hör mir bitte zu...“, flüsterte sie zaghaft. Ihr Herz pochte.

„Ich habe dir genug zugehört! Was war das noch gleich? Du brauchst mich nicht. Also wieso rennst du mir jetzt hinterher?“, brüllte er. Aus den pechschwarzen Augen sprach eine Mischung aus Wut, verletztem Stolz und aufkeimender Hass.

„So war das nicht...“, setzte Sola erneut an, verzweifelt und bittend zugleich. „So war das nicht gemeint? Ach ja? Was sollte das sonst heißen? Wie kann man das denn missverstehen? Sag mir, liebste Sola, wie kann ich ‚Ich brauch dich nicht.‘ anders verstehen?“ Sein Knurren glich dem unheilvollen Ton eines Wolfes, bevor er seine Beute riss. Sola schluckte.

Ihr war nur allzu bewusst, wie verletzend und schmerzend ihre Worte gewesen waren.

„Ich..."

„Ich ich ich! Ich kann das nicht mehr hören!"

Jamie wechselte zwischen zynischem Zischen und wütenden Brüllen hin und her. Sein Gesicht verfärbte sich passend abwechselnd leuchtend rot und asch-grau.

„Ray hat..." Ihre Stimme zitterte.

„Was hat der großartige Ray? Was hat er, was ich nicht hab?", spieh Jamie ihr entgegen. Sola versuchte erneut seinen Arm zu greifen, irgendwie musste sie ihn beruhigen. Doch er schlug ihre Hand so forsch zurück, dass sie erschrocken einen Schritt zurückwich. Die beiden sahen einander schweigend an. Die Blonde konnte spüren, wie sich ihre Brust zuzog. Ihr Herz verkrampfte sich.

Sie wollte das alles doch nicht. Niemals hatte sie geplant, Jamie so zu verletzen. Sie wollte hier nicht stehen und sich anschreien.

Zu ihrer Überraschung lachte Jamie plötzlich auf. Es war kein fröhliches Lachen, sondern hohl und verbittert. „Siehst du, jetzt willst du es noch nicht einmal mehr abstreiten."

„Jamie..." Vielleicht, wenn sie nur oft genug seinen Namen sagte, vielleicht, ganz vielleicht würde er sich dann in den Jungen zurückverwandeln, den sie kannte. Sola schloss die Augen. Sie wollte ihn nicht mehr ansehen, stattdessen wollte sie den jungen, den liebevollen Jamie sehen, der ihr so viel Freude gebracht hatte. Mit diesem Bild vor Augen, sagte sie hastig, bevor er sie erneut unterbrechen konnte: „Ray hat deine Schwester gerettet. Ohne ihn wären schreckliche Dinge mit ihr passiert. Du solltest ihm dankbar sein."

Jamie starrte sie fassungslos an. „Ich glaub's nicht. Du bist so feige Sola. Du schaffst es nicht einmal die Wahrheit zu sagen."

„Aber... aber das ist die Wahrheit!" Nun erhob auch sie zum ersten Mal die Stimme. „Ach und meine Schwester hat uns nichts davon erzählt? Komisch, dass ihr Held nicht bei uns, sondern bei dir zu Hause aufgetaucht ist, oder?"

„Ja, aber..."

„Ach hör auf." Jamie hob beide Hände, als würde er sich ergeben. „Ich lass dich ab jetzt in Frieden, keine Angst. Du brauchst dir keine Sorgen mehr machen, dass ich dir zu nahekomme. Das darf jetzt er übernehmen."

„Jamie bitte, lass uns reden." Nun flehte sie.

„Du redest doch nie." Die Worte trafen sie unvorbereitet. Kalt und mit einer festen Spitze. Jamie schloss die Augen. Er lachte erneut verbittert. „Du redest doch wirklich nie. Immer habe ich geredet, ich habe dich zum Lachen gebracht und ich habe dir alle meine Träume und Wünsche erzählt. Und du? Ganz ehrlich, eigentlich weiß ich gar nicht wer du bist."

Sola wusste nicht, was sie sagen sollte. Es tat weh diese Worte zu hören. Nicht, weil sie nicht wahr wären. Nein. Er hatte sogar recht. Aber wie konnte er ihr das vorhalten? Immerhin waren sie die engsten Freunde gewesen. Sie hatte gedacht, er würde sie verstehen, ihre Art und ihr Schweigen. Dem war wohl nicht so. Ganz und gar nicht.

„Du bist immer so verdammt still." Jamie öffnete die Augen wieder. Sie waren nun mit Tränen gefüllt und in ihnen lag so viel Schmerz, dass es Sola die Kehle zuschnürte. Ihre Lippen fühlten sich plötzlich kalt an, benommen und unfähig auch nur ein Wort zu erwidern.

„Siehst du. Selbst jetzt." Jamie schüttelte ungläubig den Kopf. „Es ist vorbei, Sola. Wir können jetzt aufhören so zu tun, als seien wir Freunde. Wir können endlich getrennte Wege gehen." Er hob die Hand, als würde er ihr zum Abschied winken wollen. Dann lächelte er matt. „Mach's gut. Ich hoffe du verlässt *Saka*, so wie du es immer wolltest. Ich hoffe du verlässt uns und kommst nie wieder zurück." Mit diesen Worten drängte er sich an ihr vorbei, streifte sie grob, als würde er unterstreichen wollen, dass er sie soeben weggestoßen hatte.

Als Sola aus ihrer Schockstarre erwachte, war er bereits am Horizont verschwunden. Jamie. Ihr längster und bester Freund. Ihre letzte Stütze. Und sie hatte es nicht mal geschafft ein „Es tut mir leid" über ihre Lippen zu bringen.

## Ray

Solas Miene war Miene versteinert, währen die Tür hinter ihr ins Schloss fiel. Sie schien innerhalb der einen Stunde noch blasser geworden zu sein. Ray tat es leid, dass er so unüberlegt gehandelt hatte. Ihm war in ihrer Abwesenheit klar geworden, dass er zu dem Streit zwischen den beiden beigetragen hatte.

„Sola, es tut mir leid. Ich wollte mich nicht einmischen." Sie sah ihn kurz an. Hatte sie geweint? Ihre Augen waren gerötet und leicht glasig. Die *Shizen*in erwiderte nichts, sondern nahm nur ihren Leinenbeutel und einen geflochtenen Korb, die hinter der Tür hingen. Nicht einmal blickte sie Ray direkt an. Stattdessen wand sie sich direkt erneut dem Gehen zu und sagte schließlich: „Ich gehe einkaufen, ihr könnt euch heute noch ausruhen. Nach dem Abendessen geht ihr." Ihre Stimme ließ keinen Raum für Widerworte. Ray nickte stumm. Dann fiel die Tür hinter ihr erneut ins Schloss.

## Jamie

Jamie war noch immer wütend. Er zitterte und konnte sich kaum auf seine Arbeit konzentrieren. Wie hatte er nur so naiv sein können und denken, dass Sola ihn zum Mann wollte? Sie war wunderschön, klug und mutig. Und er? Sein Herz schmerzte und er stöhnte leise. Es ging einfach nicht mehr. Irgendwie musste er aufhören an sie zu denken. Es würde ihn um den Verstand bringen.

Das leise Klimpern der Klingel, die am Eingang seiner Stube war, holte ihn aus seinen Gedanken. Er blickte auf. „Wir schließen gleich."

Ein kleiner Junge, nicht mal zehn Jahre alt, stand vor ihm. Sein Haar war kurz geschoren und seine Haut über und über mit Sommersprossen überzogen. Jamie hatte ihn nie zuvor gesehen. Schüchtern blickte der Junge hoch und erhob fast flüsternd das Wort. „Hallo."

Jamie stand auf und kam um den Tresen herum, denn der Junge konnte kaum über den hohen Eichentisch blicken. „Hi, kann ich dir irgendwie weiterhelfen?"

„Ich weiß nicht genau", sagte der Junge verlegen, während er den Boden fixierte. „Was möchtest du denn?", fragte Jamie ungeduldig und runzelte die Stirn. Er hatte nun wirklich keine Zeit für so einen Kindergarten. Der Kleine trat nervös von einem Bein auf das andere. Jamie verschränkte die Arme. Wieso waren plötzlich so viele Fremde in der Gegend, das passte nicht zu *Saka*. „Ich wollte nur fragen, ob du mir helfen kannst eine Frau zu finden." Der Kleine schaute Jamie mit großen Kulleraugen an. Das ist jawohl ein Scherz, dachte Jamie und lachte freudlos auf. „Also da bin ich wirklich der Falsche. Frauen sind eindeutig nicht meine Stärke." Der *Shizen*e bemühte sich nett und freundlich zu klingen. Immerhin konnte der Kleine nichts dafür, wie er sich gerade fühlte.

„Die anderen auf der Straße meinten aber du wüsstest, wo ich sie finden kann", erwiderte der Fremde und zog die Lippen zusammen. Nun hob Jamie fragend eine Augenbraue. „Ich suche eine ganz bestimmte Frau. Hellblond, fast weiße Haare. Und soooo", Er wedelte ungeschickt mit den Armen herum, „lang in etwa."

Na toll. Ja. Er wusste in der Tat, wo diese Frau war. Jamies Miene verfinsterte sich. Das war jawohl ein schlechter Scherz. Der Junge sprach eindeutig von Sola. Selbst wenn er einen Schlussstrich ziehen wollte, konnte sie einfach nicht aus seinem Leben verschwinden, oder?

„Warum sucht du sie?", fragte er in einem kühlen Ton.

Der Junge schaute verlegen zu Boden, seine Haut verfärbte sich leicht rötlich. „Naja, ich wollte mich bedanken." Er friemelte nervös mit seinen Händen in den Hosentaschen. „Wofür?", fragte Jamie skeptisch. „Sie hat mir etwas zu essen gekauft."

Auch, wenn Jamie es nicht zulassen wollte, lächelte er traurig. Das klang ganz nach Sola. Egal wie hart sie immer tat, sie hatte ein gutes Herz. Vor allem für einsame Kinder war sie stets empfänglich und freundlich gewesen, weil sie ihre eigene einsame Kindheit in ihnen zu sehen schien.

„Ja, ja ich weiß, wo sie ist", seufzte er schließlich.

Der Junge blickte auf und strahlte ihn an. „Kannst du mich hinführen?"

„Nein, ich werde nicht mitkommen, aber ich erkläre dir, wie du zu ihr kommst."

„Danke", raunte der Kleine und für einen kurzen Moment flackerte etwas in seinen Augen auf, was Jamie als Groll und Hass erkannt hätte, hätte er besser aufgepasst. Doch in seinen eigenen Gedanken und Schmerzen gefangen, sah Jamie nur das, was er sehen wollte; einen hilflosen kleinen Jungen.

Jamie schloss seine Stube ab, als die Sonne bereits untergegangen war. Letzen Endes hatte ein langer, anstrengender Arbeitstag geholfen, seine Gedanken etwas abzulenken und nicht fortan an Sola zu denken. Der Himmel war in einem lila Ton gefärbt, noch heller als die dunkle Nacht, doch nicht mehr in den Farben des Sonnenuntergangs. Die Farbe glich den Blutergüssen, die dieser Wilde an seinem nackten Oberkörper hatte. Ray. Jamie schüttelte den Kopf, um den Gedanken zu verdrängen. Er hoffte, er würde den Kerl nie wieder sehen. Je näher er an den Hof trat, sah er, dass Licht in der Küche brannte. Seltsam, seine Eltern und Marissa sollten eigentlich schon mit dem Abendessen fertig sein. Jamie hatte seiner Mutter beim Mittagessen erst gesagt, dass sie heute nicht auf ihn warten sollten. Gedankenverloren öffnete er die Tür zu dem Haus seiner

Eltern. Er hörte gedämpfte Stimmen. Während er seinen Mantel ablegte, hielt er in der Bewegung plötzlich inne. Es waren nicht nur die Stimmen seiner Familie. Da war noch eine Stimme.

Eine Stimme, die er bereits kannte. „Was zum Teufel“, fluchte er, während er die Küchentür energisch aufstieß.

Dort saß er. So, als sei es das Selbstverständlichste der Welt. Ray. Am Küchentisch mit seinen Eltern und seiner kleinen Schwester. Neben ihm, ein Tier, das aussah wie ein Otter, aber gepiercte Ohren hatte und seltsam aufrecht, wie ein Mensch dasaß. Er starrte in die Runde. Wollte die gesamte Welt, dass er heute noch einen Nervenzusammenbruch erlitt? War das Ganze ein komischer Spaß, den sie sich erlaubten?

„Hallo Jamie“, begrüßte ihn seine Mutter sanft.

Jamie schaute sie nicht an. Seine Augen waren starr auf den Eindringling in ihrer Mitte gerichtet und wiederholte: „Was zum Teufel?“ Sein Vater stand auf, legte ihm eine Hand auf die Schulter. „Setz dich, Junge.“ Wie automatisch glitt Jamie auf den letzten freien Stuhl. Weiterhin ließ er Ray nicht aus den Augen. Er war fassungslos. Nun war es der Fremdling, der Anstalten machte, sich zu erheben, doch die Mutter hielt ihn sanft zurück. Erst jetzt bemerkte Jamie erschrocken, dass ihre Augen gerötet und geschwollen waren, als hätte sie stundenlang geweint. Das war bestimmt dieser Mann gewesen. Wie konnte er nur seine Mutter zum Weinen bringen? Mit geballten Fäusten, fragte er: „Was ist passiert?“

Ray lächelte sanft und sagte in samtweicher Stimme: „Ich möchte keinen weiteren Ärger machen, wir werden jetzt gehen.“ *Richtig so. Soll der Hund nur gehen.* Doch noch ehe der Fremde sich erheben konnte, war es Vater, dessen Stumme laut und bestimmt widersprach. „Nein.“ So ernst hatte Jamie seinen Vater nur selten gehört und er zuckte unwillkürlich zusammen. „Du sollst bleiben, bis unser Sohn sich bei dir für sein Verhalten entschuldigt hat. Wir verdanken dir alles. Unser Junge sollte das wissen.“ Jamie drehte sich perplex zu seinem Vater um, der ihn nun vorwurfsvoll ansah. „Dieser junge Mann hier …“ Der alte Hufschmied machte eine ausladende Handbewegung in Richtung des Dunkelhaarigen. In knappen Sätzen erklärte er, dass Ray vorbeigekommen war, um sich nach Marissa zu erkundigen. Als seine Eltern ihn verblüfft hereinließen, wusste sie noch nicht, was geschehen war. Marissa war zwar besonders still und zurück gezogen gewesen in den letzten Tagen, jedoch kam das ab und zu mal vor. Doch als das kleine Mädchen den Otter und den jungen Mann erblickte, fing sie umgehend an zu weinen. Sie lag dem Otter in den Armen und schluchzte. Daraufhin hatte Ray ihnen erklärt, was geschehen war. Er hatte sich nur vergewissern wollen, dass es Marissa gut ging, bevor er und Caleb weiterziehen würden. Außerdem bat Ray darum, dass die Cantans Jamie erklären sollten, was tatsächlich geschehen war, sodass Sola nicht unter dem Missverständnis leiden würde. Fassungslos und ohne ein Wort zu sagen, hörte sich Jamie alles an.

Seine Gefühle waren in ein Chaos gestürzt. Einerseits fühlte er sich schuldig gegenüber Ray und Sola, da er ihnen keine Chance gegeben hatte sich zu erklären. Andererseits fühlte er sich beschämt, dass nicht er selbst seine kleine Schwester hatte beschützen können. Und dann wiederum fühlte er immer noch Zorn und Eifersucht gegenüber dem Fremden. Er war einfach so hereinspaziert und der Held geworden, während er selbst dastand wie ein Versager und zugleich ein irrationaler Choleriker, der aus Eifersucht alles verbal niedertrampelte, was sich ihm in den Weg stellte. „Also Junge, ich möchte, dass du dich entschuldigst", beendete sein Vater seinen Monolog. Jamie starrte auf die Tischplatte. Er konnte den Blick nicht heben, wollte nicht die Genugtuung in Rays Augen sehen. Zu seiner Überraschung hörte er jedoch, wie Ray dieses Mal wirklich aufstand mit den Worten: „Schon gut. Ich brauche keine Entschuldigung. Im Gegenteil, denn ich kann ihn sehr gut verstehen. Jedoch möchte ich die Gewissheit, dass er gut auf Marissa achtet. Nicht nur auf sie. Auch auf Sola. Wir werden weiterreisen, doch ich befürchte der Feind könnte zurückkehren und sich rächen. Die beiden müssen entsprechend beschützt werden. Also, Jamie… Ich bitte dich. Kümmere dich um sie. Egal wie zornig du auf Sola bist."

Überrascht blickte Jamie nun doch auf. Er sah Rays ernste Miene und erkannte, dass die Sorge des jungen Mannes ehrlich und aufrichtig war. Stotternd brachte Jamie hervor: „Aber ich... ich dachte ihr habt die schwarz-rote Truppe erledigt?“ „Nicht ganz“, Ray zögerte. „Einer von ihnen war ein Formwandler.“

Jamies Vater raunte hörbar bestürzt: „Ein was?“

„Eine Gestalt, die verschiedene äußerliche Formen annehmen kann. Er ist entkommen. Und ich habe Angst ...“ Rays blaue Augen waren so voll ehrlicher Sorge gezeichnet, dass Jamie sich nur noch weiter seiner Abneigung ihm gegenüber schämte, „dass er zurückkehren wird, um sich an Sola oder Marissa für den Verlust seiner Gefährten zu rächen.“ Als er das ausgesprochen hatte, stellten sich Jamie die Nackenhaare auf und ein Frösteln durchfuhr ihn. Ein Mann, der seine Gestalt ändern konnte. Dann durchzuckte ihn das blanke Entsetzen. Er keuchte. „Verdammt.“ Ray sah ihn entsetzt an, als ahnte er, was Jamie als nächstes sagen würde. „Ich... ich glaube ich habe einen Fehler begangen.“ Alle Augen hatten sich auf ihn gerichtet.

Jamie wusste, dass er es erzählen musste. Er wusste, dass wenn er jetzt nicht beichtete, dass er vermutlich Sola für immer verlieren konnte – und zwar auf schrecklichere Weise als durch einen Herzensbruch.

Leise und mit zitternder Stimme sagte er: „Er war bereits hier.“

# 16. Kapitel

## *Kayla*

Über *Reshira* brannte die Sonne ebenso, wie in der *Saka* Region. Die Hitze reflektierte von den Mauern. Seit ihrem Geburtstag hatte Kayla es nicht geschafft einen ruhigen Augenblick mit Brutus zu finden. Sie wollte ihn zur Rede stellen, eine Erklärung erhalten und vor allem in seine Augen blicken, während er ihr sagte, er wäre glücklich mit ihrer bevorstehenden Hochzeit. Sie konnte einfach nicht glauben, dass er eine solche Entscheidung über ihren Kopf hinweg getroffen hatte. Jedoch war es Brutus gelungen ihr entweder gänzlich aus dem Weg zu gehen, oder stets in Begleitung von Kasō, Samael oder anderen hohen Generälen zu sein, sodass Kayla ihr Herz nicht vor ihm ausbreiten konnte. So blieb ihr nichts anderes übrig, als weiter ihrem Kampftraining nachzugehen, und ihre freien Minuten damit zu verbringen, von diversen Dienern und Händlern über Stoffe für ihr Hochzeitskleid, Blumen, Speisen und ähnliches ausgefragt zu werden. Kasō wollte, dass sie das Fest plante, wie es ihr gefiele, doch sie konnte sich über keines der Angebote wirklich freuen. Jede Entscheidung brachte sie ein Stück näher an den Schreckenstag. Deswegen gab sie sich große Mühe zwar stets lächelnd und fröhlich zu wirken, es jedoch den Händlern und Planern möglichst schwer zu machen, die Hochzeitsplanung vorankommen zu lassen. Sie spielte die schwierige zukünftige Frau des mächtigsten Mannes des Landes. Und in der Tat hatte sie bereits durch Vortäuschung, dass sie sich nicht entscheiden konnte, ob sie hier in der Festung, oder lieber in der Residenz des Imperators am Meer heiraten wollte mehrere Wochen herausgezögert. Als sie erneut zu ihm kam um, ihm über eine weitere Verzögerung zu informieren strahlte er über das gesamte Gesicht. Verwundert runzelte Kayla die Stirn und fragte: „Also, ist das in Ordnung?“ „Natürlich meine Liebe“, antwortete er und klatschte in die Hände. „Es ist wunderbar, dass du dich so in die Planung unserer Hochzeit vertiefst. Es wird ein wichtiger Tag.“ Der junge Mann sah sie voller

Zuneigung an. Die Amazone spürte einen Kloß in ihrem Hals. Schließlich führte sie ihn hier bewusst hinter das Licht. „Dein Eifer gefällt mir", sagte er lächelnd. „Es ist ein Zeichen der Vorfreude." Eifrig nickte Kayla. „Aber mach dir keine Sorgen..." Der Imperator strich zart über ihren Arm. Er beugte sich dicht zu ihr und flüsterte: „...unser Tag wird etwas ganz Besonderes."

„Flüsternden Stimmen sollte man nicht trauen." Samaels Stimme ließ selbst Kasō zusammenzucken. Kalt und monoton. Mein Gott, er war wie eine samtpfotige Katze. Kayla hatte ihn nicht näherkommen gehört und auch Kasō schien sichtlich überrascht den Engel in ihrer Nähe zu sehen. Er überspielte es mit einem freundlichen Lachen. „Mein Lieber, hast du mich erschreckt." Samael schwieg, seine Augen wachsam auf Kayla gerichtet, als erahne er ihre wahren Gefühle. Sie schluckte. Ohne den Blick abzuwenden, sagte er: „Kasō, auf ein Wort." Der Imperator nickte unterwürfig und ohne einen Gruß des Abschieds warne die beiden Männer fort. Kayla gefiel es nicht, dass Samael seinen Besuch auf der Festung seit ihrem Geburtstag ausgedehnt hatte. Seine Anwesenheit schien selbst Kasō in Verlegenheit und Nervosität zu versetzen. Auch sie wurde seltsam befangen, wenn Samael sich in ihrer Nähe aufhielt. Er war so... so kalt? Sie konnte es nicht einmal sich selbst genau beschreiben, doch er hatte etwas an sich, dass sie stets erschaudern ließ. Samael schien vollkommen emotions- und vor allem empathielos. Seine fast gläsernen hellen Augen schauten durch sie hindurch, als sei sie nur Luft. Kayla war nicht sicher, ob sie seinem Wort traute, er sei ein Engel. Er hatte etwas Grausames an sich, dass sie einfach nicht mit einem Engel in Verbindung bringen konnte.

Es klopfte früh am Morgen an Kaylas Schlafzimmer Tür. „Herein?", rief sie schlaftrunken und setzte sich missmutig auf. Es war eine unruhige Nacht gewesen, sie hatte sich unzählige Male hin und her gewälzt und wollte sich nun am liebsten einfach noch einmal herumdrehen und weiterschlafen.

Ohne auf ihre Antwort zu warten, betrat Kasō ihr Schlafgemach. Eigentlich wollte sie verärgert ihre Stimme heben, doch dann entschied sie sich anders und runzelte die Stirn, während sie mit kreisenden Bewegungen ihre Schläfen massierte. „Meine Liebe, geht es dir nicht gut?“ Seine Stimme klang besorgt. Es funktionierte. Kayla seufzte tief und stöhnte leise, bevor sie unter gepressten Lippen hervorbrachte: „Ich glaube ich habe mich erkältet. Mir geht es nicht gut.“ Eine dicke Sorgenfalte bereitete sich über Kasōs Stirn aus, „Kann ich dir was bringen?“ Sie schüttelte betont theatralisch den Kopf, während Kasō an ihr Bett trat. „Der Stress der Hochzeit vermutlich“, murmelte die Amazone. „Alles gut“, schnurrte Kasō und tätschelte ihre Wange. Einen kurzen Augenblick später, hatte er sie bereits allein gelassen. Kayla sank zurück in die Kissen und seufzte. Dieser Mann war ihr ein Rätsel. Wie konnte er zurzeit nur an Jagd denken, während diverse Fronten kurz davor standen in Flammen zu stehen? Auch wenn Kayla nicht stark in die militärische Planung eingebunden war, so wusste sie dennoch, dass sich die Amazonen derzeit akribisch auf ihren baldigen Einsatz vorbereiteten und Samael bestimmt nicht nach der Eroberung der Wasserstämme Halt machen würde. Kayla hatte kein Verständnis für den anscheinenden Gleichmut der zwei Regierenden. Doch sie war froh über den ruhigen Tag, den ihr ihre Abwesenheit bescherte. Die Amazone richtete gerade ihre dunklen Locken, als es an ihrer Schlafzimmertür klopfte. Verwundert drehte sie sich um und rief: „Ja bitte?“ Sie hatte nicht damit gerechnet, dass sie noch vor dem Training am Nachmittag herausgebeten werden würde. Die schwere Tür schwang auf. Ihre Augen weiteten sich vor Überraschung. Brutus stand ein wenig verloren in der großen Tür. Er trug ausnahmsweise nicht seine schwere Rüstung, sondern nur ein leichtes Leinenhemd. Sein dunkles Haar fiel ihm ungewohnt offen über die Schultern. Einige Strähnen verbargen Teile seines vernarbten Gesichts. Der Schattenelf sah so viel weicher und weniger einschüchternd aus. Das lag nicht nur an seinem unüblich lässigen Erscheinungsbild, sondern auch an dem sanften Lächeln und der dampfenden Tasse Tee, die er in der einen und der Schüssel Suppe, die er in der anderen Hand hielt.

„Oh“, brachte Kayla nur heraus. Etwas verlegen legte sie die Bürste zur

Seite. „Ich habe gehört, du fühlst dich nicht gut“, sagte Brutus mit seiner tiefen, ruhigen Stimme. Er bewegte sich nicht aus dem Türrahmen. Ihnen beiden war bewusst, dass sie seit Kaylas Verlobung nicht in Zweisamkeit miteinander gesprochen hatten. „Ich, äh, ja. Aber nur eine Erkältung.“ Kayla winkte ab und versuchte unbekümmert und entspannt zu wirken, während ihr Herz laut zu pochen begann.

„So, so“, murmelte Brutus und sah sie direkt an. Seine Augen waren so lila wie die Narben, die ihn bedeckten. Die Tigeramazone wusste, dass er sie längst durchschaut hatte. Sie verdrehte die Augen.: „Na ja.“

„Dann brauchst du das hier nicht?“ Brutus machte eine verlegene Kopfbewegung in Richtung der beiden dampfenden Flüssigkeiten in seinen Händen.

So unsicher kannte sie ihn gar nicht. Und auch nicht so aufmerksam – hatte er ihr jemals Tee gebracht? Seine Erziehung war stets darauf bedacht, ihr Schwächen abzutrainieren. Sie zuckte mit den Schultern. „Stell es einfach ab.“ Nun betrat er ihr Schlafzimmer, um die Gefäße auf eine kleine Anrichte in der Ecke zu stellen. Danach stand er unschlüssig im Zimmer. Kayla sah ihn an. Sie würde ihm nicht den Gefallen tun, zuerst das Wort zu ergreifen. So blieben sie eine gefühlte Ewigkeit schweigend nur wenige Meter voneinander entfernt. Ihre Blicke fest aufeinander gerichtet, doch keiner bewegte sich und keiner der beiden öffnete den Mund. Kayla wusste, dass Brutus der Geduldigere von ihnen war. Wenn er wollte, konnte er eine Ewigkeit stur und still verweilen. Deswegen seufzte sie laut, um die Stille zu brechen. Dann ging sie ein paar Schritte durch ihr Zimmer, setzte sich auf ihr Bett. Für diese Konversation wollte sie nicht stehen müssen. „Mach bitte die Tür zu.“ Kayla war selbst überrascht wie fest und entschlossen ihre Stimme klang. Er hatte sich dicht neben sie auf ihr Bett gesetzt. So nahe waren sie sich selten. Kayla spürte ein Kribbeln auf ihrer Haut. Sie hatte lange darüber nachgedacht, was sie ihm sagen wollte, doch nun fühlte sich ihre Kehle trocken und ihr Kopf leer an. Ihr sauber zurecht gelegter, anklagender Monolog war wie weggeblasen. Sein Blick ruhte auf ihr. Er schwieg weiterhin. Als Kayla erneut die Stille unterbrach war es nur ein Krächzen, dass ihren Mund verließ. Ein schwaches, kaum hörbares: „Warum?“ Sie wollte unbedingt ihren Standpunkt sachlich und ruhig zu erläutern. Aber stattdessen saß sie nun hier, wie ein kleines Mädchen, zitternd und mit einem piepsigen Tonfall. Kayla ballte die Hände zu Fäusten. Fast schon erwartete sie, dass Brutus den Ahnungslosen spielen würde und so tun würde, als wüsste er nicht, wovon sie redete. Hingegen senkte er kurz den Blick. Als er ihn wieder hob, sah sie Schmerz in seinen Augen. Nie zuvor hatte sie einen solchen Ausdruck in seinem Blick gesehen. Es überraschte sie so sehr, dass ihr der Mund offenstand. Dennoch war seine Stimme fest und entschlossen und zitterte nicht, anders als ihre es getan hatte. „Weil es das Beste für dich ist. Ich möchte dafür sorgen, dass du eine Heimat haben wirst, zu der du immer zurückkehren kannst. Eine Heimat, die für dich sorgen kann und dir Sicherheit geben wird. Kasō...“

Kayla unterbrach ihn. „Du meinst Kasō kann mir das alles geben?“

Ihr wurde ganz heiß. Die brodelnde Wut, die seine Worte in ihr auslösten. „Eine Heimat?“ Ihre Worte waren nicht mehr am Zittern. „Meinst du, dass das alles hier“, sie machte eine ausladende Bewegung, durch den herrschaftlich eingerichteten Raum, „ist, was ich unter Heimat verstehe?“

„Nein, aber er kann dich beschützen. Er kann...“

„Er kann mir gestohlen bleiben!“ Sie funkelte Brutus wütend an. Wie konnte er nur so etwas sagen? Verstand er nicht, dass sie es hier hasste, dass sie Kasō hasste. Brutus funkelte zurück. „Benimm dich nicht lächerlich. Er ist der Imperator deines Landes, du kannst...“ Erneut unterbrach sie ihn: „Na und? Ich habe nicht darum gebeten, dass er mich heiratet. Es ist mir egal, wer er ist.“

„Sei nicht kindisch!“ Brutus Stimme wurde ebenfalls lauter.

„Ja und? Ich bin halt noch ein Kind!“, fauchte sie ihn an.

„Bist du nicht. Du bist alt genug...“, versuchte er es mit fast flehendem Ton. „Alt genug, dass du mich verkaufst?“ Sie pfefferte ihm die Worte entgegen, wie eine Backpfeife. Brutus riss die Augen auf. Ihr war es egal, dass sie ihn verletzte, nein, es gefiel ihr. Sie wollte, dass er sich schlecht fühlte. So schlecht, wie sie sich seinetwegen fühlte und deshalb feuerte Kayla weiter: „Na? Was hast du für diesen ach so großartigen Deal bekommen? War das der Grund, warum du mich damals überhaupt aufgelesen hast?"

In Brutus Augen flackerte es und sein Unterkiefer verspannte sich. Kayla ließ nicht locker, ihre gesamte, gesammelte Wut prasselte nun auf ihn nieder.

„Damit du ein Tauschmittel heranzüchten kannst? Weil sonst niemand den ach so wunderbaren Kasō haben will? Ich hoffe, du hast wenigsten so viel Gold oder so viel..."

Brutus war mit einem Ruck aufgestanden und stand nun in voller Größe da.

Die Sonne, die durch das Fenster fiel, verlieh seiner Silhouette einen goldenen Schimmer. Sein Körper warf einen tiefen dunklen Schatten über sie und sie kam sich lächerlich klein vor, so wie er gesagt hatte, ein lächerliches Kind.

„Was ich bekommen habe, willst du wissen?"

Seine Stimme dröhnte in Kaylas Ohren.

„Warum ich dich gerettet habe?" Er deutete mit seinem langen, krallenartigen Finger auf sie. „Kummer. Kummer und Sorgen. Das habe ich bekommen."

Kayla starrte ihn an. Sie verstand nicht, wie er das meinte.

Brutus schluckte. Als wüsste er, dass er im Begriff war Dinge zu sagen, die er nicht so einfach wieder zurücknehmen konnte. Kayla bemerkte, dass er zitterte. So lange hatte er sie auf Abstand gehalten und es sah aus, als würde gleich eine Flut aus ihm herausbrechen. Eine Flut, vor der sie sich fürchtete.

Auch wenn sie ihm oft ihre Zuneigung gezeigt hatte, so hatte er seine Gefühle stets vor ihr verschlossen gehalten. Doch er stand vor ihr und sie konnte sehen, wie er sich vor Schmerzen zu krümmen zu schien. Schmerzen beim Anblick von ihr. Es versetzte ihr einen Stich.

Mit bebender Stimme fuhr er fort. „Kummer und Sorgen, weil ich mir so sehr wünsche, dass du glücklich wirst. Ich will, dass du jeden Tag lachst, dass du die Sonne im Gesicht spürst und kein Kummer deine frohe Natur überschattet. Es bereitet mir körperliche Schmerzen, wenn du traurig bist. Ich möchte alles nur Erdenkliche tun, nur um dein Lächeln zu sehen und zu wissen, dass es dir gut geht. Und das", er schwang seinen Finger erneut. „ist der Grund, warum ich nicht anders kann, als dich jemanden zu überlassen in dessen Macht es steht, dir jeden Wunsch zu erfüllen."

Kayla war sprachlos. Sie starrte diesen großen, schlanken Mann an und versuchte noch seine Worte zu verstehen, als er den Blick senkte.

„Du bist das Beste, was mir in meinem Leben passiert ist, und ich möchte, dass du glücklich wirst." Seine Worte waren kaum mehr als ein Flüstern. Doch jede Silbe hallte nach, als würde er sie schreien. Ihr Herz schien jeden Augenblick aus ihrer Brust springen. Als würde es ihre Haut aufreißen und herausspringen. Sie wollte etwas erwidern, wollte ihm sagen, dass er derjenige war, der sie glücklich machte. Doch ihr Mund war so trocken wie die *Naka-Wüste*.

Brutus hob den Blick. Tränen standen in seinen Augen. Und noch etwas, dass Kayla nie zuvor an ihrem Vormund und besten Freund gesehen hatte. Das laute Pochen wurde zu einem ziehenden Schmerz in ihrer Brust, während der Schattenelf ihr tief in die Augen blickte. „Kayla, Kasō wird dich gut umsorgen, du wirst lernen, ihn zu lieben und er wird tiefe Zuneigung für dich entwickeln, so wie ich es getan habe." Die letzten Worte hallten laut und schrill in ihren Ohren nach. Zuneigung? Er empfand Zuneigung für sie? Meinte er, väterliche, brüderliche oder doch…?

Kayla saß wortlos da, zu überrascht und geschockt, um Brutus Monolog unterbrechen zu können. Brutus zwang sich zu einem Lächeln. Dann nickte er, mehr zu sich selbst als wirklich zu ihr, um zu signalisieren, dass das genug war. Abrupt drehte er sich um und ging. Ließ die Amazone auf ihrem Bett sitzen, die sich plötzlich furchtbar allein fühlte.

Sobald Kayla aus ihrer Schockstarre erwacht war, war sie so schnell sie konnte hinter Brutus hergelaufen. Sie war gerannt. Jedoch hatte sie ihn nicht mehr gefunden. Er war irgendwo in den Wirren und Gängen der Festung verschwunden.

Seine Worte schallten immer wieder in ihren Gedanken nach. Sie zitterte so stark und keuchte so heftig, als sie zurück in ihr Schlafgemach ging, sodass sie sich nun wirklich krank fühlte.

Ihre Welt drehte sich.

# 17. Kapitel

## *Ray*

Ray und Jamie rannten so schnell sie konnten, dicht gefolgt von Caleb. Jamie hatte Ray gerade von der Begegnung mit dem kleinen Jungen erzählt, und ohne zu zögern war Ray losgestürmt. Sein Herz pochte wild in seiner Brust, als er daran dachte, dass es der Formwandler gewesen sein musste. Sola würde von ihm bedroht sein, und das konnte er nicht zulassen. Die Angst trieb ihn an, und er hoffte inständig, dass sie rechtzeitig ankamen. Trotz der Schmerzen in seinen Wunden ließ Ray keinen Funken seiner Geschwindigkeit nach. Jamie kämpfte darum, mit ihm Schritt zu halten.

„Verdammt", brüllte Ray, als sie das Dojo am Horizont erblickten.

Sein Ruf war so laut und so voller Wut, dass Jamie ins Stolpern kam.

Das Dojo war ein Inferno. Flammen tanzten wild, gierig und todbringend um das kleine Gebäude herum. Der Nachthimmel war von den Rauchschwaden in einen unheilvollen, schwarzen Ton getaucht.

Ray sprintete mit noch mehr Tempo voran, seine Schritte verschmolzen mit dem Knistern des Feuers. Jamie kämpfte keuchend, um ihm zu folgen, doch als die sengende Hitze auf ihn niederprasselte und der beißende Rauch seine Sinne erfüllte, stockten seine Schritte unwillkürlich. Ray nicht.

Während Jamies Beine vor Angst bebten und er sich nur wenige Meter von dem tobenden Inferno entfernt in Schockstarre befand, zögerte Ray keine Sekunde. Er stürzte sich unbeirrt in die wütenden Flammen.

Ray hustete, als der Rauch sich in seine Lungen schlängelte, langsam und beharrlich. Jeder Atemzug fühlte sich an, als würde er von unsichtbaren Händen erstickt. Der schweißnasse Schleier auf seiner Stirn vermischte sich mit den salzigen Tropfen, die seinen Blick verschleierten und ihm das Sehen erschwerten. Die rauschenden Flammen und die erblindenden Rauchschwaden verschmolzen zu einer bedrohlichen Kulisse, in der er sich verloren fühlte. Seine Ohren lauschten hektisch, während die ächzenden Balken von den Flammen verschlungen wurden und die Hitze um ihn herum knisterte. Doch der Klang des Infernos übertönte alles, ließ die anderen Geräusche verblassen und verschluckte die Hoffnung auf Hinweise oder Rettung. In einem Moment der Entschlossenheit schloss Ray die Augen, um sich zu sammeln. "Konzentrier dich, Ray", flüsterte er leise in sein Inneres. Er atmete tief ein, als würde er die Kraft der Umgebung in sich aufsaugen wollen. Doch anstatt eines klaren Kopfs zu bekommen, atmete er nur weiteren Rauch ein und seine Lunge verkrampfte sich. Ihm wurde schwindelig. *Nein, du musst sie finden*, dachte er, *du darfst nicht versagen. Das bist du ihr schuldig.*

Dann hörte er es. Ein leises Wimmern. Er öffnete die Augen und stürzte in die Richtung, aus der es gekommen war.

Ray kämpfte sich durch den dichten Rauch, der das brennende Haus erfüllte. Seine Augen brannten, und der beißende Geruch von verbranntem Holz und Asche stach in seine Nase. Vor ihm lag Sola, gefesselt und hilflos wie ein verletztes Tier. Ihre goldenen Augen waren vor Angst geweitet, und er spürte einen Stich der Verzweiflung in seinem Herzen. Er kniete sich vor sie und nahm ihre zitternde Hand in seine, versuchte sie mit seinen Worten zu beruhigen.

"Alles wird gut, Sola. Ich werde dich hier rausholen, das verspreche ich dir", flüsterte er mit Entschlossenheit in der Stimme.

Sie war geknebelt und konnte nicht antworten, aber in ihren Augen sah er einen Funken Hoffnung aufblitzen. Er entfernte grob den Knebel und hörte ihr leises Wimmern, das kaum über ihre ausgetrockneten Lippen kam. Ihre Kräfte schwanden zusehends, und er konnte die Schwäche in ihrem Körper spüren. Panisch griff er nach seinem Schwert, das er immer bei sich trug, doch zu seiner Bestürzung war es nicht da. Er konnte es kaum fassen. Wie konnte er sein Schwert vergessen haben? Verdammt!

Das konnte nicht wahr sein.

Ein lautes Krachen durchbrach die Stille, als ein brennender Balken von der Decke stürzte. Die Zeit lief ihnen davon. Die Fesseln, die Sola gefangen hielten, waren mit einer eisernen Kette verbunden, die wiederum an einen Balken hinter ihr gekettet war. Ray sah sich hektisch um und entdeckte etwas Goldenes in der Nähe aufblitzen - die Glefe. Ein Funken Hoffnung entfachte in ihm.

Schnell hastete er darauf zu und wollte sie hochheben, um die Kette zu durchtrennen. Noch während er seinen Griff um den goldenen Stahl legte, durchfuhr ihn ein merkwürdiges Gefühl.

Er konnte sie keinen Zentimeter bewegen.

Sie lag so schwer in seiner Hand, dass es einfach nicht ging.

Wie konnte das sein? Er erinnerte sich daran, wie Sola diese Waffe so geschickt und mit Leichtigkeit geschwungen hatte.

Mit beiden Händen versuchte Ray erneut die Waffe zu heben. Sein Sichtfeld war langsam vollständig von Rauch gefüllt. Bald würde er die Orientierung wieder verlieren. Er hörte das leise Stöhnen von Sola. Erneut rutschte er zu ihr hinüber und zischte: „Ich weiß nicht wieso, aber ich... ich kann sie nicht bewegen."

Seine Hände umschlossen die zarten Hände von Sola, die trotz der Hitze des Feuers eiskalt waren. Ihr Blick war trüb, und er konnte die Erschöpfung in ihrem Gesicht erkennen. Er drückte ihre Hände fester und flehte sie an, bei ihm zu bleiben.

"Bleib bei mir, okay?", bat er mit belegter Stimme. Die Hitze und der Rauch machten ihm zu schaffen, aber es war jetzt an ihm, sie zu beschützen.

Sola sah ihn an, und ihre Augen, die wie flüssiges Gold schimmerten, drückten Angst und Panik aus. Er würde sie nicht gehen lassen. „Bleib bei mir", flüsterte er erneut. Sie öffnete die Lippen, und ein leises Krächzen kam heraus. Ray konnte sie nicht verstehen und beuget sich tiefer zu ihr. Nun konnte er ihren Atem spüren. Ein, aus. Ganz langsam. Zu langsam. In einem leisen, krächzenden Flüstern brachte sie die Worte hervor: "Ich ... ich kann sie heben."

Er starrte sie kurz an, dann nickte er. Sie hatte recht. Egal was für eine Magie in dieser Glefe steckte, sie mussten diese jetzt überwinden und es hier herausschaffen. Entschloss hob er sie hoch. Sie war leicht und wirkte fast gebrechlich in seinen Armen. Mit gespannter Kette hatte er sie bis nah an die Glefe herantragen können. Ihr Körper zitterte. Hätte er nicht mit eigenen Augen gesehen, wie sie diese Waffe bereits in Händen gehalten hätte, hätte er niemals geglaubt, dass dieses Mädchen, dass am Rande ihrer Kraft und der Besinnung stand, etwas heben konnte, dass er nicht mal zu bewegen vermochte.

Solas Finger glitten zu der goldenen Waffe.

Ein Flüstern entwich ihren Lippen. „Hilf mir..."

Er verstand. Ihre Hand schloss sich um die Glefe und seine um ihre. Ray spürte ein warmes Prickeln, das nicht von den Flammen kam. Sie hob die Glefe, als sei sie federleicht.

Gemeinsam führten sie die Waffe hinter ihren Rücken und das Gold durchschnitt die Kette, als sei es ein Stück Pergament. Schnell lösten sie Sola von ihren Fesseln.  Dann packte Ray sie noch enger und drückte sie ganz fest an sich und kämpfte sich verzweifelt durch den dichten Rauch, der sein Sichtfeld einhüllte. Jeder Atemzug fühlte sich an, als würde er glühende Kohlen einatmen. Seine Augen brannten, und seine Lungen schienen zu platzen. Doch trotz der Schmerzen nahm er die gefährlichen Funken, die um ihn herumtanzten, kaum wahr. Sein Fokus lag allein darauf, den rettenden Ausgang im Blick zu behalten, nur noch wenige Meter entfernt. Er konnte das Knistern der Flammen hören und spürte die Hitze, die sein Gesicht zu verbrennen drohte.

Mit zitternden Armen trug er die schwache Sola auf seinem Arm. Ihr Körper fühlte sich leicht und zerbrechlich an, beinahe wie eine Feder. Er spürte ihre Haut, die kalt und blass war, und ihr Atem, der schwach und unregelmäßig ging. Ein ständiges Gefühl der Sorge und Schuld durchströmte ihn. Sie hatte ihn bereits einmal gerettet, und nun war es an ihm, sie zu retten. Die brennenden Trümmer um ihn herum krachten und stürzten zu Boden, doch er nahm es kaum wahr. Seine Gedanken waren nur bei Sola, bei ihrem Überleben. Die Zeit drängte, und das Feuer fraß sich gierig durch das einstige Zuhause.

Die Flammen tanzten wild um ihn herum, und der Rauch wurde immer dichter. Er kämpfte gegen die aufkommende Panik an und spürte die Erschöpfung in jedem seiner Schritte. Sein Körper schrie nach Ruhe, doch er ignorierte es. Es gab nur einen Gedanken, der ihn antreiben konnte: Er musste es schaffen. Er musste Sola retten. Nur noch wenige Meter trennten ihn von der Freiheit, von der Sicherheit außerhalb der brennenden Hölle. Sein Herz hämmerte in seiner Brust, während er sich vorwärtsbewegte, Sola fest an sich gedrückt. Die Hitze schien ihn zu umhüllen, doch er kämpfte dagegen an, den Blick unerschütterlich auf den Ausgang gerichtet. Er würde es schaffen. Für Sola. Mit jedem Atemzug fühlte er, wie die Hitze seine Lungen zu verbrennen drohte. Doch mit unbeirrbarer Entschlossenheit und einem klaren Ziel vor Augen bahnte er sich einen Weg durch das brennende Haus, bis er endlich den rettenden Ausgang erreichte.

Ray hörte Caleb's dringenden Ruf: "Schnell, sie kommen heraus, wir brauchen Hilfe!" Mit letzter Kraft und vereinten Kräften schafften es Jamie und Caleb, den wankenden Ray und Sola in den Planwagen der Cantans zu heben. Ray spürte, wie Sola die Glefe immer noch fest umklammerte, obwohl ihr Blick vernebelt war und ihre Augen immer wieder nach hinten rollten. Sie kämpfte verzweifelt darum, das Bewusstsein nicht zu verlieren.

Jamie, der schweigend im Wagen saß, blickte auf die beiden mit Ruß überzogenen Gestalten, die sich weiterhin eng umschlungen hielten. Die Flammen hatten ihnen zugesetzt, doch ihre Entschlossenheit, sich gegenseitig zu retten, war ungebrochen. In diesem Moment wusste Ray, dass sie gemeinsam alles überwinden konnten.

# 18. Kapitel

## *Ray*

Ray und Caleb schulterten ihre Rucksäcke. Sie hatten noch einige Tage auf dem Hof der Cantans verbracht, sodass sie sichergehen konnten, dass Ray ausgeruht genug war, um die Weiterreise zu meistern.

Eine angespannte Stimmung hing in der Luft, obwohl sich die alten Cantans bemühten, durch Hingabe und überschwängliche Abendessen das allgemeine Wohlbefinden zu heben. Sola war kurz nach ihrer Ankunft auf dem Hof zusammengebrochen. Als sie wieder zu Bewusstsein kam, bedankte sie sich knapp bei Ray, blieb aber ansonsten schweigsam. Sie starrte in sich gekehrt vor sich hin und nahm kaum an den Gesprächen während der Mahlzeiten teil. Jamie war ebenfalls entweder nur ein stiller Zuschauer am Esstisch gewesen oder den gemeinsamen Mahlzeiten ferngeblieben. Ray vermutete, dass er sich für seine eigene Feigheit schämte. Doch Ray verspürte auch kein besonderes Verlangen dem jungen Mann dabei zu helfen, für sein Verhalten Gnade zu erhalten. So beschränkte er sich die vergangenen Tage darauf, sich mit Caleb, Marissa und den älteren Cantans, zu unterhalten.

Ray war froh, endlich den Hof verlassen zu können. Es war an der Zeit, die Gastfreundschaft nicht länger auszunutzen, und er konnte Jamies traurigen Gesichtsausdruck nicht mehr ertragen. Nur in Bezug auf Sola fühlte er Bedauern. Er hatte in ihr eine Kriegerin gesehen, eine Frau, die nicht so leicht aufgab. Am Abend vor ihrer Abreise hatte Caleb Sola vorgeschlagen, sie auf ihrer Reise zu begleiten und betont, dass sie jeden Verbündeten gebrauchen konnten. Sola hatte daraufhin stillgeschwiegen. Auch wenn es ihn enttäuschte, würde Ray niemanden zwingen, sein komfortables Leben aufzugeben, um gemeinsam mit ihm auf die Jagd nach den Kriminellen der rot-schwarzen Allianz zu gehen. Er war sich bewusst, dass er eine ganze Armee benötigen würde, um den tausend Männern in der *Naka*-Wüste gegenüberzutreten, aber hier in

*Saka* hegte er keine Hoffnung mehr auf Unterstützung. „Also ...“, Ray hob die Hand zum Gruß. „Danke für alles.“

„Wir danken dir!“ Frau Cantan fiel ihm um den Hals. „Du bist ein guter Junge, pass auf dich auf.“ „Mach ich.“ Ray erwiderte die Umarmung. Über ihre Schulter entdeckte er, wie Jamie grimmig in der Tür stand. Sola war nicht zu sehen. Ray runzelte die Stirn und fragte sich, ob sie sich nicht verabschieden würde.

Als er sich aus der Umarmung löste, bemerkte er, wie Jamie unbeholfen auf ihn zukam. Verlegen streckte er die Hand aus und wagte es, Ray einen flüchtigen Blick in die Augen zu werfen, bevor er wieder auf den Boden schaute. "Danke", nuschelte er leise. Ray wusste, wie schwer ihm dieses Wort fiel. Er ergriff Jamies Hand und die beiden Jungen tauschten sogar ein kleines Lächeln aus.

Marissa lag indes Caleb in den Armen. Die Kleine wollte den Otter nicht ziehen lassen. Als sie von ihrer Mutter zurückgezogen wurde, wusste Ray, dass sie den Abschied nicht weiter hinauszögern konnten.

Er hatte sich Zeit gelassen, in der Hoffnung, dass Sola doch noch kommen würde. Caleb trat neben ihn und sagte: „Wenn wir das nächste Mal durch *Saka* kommen, werden wir auf jeden Fall vorbeischauen. Auf wiedersehen.“ Der Otter verbeugte sich leicht und die beiden Freunde kehrten der Familie Cantan den Rücken zu. Ray gestand sich ein, dass er so etwas wie Enttäuschung verspürte. Er kannte sie zwar kaum, aber er hatte gedacht... Ja was eigentlich? Dass sie alles stehen und liegen lassen würde für ihn? Mit einem Kopfschütteln versuchte er, den Gedanken loszuwerden.

„Wartet!“

Abrupt blieb Ray stehen. Er drehte sich um. Sie lächelte verlegen und schulterte ihre Glefe. Ihr Haar wehte sanft im Wind. „Ich komme mit.“ Ihre Stimme war fest und bestimmt. Bevor Ray etwas sagen konnte, war Jamie vorgetreten, er war kreidebleich. „Aber Sola, du kannst doch nicht weggehen.“

Sie drehte sich zu ihm. „Es gibt nichts, was mich hier hält."

Jamie erstarrte in der Bewegung. Ihr Blick und ihre Stimme verboten es ihm, sich ihr zu nähern.

Caleb klatschte in die Hände. „Na großartig!" Der Otter lachte vergnügt auf.

„Wir werden dir gute Gefährten sein, meine Liebe." Solas Blick wurde wärmer und sie lächelte den Tiergeist an. „Ich werde euch treu folgen und an eurer Seite kämpfen." Dann blickte sie Ray an. Ihr Blick war voller Wärme und sein Herz begann ein wenig schneller zu pochen, als er das schimmernde Gold ihrer Augen erblickte. In diesem Moment war sie für ihn Sola, wie die Sonne und nicht wie ‚allein'. Sie lächelte ihn an und errötete leicht, als sie sagte:

„Mir hat einmal jemand gesagt, dass ich einen Freund finden würde, der mir meinen Weg zeigt. Und ich denke …", Sola zögerte, „dass dieser Weg mit Euch begonnen hat." Der Wasserstämmige strahlte sie an. Er konnte nicht anders. Denn irgendetwas in seinem tiefsten Inneren jubelte.

Gemeinsam winkten sie den Cantans zum Abschied und reisten weiter gen Nordosten, um Izuya Riki in der Gladiolen Akademie aufzusuchen.

Ray spürte instinktiv, dass ihre Reise gerade erst begonnen hatte. Es fühlte sich an, als ob die Natur seine Vorahnung bestätigen wollte, als die untergehende Sonne *Sakura* in ein besonders goldenes Licht tauchte. Der Himmel schien ihnen eine Botschaft zu senden, eine Verheißung für das, was noch vor ihnen lag.

Das Abendrot verfärbte den Himmel in ein Meer aus purpurnen Wellen, das von golden leuchtenden Inseln der flauschigen Wolken durchbrochen wurde. Die drei standen am Rande eines ebenso roten Mohnfeldes und bestaunten das Farbspektakel. Ray pfiff leise. „Sakura ist wirklich die schönste Region, die ich je gesehen habe."

Sola hielt sich die Hand so vor das Gesicht, dass das Licht ein wenig von ihren goldenen Augen abgeschirmt wurde. Sie hatte Caleb und Ray gestanden, noch nie weit von *Saka* entfernt gewesen zu sein. Nun huschten ihre Augen aufgeregt und neugierig über den Horizont, wie die eines kleinen Kindes, das zum ersten Mal das Meer erblickt. Ray beobachtete sie aufmerksam. Trotz ihres zerbrechlichen Aussehens, ihrer dünnen Gestalt und blassen Haut, wusste er, wie stark sie war. Es war ein Kontrast, der ihn faszinierte. Solas Augen schimmerten im gleichen goldenen Ton wie die Wolken am Himmel. Sie waren von einer atemberaubenden Schönheit.

Der warme Wind blies sanft und ihre langen Haare wehten um ihren Körper. Diese Frau ist definitiv eine hübschere Begleiterin als die gute alte Ulani, dachte Ray amüsiert. Ray folgte Solas Blick in Richtung des nordöstlichen Horizonts und sagte: „Es ist noch ein weiter Weg bis zur *Ventus-Region*. Lasst uns hier rasten."

Ohne ihre Antwort abzuwarten, kniete er sich auf den Boden und begann seinen Rucksack auszupacken.

„Caleb, kannst du uns in der Nähe einen Fisch für das Abendessen fangen?" Der Otter salutierte im Scherz vor Ray und rief: „Aye aye!" Er sauste flink und wendig über die Wiesen, als sei er nie verletzt gewesen.

„Fisch?" Sola blickte Ray entgeistert an. „Wieso sollten wir denn Fisch essen?" Ray lächelte und erklärte, "Wir sind Pescetarier, wir essen Fisch, aber kein Fleisch." "Sowas gibt es?", entfuhr es Sola, während sie ihn mit großen Augen ansah. Ray konnte sich ein Schmunzeln nicht verkneifen, als er ihren Ausdruck bemerkte. "Ihr *Shizen*en seid wirklich unmöglich", kommentierte er und brach in herzhaftes Lachen aus. Sola konnte nicht anders, als ebenfalls leise zu kichern. Dann zuckte sie mit den Schultern und meinte, "Na gut, dann werde ich es wohl mal probieren."

Nur wenig später hatten sie das Zelt aufgestellt, Holz gesammelt, ein Feuer angezündet und saßen beisammen, während Caleb den gefangenen Fisch fachmännisch grillte. Sie redeten und lachten bis sie die Dunkelheit restlos umhüllt hatte. Als das Feuer fast heruntergebrannt war, streckte sich Ray und gähnte. „Lasst uns schlafen.“ Ray drehte sich zum Zelt, dann hob er die Arme und zog sein Shirt über seinen Kopf. Sola starrte ihn fassungslos an.

„Was?“, fragte Ray sie, der ihren versteinerten Blick sah.

"Bei dieser Hitze schlafe ich lieber so", erklärte er und zuckte mit den Schultern, während er den Stoff am Eingang des Zelts hochrollte. Er krabbelte hinein, dicht gefolgt von Caleb. Sola blieb unschlüssig vor dem Zelt stehen. Sie setzte sich ins Gras und tastete behutsam den Boden ab.

„Naja, bequem vielleicht nicht, aber das passt schon“, sagte sie leise.

"Naja, bequem ist es vielleicht nicht, aber es wird schon gehen", murmelte sie leise. Bevor sie sich auf dem Boden ausstreckte, streckte Ray seinen Kopf noch einmal aus dem Zelt. „Sola, möchtest du nicht schlafen?", fragte er erwartungsvoll. "Äh, ja klar", antwortete sie etwas unsicher und deutete auf den Boden vor sich. Er sah sie überrascht an. "Du schläfst draußen?"

"Es ist warm genug", erklärte sie. Ray konnte ein leichtes Schmunzeln nicht verbergen. Vielleicht war es ihr unangenehm, mit ihm im selben Zelt zu schlafen?

„Außerdem...“ stammelte sie weiter, „...kann ich so halbwegs Wache halten."

"Und die ganzen Käfer?", fragte Ray und hob eine Augenbraue.

Mit einem sichtlich gequälten Gesichtsausdruck log sie: "Die interessieren mich nicht." "Na gut, wie du möchtest. Gute Nacht!", sagte Ray und zog sich wieder ins Zelt zurück.

# 19. Kapitel

## *Ray*

Ray wurde durch die Hitze geweckt, die sein Zelt in eine luftleere Kapsel verwandelt hatte. Schweiß lief ihm über die Stirn. Er hustete und krabbelte benommen aus dem erstickenden Käfig. Obwohl er bereits mehrere Wochen durch die *Saka* Region reiste, hatte er sich immer noch nicht an das Klima gewöhnt. Er vermisste die kühlen Brisen seiner meeresnahen Heimat.

Draußen war es deutlich angenehmer, und er konnte tief durchatmen. Sola lehnte nur wenige Meter entfernt an einem Baum, ihre Augen noch geschlossen, und ihr Brustkorb hob und senkte sich sanft. Im Gegensatz zu ihm waren ihre Wangen blass und nicht von der Hitze gerötet. Ihr helles Haar lag trocken und glatt über ihren Schultern, während seines strähnig und feucht an seiner Stirn klebte. Sie sah so friedlich aus. Sie sah so friedlich aus. Ihre Gesichtszüge strahlten eine harmonische Ruhe aus, ganz anders als im wachen Zustand. Er hatte bereits bemerkt, dass sie sonst immer spürbar angespannt und wachsam war.

Neben ihr lag die goldene Glefe im Gras. Er erinnerte sich an das seltsame Erlebnis zwischen den lodernden Flammen. Seltsamerweise war er außer Stande gewesen, die Waffe zu heben. Dabei konnte es nicht sein, dass diese dünne Frau mehr Kraft hatte als er. Vielleicht war es die situative Aufregung gewesen, überlegte Ray. Vielleicht hatten die Flammen ihm bereits zu viel seiner Kraft geraubt. *Das musste es gewesen sein*.

Seine Neugier überwog seine Bedenken, und er schlich sich zur Glefe hinüber. Er griff nach dem goldenen Stahl. Der lange Schaft fühlte sich überraschend kalt an. Dann spannte er seinen Arm an und versuchte, die Stangenwaffe anzuheben. Er zog mit aller Kraft, doch die Waffe rührte sich keinen Zentimeter. Verwirrt starrte er auf sie.

*Was für ein Material war das?* Wenn auch ein wenig beschämt, doch immer noch fest entschlossen, nahm Ray seine zweite Hand zur Hilfe. Er erinnerte sich daran, dass Sola die Glefe beidhändig führte. Das musste der Trick sein. Erneut zog er mit aller Kraft.

Nichts. Verwirrt runzelte Ray die Stirn.

"Du wirst es nicht schaffen", sagte Sola plötzlich, und Rays Herz zuckte zusammen. "Du kannst sie nicht heben." Sie sah ihn mit schläfrigen Augen an, und ein kleines Lächeln umspielte ihre Lippen. Er wollte gerade etwas erwidern, als sie so herzhaft gähnte, dass sie ihn ohnehin nicht hätte verstehen können. "Aber das hat nichts mit dir zu tun", fuhr sie fort, während sie sich erhob und sich reckte und streckte. "Ich bin sicher, du bist sehr stark." Ray verdrehte die Augen. "Danke, aber das brauchst du mir nicht sagen. Ich wollte nur..."

"...schauen, ob es an dem fehlenden Sauerstoff lag?" Sola kicherte leise.

Ray verschränkte die Arme vor der Brust. Machte sie lustig? "Okay, gut. Dann kann ich deine Waffe nicht heben, na und?"

"Soll kein Grund zum Schmollen sein", entgegnete Sola und lächelte. Dann hob sie die Glefe – als sei es das leichteste der Welt – vom Boden auf. "Ich kann es dir selbst nicht so ganz erklären", sagte sie, als sie seinen prüfenden Blick bemerkte. "Ich bin weder besonders stark noch besonders geschickt, um ehrlich zu sein", gestand sie. "Aber diese Waffe, *die Kralle des Lichts*, hat sich dazu entschlossen, meiner Familie zu gehorchen, deswegen kann ich sie führen“, erklärte Sola mit einem Hauch von Ehrfurcht in ihrer Stimme. Ray hob eine Augenbraue und betrachtete die Glefe in ihren Händen. "Du sprichst davon, als sei es ein Lebewesen", bemerkte er skeptisch. Sola lächelte leicht und antwortete: "Ja, das erscheint dir sicher seltsam." Ray zuckte mit den Achseln und versuchte, ihre Worte zu begreifen. "Was ist schon seltsam in dieser Welt? Ich reise mit einem zu sprechenden Otter."

Ein warmes Lächeln breitete sich auf Solas Gesicht aus, als sie die Glefe leicht hin und her schwang, um zu zeigen, wie leicht sie sich für sie anfühlte. "Meine Familie stammt nicht aus *Shizen*. Ursprünglich stamme ich von einer Familie aus dem Königreich des Lichts ab. Dort gibt es viele Arten der Magie, die wir in den anderen Regionen nicht kennen. Eine davon fließt wohl in meinen Adern. So hat es mir zumindest mein Großvater erklärt."

Als Sola von ihrem Großvater sprach, verfinsterte sich ihr Gesicht. Ray wusste, dass Sola allein mit ihrem Großvater in *Saka* aufgewachsen war und dass er erst vor Kurzem verstorben war. Er legte sanft eine Hand auf ihre Schulter und sagte mitfühlend: "Du musst es mir nicht erzählen, wenn du nicht bereit bist."

Sola zuckte leicht zusammen, doch sie ließ seine Berührung zu. Sie war es offensichtlich nicht gewöhnt, dass jemand so unbeschwert mit ihr umging. "Mein Großvater erzählte mir, dass die Kralle schon seit Jahrhunderten, wenn nicht sogar seit Jahrtausenden in Familienbesitz der A...", begann sie zu erklären, stockte jedoch plötzlich.

„A...?", fragte Ray und zog eine Augenbraue hoch.

„Der Familie meiner Großmutter sei", fuhr Sola fort.

„Und die heißt A...?"

Sola errötete und hielt einen Moment inne, bevor sie seufzend zugab: „Amare. Ich heiße Sola Amare."

Ray grinste schelmisch. „Amare, wie die Liebe. Ach, wie süß."

Solas Gesichtsausdruck verfinsterte sich, und sie schaute ihn mit versteinerter Miene an. Es war offensichtlich, dass ihr der Name peinlich war. Doch in ihrer Verlegenheit und ihrem Ärger sah sie irgendwie süß aus.

Der Wasserkrieger zwinkerte ihr zu: „Ich bin sicher, dass du in *Saka* dem Namen alle Ehre gemacht hast und die Köpfe nur so verdreh..."

Gerade als er seinen Spott fortsetzen wollte, musste er sich blitzschnell ducken, um einem schwingenden Faustschlag auszuweichen. Solas Gesicht war vor Wut gerötet, und ihre Augen funkelten vor Zorn.

„Dann erzähl ich dir halt nichts mehr", fauchte sie ihn an. Entschuldigend, aber gleichzeitig lachend hob Ray die Hände.

„Könnt ihr Kinder einen nicht mal in Ruhe schlafen lassen?" Caleb trottete mit vom Schlaf geröteten Augen auf die beiden zu. Zerknirscht sah Sola ihn an. „Tut mir leid." „Hat dich dieser ungezogene Bengel etwa geärgert?" Caleb hob anklagend den Finger gegenüber Ray. „Nein, nein. Ich habe nur meine Zuneigung zum Ausdruck gebracht", sagte Ray und verbeugte sich überschwänglich in Solas Richtung. Sie verdrehte die Augen. „Familie Amare hat also besonderes Blut, dass euch diese Waffen führen lässt?", griff Ray ihr Gespräch wieder auf. Ihn interessierte Solas Geschichte wirklich.

„Ja. Irgendwie so." Sola war jetzt sichtlich genervt von dem Thema. Ray seufzte, das hatte er wohl verbockt. Schweigend begann er gemeinsam mit Caleb ihr Nachtlager abzubauen, sodass die kleine Gruppe weiter in Richtung *Ventus-Region* wandern konnte.

Als sie wenig später Seite an Seite die Feldwege entlang liefen pfiff Ray ein Lied. Sola sah ihn neugierig an. „Was ist das für ein Lied?" „Ein altes Kinderlied aus unserem Stamm." Ray warf Sola einen seitlichen Blick zu und bemerkte, wie sie ihn interessiert ansah. Er konnte ihre Neugier förmlich spüren. Nostalgisch lächelnd fuhr er fort: „Ich bin auch sehr eng mit meinem Großvater aufgewachsen. Er hat dieses Lied immer gesungen, wenn ich nicht einschlafen konnte, als mein Vater nicht zu Hause war." Seine Stimme klang voller Zuneigung und Dankbarkeit.

„Kam das oft vor?", fragte Sola neugierig.

Ray hob den Blick zum strahlenden Himmel und spürte die warmen Sonnenstrahlen auf seinem Gesicht. "Ja", antwortete er, während er in die Sonne blinzelte. "Mein Vater war ein vielbeschäftigter Mann. Also verbrachte ich viel Zeit mit meinem Großvater." „Und deine Mutter?" Solas Augen und Tonfall drückten Mitgefühl und Verständnis aus.

Ray spürte eine leichte Schwere in seinem Herzen, als er antwortete: "Sie ist bei der Geburt meiner Schwester gestorben."

Sola reagierte mit einem leisen "Ach so" und eine kurze Stille trat ein. Dann ließ sie ein leises "Es tut mir leid" verlauten. Ray winkte ab und lächelte sanft. "Das ist so lange her, dass ich mich kaum an sie erinnern kann. Meine Schwester ist ungefähr in deinem Alter."

Die beiden verharrten für einen Moment in Schweigen und ließen die Vergangenheit in ihren Gedanken ruhen, während eine leise Verbundenheit zwischen ihnen spürbar wurde. Dann legte sich ein Schatten über Rays Gesicht, als er nachträglich hinzufügte: „Oder besser gesagt, wäre sie."

Sola sah ihn von der Seite an. „Ist sie gestorben?"

„Ich weiß es nicht genau", sagte Ray ehrlich und spürte, wie ihn das schlechte Gewissen überkam. Sie schwiegen erneut und liefen Seite an Seite weiter durch die sengende Hitze. Ray hasste diese angespannte Stille. Er wollte nicht, dass seine Reisegefährtin sich unwohl fühlte, wenn sie mit ihm sprach – er wollte, dass sie Vertrauen zueinander fanden, nur so konnten sie gemeinsam diese Mission erfüllen. Deswegen durchbrach er das Schweigen mit einem fröhlichen Ton und bemühte sich, die Atmosphäre aufzulockern: „Mein Großvater – der war wirklich eine Wucht. Mit ihm habe ich das erste Mal Eisbeeren Schnaps getrunken." Ray lachte. „Weißt du, das ist dieser supersüße Alkohol, ganz typisch für unsere Region. Nun und letztes Jahr bin ich achtzehn Jahre alt geworden. Ich weiß nicht genau wie es in *Shizen* geregelt ist, da hier ja sowieso jeder trinkt, aber im Wasserstamm gibt es sehr strenge Regeln, was Alkohol angeht."

Sola hörte aufmerksam zu. Das gefiel Ray. So erzählte er immer mehr von seiner Vergangenheit als ausgelassenen Ray, der mit seinem alten Mann gemeinsam kleine Gläser trank, randvoll mit purpurner Flüssigkeit. Bei der Vorstellung musste sie lächeln.

„Naja auf jeden Fall, dürfen wir mit achtzehn offiziell trinken und mein Großvater meinte, als Gaidos Sohn müsste ich es von Anfang an richtig lernen. Das war was, ich sag's dir. Mein Vater war fuchsteufelswild, als er schließlich helfen musste, mich nach Hause zu tragen." Ray lachte so herzlich, dass Sola nicht anders konnte als mit einzustimmen Caleb grunzte ebenfalls und fügte mit einem breiten Grinsen hinzu: "Der junge Mann hier hat sich unmöglich aufgeführt. Ich glaube, er hat an dem Abend drei Heiratsanträge ausgesprochen." Ray lachte verlegen und schüttelte den Kopf: "Manche Details wollte ich eigentlich lieber auslassen, Caleb. Du musst nicht alles preisgeben."

Caleb zwinkerte ihm mit seinen klaren Otteraugen zu und legte einen kleinen Pfotenarm um Rays Schulter. "Ach, pass also auf, Sola. Ray kann manchmal etwas zu impulsiv mit seinen Gefühlen sein, aber im Grunde ist er ein guter Kerl." Ray spürte die wärmende Nähe von Calebs weichem Fell und konnte sich ein Lächeln nicht verkneifen.

Ray fuhr fort und seine Stimme wurde etwas leiser: "Leider ist mein Großvater kurz darauf verstorben. Aber lass mich dir sagen, er hatte einen ausgeprägten Sinn für Humor. Noch am Sterbebett flüsterte er mir zu, dass er mich heimsuchen werde, wenn ich keine vernünftige Frau finde. Und dass er mir persönlich einen Arschtritt verpassen würde, egal ob als Geist oder in einer wiedergeborenen Tiergestalt - besonders, wenn ich dabei unter dem Einfluss von Eisbeeren stehe."

Caleb lachte herzhaft und schüttelte den Kopf. "Dein Großvater war wirklich ein besonderer Mann. Ich vermisse ihn." Ray spürte eine Mischung aus Trauer und Liebe in seinem Herzen. Die Erinnerungen an seinen Großvater waren kostbar.

# 20. Kapitel

## *Sola*

Ray und Sola hatten die weiten Felder der Sakura-Region hinter sich gelassen und durchquerten nun eine steinige, zerklüftete Region, die zwischen den Regionen *Sakura* und *Ventus* lag und am *Shigen*-Pass endete, der die Ventus-Region umgab. Sola erklärte, dass es die kleinste und vermutlich ärmste Region im Bistum sei. Das heiße Klima unterschied sich kaum von Sakura, doch die Landschaft war karg und trocken, ohne auch nur im Geringsten der Schönheit und Pracht Sakuras zu ähneln. Der Name dieser Region, *Arechi,* spiegelte ihre Trostlosigkeit wider.

Wieder einmal hatten die *Shizen*en der Region einen wirklich passenden Namen gewählt. Denn *Arechi* bedeutete Ödland und beschrieb die einsame, eintönig wirkende Gegend treffend. Sie war definitiv auch deshalb einsam, weil sie die am dünnsten besiedelte Region des Landes war. Die Trockenheit führte dazu, dass hier nur wenige landwirtschaftliche Produkte angebaut werden konnten. Die Hitze hatte eine Melancholie unter der Bevölkerung zur Folge, die auch in keinem anderen Berufsfeld florieren konnte. Trotz ihrer geographisch zentralen Lage war diese Region ein wahrer Trauerfleck *Shizen*s.

Ray und Sola hatten sich von einigen Kaufleuten auf dem Weg sagen lassen, dass sie einfach dem einzigen Wasserlauf, der durch *Arechi* lief, folgen sollten, dann würden sie den *Shigen*-Pass erreichen. In *Sakura* noch ein reißender Fluss, wurde der Lauf immer schmaler und schmaler und trocknete weiter aus, je weiter sie in die neue Region kamen. Bald schon war kaum mehr als ein seichter Bach zu entdecken. Als sie diesem weiter folgten, mussten sie bald feststellen, dass er irgendwann vollständig ausgedorrt war. Weit und breit war nicht erkennbar, wo der einstige Fluss weiteverlaufen wäre. Nur harter, aufgerissener sand-kiesiger Boden war zusehen. Ratlos drehte sich Ray zu Sola.

„Und jetzt?“ Sie schirmte die Augen mit der Hand ab und suchte den Horizont ab. „Kann man das Gebirge vielleicht schon sehen?“

Caleb kletterte auf einen trockenen, verdorrten Baum, um eine bessere Aussicht zu erhalten. Enttäuscht schüttelte er den Kopf.

„Ich bin mir nicht sicher, in welcher Richtung das Gebirge liegt. Es ist zu wenig zu erkennen“, sagte der Otter und runzelte die Stirn. Ray seufzte, während Caleb elegant herunterkletterte. „Ich habe jedoch einige Häuser in der Nähe entdeckt. Vielleicht können wir dort nach dem Weg fragen“, überlegte der Otter laut. „Ich wusste gar nicht, dass es hier eine Stadt gibt“, murmelte Sola verwundert. „Stadt würde ich es nicht nennen...“

Die drei Wanderer erreichten die kleine Ansammlung von Holzhütten, von denen Caleb ihnen berichtet hatte. Die Häuser wirkten ärmlich und vernachlässigt, die morschen Bretter hingen lose herum. Es gab keine klaren Straßen, nur Trampelpfade, die sich durch das Gelände schlängelten. Es schien, als hätten die Hütten keinerlei geordnete Anordnung, sondern seien willkürlich nebeneinander, vor- und hintereinander platziert worden. Hier gab es keine Spur von Städteplanung. Einige der Hütten hatten Fensteröffnungen in der Fassade, doch diese waren ohne Schutz und befanden sich sogar zwei oder drei Meter über dem Boden. Es gab keine Vorrichtungen, um die Bewohner vor dem Herausfallen zu schützen, falls sie sich zu nahe an den Rand wagten.

Sola schluckte. Sie hatte des Öfteren davon gehört, wie arm diese Region sei. Es machte sie wütend zu sehen, wie verwahrlost die Menschen hier lebten, ohne dass der Bischof etwas dagegen unternahm. In *Sakura* hingegen wurden immer wieder Tempel mit Staatsgeldern renoviert – dabei schien in dieser Gegend das Geld viel dringlicher gebraucht zu werden.

Die Wege waren leer und verlassen. Dennoch war leise Musik zu hören. Sola kannte die Melodie nicht, sie war seltsam blechern und glich einer einprägsamen Kindermelodie. Die drei folgten dem Geräusch und gelangten so zu dem einzigen Gebäude, das in dieser Armutsstadt ein Funken Ordnung und Sauberkeit ausdrückte. Es stand am Rande der anderen Häuser – dieser Abstand unterstrich den Unterschied noch weiter. Es war größer als die Wohnhütten und sah deutlich stabiler aus, sogar der ein oder andere Stein war verarbeitet worden. Außerdem waren die Fenster mit Glasscheiben gefüllt. Diese schienen zwar schmutzig, dennoch verliehen sie dem Haus einen deutlich wohlhabenderen Eindruck als die leeren Höhlen der anderen Hütten. Die Musik war nun deutlich durch die Fenster zu hören. Caleb grunzte, als er das verrostete Schild über dem Eingang des Gebäudes sah. In geschnörkelter Schrift stand dort: *Paradies-Insel*.

"Na, das Paradies stelle ich mir anders vor", murmelte er missmutig. Ray grinste und entgegnete: "Du hast es ja noch nicht von innen gesehen." Der Otter schnaubte missmutig. "Ehrlich gesagt, Ray, ich habe keine Lust, diesen heruntergekommenen Laden überhaupt zu betreten." Ray zuckte mit den Schultern. "Verstehe ich vollkommen, Caleb. Aber wir brauchen dringend Informationen.“

Der Geruch von Alkohol, Staub und Schweiß, der bereits durch die Risse der Wände drang, genügte auch Sola und sie zögerte ebenfalls. "Ich weiß nicht... Es sieht wirklich nicht vertrauenswürdig aus." Caleb nickte zustimmend. "Genau meine Gedanken. Wir sollten lieber woanders nachfragen oder selbst weitersuchen." Ray seufzte. „Ihr habt ja recht. Dagegen war der tanzende Hirsch ein prächtiger Luxus-Schuppen an Taverne“, sagte Ray spöttisch. Er zuckte mit den Achseln und wollte auf die Tür zugehen. Doch bevor er in die vermeintlich paradiesische Gaststätte eintreten konnte, flog die hölzerne Doppeltür auf.

Drei dickliche Männer mittleren Alters torkelten laut lachend heraus. Sola brauchte nur zwei Sekunden, um zu erkennen, dass diese drei Widerlinge einer besonderen Art waren. Männer, die die Schwäche anderer ausnutzen und sich selbst viel zu wichtig nahmen. Ray schien einen ähnlichen Gedanken zu haben, denn sie konnte sehen, wie er sein Gesicht zu einer abschätzigen Grimasse verzog, als er die Männer musterte.

Der eine, etwas hagere, größere nuschelte: „Isch... werd dir'sch zeigen Krischa."

„Grisha, verdammt du Hund. Mein Name ist Grisha", erwiderte der kleinste und dickste der drei. Sein Gesicht war hochrot und seine Haare standen widerspenstig von seinem Mondgesicht ab.

„Ja, ja." Der Hagere lachte. Ray und Sola traten einen Schritt beiseite, um den dreien Platz zu machen.

"Hee Krischa. Die beiden da sind Fremde." Der Lange musterte Ray und Sola mit einem trüben Blick, der vom Alkohol getrübt war. Grisha verdrehte genervt die Augen. "Mir doch egal. Lass uns einfach gehen, verdammt." Er warf seinem Bekannten einen finsteren Blick zu. Der dritte Mann, der bislang schweigend hinter ihnen gestanden hatte, öffnete erneut die Tür des Gasthofs und schnalzte dabei seltsam mit der Zunge. Zwei Mädchen schlurften aus der Tür, doch Sola konnte nur einen flüchtigen Blick auf sie erhaschen, da der dritte Mann, ein großer Hüne, sie wenig später mit seinem massigen Körper verdeckte. Sein finsterer Blick glich dem von Grisha. Doch der kurze Blick genügte, um die Angst in den Augen der Kleinen zu erkennen.

Obwohl sie ausreichend Platz gemacht hatten, rempelte der Hagere Sola unwirsch an. Er lachte hämisch, als sie kurz zusammenzuckte und sich die Schulter hielt. Ray blickte die drei Männern nun genauso finster an, wie sie ihn zuvor.

„Hascht du'n Problem?", fragte der Lange.

„Hast du vielleicht eins? Wie kommst du dazu meine Freundin so anzurempeln. Der Weg ist breit", knurrte Ray.

*Nein bitte nicht*, dachte Sola.

Er wollte doch nicht schon wieder Ärger provozieren, oder? Ray hatte ihr von dem Vorfall in *Tsubiki* erzählt, und sie hoffte inständig, dass sie dieses Mal ohne eine Schlägerei davonkommen würden. Auch wenn sie Ray zu schätzen gelernt hatte, war seine aufbrausende Art manchmal anstrengend.

Der Hagere lachte, ein trockenes Lachen, das keinerlei Freude ausstrahlte. "Nischt breit genug", sagte er, während er fast schielend versuchte, Ray mit seinem glasigen Blick zu fixieren. "Nischt breit genug für mich und eine schöne Frau. Die will man dann einfach berühren."

Der Mann streckte seine Hände aus, als wollte er Sola berühren. Doch bevor seine Fingerspitzen auch nur ihr Haar erreichen konnten, hatte Ray sie beiseite gezogen und stellte sich an ihrer Stelle vor ihn. Er war genauso groß wie der Hagere und deutlich muskulöser. Wütend funkelte Ray ihn an. Sola schluckte. Sie wusste, dass sie sich selbst verteidigen konnte, aber sie schwieg.

"Behalt deine Hände bei dir", sagte Ray mit fester Stimme.

Der Dünne lachte erneut, ein klang, der an das Wiehern eines Esels erinnerte. Grisha drängte sich zu den beiden. Er hob beschwichtigend die Hände und sagte: "Ruhig, ruhig."

Der Hagere jammerte nun fast: "Aber Krischa, der Typ hat mich beleidigt." Grisha funkelte seinen Kameraden genauso finster an wie Ray. "Du bist geistig wohl genauso hängen geblieben wie körperlich, mein lieber Shi."

Shi blähte sich auf und wurde hochrot vor Beleidigung, wagte es jedoch nicht, dem anderen zu widersprechen. Grisha, der offensichtlich die Kontrolle in dieser Beziehung hatte, runzelte die Stirn. "Der Fremde widert mich an. Aber er hat dich nicht beleidigt. Das wäre nur verschwendete Zeit. Du bist ein nutzloser Esel." Grisha spuckte seinem Kameraden auf die verdreckten Sandalen. Shi wurde noch röter, sagte jedoch immer noch nichts. Obwohl er fast zwei Köpfe größer war als Grisha, schien er aus irgendeinem Grund Respekt oder Angst vor dem kleinen Dicken zu haben.

Wie er solche Männer hasste. Er kochte innerlich vor Wut. Sie führten sich auf, als würde ihnen die Welt gehören und waren doch nichts anderes als Widerlinge, die andere unterdrückten. Ray schob sich mit breiten Schultern vor Sola. Er wollte nicht, dass sie da mithineingezogen wurde. Diese ekelhaften Männer sollten sie nicht einmal mehr ansehen. Es gefiel ihm ganz und gar nicht, wie sie sie ansahen. Nun wandte sich Grisha Ray zu. "Was willst du hier?", fragte er herausfordernd.

"Dein Freund soll sich entschuldigen. Er kann nicht einfach...", begann Ray mit energischem Ton. "Ach nein?", unterbrach Grisha ihn, als sei es das Normalste der Welt, und zog eine Augenbraue hoch. Diese Geste machte Ray noch wütender. Er konnte nur daran denken, wie sehr er solche Männer wie Grisha verabscheute.

„Nein", sagte er mit festem Ton.

Grisha grinste. „Wenn ich deine kleine Lady sehe, würde ich ganz andere..." Bevor er den Satz beenden konnte, sprang Ray nach vorn und packte Grisha an dem dünnen, verschwitzen Leinen-Hemd. Ray spürte die Schwere von Grishas Körper, doch seine Muskeln waren trainiert und stark. Mit einem kraftvollen Ruck hob er den adipösen Mann fast mühelos hoch. Seine Arme und Schultern hatten in unzähligen Situationen Kraft und Ausdauer bewiesen, sei es beim Tragen von verletzten Tieren oder bei körperlich anspruchsvollen Aufgaben in seiner Heimat.

Das Gewicht von Grisha war nichts im Vergleich zu den schweren Kälbern, die er bereits als kleines Kind auf seinem Rücken getragen hatte. Ray erinnerte sich daran, wie er diese verletzten Hirschkühe und ihre Jungen nach Hause gebracht hatte, um sie zu pflegen.

„Du glaubst wohl du bist unantastbar", zischte er dem Fetten ins Gesicht. Dieser war durchaus überrascht, hatte seine Gesichtszüge jedoch schnell wieder im Griff und präsentierte nun wieder eine Maske aus Arroganz.

Der Widerling grinste Ray höhnisch an. Am liebsten hätte Ray direkt zugeschlagen, doch aus dem Augenwinkel sah er, wie sowohl Shi als auch der Hüne sich neben ihm aufstellten. Letzterer musste über zwei Meter groß sein, da er Ray weit überragte. Dennoch war er alles andere als schlaksig.

Dicht neben Ray zuckte Calebs Pfote zu seinem Dolch. Seine wachen Augen beobachteten die Situation argwöhnisch. Und auch Sola trat einen Schritt auf die Männer zu und legte ihre Hand auf Rays angespannten Arm.

"Das reicht jetzt", sagte Sola ruhig und versuchte Ray zu beruhigen. Grisha lachte laut und spöttisch. "Hör auf deine Süße", rief er grinsend.

Rays Hand ballte sich zur Faust, während er den Drang verspürte, dem unverschämten Mann eine Lektion zu erteilen. Sola spürte die Anspannung in seinem Arm und drückte ihn sanft, um ihn zu beruhigen. „Lass es. Es bringt nichts", flüsterte sie. Ray ließ widerwillig von Grisha ab und spürte den Ärger in ihm aufsteigen. Grisha wandte sich grinsend seinen Kumpanen zu und äußerte verächtlich: „Deswegen sollte man Weibern keine Macht geben."

Shi lachte und der Hüne grinste, während Ray spürte, wie ihm heiß vor Zorn wurde. Grisha winkte ihm hämisch zu und wandte sich dann dem Gehen zu, gefolgt von den beiden anderen. Ray musste tief durchatmen, um nicht erst Sola anzuschreien, was ihr einfiele, und dann den Gestalten hinterherzujagen.

Erst jetzt fielen Ray die beiden Mädchen ein, die vorhin aus der Gaststätte getreten waren. Er blickte sich um und sah, dass sie sich kaum von der Tür der Taverne entfernt hatten. Sie sahen ihn mit großen Augen an, während sie sich ängstlich aneinander festhielten. Ihre zarten Gesichtszüge waren blass und mager - zu mager. Sie sahen deutlich unterernährt aus. Ray ging behutsam einen Schritt auf sie zu, seine Hände erhoben, um zu signalisieren, dass er ihnen nichts antun wollte. Aus der Nähe sah er, dass beide fast verblasste Blutergüsse im Gesicht hatten. Die

Ältere trug zudem einen tiefen Schnitt in der Lippe. An ihren dünnen Ärmchen waren die Blutergüsse dunkel und offensichtlich frisch. Ihre Beine, die aus den dünnen Kleidern hervorlugten, waren übersät mit Schrammen und Schnitten. Rays Magen zog sich schmerzhaft zusammen.

„Hallo ihr beiden. Mein Name ist Ray", sprach er ruhig und freundlich. Die jüngere von ihnen zuckte ängstlich zusammen und versteckte sich hinter der Älteren, ohne jedoch ihre Hand loszulassen. Die Ältere zitterte ebenfalls, doch sie betrachtete Ray nicht nur ängstlich, sondern auch neugierig. Dennoch blieben beide stumm.

Sola, die leise an Rays Seite getreten war, ging behutsam in die Hocke, um auf Augenhöhe mit den Mädchen zu reden. In einer sanften Stimme sagte sie: „Und ich bin Sola. Es freut mich, euch kennenzulernen."

Ray sah Sola an und bemerkte, wie sich plötzlich ein warmer und freundlicher Ausdruck auf ihrem Gesicht zeigte. Es war ein Ausdruck, den er bisher noch nie bei ihr gesehen hatte. Die kühle und reservierte Frau zeigte plötzlich eine bemerkenswerte Empathie.

Die Ältere flüsterte leise: „Sori. Ich heiße Sori." Sie schaute dabei nur Sola an und wandte sich leicht von Ray ab.

„Wie geht es euch?", fragte Sola behutsam.

„Gut" antwortete Sori leise und blickte zu Boden.

„Okay. Und wo ist eure Mutter?" erkundigte sich Sola einfühlsam.

Sori schüttelte den Kopf, während die Kleinere leise wimmerte.

„Ist das deine Schwester?" fragte Sola.

Das Mädchen nickte mit einem traurigen Blick.

„Okay. Was ist hier passiert?" Sola deutete vorsichtig auf Soris verletzte Beine. Sori schüttelte erneut den Kopf. Dann glitt ihr Blick an Sola vorbei, und ein klitzekleines Lächeln huschte über ihr Gesicht. Mit ihrem Finger zeigte sie auf etwas und sah Sola fragend an.

Caleb hatte sich behutsam zwischen Sola und Ray gedrängt, sein Körper leicht geneigt, um seine freundliche Absicht zu zeigen. Mit einem warmen Lächeln trat er langsam auf die beiden Mädchen zu. Sola, ihre Stimme sanft wie Samt, stellte ihn vor: „Das ist Caleb, er ist ein enger Freund von uns."

Sori streckte die dünnen Finger aus, die nicht die Hand ihrer Schwestern hielten, um Caleb durch das Fell zu fahren.

Caleb hatte seine Rolle verstanden und ließ sich ruhig und leise schnurrend wie eine Katze vor Sori nieder. Das Mädchen hörte schlagartig auf zu zittern. Stattdessen streichelte sie liebevoll das weiche Otterfell.

Das kleine Mädchen zögerte einen Moment, bevor sie ihre dünnen Finger vorsichtig ausstreckte, um Calebs weiches Fell zu berühren. Caleb verstand seine Rolle perfekt und senkte sich ruhig und leise vor Sori nieder, während er leise vor sich hin schnurrte. Die Anspannung in Soris Körper löste sich langsam, als sie liebevoll über das weiche Otterfell strich.

Sola entschied sich für einen weiteren Versuch: „Könnt ihr uns sagen, was passiert ist?"

Sori blickte kurz zu ihrer Schwester und nickte dann leise. „Bin hingefallen", flüsterte sie leise. „Bist du sicher?", fragte Sola behutsam, ihre Augen voller Mitgefühl. Die Kleine nickte erneut, doch in ihrem Blick lag etwas Unsicherheit. Sola seufzte leise und warf einen Blick zu Ray, der ratlos neben ihr stand. Beide wussten nicht, wie sie helfen konnten.

Sori senkte ihre Stimme und flüsterte: „Was wollt ihr hier?" Ray spürte die Unsicherheit in ihrer Stimme und antwortete einfühlsam: „Wir wollten den Weg fragen." Ein sanftes Lächeln zierte Solas Gesicht, als sie hinzufügte: „Wir suchen den Shigen-Pass. Kennst du den Weg dorthin?" Sori nickte vorsichtig und erwiderte das Lächeln, das aber von zaghafter Hoffnung geprägt war.

Mit ihrer zierlichen Hand deutete Sori nach Osten. „Ihr müsst weitergehen, bis ihr zu einem Pinienwald gelangt“, flüsterte sie. Ray spähte in die angegebene Richtung und konnte tatsächlich die Umrisse einiger Bäume erkennen. Die Bestätigung erfüllte ihn mit Freude. Sori fuhr fort, während ihr Lächeln langsam wuchs: „Im Pinienwald werdet ihr einen Bach finden. Er entspringt in der Mitte des Waldes. Folgt einfach dem Wasserlauf, bis er in den Bergen endet.“ Sola nickte dankbar, wissend, dass sie ohnehin versucht hatten, dem Wasser zu folgen.

„Danke, Sori“, sagte Sola und erhob sich wieder. Ray wandte sich nun direkt an Sori und legte eine warme Hand auf ihre Schulter. „Sori, wir können dir und deiner Schwester helfen. Erzähl uns, was passiert ist. Waren das die Männer von vorhin?“, fragte er behutsam. Sori warf einen kurzen Blick zu Ray, bevor sie ihren Blick wieder senkte. In diesem flüchtigen Augenblick konnte Ray die deutliche Angst in den Augen des Mädchens erkennen. Sori begann erneut zu zittern, und ihre kleine Schwester wimmerte leise. Aus der Entfernung ertönte erneut das laute Schnalzen des Hünen. Ängstlich zuckten die Mädchen zusammen. Sori flüsterte: „Wir müssen gehen.“

Noch bevor Ray etwas sagen konnte, zog sie ihre Schwester mit sich und rannte den drei Männern hinterher.

Ray drehte sich wütend zu Sola um und hob anklagend den Finger. Seine Stimme bebte vor Zorn, als er fragte: „Bist du zufrieden?“ Trotzig reckte Sola ihr Kinn vor und sah ihn direkt in die Augen, ohne vor seiner Wut zurückzuweichen.

„Diese Mädchen haben Todesangst. Ich will gar nicht wissen, was diese Widerlinge mit ihnen machen. Ich hätte…“, Rays Stimme zitterte vor Wut, seine Gedanken schienen vor Zorn zu stocken. Er fühlte den Drang, mit Gewalt gegen die Täter vorzugehen und sicherzustellen, dass sie nie wieder jemandem Schaden zufügen konnten. Sein Finger deutete beschuldigend auf Sola, als er fragte: „Wieso hast du mich zurückgehalten?“

Ein Schwall von Unmut und Zorn ergoss sich über Sola, während sie Rays Blick standhaft erwiderte. Sie ließ sich nicht provozieren und blieb fest und ernst. Doch diese stoische Haltung machte ihn noch wütender – wie konnte es ihr so egal sein, was hier vor sich ging?

„Bist du fertig?“, fragte sie schließlich, als er wutschnaubend und schweigend vor ihr stand.

„Fertig? Das ist alles? Nein, ich bin nicht fertig. Fertig wäre ich, wenn wir hier ein wenig für Gerechtigkeit gesorgt hätten. Hast du etwa keine Zivilcourage?“, warf Ray ihr vor und fuchtelte weiterhin mit seinem Zeigefinger vor ihrer Nase herum, als müsste er ihr deutlich machen, was sie angeblich falsch gemacht hatte. Als der zweite Schwall seines Unmuts verklungen war, begann Sola mit ruhiger Stimme zu antworten: „Also erstens, wärst du ohne meine Zivilcourage bereits tot.“

Ray schnaubte verächtlich. „Deiner Zivilcourage? Du wolltest bloß das Grab deines Großvaters schützen. Das hast du selbst gesagt.“

Sola verdrehte erneut die Augen und zuckte mit den Achseln. „Na gut. Du hast Recht.“ Ihre Worte waren ruhig, aber ihre goldenen Augen funkelten.

Ray schaute sie wild an und verschränkte seine Arme vor der Brust. Er war wie ein schmollendes Kind, das seine Position verteidigte. Mit ruhiger Stimme versuchte Sola ihre Haltung zu erklären. „Vielleicht hast du Recht und ich setze mich nicht immer für jeden und überall ein – nicht wie du. Aber weißt du was? Das wird dich nicht weit bringen. Eines Tages legst du dich unnötig mit dem Falschen...“

„Unnötig?“, zischte Ray wütend.

Nun war es Sola, die den Finger hob und tief ausatmete, um ihre Geduld nicht zu verlieren. „Lass mich ausreden.“

Mit einem zischenden Geräusch zog Ray die Luft ein und sah Sola herausfordernd an. Seine Haltung drückte Skepsis aus, während er darauf wartete, dass sie ihre Argumente darlegte. Doch diese ließ sich nicht aus der Ruhe bringen.

„Fakt ist, die Welt ist ungerecht", begann Sola mit Nachdruck. Ihre Worte hatten eine gewisse Schwere. „Wenn du danach suchst, wirst du an jeder Ecke, in jedem Ort und in jedem Haus Ungerechtigkeit finden. Wenn du jeden Streit, jedes Vergehen und jede Bosheit dieser Welt rächen und bestrafen willst, dann wirst du nie fertig sein. Du wirst immer wieder anhalten müssen, immer wieder retten und beschützen müssen, und du wirst deinem eigentlichen Ziel kein Stück näherkommen."

Solas Worte drangen langsam in Rays Bewusstsein. Sie sprach mit einer Mischung aus Entschlossenheit und Verständnis.

„Ich sage nicht, dass Wegsehen richtig ist. Ich sage nicht, dass es richtig ist, was hier geschieht", fuhr Sola fort und ihre Stimme hatte eine gewisse Entschiedenheit. „Aber wir haben uns ein Ziel gesetzt. Wir haben ein Ziel, das für einen sehr großen Teil der Gerechtigkeit in der Welt sorgen wird. Es ist der erste Schritt, der dieser Welt Frieden und Ordnung bescheren wird. Es ist ein Ziel, das durchaus mehr Zivil-Courage beweist als jede dieser kleinen Straßen-Prügeleien."

Die goldene Iris von Sola glänzte nun vor Leidenschaft und ihre blassen Wangen färbten sich leicht rosa. Ray musste sich eingestehen, dass es ihm gefiel, wenn die normalerweise stille junge Frau in Rage geriet. Es stand ihr gut. Zudem hatte sie von einem gemeinsamen Ziel gesprochen, von einer Mission, die sie beide antrieb. Bisher war ihm nicht klar gewesen, welche Motivation sie trieb, mit ihm zu reisen.

Ein wenig beschämt senkte Ray den Kopf und spürte, wie seine Wut langsam abebbte. Er erkannte, dass Sola recht hatte und dass es wichtig war, über das große Ganze hinauszublicken. Und vor allem musste er sich seiner eigenen, mageren Motivation eingestehen. Als Sola ihn gefragt hatte, weswegen er sich auf die Reise zur Gladiolen-Akademie machte, hatte er sie angelogen. Es war ihm schäbig vorgekommen ihr zu sagen, dass er nur von seinem Rachedurst geleitet wurde. Das sein wahres Ziel einzig und allein drei Individuen war, die er geschworen hatte zu töten. Stattdessen hatte er ihr gegenüber behauptet, er würde die Welt von den Fängen Samaels befreien wollen. Hatte heroische Taten versprochen und davon, die Dunkelheit zu verbannen. Dabei war er kein Held. Er war nur ein zorniger kleiner Junge.

Nun stand Sola vor ihm, mit einem entschlossenen Ausdruck im Gesicht, der Rays Herz verkrampfen ließ. Er sehnte sich in diesem Moment danach, der Held zu sein, für den sie ihn hielt, oder es zumindest zu versuchen.

„Du kannst nicht die ganze Welt retten. Zumindest nicht allein und nicht alle auf einmal", erklärte Sola mit fester Stimme.

"Doch du kannst sie Stück für Stück retten", fuhr Sola fort, ihre Stimme voller Überzeugung. "Dafür musst du aber dein eigentliches Ziel verfolgen und kannst dich nicht immer aufhalten lassen. Es ist wichtig, dass wir in einem Stück und möglichst bald an der Akademie und letztendlich an der *Naka*-Wüste ankommen, um die rot-schwarze Armee zu zerschlagen. Wenn wir das schaffen, dann werden wir um einiges mehr Unheil verhindern können, als wenn du Straßenbanditen windelweich schlägst. Aber wenn wir nicht pünktlich oder gar nicht ankommen, dann weißt du besser als ich, was geschehen wird. Das, was in *Wa* geschah, wird sich wiederholen."

Die Worte trafen Ray wie ein Schlag, und er spürte, wie sich seine Kehle wie ausgetrocknet anfühlte. Innerlich rang er mit sich, hin und her gerissen und dieses starke Verlangen nach Gerechtigkeit einfach nicht unterdrücken. Doch Sola ließ nicht locker und sah ihn auffordernd an, ihre Augen voller Entschlossenheit.

"Was willst du?", fragte sie eindringlich. "Du kannst nicht alles sein und nicht alles schaffen. Wenn du hier der Nachbarschafts-Held sein willst, dann mach das. Aber dann trennen sich unsere Wege. Denn ich möchte Samael besiegen und seine Dunkelheit aus der Welt vertreiben. Und du hältst mich dann nur auf. Deswegen frage ich dich jetzt ein einziges Mal, Ray Gaido. Was ist dein Ziel?"

Ray sah Sola an, seine Augenbrauen eng zusammengezogen und tiefe Sorgenfalten auf seinem Gesicht. Er schluckte schwer, während er den Blickkontakt hielt, und ihm wurde klar, was sein Weg sein sollte. Es war an der Zeit, über die enge Begrenzung der Rache hinauszugehen und mehr zu erreichen. Seine Stimme zitterte, als er schließlich antwortete: "Samael zerstören."

# 21. Kapitel

## *Jacob*

Jacob balancierte einen Stapel Bücher auf seinen Armen, als er durch die Straßen *Solarpolis* lief. *Solarpolis* war die größte Stadt des Königreiches des Lichts und lag im Nord-Westen des Landes. Die Stadt war so groß, dass sie von zwei Seiten an Küsten Grenzen, im Norden an das *Yume*-Meer, welches das Königreich des Lichts von dem westlichen Wasserstamm abgrenzte und am südlichen Rand der Stadt lag der Meerausfluss, welcher das Schloss Sora zu einer Insel, getrennt von dem Rest des Landes machte. Jacob kam oft in die Stat um Bücher, Heilmittel, Schriften oder ähnliches für sein Studium und seine Forschung zu erhalten. Die Stadt florierte und er hatte schon öfter gehört, dass selbst aus den anderen Nationen Reisende nach *Solarpolis* kamen, um den bunten Trubel und die vollen Märkte zu erleben. Verglichen zu den weiten Sälen und Räumen des Schlosses, fühlten sich die kleinen und vollen Gassen laut und chaotisch an, doch Jacob genoss es jedes Mal. Mit seiner Familie hatte er in der Stadt gelebt. Manchmal kam es ihm vor wie gestern, als sein Vater ihn auf seinen Schultern durch die Menschenmassen getragen hatte, sodass der kleine Junge nicht übersehen und übertrampelt wurde. Sie hatten lachend tagelang die Stände und Läden nach Antiquitäten und Schriften durchforstet, sodass sein Vater, der ebenfalls Druide gewesen war, seinen Geist weiter fordern und fördern konnte. Jedes Mal verlieh es ihm einen Stich im Herzen, wenn einer der Händler ihn als Gustavs Sohn erkannte und ansprach. Doch andererseits freute es ihn, dass er auch nach zwölf Jahren noch nicht in Vergessenheit geraten war. Gustav war ein allseits beliebter und angesehener Mann gewesen. Er war der bekannteste Seher des gesamten Königreichs gewesen. Teilweise waren Kunden wochenlang gereist, nur um ihm Fragen über ihre Zukunft zu stellen. Im Gegensatz zu Jacob, der nur unbeabsichtigte, plötzliche Visionen erlebte, hatte sein Vater klar die Zukunft eines jeden sehen können, nur durch eine

Berührung. Diese Gabe war ein Fluch und ein Segen zugleich gewesen, das wusste Jacob.

Bevor er zurück in das Schloss ging, wollte er noch eine Nachricht versenden. Er hatte einen alten Kindheitsfreund im *Shizen* Bistum und er wollte mehr darüber erfahren, weshalb der Erzbischof Samaels Armee nicht entgegentrat. Jacobs Freund diente in der Gladiolen Garde und er hoffte, dass er entsprechende politische Informationen beschaffen konnte. König Kenshin hatte ihm eindringlich davon abgeraten mit dem Bistum in Kontakt zu treten, da unsicher war, ob nicht am Ende mehr als nur ein Waffenstillstand dahinterstehen könnte und somit jede Information eine direkte Nachricht an den Feind sein könnte. Deswegen hatte Jacob seinen Brief nicht durch einen der königlichen Adler versenden können, sondern musste die städtische Post aufsuchen. Im Gegensatz zu den pfeilschnellen Adlern verfügte diese Post jedoch nur über Wolpertinger. Diese kleinen Wesen waren Hasen, die zwar zarte Flügel wie die einer Ente besaßen, damit jedoch keine weiten Strecken, sondern maximal einen gefährlichen Schlund überbrücken konnten. Ihre Geweihe, die zwischen ihren flauschigen Ohren sprießten, halfen ihnen sich gegen mittelgroße Raubtiere zur Wehr zu setzen, dadurch und aufgrund ihrer Intelligenz galten sie als sehr zuverlässige Postboten. Doch ein Wolpertinger würde einige Wochen brauchen, um seinen Brief in die Gladiolen Akademie zu bringen und vermutlich erneut einige Wochen, sollte sein Freund Izuya denselben Wolpertinger wieder zurücksenden. Jacob seufzte. Er betete, dass es bis dahin nicht zu spät war, weitere Informationen zu gewinnen. Denn Jacob machte sich Vorwürfe, dass er aufgrund seiner Vision König Kenshin zum Abwarten befehligt hatte. Er wusste, sollte seine Vision fehlerhaft sein, so würde sie diese Entscheidung womöglich entscheidende Zeit kosten.

Die Poststelle lag neben einer der gut besuchten Tavernen. Obwohl es erst mittags war, waren die meisten Tische draußen auf der Straße bereits gefüllt. Die Herbstsonne führte zu einem milden Klima und einer fröhlichen Atmosphäre. Aufgrund der Religion tranken viele der Königreichs-Bewohner zwar keinen Alkohol, doch die Kultur des Tee- und

Kaffeetrinkens war weit verbreitet. Außerdem wurde ein süßer Tabak, der eine berauschende Wirkung hatte in vielen der Tavernen geraucht. Jacob hatte noch nie verstanden, inwiefern die Pilze, die unter diesen Tabak gemixt wurden, mehr „himmlisch“ sein sollten als Alkohol, doch schwieg er lieber zu dem Thema. Er war Druide und somit traditionell losgelöst von jeglicher Religion, dennoch wusste er, dass der Glauben ein sehr heikles Thema war. Die Verschiedenheit der Religionen war der Hauptgrund, warum das Bistum und das Königreich in früheren Zeiten häufig in Konflikt gelebt hatten.

Als Jacob in der Schlange vor dem kleinen Posthaus stand, schweifte sein Blick über die Tische und dampfenden Tabakgefäße. Dann hörte er, nicht weit, zwei vertraute Stimmen. Suchend hielt er Ausschau und entdeckte Jakut und Sossa, wie sie, mit dem Rücken zur Post gewandt, an einer Pfeife nuckelnd in der herbstlichen Sonne saßen. Sie waren nur wenige Meter entfernt und Jacob konnte nicht anders, als ihren Worten zu lauschen, während er hinter seinen Bücherstapel geduckt wartete.

"Der Bengel ist noch grün hinter den Ohren und mischt sich in Staatsgeschäfte ein", hörte er Jakuts scharfe Stimme sagen.

"Ich denke auch, dass das ganze keine gute Idee ist. Wir wissen immerhin, wie viel Ärger unvollständige Visionen bringen können. Vielleicht wird Kenshin einfach senil und kann sich nicht mehr daran erinnern, was vor 12 Jahren geschehen ist", antwortete Sossa mit einem leisen Husten und einem missbilligenden Kopfschütteln.

"Oder der alte Mann lernt einfach nicht aus Fehlern. Und wir dürfen es ausbaden, sobald es so weit ist", entgegnete Jakut in einem bitteren Tonfall, seine Stirn in Falten gelegt.

Jacob konnte spüren, wie sich in ihm eine Mischung aus Frustration und Ärger aufbaute. Er wollte am liebsten dazwischen platzen und Jakut zur Rede stellen, doch er blieb still und hörte weiter zu.

"Aber Jakut, mit deiner Kampfkunst...", begann Sossa und hob beschwichtigend die Hände.

"Schmeichel mir nicht, Schlange", unterbrach Jakut ihn scharf und rollte genervt mit den Augen.

„Wie bitte?", erwiderte Sossa empört, sein Gesichtsausdruck verfinsterte sich. "Ich bin mir sicher, dass du bereits zuvor Bescheid wusstest. Bist du nicht einer der engeren Vertrauten? Du musst doch von dieser Vision gehört haben", warf Jakut ihm vor und deutete mit einem verächtlichen Fingerzeig auf Sossa. Eine aggressive Geste, die seine Feindseligkeit verdeutlichte und Sossa leicht zusammenzucken ließ.

„Nun ich bedaure..."

„Sossa." Jakuts Stimme war eiskalt. „Ich möchte nicht, dass du hier irgendwelche politischen Spielchen spielst. Ich war damals dabei. Ich kenne die dunkle Macht. Und ich sage dir, du solltest sie nicht unterschätzen", warnte Jakut eindringlich, seine Stimme mit Bedrohlichkeit durchzogen.

"Nun gut, ich gebe zu, du standest der Dunkelheit bereits mehrmals Auge um Auge gegenüber", gab Sossa zögernd zu, während er sich leicht unbehaglich auf seinem Platz hin und her bewegte.

"Ja, und deswegen ist es Wahnsinn, auf diesen Druiden zu hören, anstatt seine Kriegs-Lords um eine Strategie zu bitten", stimmte Sossa ihm bekräftigend zu, seine Miene von Ablehnung geprägt.

Sossa nickte bekräftigend. „In der Tat. Zumal Jacob ...", Der Dicke seufzte und breitete seine speckigen Arme aus, eine Geste des Großmuts, als würde er sich gerade bemühen, seine Worte zu wählen, um nicht zu hart zu sein. „Nun ja, wir wissen beide, dass Jacob nicht Gustav ist. Seine Gabe scheint doch eher schwach und eigenwillig."

„Was erwartest du, wenn er nur zur Hälfte Druide ist und zur anderen Hälfte...", begann Jakut und zuckte gleichgültig mit den Schultern, wobei seine steinerne Schulter plumper reagierte als die menschliche. Sein Tonfall war eiskalt, als er fortsetzte: „...zur anderen Hälfte verrückte Hure."

Die Worte Jakuts trafen Jacob wie ein Schlag ins Gesicht. Die Feindseligkeit und Verachtung in Jakuts Stimme trafen ihn härter, als er es erwartet hatte. Doch vor allem die Beleidigung gegenüber seiner Mutter Ylsa traf ihn tief. Ylsa war eine wunderbare, liebevolle Mutter gewesen, und wie konnte Jakut es wagen, so respektlos über sie zu reden? Jacobs Herz begann schnell und laut zu schlagen, und er spürte eine Welle der Angst, dass die beiden Lords sich zu ihm umdrehen könnten. Vielleicht würden sie ihn sogar auf offener Straße hinrichten, um weiteres Unheil zu verhindern.

„Ey Junge, du bist dran." Eine barsche Stimme hinter ihm ließ Jacob hochschrecken. Eilig ging er in den Postladen hinein und ließ die beiden Lords hinter sich zurück. Sein Herz schmerzte und ihm war übel vor Angst. Was hatte er nur angerichtet?

# 22. Kapitel

*Ray*

Nach ihrer Auseinandersetzung in dem heruntergekommenen Dorf hatten Sola und Ray kaum ein Wort miteinander geredet. Schweigend waren sie nebeneinanderher gelaufen in Richtung des Pinienwaldes. Caleb versuchte die Stimmung aufzuheitern: "Wisst ihr, ich erinnere mich an eine Geschichte aus dem Wasserstamm, bei der..." Doch Ray unterbrach ihn mit einem genervten Seufzen. „Caleb, lass es einfach. Ich habe keine Lust auf Geschichten." Der Otter grunzte kurz und ließ den Kopf hängen und schwieg nun ebenfalls.

Als die Stimmung schließlich den Tiefpunkt erreicht hatte, schlug der Otter vor: "Vielleicht sollten wir eine Pause einlegen und hier übernachten. Morgen können wir dann hoffentlich wieder mit frischer Energie weiterreisen."

Ray nickte, er hatte jedoch wenig Lust, plaudernd a Lagerfeuer zu sitzen und zu speisen. So blieb das Abendessen weiterhin ein schweigsames Unterfangen und die drei schlugen schließlich ernüchtert ihr Nachtlager auf. Nach einem kühlen „Gute Nacht“, zog sich Ray in sein Zelt zurück, während Sola sich draußen hinlegte.

Der Mond stand an seinem höchsten Punkt, als Ray aus einem unruhigen Traum erwachte. Er fühlte sich beengt und nahe dem Ersticken in dem kleinen Zelt. Hustend kletterte er hinaus in die frische Nachtluft. Der Wasserstämmige wollte einen freien Kopf bekommen, um sich danach wieder hinzulegen. Die Mädchen des Tages zuvor gingen ihm einfach nicht aus dem Kopf und sein Gewissen plagte ihn. Gleichzeitig dachte er über Solas Worte nach. Hatte sie Recht? Stand er sich selbst und seinen Zielen im Weg, indem er sich immer wieder in die Angelegenheiten anderer einmischte? Er war hin und her gerissen.

Als er die frische Luft tief in seine Lungen zog, spürte er wie das Pochen in seinem Kopf langsam nachließ. Ray hatte die Augen geschlossen und lauschte in die Nacht hinein. Es war friedlich ruhig.

Zu ruhig.

Es gab kein gleichmäßiges Atmen vor dem Zelt. Irritiert öffnete er die Augen und blickte sich suchend um.

Sola war fort.

Nach ihrem Streit hatte Sola möglicherweise beschlossen, nicht weiter mit Ray zu reisen. Hatte er sie zu sehr enttäuscht? Hatte er ihre Geduld überstrapaziert?

Caleb steckte seinen kleinen Kopf aus dem Zelt. Das Mondlicht spiegelte sich in seinen glänzenden Knopfaugen, während er Ray wissend ansah. Mit einem schmunzelnden Gesichtsausdruck kommentierte er: "Das Mädchen ist schlimmer als du."

Ray war überrascht von Calebs Aussage und richtete seinen Blick auf den Otter, der ein leises, vergnügtes Grunzen von sich gab. "Du kannst vielleicht nicht die ganze Welt retten. Aber sie anscheinend schon", fügte der Otter hinzu. Nun verstand der Wasserkrieger, und sprang auf. Sein schlaftrunkener Geist war plötzlich hellwach.

Caleb gluckste leise und sagte: „Ach, wirst du nun doch der Held, den du Sola versprochen hast? Darüber wollte ich sowieso noch mit dir reden. Denn deine Motive waren mir irgendwie ganz anders in Erinnerung ...“

„Das kann warten“, sagte Ray entschlossen. Er griff seine Klingen, drehte sich zu Caleb und sagte: „Warte hier und pass auf unsere Sachen auf.“

Der Otter gähnte und streckte sich. Ein Lächeln umspielte seine Lippen. Endlich erwachte der Ray Gaido, auf den die Welt wartete.

„Alles klar. Pass auf dich auf.“ Der Otter zwinkerte Ray zu. „Und auf sie.“

Ray rannte. Seine Lunge füllte sich immer wieder und immer schneller mit der kühlen Nachtluft und das Adrenalin trieb ihn rasanter zurück zu dem heruntergekommenen Ort. Als er die schäbigen Häuser schließlich erreichte, erschien ihm die Stille fast unheimlich.

Vielleicht hatte sich Caleb geirrt? Vielleicht war Sola doch fortgegangen? Er schluckte. Zielstrebig ging er auf das Paradise Inn zu. Dicke Vorhänge verbargen das Innere und so konnte er nicht erkennen, ob dort Licht brannte oder nicht. Die Musik vom Mittag war jedoch verklungen. Als er näher herantrat und die Ohren spitzte hörte er gedämpfte Stimmen.

Ray rannte die Stufen zur breiten Holztür hinauf, ohne zu zögern. Sein Herz pochte laut vor Aufregung und Sorge. Die Stille, die ihn umgab, ließ ihn befürchten, dass er möglicherweise zu spät gekommen war. Vielleicht hatten sie Sola bereits überwältigt und gefesselt. Oder noch schlimmer. Die Vorstellung schnürte ihm die Kehle zu. Mit einem kräftigen Ruck riss er die Tür auf und stürmte in das Lokal. Doch das Bild, das sich ihm bot, war weit entfernt von dem, was er erwartet hatte.

In der Mitte des Raumes stand Sola, ihr langes Haar glänzte im flackernden Kerzenlicht und umgab sie wie ein strahlendes Leuchtfeuer. Ihr Gesicht war ernst und unbeweglich, während sie in ihrer Hand die goldene Glefe hielt. Mit der anderen Hand hielt sie einen der Grisha fest gepackt. Die Szene wirkte surreal, wie eine Szene aus einem heroischen Märchen. Sola ließ sich von Rays plötzlichem Erscheinen nicht einmal erschüttern. Die Klingen der Glefe befanden sich bedrohlich nahe an der Kehle des gefangenen Mannes, und Ray konnte sehen, wie sie leicht in seine fahle Haut eindrangen. Jeder Zentimeter, den er sich bewegte, könnte sein letzter sein. Der Mann war vor Angst erstarrt, seine Augen weit aufgerissen und sein Gesicht bleich wie ein Leichentuch.

Seine Freunde Shi und der Hüne saßen zusammengerollt und ängstlich unter einem zersplitterten Tisch in der Mitte des Raumes. Blutige

Schrammen zierten ihre Gesichter, und ihre Arme und Beine waren von Schnittwunden gezeichnet, ähnlich den Verletzungen, die Sori und ihre Schwester erlitten hatten. Wie verängstigte Kinder hockten sie unter dem zerstörten Tisch und wagten kaum, hervorzuschauen. Die anderen Tische im Raum waren entweder durch eine heftige Kollision zerbrochen oder mit tiefen Schnitten versehen.

Sola wandte sich nicht zu ihm um. Stattdessen erhöhte sie den Druck der Klinge leicht an Grishas Hals und flüsterte mit fester Stimme: "Lass sie alle frei. Gib mir jetzt die Schlüssel und lass sie alle frei." Ein leises Wimmern entkam Grisha. "Du wirst niemandem mehr schaden. Danach nimmst du deine beiden Freunde und verlässt diesen Ort. Du wirst nie wieder zurückkehren und die Mädchen in Frieden leben lassen."

Grisha deutete eine zaghafte Kopfbewegung an. Ein Nicken? Die Todesangst war ihm ins Gesicht geschrieben.

Ray trat einen Schritt weiter in den Raum, während er seine beiden Schwerter zog. Ohne ihn anzusehen, sprach Sola ihn nun direkt an: „Ray. Sie sind im Obergeschoss. Aber die Zimmer sind abgeschlossen. Es müssen Dutzende sein.“

Ray blickte unwillkürlich die staubige Treppe hinauf, die sich hinter dem Tresen erhob. Die düstere Dunkelheit des langen Flurs im Obergeschoss ließ seine Fantasie wild spielen. Schwache Rufe und gedämpfte Stimmen drangen zu ihm herüber, verstärkt durch den hallenden Klang des verlassenen Gasthauses. Die geheimnisvollen Klänge erfüllten den Raum mit einer gespenstischen Atmosphäre. Sola flüsterte erneut, doch diesmal mit zischendem Zorn in ihrer Stimme: "Gib uns die Schlüssel."

Ray verfolgte Grishas Gesichtszüge genau, während Sola ihn mit eisernem Griff festhielt. Eine Mischung aus Angst und Überlegung lag in Grishas Augen, als er die Optionen in seinem Kopf abwog. Die Muskeln in seinem Kiefer zuckten nervös, während sein Blick zwischen Sola und Ray hin und her wanderte. Ein Hauch von Entschlossenheit flackerte auf seinem Gesicht auf, als er einen riskanten Schritt wagte und sich von

Solas Griff befreite. Doch seine Flucht war nicht ohne Folgen geblieben. Als Sola jedoch fester zudrückte und erste Blutstropfen aus seinem Hals quollen, konnte er seine Niederlage nicht länger leugnen. Er schluckte schwer und nickte widerwillig. Mit zittrigen Händen fummelte er in seiner Hosentasche, während er versuchte, seinen Kopf so wenig wie möglich zu bewegen.

Sola warf Ray die Schlüssel zu und gab ihm mit einer knappen Kopfbewegung zu verstehen, dass er nach oben gehen solle. Doch in diesem entscheidenden Moment drehte sich Grisha geschickt aus ihrem Griff. Dabei erlitt er einen tiefen Schnitt quer über sein Gesicht, doch dieser war nur oberflächlich. Plötzlich war er frei und sprang mit einem gewaltigen Satz über einen der Tische.

Erst jetzt bemerkte Ray, dass dort mehrere Dolche ausgelegt waren. Bevor er reagieren konnte, hatte Grisha zwei von ihnen in seinen Händen. Seine Augen loderten vor Wut, eine Intensität, die Ray bisher noch nie zuvor gesehen hatte. Ray spürte den Adrenalinschub, der seine Sinne schärfte, als er den Blick auf die Dolche in Grishas Händen richtete. Die kühle Klinge glitzerte bedrohlich im gedämpften Licht der Taverne. Grishas Augen brannten vor unkontrollierbarer Wut, und seine Miene verriet eine finstere Entschlossenheit, die Ray zu erschauern ließ. Sola schrie ihm zu: „Renn und öffne die Türen!"

Die Worte von Sola hallten in Rays Ohren wider. Doch noch bevor er seine Beine in Bewegung setzen konnte, sauste ein Dolch knapp an seinem Ohr vorbei, nur durch eine schnelle Ausweichbewegung entkam er knapp der tödlichen Gefahr. Adrenalin gepaart mit Angst durchströmte seinen Körper und verlieh ihm ungeahnte Schnelligkeit, während er sich in Richtung der Treppe stürzte.

Hinter ihm vernahm Ray das unheimliche Schnalzen des Hünen und den schrillen Pfiff, der von Shis Lippen entwich. Es war ein Zeichen der Verstärkung, das Ray sofort erkannte. Seine Schritte wurden schneller, als er die staubige Treppe hinaufstürmte und sich in einem dunklen Flur mit mehreren Türen wiederfand. Die Schlüssel in seiner zitternden Hand spiegelten seine Nervosität wider, während er hastig die erste Tür aufschloss.

Ein ohrenbetäubendes Krachen und wildes Gebrüll drangen von unten zu ihm durch. Rays Herzschlag beschleunigte sich, als er sich vorstellte, wie die Tür zum Inn unter dem wütenden Ansturm der Männer zerbarst. Er musste sich beeilen, denn er konnte Sola nicht länger allein unten lassen. Sie war zwar eine kämpferische Frau, doch gegen so viele Gegner würde sie selbst an ihre Grenzen stoßen. Wie war sie auf die Idee gekommen, diese Aktion im Alleingang zu bewältigen?

Ray stieß die erste Tür auf und ohne einen Blick hineinzuwerfen stürmte er zur nächsten, um das zweite Schloss zu öffnen. Er hatte damit gerechnet, dass ihm schreiende Frauen entgegenrennen würden. Doch niemand verließ den ersten Raum. Aber er würde erst einmal alle Türen öffnen und dann nachsehen, wo Sori und ihre Schwester eingesperrt waren.

Schließlich erreichte Ray das letzte Schloss. Der Flur lag immer noch verlassen vor ihm. Verflucht, war das eine Falle? Gab es überhaupt Mädchen hier oben? Mit klopfendem Herzen öffnete er die letzte Tür und blickte in den düsteren Raum. Nein, es war keine Falle. In dem Raum waren mindestens fünf oder sechs kleine Mädchen. Sie saßen am Boden zusammengekauert, unterernährt und voller Angst, und starrten ihn mit großen Augen an.

"Ihr müsst hier raus. Verschwindet!", rief er ihnen verzweifelt zu, doch sie blieben regungslos sitzen, zitternd vor Furcht. Verdammt!

Plötzlich vernahm Ray Sola's Schreie. Er konnte hier nicht länger verweilen, er musste ihr helfen. Mit hastigen Schritten eilte er zurück zur Treppe. Seine Augen gewöhnten sich an die schummrige Dunkelheit des Flurs, und im Augenwinkel bemerkte er nun, dass in jedem einzelnen Raum Mädchen waren. Einige von ihnen hatten sich bis zur Tür gewagt und starrten ihn mit großen Augen an, doch keines von ihnen verließ ihr Zimmer. In einer der Türen erblickte Ray Sori und ihre Schwester.

Er zögerte kurz, dann packte er Soris Arm und zog sie aus dem Zimmer. „Komm mit! Wir befreien euch. Euch wird nichts mehr geschehen." Sori quickte laut auf und rannte ihm hinterher. Ihre kleine Schwester winkte wild mit den Armen, als würde sie den anderen signalisieren wollen, dass sie ebenfalls fliehen sollten. Und tatsächlich folgten ihnen die Mädchen.

Als Ray die Treppe erreichte, trotteten dreißig Mädchen im Alter von acht bis sechzehn wie in Trance hinter ihm her. Ihr Anblick war erschütternd. Jede einzelne von ihnen war misshandelt und gezeichnet, und ihre Blicke wirkten leer. Ray spürte, wie die Wut in ihm hochkochte, und er fühlte eine heiße Woge des Zorns durch seinen Körper strömen. Mit einem kraftvollen Satz sprang er die Treppe hinunter und stürzte sich auf einen der neu eingetroffenen Männer, die Grisha unterstützten. Während sich die Mädchen ängstlich an die Wände drückten, versuchte Ray, die Lage zu erfassen. Sola und er waren zwar erfahrene Kämpfer, aber sie waren nur zu zweit. Grishas Gefolge hatte sich mittlerweile auf mindestens fünfzehn Männer verstärkt, und somit waren sie ihnen zahlenmäßig weit überlegen.

## *Sola*

Sola spürte, wie ihr Herz wild gegen ihre Brust schlug, als sie mit dem Rücken zur Wand stand. Vor ihr stand der massige Hüne und einer der verstärkenden Männer, die unaufhaltsam näherkamen. Mit geschickten Bewegungen schwang sie ihre Glefe hin und her, um sie auf Abstand zu halten. Doch die Männer schienen unbeirrt zu sein, sie einzukreisen.

Plötzlich bemerkte sie aus den Augenwinkeln einen weiteren Mann, der mit gezücktem Säbel auf sie zustürmte. Ein beklemmendes Gefühl ergriff sie. Sie wusste, dass sie sich nicht gegen alle drei gleichzeitig verteidigen konnte. Ihre Augen wanderten suchend durch den Raum hinter den Männern. Ihr Blick fiel auf Ray, doch sie erkannte, dass sie nicht auf seine Hilfe zählen konnte. Auch er war damit beschäftigt, mehrere Männer gleichzeitig zu bekämpfen.

Der Hüne, der ihre Verunsicherung bemerkte, verzog sein Gesicht zu einem höhnischen Grinsen. Mit einem tiefen, lauten Gebrüll hob er seine Faust mit dem klingenbesetzten Schlagring und stürmte mit ungebremster Wut auf Sola zu. Das Grollen seiner Stimme erfüllte den Raum und verstärkte die bedrückende Spannung in der Luft.

# 23. Kapitel

## *Kayla*

Brutus ging Kayla konsequent aus dem Weg. Doch das würde ihm nicht ewig gelingen. Da war sie sich sicher. Doch sie hatte Angst er könne *Reshira* wieder verlassen, bevor sie ihn zu fassen bekam. In der Festung gingen Gerüchte um, dass ein loyaler Untergebener Samaels für eine geheime Assassinen-Mission auserkoren werden würde. Normalerweise war Taro derjenige, der solche Einzelmissionen übernahm. Doch nach den jüngsten Vorfällen, bei denen Taro den Großteil seiner Männer in einem Dorf in der Sakura-Region verloren hatte, gab es Zweifel an seiner Loyalität. Es hieß, dass sie von zwei Jugendlichen mit ungeahnten Kräften überwältigt worden waren.

Diese Ereignisse hatten Kasō und Samael beunruhigt. Sie waren sich nicht sicher, ob sie Taro noch vertrauen konnten. Einige der besten Feuermagier waren dabei ums Leben gekommen. Brutus könnte diese Situation nutzen, um anstelle von Taro wieder außerhalb von *Reshira* stationiert zu werden. Bevor das geschah, wollte Kayla ihn zur Rede stellen. Deshalb durchstreifte sie ruhelos jeden Tag die Festung, auf der Suche nach dem perfekten Moment.

Schließlich entdeckte Kayla ihn. Der Schattenelf lief in Gedanken vertieft durch die Gänge *Reshiras*. Noch dunklere Schatten unter den Augen als sonst, so als hätte er die letzten Nächte nicht geschlafen.

*Na, wenigstens lässt es ihn auch nicht kalt*, dachte Kayla zufrieden. Das war ihre Chance. Sie folgte ihm in Tigergestalt wie ein Schatten. Dann, als er an einer Besenkammer vorbeikam, sprang sie auf ihn zu. Ohne Rücksicht drängte sie ihn in die Kammer. Selbst der große hünenhafte Schattenelf konnte dem großen, mächtigen Tiger nicht ausweichen. Sie bleckte die Zähne und gab Brutus zu verstehen, dass er gehorchen sollte.

Als Brutus in der Besenkammer stand und der Tiger zwischen ihm und der Tür stand verwandelte sich Kayla zurück in ihre Menschengestalt. Rasch schloss sie die Tür und drehte sich Brutus zu. Die dunklen Locken hingen ihr zerzaust in die Stirn. Ihr Herz raste. Nicht nur vor Anstrengung des kleinen Überfalls. Sie bemühte sich um eine feste Stimme, um ihre Aufregung und ihre Unsicherheit zu verbergen. Tagelange hatte sie auf diese Möglichkeit gewartet, mit ihm reden zu können.

„Du gehst mir aus dem Weg", stellte Kayla fest und spürte eine Mischung aus Frustration und Verletztheit in sich aufsteigen.

Brutus zuckte nur die Schultern und gab als Antwort: „Es gibt viel zu tun."

„Gab es immer. Und dennoch haben wir normalerweise Zeit miteinander verbracht", entgegnete Kayla mit einem Hauch von Sehnsucht in ihrer Stimme. „Deswegen möchtest du jetzt Zeit in einer Besenkammer mit mir verbringen?" Der Schattenelf sah Kayla an und zog die Augenbrauen hoch. Kayla konnte nicht genau deuten, was in seinem Blick lag – war es Überraschung oder vielleicht sogar Verachtung? Diese Unsicherheit verstärkte ihre Nervosität, doch sie kämpfte darum, es nicht nach außen zu zeigen. Sie verlagerte unruhig ihr Gewicht von einem Bein auf das andere.

„Nein, natürlich nicht. Ich möchte mit dir reden", erklärte sie mit Entschlossenheit und versuchte, ihre Unsicherheit zu überspielen.

Ein leichtes Verziehen um Brutus' Mund ließ Kayla zweifeln, ob er ebenfalls nervös war oder ob er ihren Vorstoß verachtete. Diese Unsicherheit machte sie noch nervöser, doch sie kämpfte dagegen an und streckte ihr Kinn entschlossen nach vorne, um ihre innere Unsicherheit zu kaschieren. „Es geht um die Hochzeit, nicht wahr?", fragte der Hüne, der die gesamte Kammer ausfüllte.

Die Amazone nickte.

„Müssen wir wirklich erneut darüber reden? Ich habe dir bereits alles gesagt", sagte er kühl und verzog dabei keine Miene.

Erneut nickte sie, diesmal entschlossener. „Aber ich habe dir nicht alles gesagt." Sie atmete tief durch und zählte im Kopf bis zehn, um sich selbst zu beruhigen. *Du schaffst das*, ermutigte sie sich innerlich.

„Ich liebe dich. Ja, verdammt. Brutus, ich liebe dich", gestand sie schließlich mit einem Anflug von Verletzlichkeit in ihrer Stimme.

Brutus schwieg, und die Stille verunsicherte Kayla zutiefst. Es fühlte sich an, als ob ihre Worte im Raum verhallten und unbeantwortet blieben. Vielleicht war es nicht überzeugend genug, ohne eine Erklärung. Also versuchte sie es erneut, ihre Gefühle deutlicher zum Ausdruck zu bringen.

„Ich liebe dich. Ich weiß, das ist vielleicht seltsam, da du mich aufgezogen hast, aber glaube mir, ich liebe dich wirklich", betonte Kayla mit Nachdruck. Sie suchte Brutus' Blick, hoffend auf eine Reaktion. „Du bist mein bester Freund, mein Beschützer und mein Vertrauter. Du hast mich immer zum Lachen gebracht und auf mich aufgepasst. Ohne dich wäre ich nicht nur in *Ceceres* gestorben, sondern ohne dich wäre mein Leben im Imperium auch trist und grau. Ich weiß nicht, wie ich es noch besser sagen soll, aber ich will, dass du weißt, dass ich dich liebe. Ich werde Kasō nicht heiraten, ich möchte an deiner Seite sein - an deiner Seite bleiben."

Brutus schwieg noch immer und starrte Kayla an. Sein Gesicht blieb ausdruckslos, und Kayla konnte nicht ergründen, was in ihm vorging oder welche Gefühle er vielleicht verbarg.

„Willst du nichts sagen?", fragte sie schließlich, die Verzweiflung in ihrer Stimme kaum verbergend.

Brutus schwieg weiterhin.

„Du bist ein elender Feigling, Brutus", brach es aus Kayla hervor, während ihre Stimme vor aufgestauter Frustration bebte. Sie kämpfte gegen die Tränen an, entschlossen, keine Schwäche zu zeigen.

Der Schattenelf schluckte schwer und dann endlich kam seine Antwort: „Kayla. Dein Platz ist an Kasōs Seite. Du musst dich von mir lösen."

„Warum sollte ich?“ Kayla reckte ihr Kinn noch weiter vor. Sie würde nicht aufgeben. Dieses Mal nicht. Sie wollte hören, warum er sie nicht wollte. Sie **musste** es hören.

Brutus seufzte und vermied es, ihr direkt in die Augen zu sehen, während er schließlich antwortete: „Ich bin zu alt.“

Kayla konnte beinahe eine spöttische Note in ihrer Stimme nicht unterdrücken, als sie fragte: "Ist das dein Ernst?" Während Brutus nickte, blieb sein Blick weiterhin auf den Boden gerichtet.

"Ich bin 105 Jahre alt", erklärte er. "Und Kasō ist 28." Kayla konnte nicht anders, als mit dem Fuß aufzustampfen. "Das ist deine Ausrede? Ich gestehe dir meine Gefühle und du schaffst es nicht einmal, eine vernünftige Ausrede zu finden?" Brutus stotterte, doch Kayla ließ ihn nicht zu Wort kommen.

"Du hast mir selbst erklärt, dass Schattenelfen sehr langsam altern und ihr tatsächliches Alter nur ein Fünftel der Menschenjahre beträgt", fuhr sie herausfordernd fort. "Das würde bedeuten, dass du eigentlich 21 Jahre alt bist. Sieben Jahre jünger als Kasō." Brutus versuchte zu lächeln.

„Du hörst mir also doch zu, wenn ich versuche dir etwas beizubringen“, sagte er mit einem schiefen, traurigen Lächeln. Kayla fauchte wütend und schlug mit der rechten Faust gegen Brutus' Oberkörper. Es war ihr genug. Die Tränen brannten in ihren Augen, und sie konnte nicht mehr zurückhalten, was sie schon so lange in sich getragen hatte. „Hör auf! Hör auf damit!“, schrie sie ihn an, während die Tränen unaufhaltsam über ihre Wangen strömten. Die Mischung aus Wut und Kummer machte ihre Stimme zitternd. „Wenn du mich nicht liebst, dann ist das so. Dann kann ich das nicht ändern.“ Kayla ließ ihre Fäuste auf Brutus' Brust trommeln, während sie zwischen ihren Schluchzern hervorbrachte: „Aber mach dich nicht über meine Gefühle lustig.“

„Ich mache mich nicht lustig“, erwiderte Brutus ruhig, doch seine Worte waren nicht genug, um den Schmerz in Kaylas Herz zu lindern.

„Dann sag es mir. Sag es mir ins Gesicht!“, forderte sie ihn auf, ihre Stimme gebrochen und voller Verzweiflung.

„Was meinst du?“, fragte Brutus verwirrt, als ob er nicht verstehen konnte, was sie von ihm wollte.

„Sag mir, dass du mich nicht liebst. Sag mir, dass meine Gefühle einseitig sind und dass ich mir die Zuneigung nur eingebildet habe. Sag es mir, und ich lasse dich gehen“, schluchzte Kayla zwischen den Worten und schlug unaufhörlich auf Brutus' Brust ein.

Brutus schien die Schläge kaum wahrzunehmen. Sein Blick war leer und sein Ausdruck ausdruckslos. Doch Kayla ließ nicht locker. Sie wollte die Wahrheit hören, auch wenn es ihr das Herz brechen würde.

„Sag es mir!“, schrie sie mit verzweifelter Hingabe. „Aber sag mir nicht es sei das Alter, oder weil du mein Leben bessern willst. Diese Ausreden akzeptiere ich nicht.“

„Nein“, kam Brutus ruhige Antwort, die Kayla in ihrem Innersten erschütterte.

„Wieso nicht?“, fragte sie mit zitternder Stimme, während sie einen Schritt näher auf ihn zutrat. Ihre großen, dunklen Augen suchten die seinen, voller Sehnsucht nach einer ehrlichen Antwort. Brutus schluckte schwer, sein Blick wich ihrem aus. Kayla konnte spüren, wie schwer es ihm fiel, die Worte auszusprechen. „Ich kann nicht“, flüsterte er leise, als ob er es kaum über die Lippen bringen konnte.

„Wie bitte?“, fragte sie. Dieses Mal mit einer weichen, liebevollen Stimme. Vielleicht musste sie ihre Taktik ändern.

Brutus blickte auf und sah ihr direkt ins Gesicht. In diesem Moment schienen um sie herum alle anderen Geräusche verstummt zu sein. Es war nur noch sie und Brutus. Die Tränen sammelten sich erneut in Kaylas Augen, als sie seine Worte erwartete. „Ich kann nicht“, wiederholte er leise, und seine Worte trafen Kayla wie ein Schlag ins Gesicht.

„Warum nicht?“, fragte sie mit einem Hauch von Verzweiflung in ihrer Stimme, während sie ihn weiter anblickte. Sie würde nicht aufgeben, sie würde ihn nicht in Ruhe lassen. Brutus schluckte erneut, seine Augen verrieten seine innere Zerrissenheit. „Kayla, bitte zwing mich nicht dazu.“ Brutus sah die Amazone liebevoll an. Kayla trat einen weiteren Schritt auf ihn zu. Sie würde ihn nicht in Ruhe lassen. Sie standen nur noch wenige Zentimeter voneinander entfernt. Würde einer von beiden die Hand heben, so stieße er direkt an den Körper des anderen. Kayla nahm seine Nähe wie ein Prickeln unter ihrer Haut wahr.

„Ich kann dir nicht sagen, dass ich dich nicht liebe“, sagte er schließlich. Die Luft in der Besenkammer schien plötzlich mehrere Grad gestiegen zu sein.

Kayla musste sich bemühen, ihren Blick nicht zu senken. Sie wusste, dass er sehen konnte, wie seine Worte sie verletzten. Dennoch reckte sie ihr Kinn nur noch sturer vor und fragte erneut: „Warum?“ Der Schattenelf fixierte sie, in seinen Augen schimmerte etwas Unergründliches. Die Intensität zwischen ihnen war beinahe unerträglich. Brutus' Stimme war leise, fast zärtlich, als er antwortete: „Weil du mir alles bedeutest.“

Diese Worte trafen Kayla vollkommen unvorbereitet. Sie waren so voller Liebe und gleichzeitig so voller Schmerz, dass sie instinktiv wusste, dass er die Wahrheit sagte. Es schnürte ihr die Luft weg und sie konnte nur keuchen.

Ganz langsam streckte sie ihre Hand nach Brutus aus. Ihre Fingerspitzen berührten sein vernarbtes Gesicht. In seinen Augen lag so tiefer Kummer, dass sie ihn kaum wiedererkannte. Er ließ zu, dass sie seine Haut sanft streichelte. Dann seufzte er und ganz plötzlich legte er ihr seine Hände um die Taille und hielt sie fest. Diese Nähe war so elektrisierend, dass sie förmlich spürte, wie sich ihr Körper mit Energie auflud.

Kaylas Beine zitterten, doch Brutus sanfter und zugleich fester Griff um ihren Körper hielt sie aufrecht. In diesem Moment wusste sie, dass jeder ihrer Zweifel unberechtigt war. Sie sah und sie spürte, dass Brutus sie ebenso liebte, sie begehrte und sie wollte, wie sie ihn.

Von diesem tiefen Gefühl der Verbundenheit überwältigt lehnte sie sich ein wenig weiter nach vorne. Sie wollte ihn nicht nur berühren. Sie wollte ihn küssen und liebkosen und ihrer Sehnsucht nach ihm körperlichen Ausdruck verleihen. Ihr Gesicht kam seinem immer näher und sie konnte jedes kleine Äderchen unter seiner blassen Haut sehen. Noch ein Stück näher. Sein Atem streifte ihre Nase. Es war ein sanfter Hauch. Ihre Lippen waren nur wenige Zentimeter von seinen entfernt und sie hatte noch immer nicht den Blickkontakt abgebrochen.

Doch plötzlich veränderte sich etwas in seinen Augen. Die Zuneigung, die Leidenschaft und Sehnsucht verwandelte sich in Furcht und Panik. Seine Augen waren weit aufgerissen und starrten sie entsetzt an. Mit einem energischen Ruck schob er sie von sich weg und seine Hände, die eben noch zärtlich ihre Hüften umfasst hatten, drückten nun schmerzhaft auf ihre Schultern. Der plötzliche und raue Griff ließ nicht nur körperliche Schmerzen durch Kaylas Körper fahren, sondern auch ihr Innerstes erzittern. Ein Teil von ihr zerbrach, als Brutus sie mit solcher Wucht von sich stieß.

Mit nun nicht mehr weicher, sondern harter Stimme sagte er: „Wage es nicht. Wage es niemals wieder mir so nah zu kommen.“

Seine Worte hallten in der Stille wider, während er ihre Schultern losließ und einige Schritte von ihr zurücktaumelte. Kayla starrte ihn mit weit aufgerissenen Augen an, ihr Körper bebte vor Aufregung und Verzweiflung. Sie konnte nicht verstehen, was gerade geschehen war. Sie hatte gesehen, dass er sie ebenfalls liebte, hatte gespürt, dass er sie begehrte. Warum also dieser plötzliche Umschwung?

"Wieso?", schrie sie ihn an. "Wieso nur?" Die Tränen strömten nun ungehindert über ihre Wangen, und sie konnte kaum ihre eigenen Worte verstehen, so sehr überwältigten sie ihre Gefühle. Sie hatte gedacht, dass sie beide auf derselben Wellenlänge waren, dass sie eine Verbindung hatten. Doch jetzt schien alles auseinanderzubrechen.

„Weil ich dich zerstören würde!“ Brutus erhob seine Stimme ebenfalls. Jedoch nicht hoch und schrill wie Kayla, sondern tief und bedrohlich, wie das Knurren eines wilden Tieres. Kayla war perplex. War das wirklich seine Antwort?

"Aber ich will dich. Ich will dich mehr als alles andere auf der Welt!", rief sie verzweifelt aus. Sie konnte die Verwirrung und den Schmerz in ihrer Stimme spüren.

Brutus blickte sie gequält an. "Du darfst nicht!", sagte er mit Nachdruck. "Erklär mir, wieso!", flehte Kayla und ihre Stimme bebte vor Verletzlichkeit

„Verstehst du es wirklich nicht?“ Brutus funkelte Kayla an. Kayla spürte, wie ihr die Tränen erneut in die Augen stiegen und ihr heiß wurde. Sie fühlte sich wie ein kleines dummes Kind. Er sah sie so seltsam an, dass sie sich fast schämte.

Sie schob trotzig ihre Lippe vor und erwiderte: "Weil du mich nicht willst."

Brutus schnaubte, fast wie ein bitteres Lachen. Doch lachte er sie aus? Sie konnte es nicht sagen. "Glaubst du wirklich, ich würde dich nicht wollen?", entgegnete er. Kayla verschränkte ihre Arme schützend vor der Brust. Was wusste sie schon über ihn? Brutus war für sie wie ein verschlossenes Buch mit sieben Siegeln. Brutus senkte den Kopf und schloss die Augen. Er schien sie nicht mehr ansehen zu wollen. Dann flüsterte er mit brüchiger Stimme: „Ich bin ein Schattenelf.“

„Ich weiß“, erwiderte Kayla möglichst pampig. Sie wollte nicht zeigen, wie sehr er ihr mit seinem Stoß verletzt hatte.

„Wenn du mich küsst, wirst du für den Rest deines Lebens in Höllenqualen verbringen.“ Brutus Stimme klang belegt. „Ich werde dich niemals liebkosen können auf die Art und Weise, wie du es verdienst hättest.“ Seine Stimme klang so wehmütig, dass es Kaylas Herz weiter zerriss. Sie hatte nicht geglaubt, dass dies möglich war, doch nun stand sie hier und hatte bereits das Gefühl durch die Höllenqualen zu gehen.

„Ich würde dich küssen und dich an mich reißen, und Sachen mit dir anstellen, die du dir gar nicht vorstellen kannst. Aber ich kann es nicht. Ich würde die Dunkelheit über dich hereinstürzen lassen. Und damit auch über mich. Denn dein Glück ist mein Licht.“

Kayla löste langsam die Verschränkung ihrer Arme. Brutus' Verzweiflung drang tief in sie ein, und sie konnte nicht anders, als ihm erneut näher zu kommen. In seiner Stimme schwang eine Einsamkeit mit, die sie zuvor nie bemerkt hatte. Plötzlich fühlte sie sich naiv. Sie hatte gedacht, dass die Natur der Schattenelfen keine Rolle zwischen ihnen spielen würde, dass sie auch ohne körperliche Zärtlichkeiten glücklich sein könnten. Doch in Brutus Stimme lag so eine Verzweiflung, so viel Furcht, sie zu verletzen. Sie war so blind gewesen. Jahrelange hatte sie Seite an Seite mit ihm gelebt und nie begriffen, wie einsam und voller Selbsthass Brutus war.

"Ich möchte einfach, dass du glücklich wirst. Das macht mich glücklich. Doch ich kann und ich will nicht deine Zukunft sein. Denn die wäre einsamer, als du es dir vorstellen kannst", sagte Brutus mit leiser, rauer Stimme. Kayla spürte den Schmerz in seinen Worten und ihr Herz schmerzte mit.

Sie streckte ihre Arme nach ihm aus und er ließ zu, dass sie ihn wenigstens umarmte. In diesem Moment schienen alle Worte überflüssig zu sein. Sie flüsterte leise: "Es tut mir so leid." Ihre Stimme bebte vor Traurigkeit und Reue.

Auch Brutus schloss die Arme um sie und erwiderte leise: "Mir auch." Die Worte waren kaum mehr als ein Hauch, doch sie drückten eine ganze Welt an Gefühlen aus.

So standen sie eine Weile da, eng umschlungen. Die Tränen flossen weiter, und ihr Weinen vermischte sich in einem traurigen Duett. Sie weinten für den Schmerz des jeweils anderen, für ihre verlorenen Träume und für die gemeinsame Zukunft, die es nie geben würde. In diesem Moment waren sie vereint in ihrer Trauer und in ihrem unerfüllten Verlangen.

# 24. Kapitel

## *Sola*

Sola spürte, wie ihr Atem beschleunigte und das Adrenalin durch ihre Adern schoss. Auf der einen Seite stürmte der gewaltige Hüne auf sie zu, auf der anderen der Säbelträger. Doch noch bevor sie sich entschieden, hatte in welche Richtung sie ihre Glefe zuerst stoßen würde, erstarrte der Säbelträger plötzlich in der Bewegung. Schmerz und Panik malten sich auf seinem Gesicht, während ein lauter, kehliger Schrei aus seinem aufgerissenen Mund drang und er Blut spuckte. Sola erkannte, dass eines der Mädchen ihn von hinten attackiert hatte. Mit einem langen, scharfen Küchenmesser hatte sie seine Kehle durchbohrt und mit ihrer anderen Hand klammerte sie sich fest an seine Schultern. Versuchte verzweifelt den Mann zu Boden zu zerren. Sola hechtete zu den beiden und stieß mit all ihrer Kraft gegen den Hünen, rammte ihre Schulter gegen seinen Körper. Dieser taumelte nun keuchend und krachte schließlich zu Boden.

Noch ehe der andere Sola erreichte, reagierte Sola. Sie wirbelte in die andere Richtung und parierte die gewaltigen Hiebe des Hünen mit ihrer Glefe. Sie spürte die Vibrationen bei jedem Aufprall, während sie den Angriffen standhielt. Dann tauchte sie blitzschnell unter einem weiteren Schlag hinweg und schleuderte ihre goldene Waffe hoch, sodass sie den Kopf des Hünen von unten durchbohrte. Heißes Blut spritzte und sprudelte aus seinem aufgerissenen Kiefer, während Sola ruckartig ein zweites und ein drittes Mal mit der Glefe zuschlug. In einer fließenden Bewegung wirbelte sie erneut herum, um sicherzustellen, dass das Mädchen, das den Säbelkämpfer angegriffen hatte, unversehrt war. Zu ihrer Erleichterung war sie bereits auf den Beinen, obwohl sie zitterte. Trotz ihrer zierlichen Statur loderte in ihren Augen ein unbeugsamer Wille. Fast schien es, als würde sie brüllen, als sie zu Sola sprach: "Danke. Wir waren am Boden zerstört, aber nun erheben wir uns wieder."

Sola lächelte für einen kurzen Augenblick, durchzuckte ein

ohrenbetäubender Schrei die Luft, als das kleine Mädchen mit nur wenigen hastigen Schritten auf einen weiteren Peiniger zusprang. Sola wollte ihr noch zur Hilfe eilen, da wurde ihre Aufmerksamkeit von einem neuen Angreifer auf sich gezogen. Ein etwas kleinerer Mann sprang auf sie zu, der Blick wahnsinnig. Während Sola sich mit einem neuen Angreifer auseinandersetzte, konnte sie aus dem Augenwinkel beobachten, wie das tapfere kleine Mädchen sich mutig dem Peiniger stellte. Ihr Herz schlug wild vor Aufregung, nun nicht mehr nur wegen ihres eigenen kräftezehrenden Kampfes. Die Anspannung und der Adrenalinschub pulsierten durch Solas Adern, doch ihr Blick wanderte immer wieder zu der Szene, die sich neben ihr abspielte.

Das Mädchen bewegte sich mit einer Geschwindigkeit und Entschlossenheit, die Sola beeindruckten. Sie sah, wie das Messer des Mädchens auf den Hals des Angreifers traf, doch diesmal war der Widerstand des Mannes größer. Ein Gefühl der Sorge durchzog Solas Gedanken, als sie die verzweifelten Versuche des kleinen Mädchens sah, das Messer tiefer in die Kehle des Peinigers zu treiben. Sie spürte förmlich die Anstrengung, die das Mädchen aufbrachte, um sich gegen den überlegenen Gegner zu behaupten. Der Kampf zwischen dem Mädchen und dem Mann wurde zu einem entsetzlichen Ringen. Sola konnte die Entschlossenheit in den Augen des Mädchens sehen, während es mit aller Kraft versuchte, das Messer weiter einzusetzen. Sie bewunderte den Mut und die Tapferkeit, die das kleine Mädchen in diesem Augenblick zeigte. Der Schweiß floss ihr von der Stirn, doch sie gab nicht auf. Jeder Muskel in ihrem Körper war angespannt, während sie gegen die überwältigende Stärke ihres Gegners ankämpfte.

Plötzlich spürte Sola, wie sich ihre eigene Situation zuspitzte. Der Angreifer wurde immer aggressiver, seine Schläge wurden schneller und härter. Sola wusste, dass sie all ihre Fähigkeiten und ihr Können einsetzen musste, um diesen Kampf zu überstehen. Doch trotz ihrer eigenen Gefahr konnte sie nicht anders, als einen Blick auf das kleine Mädchen zu werfen.

Und dann geschah es. Mit einer letzten energiegeladenen Bewegung gelang es dem tapferen Mädchen, den Widerstand des Mannes zu brechen. Sola konnte förmlich spüren, wie die Erleichterung das Mädchen durchströmte, als der Angreifer zu Boden sank. Ein Moment des Triumphs erfüllte die Luft, während das Mädchen den Sieg errungen hatte. Während sich Sola weiterhin gegen ihren eigenen Angreifer behauptete, konnte sie die befreienden Schreie des kleinen Mädchens hören, die durch den Raum hallten: "Schwestern, erhebt euch! Wir haben eine Chance erhalten, unser eigenes Schicksal zu bestimmen. Erhebt euch und unterstützt unsere Retter!" Die anderen Mädchen, die zuvor ängstlich in den dunklen Ecken gehockt hatten, zuckten zusammen und starrten furchtsam auf das mutige kleine Mädchen. Doch dann erhoben sie sich zaghaft, ihre Beine wankten unsicher unter ihnen. Dennoch war in ihren Augen ein Hauch von Entschlossenheit zu erkennen. Sola sah aus den Augenwinkeln, wie die bisher verängstigten Mädchen mit zitternden Händen nach Waffen griffen. Ihr Anblick füllte Sola mit Stolz und Bewunderung. Sie waren vielleicht unerfahren und ungeschickt, aber ihr gemeinsamer Mut und ihre Entschlossenheit gaben ihnen eine unbändige Stärke. Einige von ihnen griffen nach den Waffen der Gefallenen, andere hoben hastig Küchenmesser auf. Mit ängstlichen Schreien stürzten sie sich auf die verbleibenden Männer. Ihre Angriffe waren unbeholfen und unerfahren, denn sie waren keine Kriegerinnen. Doch nun waren sie zahlenmäßig weit überlegen.

Der Raum erfüllte sich mit den ängstlichen Schreien der Mädchen, die sich nun mit vereinten Kräften auf die noch verbleibenden Männer stürzten. Sola spürte die Woge der Solidarität und Zusammengehörigkeit, die in der Luft lag. Während sie selbst ihren eigenen Kampf ausfocht, konnte sie den leisen Klang von Feuer und das Knistern der Flammen hören. die von Sori und ihrer Schwester entfacht wurden. Sola entdeckte plötzlich Sori und ihre Schwester, die sich immer noch fest an den Händen hielten. Sie waren es, die kleine Flammen erzeugten, die ihre Widersacher lichterloh in Brand setzten. Sie waren Feuer-Magierinnen. Sie waren Feuer-Magierinnen, und ihre Präsenz inmitten des Chaos und der Gewalt verwirrte Sola. Wie konnte das sein? Was hatten Feuer-Magierinnen inmitten des tiefsten Bistums zu suchen?

Aufgrund eines uralten Schwurs dienten Feuer-Magier ausschließlich dem Flammen-Imperium. Es war ungewöhnlich, dass sie sich in anderen Nationen aufhielten. Doch hier waren sie, kämpfend Seite an Seite mit Sola, obwohl sie normalerweise treu ihrem Land verbunden waren. Sola konnte nur erahnen, wie schlimm die Situation wirklich war. Dieser Ort war nicht nur ein Ort der Quälerei und Knechtschaft, sondern auch eine Stätte des Menschenhandels. Was machten diese Mädchen also hier? Es war wohl noch schlimmer, als sie erahnt hatte. Das hier war nicht nur ein Ort der Quälerei und Knechtschaft, sondern eine Stätte des Menschenhandels. Die Fragen wirbelten in Solas Gedanken, während sie weiterkämpfte, Seite an Seite mit diesen unerwarteten Verbündeten.

Der plötzliche Angriff der Mädchen hatte für einen Moment die Luft erfüllt, mit dem Klirren von Waffen und den schmerzvollen Schreien der Angreifer. Sola nutzte diese kurze Verschnaufpause, um sich dem älteren Mädchen zuzuwenden. Ihr Gesicht war angespannt, während sie die Worte von Sola aufnahm. "Wie kommt es, dass Feuer-Magierinnen im *Shizen*-Bistum leben?"

Das Mädchen lächelte Sola an, doch ihre Augen spiegelten eine Mischung aus Angst und Entschlossenheit wider. Sie nutzte den kurzen Moment, um zu erklären: "Sie wurden an Grisha verkauft. Er war ganz wild darauf, seinen Kunden etwas Exotisches wie Feuer-Magierinnen bieten zu können." Die Worte waren kaum mehr als ein Flüstern und bevor sie weiterreden konnte, griff sie einer der Ganoven erneut an. Er stürmte auf sie zu, seinen Dolch drohend erhoben. Sola handelte instinktiv und schubste das ältere Mädchen zur Seite. Mit einer fließenden Bewegung schleuderte sie ihre goldene Glefe auf den Angreifer zu. Die Klinge durchschnitt die Luft mit tödlicher Präzision, traf den Mann mit voller Wucht und zwang ihn zu Boden. Ein Schrei des Schmerzes entfuhr seinen Lippen, während er benommen liegen blieb.

„Es ist das erste Mal, dass ich sehe, dass sie ihre Magie benutzen", sagte das Mädchen und Sola sah, wie sie sich die Seite hielt, während sie die Schwestern beobachtete. Ein roter Fleck breitete sich auf ihrem Hemd aus. *Verdammt,* dachte Sola. Sie war verletzt worden.

Sola atmete schwer, ihr Herz raste vor Adrenalin. Ein Gefühl der Besorgnis und Entschlossenheit erfüllte ihre Augen, als sie das Mädchen behutsam hochhob. "Ich bring dich hier raus. Halte durch", flüsterte sie mit eiserner Entschlossenheit.

Sola spürte eine Mischung aus Bewunderung und Dringlichkeit in ihrem Inneren. Es war keine Zeit zu verlieren. "Jetzt sei leise und spar deine Kräfte", erwiderte sie sanft und rannte die Treppe hinauf, geschickt den Angriffen der Gegner ausweichend. Ihr Verstand arbeitete schnell, während sie nach einem sicheren Ort suchte, an dem sie Tarea vorläufig ablegen und ihre Verletzungen versorgen konnte. Schließlich entdeckte sie eine unberührte Kammer im oberen Stockwerk und legte Tarea behutsam ab, deren Schmerzen sie förmlich spüren konnte. "Ganz ruhig", flüsterte Sola beruhigend und sah sich um.

Ihr Blick fiel auf einen Haufen Betttücher in der Ecke des Raumes. Ohne zu zögern, riss sie die Leinen in lange Streifen und begann, Tareas verwundeten Oberkörper so fest wie möglich zu verbinden. Jeder Handgriff war konzentriert und zielsicher, während sie den Verband sorgfältig anlegte. "Bleib hier", befahl sie Tarea mit Nachdruck, während sie den Verband abschloss. Tarea nickte schwach, ihre Augen glasig vor Schmerz.

Sola verließ die Kammer und stürmte zurück in den Kampf, ihre Entschlossenheit ungebrochen. Eine neue Energie durchströmte sie, als sie sich den verbliebenen Angreifern stellte. Mit einem markerschütternden Gebrüll und der Geschwindigkeit einer Raubkatze durchtrennte sie ihre Gegner mit ihrer gleißenden Glefe. Jeder Hieb war präzise und kraftvoll, während sie sich unaufhaltsam durch die Reihen der Angreifer kämpfte. Funken der Magie umgaben sie, als sie sich dem Chaos entgegenstellte und mit jeder Bewegung ihre Entschlossenheit zum Ausdruck brachte.

Sola wirbelte mit ihrer Glefe durch die Luft, schlug Hiebe ab und setzte gezielte Stiche gegen ihre Gegner. Jeder ihrer Schläge hatte eine tödliche Präzision und trieb ihre Angreifer zurück. Ihre Augen loderten vor

Kampfeslust, und ihr Herz pochte wild in ihrer Brust. Plötzlich stürzte sich ein weiterer Angreifer auf sie. Sola konterte mit einem schnellen Ausweichmanöver und Sori, die sich geschickt neben sie gedrängt hatte, setzte zu einem mächtigen Feuerstoß an. Die Flammen loderten auf und umhüllten den Angreifer, der schreiend zurückwich. Mit ihrem furchterregenden Flammenzauber entfachte die Kleine ein Inferno inmitten der Angreifer. Ihre Hände glühten hellrot und mächtige Feuerbälle flogen aus ihren Fingerspitzen, die jeden Gegner in Flammen hüllten. Sola schwang ihre goldene Glefe mit beispielloser Geschicklichkeit und Kraft, sodass sie jeden Angriff abwehren und verheerende Stöße gegen die Feinde ausführen konnte. Die Kombination von Solas gewaltiger Stärke und Soris zerstörerischer Magie war eine unaufhaltsame Kraft, die die Angreifer in Angst und Schrecken versetzte. Währenddessen wirbelte Ray mit seinen beiden Schwertern durch die Reihen der Gegner. Seine Bewegungen waren eine elegante und tödliche Choreografie, bei der jedes Schwert perfekt seinen Weg fand. Die Feinde hatten keine Chance gegen Rays blitzschnelle Angriffe und seine geschickte Verteidigung. Er schuf ein wahres Schneegestöber aus Stahl und ließ die Gegner reihenweise fallen.

Schließlich kam der entscheidende Moment. Grisha, der Anführer der Angreifer, versuchte verzweifelt, sich dem Angriff von Sola, Sori und Ray zu entziehen. Doch sie ließen ihm keine Chance. Sola sprang vor und schleuderte ihre Glefe mit wuchtiger Präzision, sodass sie Grisha direkt in die Brust traf. Er wurde gegen die Innenwand des Gasthauses geschleudert, sein Blut tropfte auf die Holzdielen. In diesem Moment musste Grisha wissen, dass er besiegt war.

Den restlichen Kumpanen, die den Kampf überlebt hatten, begriffen, dass es zu Ende war und packten Grisha grob an den Armen und Beinen. Ray, mit einem kühlen Blick in den Augen, trat einen Schritt auf sie zu, während sie dabei waren, Grisha davon zu schleppen. Er hob eine Hand und hielt sie auf, um ihre Aufmerksamkeit zu erregen.

"Stopp!", rief Ray mit fester Stimme. Die Gauner erstarrten und blickten ihn misstrauisch an. "Ich lasse euch gehen, aber ihr dürft niemals wieder auch nur daran denken, unschuldige Mädchen in eure Gewalt zu bringen. Das hier war euer letztes Verbrechen."

Ein bulliger Mann mit vernarbtem Gesicht, spuckte auf den Boden und funkelte Ray herausfordernd an, als würde er so sein letztes bisschen Stolz behalten können. Ray zog eine seiner Schwerter und ließ die Klinge bedrohlich durch die Luft zischen. "Hört mir gut zu", erwiderte er mit eisiger Ruhe. "Wenn ihr auch nur in die Nähe eines unschuldigen Mädchens kommt, werdet ihr die Konsequenzen zu spüren bekommen."

Sola, die das Gespräch mit angehaltenem Atem verfolgt hatte, spürte eine Mischung aus Zorn und Genugtuung in sich aufsteigen. Die Wut darüber, was diese Männer den Mädchen angetan hatten, wurde von der Erleichterung über ihren Sieg begleitet.

Sie trat neben Ray und fixierte die Männer mit einem durchdringenden Blick. "Hört auf seine Worte", sagte sie mit einer eisigen Entschlossenheit. "Wir haben euch gezeigt, wozu wir fähig sind. Denkt nicht im Traum daran, uns herauszufordern. Verschwindet und kommt nie wieder in unsere Nähe."

Die Männer zögerten einen Moment, bevor sie schließlich nickten und Grisha hastig fortzogen. Sola spürte, wie sich eine Last von ihr ablegte, doch der Schmerz und die Wut über das Leid der Mädchen blieben.

"Wir haben zumindest einen Sieg errungen", flüsterte Sola leise zu Ray. "Aber ihre Narben werden bleiben."

Ray legte ihr tröstend eine Hand auf die Schulter.

Schließlich standen sie gemeinsam in einem Meer aus besiegten Gegnern. Ihre Kleidung war zerrissen, ihre Körper mit Schweiß und Blut bedeckt. Aber sie waren siegreich. Sie hatten den Feinden getrotzt und sich Seite an Seite durch den Kampf geschlagen.

Ray sah Sola an und nickte anerkennend. Es war ein stummes Zeichen des Respekts für ihre Tapferkeit und ihren Mut. Sie hatten zusammengehalten und waren als Einheit gestärkt aus dem Kampf hervorgegangen.

Sola lächelte leicht, ihre Augen leuchteten vor Stolz und Dankbarkeit. Sie wusste, dass sie ohne Ray an ihrer Seite nicht so weit gekommen wäre. Gemeinsam hatten sie die Feinde besiegt, und ihre Verbundenheit war stärker denn je. Sori, die noch immer hinter den letzten Gaunern herblickte, brüllte voller Wut und Schmerz: "Kommt niemals zurück!", bevor sie schließlich zusammensank und erschöpft zitterte. Sola kniete sich neben sie.

Die Stille senkte sich über das zerstörte Gasthaus. Nur noch das Echo des Kampfes und die Erinnerungen an den blutigen Überfall hallten in den Gedanken von Sola und Ray wider. Sie wussten, dass diese Nacht ihre Spuren hinterlassen hatte, und dass es nun an der Zeit war, die Verwundeten zu versorgen und die Scherben des Chaos zusammenzufügen.

„Werdet ihr zurechtkommen?", fragte Sola und sah Tarea ernst an. Die junge Frau trug einen frischen Verband und wurde von einem der jüngeren Mädchen gestützt. Nachdem sie gemeinsam die Leichen der Männer verbrannt hatten. Standen die Befreiten, Ray, Sola und Caleb Seite an Seite um die letzten, züngelnden Flammen. Es war ein schwerer Kampf gewesen und mit der Gaststätte *Paradies-Insel* war die einzige richtige Identität dieses schäbigen Ortes zerstört worden.

Sola fühlte sich unwohl dabei, die Mädchen in diesem Nichts zurückzulassen. Sie war sich nicht sicher, dass sie es alleine schaffen würden.

Tarea lachte verbittert. „Die meiste Arbeit haben wir Frauen sowieso immer gemacht. Kochen, backen, sogar ein wenig Feldbau – soweit es unsere Böden zulassen. Wir werden diese Stadt wiederaufbauen und den Jüngeren eine Zukunft schenken." „Gut", erwiderte Sola und drückte Tareas Hand. „Eines Tages werden wir uns wiedersehen und dann werde ich irgendwie meinen Dank ausdrücken können", sagte Tarea mit glänzenden Augen. Sola spürte eine Mischung aus Verlegenheit und Stolz. Es war ungewohnt für sie, so im Mittelpunkt zu stehen. Sie wollte keine Anerkennung für ihre Taten, sondern einfach nur sicherstellen, dass niemand mehr unschuldige Menschenleben in Gefahr brachte.

Sola legte sanft eine Hand auf Tareas Schulter. „Eure Stärke und Tapferkeit sind schon mehr als genug. Geht nun und baut euch ein neues Leben fernab von solchen Schrecken auf."

Tarea lächelte dankbar. „Wir waren gebrochen. Das hier war nur ein Paradies für Sadisten und Pädophile. Grisha und seine Männer machten Profit mit uns. Jede einzelne von uns hätte versuchen können sich zu wehren und gemeinsam hätten wir vielleicht schon früher dieses Elend beenden können. Wir waren wie gelähmt vor Angst. Ihr wart es, die unseren Lebensgeist erneut geweckt habt." Das Mädchen nickte bestimmt, wie um ihre eigene Aussage zu bekräftigen. „Ich verspreche dir, Sola Amare, ich werde dafür sorgen, dass dieser Ort wieder lebenswert wird."

Sola war gerührt von der Ansprache Tareas. Nie zuvor hatte sie eine solch ehrlich gemeinte Anerkennung erfahren. Vielleicht von Großvater, aber der war ihr gegenüber natürlich voreingenommen gewesen. Tarea hingegen sah sie ganz ohne Voreingenommenheit mit ehrlicher Dankbarkeit an. Sola schluckte und straffte die Schultern. Sie wollte diesem Blick, mit dem sie bedacht wurde, gerecht werden. Sie wollte – und das musste sie sich nun selbst eingestehen – das Mädchen wie Tarea Gerechtigkeit widerfuhr. Und zwar überall auf der Welt und nicht nur hier.

Sie wollte und sie würde, die Welt verändern. Ihr Entschluss stand fest.

Die kleine Sori hatte sich an Tarea vorbeigedrückt und stand nun mit tellergroßen Augen vor Sola. Ihre blasse Haut funkelte im Schein der Flammen und ließ sie gespenstisch aussehen. Sie war immer noch so zerbrechlich. Die Flammenmagierin strecke die Hand nach Sola aus.

„Danke." Ihre Stimme war mehr ein Hauch eines Flüsterns als alles andere. Sola hielt die kleine Hand fest und bedachte Sori mit einem Lächeln.

Sori lächelte auch Ray an und nickte ihm zu. Die anderen Mädchen hingegen wagten es kaum, ihren Dank an Ray zu richten. Jedoch schien ihm das nichts auszumachen. Er lächelte die Gruppe stolz an. Und das wiederum, hinterließ ein warmes Gefühl bei Sola. Ray war einzig und allein glücklich geholfen zu haben.

Er hatte eine gute Seele.

Bei dem Gedanken wurde ihr schlug ihr Herz ein kleines bisschen schneller. Großvater, dachte sie, Du hattest recht. Die Welt ist voller Freundschaft und Wesen, für die es sich lohnt.

Sola spürte Rays intensiven Blick, der auf ihr ruhte und drehte sich zu ihm um. Er stand neben Caleb und hatte eine Hand auf die Schulter seines Gefährten gelegt. Liebevoll und beschützend. Nun war er nicht mehr nur sein Gefährte. Es war auch ihr Gefährte.

Solas blassen Wangen verfärbten sich leicht rosa und sie hoffte, dass dies in dem schwachen Mondlicht, gemischt mit den tiefen Schatten des Feuers nicht zu sehen war.

Ray zwinkerte sie an mit einem schiefen Grinsen, das ihr den Atem nahm.

Dann trat er einen Schritt auf sie zu und legte ihr kameradschaftlich den Arm um die Schulter. „Also retten wir doch die ganze Welt?", fragte er mit amüsiertem Unterton. Sola lächelte ihn ebenfalls an.

„Nur eben gemeinsam und nicht ich allein", sagte Ray. Sola zuckte grinsend mit den Schultern.

Gemeinsam – hallte es in ihrem Kopf nach.

# 25. Kapitel

## *Nao*

Schwer atmend zog sie sich näher an die Wasserquelle heran. Ihr gesamter Körper tat weh. Aus den tiefen Schnitten quoll dunkles Blut. Doch der Schmerz tat gut. Sie verdiente den Schmerz. Keuchend ließ sie sich in das steinerne Wasserbett rutschen. Das glasklare Gebirgswasser sprudelte über ihren dünnen Körper. Es verfärbte sich rostrot, als es die blutigen Stellen übergoss. Es brannte, aber gleichzeitig kühlte es. Sie atmete tief aus und schloss die Augen. Dann tauchte sie ihren Kopf unter Wasser. Ihre fliederfarbenen Haare wehten wie Tentakeln eines Oktopusses im Wasser und umschlossen ihr zartes Gesicht. Das Wasser um sie herum erstickte jedes Geräusch und nur ihr pulsierendes Blut und ihr Herzschlag waren zu hören. Wenn sie einfach unter Wasser bliebe und ihren Kopf nie wieder heben würde, vielleicht könnte sie dann diesem Leben entkommen? Ein verlockender Gedanke.

Der fehlende Sauerstoff führte zu einem brennenden Gefühl in ihrer Kehle. Wieso war diese Welt so voller Schmerzen? Nein, es war nicht die Welt. Es waren ihre Bewohner, die die Ursache dieser Qualen waren. Sie selbst eingeschlossen. Wenn sie einfach hier unten blieb, dann würde sie wenigstens niemandem mehr Leid antun.

Prustend schoss ihr Kopf aus dem klaren, kalten Wasser. Ihr Überlebensinstinkt war wohl doch noch vorhanden. In ihrem Herzen wusste sie allerdings, dass es nicht ihr eigener Wille war. Es war *sein* Wille. Er hätte sie angeschrien, würde er sie hier sehen. Die violetten Strähnen hingen an ihr herab wie tote, glitschige Algen. Sie schüttelte sich. Wie sie Algen hasste. Ihre blasse Haut schimmerte in demselben Ton wie der Bergsee. Fast unsichtbar. Mit langen, schlanken Fingern zog sie einen zarten Stoffbeutel aus ihrer Tasche, holte eine kleine Perle daraus und hielt sie in die Luft. Der Stein glitzerte wie tausend Sterne in der klaren Nacht. Sie hoffte inständig, dass er es wert gewesen war, dass sie erneut gesündigt hatte. Mehr noch als je zuvor. Schließlich hatte sie hierfür ein heiliges Wesen Schmerzen bereiten müssen. Wie würde ihr dafür je verziehen werden? Nein, sie war sich sicher, dass es ihr dieses Mal nicht verziehen werden sollte. Sie würde dafür zahlen, wenn die Zeit reif war. Vielleicht, wenn sie die Himmelspforte der Engel erreichte, vielleicht schon früher.

Erneut atmete sie tief durch. Sie war bereit dafür. Es war ihr jeden Preis wert. Nachdenklich ließ sie die Perle durch ihre Finger gleiten. Vor ihrem geistigen Auge sah sie immer wieder das kleine, magische Wesen, das Perlen weinte. Ein Wesen, so rein und göttlich, wie keines was sie je zuvor gesehen hatte. Jeder Schnitt und jeder Schlag, den sie ihm zugefügt hatte, hatten sich ebenso in ihr eigenes Fleisch und Blut geschnitten. Niemand sollte diese Geschöpfe angreifen können, ohne selbst dafür zu büßen. „Es ist mir immer wieder ein Rätsel, warum du dich deinem Leid so hingibst, Nao.“ Die Männerstimme durchschnitt die friedliche Stille des Waldes. Nao, immer noch im Wasser badend, zuckte zusammen. Sie hatte ihn nicht kommen hören. Wie konnte ihr so ein Fehler unterlaufen? Unaufmerksamkeit kam in der derzeitigen Zeit fast einem Selbstmord gleich.

Nao richtete sich kerzengerade auf. Ihre lila Augen huschten über das Unterholz um sie herum. Gleichzeitig ließ sie die Perle geschickt zurück in den Beutel und in ihre Tasche gleiten. Hoffentlich hatte er sie nicht gesehen. „Was machst du hier?“, fragte Nao in den dunklen Wald hinein.

Ein raues Lachen.

Die junge Frau wusste genau, wer dort auf sie lauerte, hatte die Stimme sofort erkannt. „Na komm schon raus“, sagte sie unterkühlter als der Bach, in dem sie saß.

Ein Seufzen. So langgezogen, wie nur er es vermochte. Wachsam blickte sich Nao um und tauchte ihren nackten Körper in das tiefblaue Wasser. Er musste nicht jeden ihrer Schnitte und Wunden sehen.

Noch bevor sie auf das Rascheln hinter sich reagieren konnte, lagen plötzlich zwei große, raue Hände auf ihren nackten Schultern. Sein Griff war kalt. Gänsehaut breitete sich auf ihrer blassen Haut aus. Ganz langsam drehte Nao ihren Kopf zu ihm um.

Er hockte neben dem Waldsee, seine langen weißen Arme nach ihren Schultern ausgestreckt und grinste hämisch. Seine Zähne, die er dabei entblößte waren, so spitz wie die eines Tieres und blitzten im Mondlicht. Die Augen flackerten in so roter Farbe wie ein brodelnder Vulkan. Sie spiegelten seine innere Unruhe wider, die Nao so oft schon hatte erleben müssen. Die kurz geschorenen Haare legten einen kantigen Kopf und spitze Ohren frei. Nao musterte ihn. Es war einige Jahre her, seit sie ihn das letzte Mal gesehen hatte. Er hatte sich verändert und doch war er derselbe. Die spitzen Ohren, die ihm das Aussehen eines Schattenelfs verliehen, waren etwas Neues. Ob er damit Ehrfurcht seiner gegenüber wecken wollten? Schließlich waren Schattenelfen die womöglich verhassteste Rasse. Vielleicht noch verhasster als die ihre.

Mit fester Stimme und ohne ihn aus den Augen zu lassen, fragte sie erneut: „Was machst du hier, Taro?"

Ein erneutes langes Seufzen folgte. Dann ließ er sich geschickt zu ihr in den See gleiten. Seine schwarze Kleidung saugte sich gierig mit dem klaren Wasser voll, doch er verzog nicht einmal das Gesicht, während die eiskalte Nässe sich um ihn legte.

„Ich wollte nach dir sehen. Ich habe dich lang nicht mehr gesehen." Seine Stimme verriet keinerlei Gefühlsregung. Nao rümpfte die Nase. Es gefiel ihr nicht, dass er sie so scheinbar mühelos aufgespürt hatte. Sie musste vorsichtiger sein.

„Wie es mir scheint, hast du dich mal wieder in unnötige Gefahr gebracht?" Er deutete mit einer Kopfbewegung auf die tiefen Schnitten, die in ihrer Haut klafften. Nao zuckte mit den Schultern. Taro musterte sie, fast spöttisch: „Glaubst du es macht dich menschlicher, wenn du den Schmerz durchstehst und dich an dein Leid klammerst wie ein Kind an seinen Teddy?"

Nao schwieg immer noch. Sie würde ihre Gefühle nicht mit ihm teilen. Nie wieder. Taro seufzte erneut.

„Na gut. Dann sprich nicht mit mir. Aber ich möchte mit dir reden", sagte er mit bestimmter Stimme. Nachdenklich ließ er seinen Finger durch das kalte Wasser gleiten und ließ dadurch kreisrunde kleine Wellen aufschlagen. Seine rote Iris leuchtete in der dunklen Nacht und Nao konnte nicht anders, als hypnotisiert an seinem Gesicht zu hängen. Egal wie zuwider ihr diese Person war, sie konnte sich ihm dennoch nicht entziehen. Er weckte immer noch einen Hauch der Bewunderung in ihr und seine Nähe verursachte ein Gefühl von Heimat. Deswegen blieb sie sitzen und lauschte seiner rauen Stimme. Obwohl sie wusste, dass er sie nicht aufhalten würde, wenn sie einfach aufstünde und ging.

„Liebste, ich wünschte du wärst an meiner Seite", sagte Taro leise, während er sie mit seinem kalten, markdurchdringenden Blick fixierte. Ein kleines, freudloses Lächeln umspielte seine Lippen.

Nao verzog leicht das Gesicht, ihre Miene blieb jedoch kalt und distanziert. Sie hätte wissen müssen, dass er deswegen hier war. Er wollte sie rekrutieren. Mal wieder. Taro grinste nun breiter, als amüsiere ihn ihre Reaktion. „Schließ dich uns an. Ich werde Samael davon überzeugen, dass du loyal und tapfer genug bist." Nao schnaubte verächtlich und fragte kalt: „Wie kannst du dieses Monster nur unterstützen?"

„Dieses Monster...", erwiderte Taro mit unbehaglich ruhiger Stimme. „...ist es, dass uns einen angemessenen Platz in der Welt ermöglicht. Er wird diese Welt reformieren, sodass wir aus dem Schatten hinaustreten können."

Nao schüttelte den Kopf und ihre Stimme war eisig. „Du bist der Einzige, der sich in den Schatten versteckt." Ein Hauch von Verärgerung zeigte sich in Taros Augen, als er eine Augenbraue hob. „Ist das so?" Nao hob ihr Kinn provokativ. Taro seufzte und wirkte plötzlich müde. „Samael wird Himmel und Erde erneuern. Er wird das ewige Leben zurückbringen." Nao schnaubte erneut. „Und das willst du?" Ein Schatten huschte über Taros

Gesicht, doch seine Stimme blieb ruhig. „Wer würde das nicht wollen?“ Nao schüttelte den Kopf. „Ewigkeit ist nichts anderes als eine Bestrafung. Sie raubt uns die Freiheit und fesselt uns in einem endlosen Kreislauf. Gott lässt seine Engel ewig leben, nicht aus Güte und Liebe, sondern sodass er ewige Diener hat. Es ist ganz einfach. Auf diese Weise muss er nicht immer wieder eine neue Generation unterwerfen, sondern kann die einzige Generation Engel auf ewig festhalten.“ Sie sah den Schattenelf durchdringend an und vollendete ihre Ausführung schließlich mit fester, punktierter Stimme. „Sterblichkeit ist Erlösung und Freiheit zugleich.“ Taros Augen glühten bedrohlich. „Welch‘ ketzerische Worte für jemanden, der ihm selbst die Füße küsste.“ Nao kniff die Augen zusammen und ihre Stimme wurde hart. „Hatte ich eine Wahl?“ Taros Blick durchbohrte sie, bevor er seufzte. „Ich hoffe für dich, dass du rechtzeitig zu meiner Seite zurückkehrst. Das ist deine Wahl.“

Nao schwieg, während sie erkannte, wie das Funkeln in Taros Augen nicht nur seine Iris erhellte, sondern sein ganzes Gesicht verstörend aufleuchtete. Er strahlte in seinem Glauben an Samaels Worte, während er sagte: „Samael ist unser Weg. Er ist unsere Erlösung.“

„Ich werde weder dir noch ihm folgen. Mir ist gänzlich egal, was ihr treibt – ich möchte einfach in Frieden leben. Und solltet ihr dazwischenfunken …“, Nun war es Nao, die ihn bedrohlich musterte. „Solltet ihr noch mehr meines Friedens rauben, dann bete, dass Gott und seine Engel Samael nicht ein zweites Mal fallen lassen, sondern dieses Mal auf eurer Seite stehen.“ „*Noch* mehr deines Friedens?“ Taro beobachtete Nao. Er ignorierte ihre anderen Worte, als hätte es ihre Drohung nie gegeben.

„Welchen Teil haben wir denn bereits genommen? Was ist dein wunder Punkt?“ Der Schattenelf lächelte hämisch, wie ein Kater, der eine dicke Maus in seine Falle tapsen sah. Nao biss sich auf die Lippen und wusste, dass sie soeben einen Fehler begangen hatte.

„Deine Anwesenheit stört meinen Frieden“, sagte sie schließlich und funkelte Taro an. Sie hoffte, er würde dies als Antwort hinnehmen und nicht weiter nachforschen, was ihr in den letzten Wochen geschehen war.

Er durfte nicht von ihm erfahren. Schließlich wusste sie nur zu gut, was Taro mit Menschen machte, die ihr näherstanden als er selbst.

Taro sah sie nachdenklich an. Nao fragte sich, wie bereits oft in ihrem Leben, was sie tun musste, dass Taro sie genauso missachtete wie sie ihn. Wie konnte sie ihn so verletzten, dass er endlich von ihr abließ?

Als würde er ihre Gedanken lesen können, zog Taro erneut eine Augenbraue hoch und sagte: „Egal, was du dir wünschst, in deinem Inneren weißt du, dass es letzten Endes immer du und ich sein werden. Egal was geschieht. Die Welt dreht sich weiter und zurückbleiben werden nur du und ich. Jahr um Jahr. Ich bin die einzige Konstante, die du hast und eines Tages wirst du an meine Seite zurückkehren."

Nao schnaubte verächtlich.

Die lodernde rote Iris Taros fixierte sie. „Doch für heute lass ich es gut sein. Auf ein baldiges Wiedersehen…", Taro nickte ihr zu und während er sich aus dem kleinen See erhob, verwandelte er sich in eine schwarze Krähe. „…Schwester." Das letzte Wort war nur ein Krächzen der Krähe, die mit rasantem Flügelschlag gen Himmel flog.

„Auf kein baldiges Wiedersehen, Bruder", sagte Nao und starrte auf die Stelle im See, wo Taro soeben noch gesessen hatte. Dabei spie sie das Wort Bruder förmlich aus.

# 26. Kapitel

*Ray*

Ray drehte die große Bachforelle über dem knisternden Feuer. Es waren einige Tage seit dem Zwischenfall im *Arechi* Gebirge vergangen. Inzwischen hatten sie den Flusslauf wieder gefunden.

Ihre kleine Reisegruppe würde in den nächsten Tagen den *Shigen*-Pass erreichen, das Gebirge, welches *Arechi* von der *Ventus-Region* trennte.

Sola setzte sich neben ihn an das Feuer.

„Hey, du machst mich ganz nass", rief er aus und rückte von ihr ab.

Sie lachte und streckte ihre nassen Arme und Beine näher an das wärmende Feuer. Nach dem Bad im Bach klebte noch Feuchtigkeit an ihrer Haut, und ihre frisch gewaschene Kleidung war durchweicht. Ray musterte sie verstohlen.

„Na so hat das Waschen nichts gebracht, das riecht gleich alles nach Fisch", bemerkte Ray und rollte verspielt mit den Augen.

„Willst du mich so etwa zum Ausziehen bringen?", fragte sie ihn mit einer hochgezogenen Braue. Ihre goldenen Augen blitzten.

Der Wasserkrieger errötete unter ihrem scharfen Blick. „Nein danke, ich verzichte." Als Sola daraufhin leise kicherte, schlich sich ein Lächeln auf Rays Lippen. In den letzten Wochen hatte Sola begonnen, sich ihm gegenüber zu öffnen. Er war froh darüber und schätze ihre Freundschaft bereits jetzt. Dass sie nun mit ihm scherzen konnte, bewies, dass sie sich langsam ebenfalls wohl mit ihm und Caleb fühlte. Das beruhigte ihn. Sie konnten enge Verbündete und Freunde gut gebrauchen. Vor allem solche, die so geschickt mit schweren Waffen umgehen konnten.

Neckisch beugte sich Ray zu ihr vor. Sein Gesicht war so nah an ihrem,

Dass er die Kühle spürte, die von ihren nassen Haaren ausging. Er flüsterte in einem säuselnden Tonfall: „Liebste Sola, würde ich das wollen, so könnte ich das auf eine ganz andere Weise erreichen. Ganz einfach."

Nun war es Sola, die hochrot anlief. Sie rutschte reflexartig von ihm weg und stieß aus: „Du elender..." Ray lehnte sich lachend zurück.

„Sind wir jetzt ein umherziehender Zirkus, oder was?" Caleb war mit neuem Feuerholz zurückgekehrt. Sola verdrehte die Augen, während Ray weiter lachte. Der Otter setzte sich zu ihnen an das Feuer und nahm seinen Teil des Fisches dankbar entgegen.

Missmutig betrachtete Sola ihren. „Ich bin deinen blöden Fisch leid, Ray. Ich will Fleisch." Der Otter gluckste: „Also Ray, über meine Kochkünste wurde sich noch nicht beschwert. Dein Fisch scheint ja wirklich..."

„Auch deinen Fisch kann ich nicht mehr sehen", brachte Sola ihn zum Schweigen. Ray seufzte. Er stocherte mit einem frischen Ast in der Glut des Feuers herum. „Tut mir ja wirklich leid, Madame. Aber ich töte keine Säugetiere."

„Dann gehe ich eben jagen, ich bin sowieso geschickter als du", sagte sie neckisch. Ray sah Sola finster an. Ihm gefiel einerseits der Gedanke nicht, dass Sola Säugetiere töten würde und andererseits wollte er ungern, dass Sola alleine loszog und sich mit einem wilden Tier anlegte.

Noch bevor er seinen Widerworten Klang verleihen konnte, hob Sola abwehrend die Hände und sagte: „Ich kann ja vor dem Töten kurz fragen: Hallo Herr Hirsch, steckt in Ihnen vielleicht eine Krieger Seele?" Sola äffte eine hohe, übertrieben freundliche Stimme nach, als würde sie mit einem kleinen Kind reden. „Nein? Achso, na super! Wenn Sie kein Tiergeist sind, dann würde ich Sie jetzt essen. Vielen Dank." Sie tat so als würde sie sich verbeugen. Ihre kurze Vorstellung war so verquer und übertrieben, dass Ray am liebsten gelacht hätte, aber er wollte ihr nicht die Genugtuung geben, dass er ihr mit ihrem absurden Plan recht gab. Andererseits konnte er sie auch nicht dazu zwingen, sich seinen Überzeugungen anzuschließen. Dann war er nicht besser als Samael, der die Leute, die ihm nicht gehorsam waren, unterwerfen wollte.

Er stöhnte. Warum mussten Frauen so kompliziert sein?

„Wie wäre es, wenn wir einen kurzen Umweg über das letzte Dorf, das vor dem Gebirge liegt, machen? Ich bin sicher da bekommst du ein Fleischgericht." Sola strahlte ihn an. Sie sah so glücklich aus, dass Ray sein eigenes Lächeln nun doch nicht mehr unterdrücken konnte, er sagte: „Du machst mich fertig."

Am nächsten Tag erblickten die drei die Stadtmauer der Stadt *Sendu.* Sie war die östlichste Stadt der *Arechi-Region* und direkt hinter ihr erstreckten sich die ersten Berge des *Shigen*-Passes. Ray pfiff anerkennend. Das Volk des *Shizen* Bistums verstand den Städte- und vor allem Mauerbau. Selbst wenn die Stadt vermutlich nur ein paar tausende Bewohner hatte, so ragte der weiße Stein der Mauer hoch hinaus. Das einfallende Licht der Sonne wurde reflektiert und dadurch wirkte die Stadt wie eine märchenhafte Burg, umhüllt von hellen Wolken. Diese glitzernde Pracht aus Stein war ein großer Kontrast zu den dahinter aufragenden dunklen Hängen des Gebirges. Wie der bleiche Strand vor dem dunklen, unendlichen Meer. Kleine Türme säumten die Mauer, wodurch jeder Winkel von wo sich Ankömmlinge näherten, einsehbar sein musste.

Diese Stadt und auch die anderen im Bistum mussten, um einiges schwieriger einzunehmen sein, als die lockeren, unbefestigten Holzbauten der Wasserstämme. Das war eine traurige Erkenntnis. Vielleicht war das einer der Gründe, weswegen sein Volk als erstes gefallen war. So sehr er sein freies und unbefangenes Leben in *Wa* liebte, so wünschte er sich jetzt, dass sein Volk vorsichtiger gelebt hätte.

Er wollte gerade näher auf das Stadttor zutreten, als Sola ihn am Ärmel festhielt. Verwundert drehte er sich zu ihr. Die Sonne reflektierte in ihrem hellen Haar genauso stark wie in den weißen Mauern *Sendus*, wodurch ihr schlankes Gesicht von einem heiligen Schein umgeben schien.

„Ihr bleibt besser außerhalb der Stadt."

Sie deutete mit der freien Hand auf Ray und Caleb. Ray riss seinen Arm unsanft los und schüttelte den Kopf: „Kommt nicht in Frage."

Sola hob beschwichtigend ihre Hände. „Alles gut. Ich mein ja nur, dass es vielleicht besser sei, wenn ich alleine gehe."

Ein irritierter Ausdruck legte sich auf Rays Gesicht, als er sie ansah. Sola seufzte und fuhr fort: „Naja, bisher ist der Anteil der Städte, die du im *Shizen* Bistum betreten und unversehrt wieder verlassen hast eher dürftig."

Ein Kloß bildete sich in Rays Hals. Darauf wollte sie also hinaus.

„Du bist nicht unbedingt der diplomatischste und ich kenne die Kultur des *Shizen* Bistums nun mal besser. Damit wir nicht weiter aufgehalten und geschwächt werden, wäre es also vielleicht nicht schlecht, wenn der Hitzkopf heute mal in sicherer Entfernung warten würde."

Ray wollte gerade eine Erwiderung geben, als er bemerkte, wie Caleb zustimmend nickte. Der Otter mischte sich ein: "Sola hat recht, Ray. Wir werden einfach schon mal unser Lager aufschlagen und warten."

Ray seufzte frustriert. Er hasste es, tatenlos irgendwo zu sitzen und zu warten, doch die anderen beiden schienen ihre Entscheidung bereits getroffen zu haben. Sola lächelte ihn liebevoll an und legte kurz ihre Hand auf seinen Arm. "Keine Angst. Ich passe auf und besorge uns genug Proviant für das Gebirge", versicherte sie ihm. Dann zwinkerte sie ihm zu und fügte augenzwinkernd hinzu: "Und einen saftigen Braten für heute Abend." Ray konnte sich ein schiefes Grinsen nicht verkneifen. Er wusste, dass er diese Diskussion bereits verloren hatte und konnte nur hoffen, dass Sola dieses Mal auch ohne ihn auskam

Gedanken verloren saß Ray vor seinem Zelt und polierte seine Klingen. Es kam ihm vor, als sei Sola bereits Stunden fort.

Caleb lag neben ihm und ließ sich die Sonne auf den Bauch scheinen. Seine Augen waren geschlossen und sein Atem ging ruhig und gleichmäßig. Die Erholung würde ihm guttun, dachte Ray. Am Rande des *Shigen*-Passes war es endlich ein wenig abgekühlt und sie sollten jede freie Minute zur Rast nutzen, um ausgeruht für die Reise durch das Gebirge zu sein. Caleb machte also alles richtig. Ray musste lächeln, als sein Freund einen kleinen Grunzer von sich gab, während er sich einrollte. Er glich nun einem einzelnen großen Fellknäuel.

„Na sowas!"

Ray fuhr zusammen. Die Stimme hatte ihn erschrocken. Er hatte weder die sich nähernden Schritte gehört noch irgendein anderes Geräusch. Das war ungewöhnlich da er ein gutes Gehör hatte. Außerdem hatten sie mit Absicht außer Sichtweite der Stadt ihr Zelt aufgeschlagen, um so neugierigen Blicken fernzubleiben. Sie wussten nicht, ob die Gladiolen immer weiterhin einen Hass auf Ray hegten, oder ob der Formwandler, denen sie in *Saka* begegnet war, ihnen folgte. Er fuhr herum, um zu sehen, wessen Stimme es war.

„Du musst nicht gleich so ein erschrockenes Gesicht machen." Die Gestalt hob entschuldigend die Hände und lachte ein glockenklares Lachen.

Ray kannte die junge Frau. Ihr langes, wallendes flieder-farbenes Haar war unverkennbar.

Nao stand vor ihm. Die junge Frau aus dem tanzenden Hirsch, die ihn stets kokett angelächelt hatte. Ray konnte nicht anders, als sie verwundert anzustarren. Sie wirkte furchtbar fehl am Platz. Ihre feine, lange Bluse, die sie in *Tsubiki* getragen hatte, hatte sie durch luftigere Kleidung ausgetauscht.

In ihrem knappen Rock, sowie dem enganliegenden dünnen Trägerhemd passte sie nicht in diese verwilderte Umgebung. Ihre blassen Beine schienen endlos und das enge Top spannte über ihren großen Brüsten so sehr, dass das Top ein wenig angehoben wurde und einen Teil ihres schlanken Bauches entblößte. In seiner sitzenden Position blickte Ray in einem sehr unpassenden Winkel zu ihr auf, wie ihm schlagartig bewusstwurde. Von seinen eigenen Gedanken beschämt, stand er hastig auf, um Nao zu begrüßen.

„Oh, hi." Verlegen streckte er ihr eine Hand entgegen. Nao lachte erneut glasklar auf und hielt sich ihre dünnen Finger vor ihr Gesicht. Mit der anderen Hand drückte sie Rays. „Ich wollte dich nicht erschrecken, lieber Ray."

Die junge Frau fixierte ihn mit ihrem gewohnt intensiven Blick. Ihre lila Iris reflektierte das Sonnenlicht in einem Farbspektrum, wie die Oberfläche eines Sees die rosa Farbe der untergehenden Sonne reflektieren würde.

Immer noch irritiert von ihrem plötzlichen Erscheinen fragte Ray: „Ich habe dich hier nicht erwartet." Sie lachte erneut. „Natürlich nicht."

Dann lächelte sie ihn an. Ihre Zähne waren strahlend weiß.

„Meine Hand könntest du dennoch loslassen, oder?"

Der Wasserstämmige schaute erschrocken auf seine Hand. „Natürlich, Entschuldigung", nuschelte er und lockerte schnell den Griff. Wie peinlich. Er benahm sich wie ein pubertierender Volltrottel.

Von der plötzlichen Unruhe geweckt, öffnete Caleb verschlafen seine Augen. Nao trat aus dem Gestrüpp auf die kleine Wiese, die als Rastplatz der Gefährten diente. Ray sah, dass ihre Beine ungewöhnlich verkratzt waren und sie keine Schuhe trug. Die Barfußigkeit erklärte zumindest teils, weshalb er sie nicht gehört hatte. Doch wieso lief sie auf leisen Sohlen über die eindeutig unangenehmen Wege? Diese Frau war rätselhaft.

Nao strahle nun Caleb an. „Hi, kleiner Freund."

Caleb, noch immer im Halbschlaf, sah sie nur verwirrt an. Er schien gerade zu versuchen zu zuordnen, woher er die Frau kannte und weshalb sie ihn „kleiner Freund“ nannte. Ray fiel wieder ein, dass Marlow gesagt hatte, Nao käme aus einer größeren Stadt und gastierte nur ab und zu in *Tsubiki*. *Sendu* war jedoch wirklich sehr weit entfernt.

„Nao?“ Sie drehte sich zu ihm um, immer noch ein strahlendes Lächeln auf den Lippen. Im Gegensatz zu ihnen schien sie über ihre erneute Begegnung alles andere als verwirrt zu sein.

„Bist du etwa aus *Sendu*? Oder weshalb...“

Ihr erneutes Lachen unterbrach ihn. „Ach nein, du Dummerchen“ entgegnete sie spielerisch. Sie zwinkerte ihm zu. "In *Sendu* hätte ich nun wirklich keinen Spaß - immerzu hinter diesen hohen Mauern."

Sie seufzte leicht. "Nein, nein, ich bin nur zu Gast hier", erklärte sie beiläufig. Mit einer abwinkenden Handbewegung deutete sie an, dass es selbstverständlich sei, dass eine Dame wie sie nicht in *Sendu* zu Hause war. Dann fragte sie spöttisch: „Und du? Bist du etwa aus *Sendu*?“

In ihrem Blick lag etwas, das Ray verunsicherte. Etwas Wissendes.

„Nein, ich..." setzte er an, bevor Nao ihn unterbrach.

„Du bist aus *Wa*. Der Hauptstadt des südlichen Wasserstammes“, sprudelte es spielerisch aus ihr hervor. „Der Stadt, deren Name das spirituelle Gemüt von euch Wasserstämmen beschreibt.“ Sie zwinkerte. „Nicht etwa aus *Wa-Kita*, Hauptstadt des nördlichen Wasserstammes oder *Wa-Nishi*, Hauptstadt des westlichen Stammes.“ Ein verblüffter Ausdruck trat in Rays Gesicht. "Woher weißt du das?", fragte er überrascht. Sie zeigte mit einem langen Finger auf Ray. „Du trägst die Ringe des Südens auf deiner Schulter.“

„Nein, ich meine nicht, dass ich aus dem Süden komme. Woher weißt du was *Wa* bedeutet?“, fragte Ray zögernd.

„Ich weiß so einiges über euch. Und über dich. Ruijin Gaido.“

Ray wusste nicht, was er erwidern sollte. Skepsis und Unbehagen erfüllte seine Magengrube. Er hatte Nao nie im Stamm gesehen. Ungefragt, und wie ein Eintrag aus dem *Buch der tausend Worte*[3] ratterte Nao ihre Erklärung herunter, während Ray und Caleb überrascht lauschten. „*Wa* steht für die natürliche Ordnung der Wasserstämme, die dadurch entsteht, dass die Mitglieder einer Gruppe in Harmonie sind. Die Stämme beschreiben sich selbst als ein Volk, das nicht durch institutionelle Ordnung bestimmt ist, sondern verstehen sich als eine homogene Gesellschaft, die durch Anpassung und natürliche Ordnung harmonisch miteinander lebt."

Ray und Caleb tauschten überraschte Blicke aus, während Nao ihre Erklärungen fortsetzte. Ray konnte sehen, dass sie über eine bemerkenswerte Kenntnis der Wasserstämme verfügte. Ungewöhnlich für eine *Shizen*in, dachte er. "Ihr glaubt daran, dass der Geist des Wassers die drei Häuptlinge der Stämme aussucht und so ist ein jeder Wasserstämmiger mit der Hierarchie zufrieden, da sie er diese spirituelle, natürliche Ordnung der Dinge nicht zu stören vermag", fuhr Nao fort. Ray konnte spüren, wie seine eigenen Erinnerungen an die Wasserstämme wieder hochkamen. Die Geschichten und Legenden, die er als Kind gehört hatte, klangen in seinen Gedanken nach.

Calebs Otteraugen glänzten vor Anerkennung. "Du bist wirklich gut informiert über unsere Kultur und Traditionen, Nao. Es ist selten, jemanden zu treffen, der so viel über den Glauben der Wasserstämme weiß."

Nao zuckte mit den Schultern und nickte zufrieden. Dann fixierten ihre violetten Augen Ray, während sie ergänzte: „Die Wasserstämme glauben, dass die Familie des Häuptlings mit der stärksten Wassermagie und der engsten Verbindung zum Wassergeist gesegnet ist. Diese Segnung erkennt jeder Wasserstämmige, sobald er in die Augen der gesegneten Familie blickt. Dadurch wird das rechtmäßige Stammesoberhaupt

---

[3] Eine Art Lexikon der Wasserstämmigen.

jederzeit von seinem Volk anerkannt, ohne dass jemand diesen Platz unrechtmäßig einnehmen kann. Der Gesegnete wird der neue Gaido und seine Familie wird zur nächsten Gaido-Familie. Dank dieser spirituellen Harmonie und Einheit haben die Wasserstämme seit Jahrtausenden keine inneren Machtkonflikte gehabt, im Gegensatz zu den umliegenden Staatsformen." Bis vor kurzem zumindest, ergänzte Ray in Gedanken. „Auch ich habe in diese gesegneten Augen geblickt und den nächsten Stammeshäuptling erkannt", sagte Nao mit Nachdruck.

Ray erschauderte bei dem intensiven Blick, den Nao ihm zuwarf. Es war unheimlich, wie genau sie über ihn und seine Kultur Bescheid wusste. Erneut fragte er: „Woher weißt du so viel über uns?"

Nao zuckte mit den Achseln und anstatt ihm eine vernünftige Antwort zu geben, wechselte sie das Thema: „Darf ich?", und deutete auf einen Beutel voller Kekse, der am Boden lag. Es waren die Reste, die sie von den Cantans mitgenommen hatten. Jamie und Marissas Mutter hatten diese extra für sie gebacken und Sola und Ray hatten sie sich akribisch aufgespart.

„Ein Keks kann jede schwere Zeit ertragbarer machen, also sollten wir sie gut einteilen", hatte Sola zu Beginn ihrer Reise gesagt. Sola war selten so leidenschaftlich, wie wenn es um Essen ging. Ray schmunzelte bei dem Gedanken daran, wie ihre goldenen Augen geleuchtet hatten, als er ihr einmal eine Tafel Schokolade aus einem der Dörfer, die sie passiert hatten, mitgebracht hatte. Bevor er Nao entgegnen konnte, dass diese Kekse sparsam behandelt werden sollten, hatte die hübsche Frau bereits den ersten gegessen und den zweiten in der Hand. Sie hatte sich auf das Gras neben Caleb gesetzt. Ray seufzte. Hoffentlich brachte Sola etwas ähnlich Leckeres aus der Stadt mit, sodass der Schmerz über die Kekse nicht allzu groß ausfallen würde.

Nao schien seine Frage vergessen zu haben und Ray kniff die Augen zusammen. In Gedanken notierte er, dass er sie zu einem anderen Moment erneut fragen würde. Dann wechselte er das Thema. „Na gut, du bist nur zu Besuch in *Sendu*. Du bist ziemlich viel unterwegs, kann das sein?“

„Und ihr? Seid ihr nicht ebenfalls zu Besuch?“

Ray erwiderte nichts. Er konnte ihr schlecht vorhalten, stets auf Reise zu sein, wenn er genauso rastlos durch das Land streifte.

„Ich habe von eurem Abschied in *Tsubiki* gehört“, sagte sie fast beiläufig, während sie bereits in den dritten Keks biss. Ray sah sie nachdenklich an und zuckte mit den Schultern. "Ich werde mich nicht dafür entschuldigen, was vorgefallen ist."

Nao lächelte. Ihre Augen strahlten ehrliche Begeisterung aus. „Nein, keineswegs! Das haben diese Tölpel wirklich verdient. Ich meinerseits finde, dass sie schon viel früher mal eine Abreibung gebraucht hätten.“

Ray grinste nun ebenfalls. Auch wenn diese Person alles andere als gewöhnlich war, sie schien zumindest einen gesunden Sinn für Gerechtigkeit zu haben. Schließlich sprach er das Offensichtliche an. „Also Nao, was führt dich hierher zu Besuch?“

Nao lächelte geheimnisvoll. „Dies und das. Ich könnte dich dasselbe fragen, aber ich nehme an, dass ich es gar nicht wissen möchte. In diesem Land kann auch das Mitwissen bereits strafbar machen.“

Ray starrte sie verdutzt an. „Was denkst du denn, was wir machen? Wir sind doch keine Kriminellen!“, entgegnete er entrüstet.

Nao zuckte mit den Schultern. „In meinen Augen vielleicht nicht, aber die Gladiolen würden bestimmt anders richten. Und von unserem geehrten Erzbischof wollen wir gar nicht erst anfangen.“ Ein Gefühl der Empörung stieg in Ray auf. Es ärgerte ihn, dass ihr Ruf bereits so schlecht war, ohne dass sie etwas Falsches getan hatten. Doch er beschloss, sich davon nicht aus der Ruhe bringen zu lassen und schwieg entschieden.

Caleb, der bisher schweigsam zugehört hatte, konnte seine Neugier nicht zurückhalten und bohrte weiter: „Das heißt, du möchtest uns nicht sagen, weshalb du hier bist, weil es für uns ebenfalls von Nachteil wäre, dies zu wissen?“ Die geheimnisvolle Frau lachte und klatschte in die Hände, nachdem sie sich den vierten Keks in die Backen gestopft hatte. Wenn sie so weitermachte, waren die Kekse bald leer. „Tiergeister sind einfach ein wenig klüger als wir Menschen, nicht wahr?“, sagte sie mit einem verschmitzten Grinsen und tätschelte Caleb anerkennend den Kopf. Dieser verdrehte grimmig die Augen. Er hasste es, wenn er wie ein Haustier oder Kind behandelt wurde.

„Aber was ich euch sagen kann, ist, dass auch ihr *Sendu* betreten solltet“, fügte sie schnell mit einem Augenzwinkern hinzu.

Ray zog eine Augenbraue hoch. „Wieso das? Wir wollen eigentlich nur rasten und dann weiterreisen.“ Dennoch spürte er, wie die Neugierde ihn bereits gepackt hatte. „Also zunächst einmal …“ Nao steckte sich den nächsten Keks in den Mund. Caleb stieß ein missbilligendes Zischen aus.

„… sind eure Kekse leer. *Sendus* Bäckereien haben wunderbare Sinai-Beeren-Kekse. Die findet ihr nur hier.“

Ray verzog keine Miene. Was war das nur mit *Shizen* Frauen und ihrem Essen? In den Wasserstämmen meditierten die Wasser-Magierinnen teilweise tagelang, ohne etwas zu essen oder ernährten sich sehr strikt nur von rohen Früchten der Natur, um so ihre spirituelle Verbindung zu stärken.

„Und zweitens, bin ich unter anderem nach *Sendu* gereist, um einem Gerücht nachzugehen, dass auch für dich von Interesse sein könnte.“

Nao griff sich, ganz unverhohlen, zwischen die Brüste. Rays Augen weiteten sich. Was war der zweite Grund nochmal? Er spürte, wie er scharlachrot anlief und blickte schnell auf den Boden. Die junge Frau lachte.

Sie hatte ihre Hand, die eben noch zwischen ihren Brüsten gesteckt hatte zu ihm ausgestreckt. In der geöffneten Handfläche lag ein kleiner, kristallklarer Stein. Er funkelte in allen Farben des Lichts. Ray erkannte ihn sofort. Caleb blickte ebenfalls gebannt auf den Stein in Naos Hand.

„Eine Alven -Träne?“

Alven waren sehr kleine fast durchsichtige Feen. Angeblich lebten sie tief im *Akashi* Gebirge, doch selbst die meisten Jiyū Nomaden hatten noch nie eine gesehen. Diese Wesen verbargen sich in Bergseen, oder an tropfenden Felswänden. Sie galten als nachtaktiv, was ihre Aufspürung weiter erschwerte. Eine Legende besagte, dass sie eine besondere Form der Wasser-Magie innehatten, weswegen alle Wasserstämmigen diese Wesen kannten, obwohl sie so weit weg von ihren Territorien lebten. Es sei eine uralte Blut-Magie, die unter anderem ermöglichte, jede Krankheit oder Verletzung zu heilen. Jedoch gaben Alven ihre Kräfte nie freiwillig an die Menschen und Magier weiter. Jedoch lag genug Kraft jener Magie in ihren Tränen, die als feste Perlen an diesen seltenen Feen herabfielen, wenn sie Schmerz oder tiefe Trauer empfanden. Nur Wasser-Magie konnte den festen Zustand der Träne aufheben und sie in eine kostbare Flüssigkeit verwandeln. Im flüssigen Zustand sollte die Träne die Heil-Magie der Alven entfachen, wenn sie getrunken wird und so den Trinkenden heilen und sein Leben verlängern. Jedoch nur, wenn derjenige der sie trank eine reine Seele hatte. Sollte er von Sünden beschmutzt sein, so hieß es, dass er auf der Stelle sterben würde. Ray konnte nicht glauben, dass er gerade eine solche Träne vor sich sah. Im südlichen Wasserstamm hatte er zwar bereits einige gesehen, jedoch waren diese sicher verschlossen und zählten zu den wichtigsten Stammesschätzen überhaupt. Niemals käme jemand auf die Idee, eine Träne einfach so umherzutragen oder gar mit ihr zu reisen.

Nao schaute ihn an. „Ich vertraue euch. Ihr werdet das für euch behalten.“ Dann ließ sie die kleine Perle erneut in ihrem Ausschnitt verschwinden.

„Wieso solltest du das tun? Du kennst uns kaum“, sagte Caleb. Das erschien Ray etwas forsch und unfreundlich, doch letzten Endes hatte er recht. S

„Ich vertraue euch, weil ich euch im Gegenzug mit dorthin nehmen werde, wo ich gedenke diese Träne zu verflüssigen“, sagte sie entschlossen.

Rays Augen weiteten sich. Aber ... Das bedeutete ... Er traute sich kaum den Gedanken zu fassen und erst recht nicht es auszusprechen.

Nao schien seine Gedanken jedoch in seinem Gesicht ablesen zu können, denn sie nickte. „Ja, Ray. Das bedeutet in *Sendu* gibt es jemanden, der Wasser-Magie beherrscht. Ein Vögelchen hat mir gezwitschert, dass sich dort eine Wasser-Magierin aufhält. Eine deines Stammes."

Rays Mund wurde trocken und die Erde um ihn herum schien sich plötzlich zu drehen. Es hatte jemand überlebt? Eine seiner Stammesschwestern war nur wenige Meter von ihm entfernt? Konnte das stimmen?

„Ich werde euch zu ihr führen und ich werde euch helfen wieder vereint zu sein. Im Gegenzug ..." Naos Stimme hatte nun nichts mehr von ihrer verspielten, anzüglichen Art. Stattdessen hatte sie einen Ton angeschlagen, der zeigte, dass sie Erfahrung im Verhandeln hatte. Sie sprach mit fester, sicherer Stimme und ihr Blickkontakt zu Ray brach nicht einmal ab. Diese Frau war mehr als eine hübsche Reisende, das wurde Ray klar.

„Im Gegenzug erwarte ich von euch, dass die Magierin die Träne verflüssigt, ihr mein Geheimnis für euch behaltet und mich dann ziehen lasst."

Caleb verschränkte die Pfoten vor der Brust. „Das klingt nicht so, als sei jene Wasser-Magierin an einem Ort, an dem wir einfach so reinspazieren könnten."

Naos Mundwinkel zuckten. „Da magst du Recht haben."

Sie seufzte leicht. „Aber keine Angst, es ist nur das Stadt-Gefängnis."

# 27. Kapitel

## *Ray*

"Ray, bist du dir sicher, dass wir das tun sollten?", fragte Caleb mit einem skeptischen Blick. "Ich meine, wir kennen Nao kaum, und einfach ihrem Plan zu vertrauen, um ins Gefängnis zu gelangen und wieder herauszukommen, erscheint mir äußerst riskant."

Ray sah in Calebs klugen Augen eine Mischung aus Besorgnis und Weisheit. "Ja, ich weiß, Caleb", antwortete er, während er die violetten Haare von Nao betrachtete, die ein wenig abseits geduldig auf ihn wartete. "Aber ich habe dieses unbestimmte Gefühl, dass es das Richtige sein wird. Die Magierin von der Nao erzählt hat..." Caleb nickte nachdenklich und fuhr fort: "Du erinnerst dich, was Sola gesagt hat. Es könnte eine Falle sein, oder schlimmer noch, wir könnten uns in einen gefährlichen Konflikt verwickeln. Bist du bereit, dieses Risiko einzugehen?" Ray spürte das lodernde Feuer der Entschlossenheit in seinem Inneren. "Ja, ich bin bereit", erwiderte er entschieden. "Ich kann dieses kleine Fünkchen Hoffnung nicht ignorieren. Wenn es auch nur die geringste Chance gibt, dass die Magierin jemand ist, den ich kenne und schätze, dann muss ich alles tun, um sie zu retten."

Der Otter schien Rays Entschlossenheit zu verstehen und nickte mit einem sanften Lächeln. "Aber sei wachsam, mein Freund."

Gemeinsam traten Ray und Nao durch das imposante Stadttor von *Sendus*. Die Stadt pulsierte vor Leben, während geschäftige Händler ihre Waren feilboten und Kinder lachend durch die Straßen rannten. Ray spürte, wie sein Herz schneller schlug und die Anspannung in ihm wuchs. Doch die Hoffnung trieb ihn vorwärts.

Während sie sich durch die belebte Stadt schlängelten, konnte Ray nicht anders, als einen flüchtigen Blick auf Nao zu werfen. Ihre violetten Haare wirkten fast surreal, aber ihre Entschlossenheit war echt und ansteckend. Er musste sich immer wieder daran erinnern, dass sie anscheinend auf dasselbe Ziel hinarbeiteten. Caleb war am Rastplatz zurückgeblieben, um Sola über ihre Pläne zu informieren, falls sie vor ihnen zurückkehren sollte. Ray war dankbar für Calebs kluge Ratschläge, aber er fühlte auch, dass er nicht anders handeln konnte. Die Möglichkeit, einen geliebten Menschen zu retten, überwog alle Bedenken. Die Beschreibung der Magierin erinnerte ihn sehr an jemanden erinnert, den er sehr gut kannte. Und sollte tatsächlich sie diejenige sein, die dort hinter Gitter saß, so stand es außer Frage, ob er sie retten würde. Er konnte sich zwar nicht erklären, wie und wieso sie dort gefangen sein sollte, doch nur das kleine Fünkchen Hoffnung, das quälend in seiner Brust saß, war genug.

## Sola

Sola streifte gedankenverloren über den kleinen Markt, ihre hellblonden Haare vom Wind sanft umspielt. Die Szenerie, die sich ihr bot, ließ sie staunen. *Sendu* war anders als alles, was sie je zuvor gesehen hatte. Die weiß umschlossenen Mauern hielten eine perfekt geordnete Stadt, die Ruhe und Besonnenheit ausstrahlte. Kein Vergleich zu den lauten, bunten Städten der Sakura-Region oder zu irgendetwas, das Sola kannte. Das erfüllte sie mit einer Mischung aus Staunen und Unsicherheit in ihrem Inneren.

Die Häuser aus glattem weißem Stein verströmten Wohlstand und gaben der Stadt gleichzeitig eine gewissen Anonymität. Einheitlich und ordentlich standen sie da, jedes wie ein Zwillingsbruder des anderen. Es war ein Kontrast zu den einfachen, notdürftig gezimmerten Holzhütten ihrer Heimat und erst recht zu den wilden Bauten der *Arechi* Region, die sie nun hinter sich gelassen hatten. Die weißen Mauern, die die Stadt umschlossen, vermittelten eine Atmosphäre von Ruhe und Schutz. Es war, als ob die ganze Stadt in einem harmonischen Gleichgewicht ruhte. Sola fühlte sich von dieser geordneten Schönheit angezogen, aber zugleich empfand sie auch eine gewisse Fremdheit.

Zwei breite, gut gepflasterte Hauptstraßen kreuzten sich mitten in der Stadt. Von diesem zentralen Punkt aus führten kleine Gassen ab, die nur zu Fuß passierbar waren und keine Karren zuließen. Die ruhige Atmosphäre umhüllte Sola wie eine sanfte Decke, und sie genoss den Frieden, den sie hier spürte. In diesem Zentrum befand sich der Markt, der Herzschlag der Stadt. Anders als der provisorische Marktplatz in *Saka*, gab es hier richtige Geschäfte in festen, steinernen Häusern sowie elegante Pavillons, die den Hauptplatz säumten. Die Händler *Sendus* schienen ebenfalls entweder ein zuverlässigeres Versorgungsnetz zu haben oder aber besser mit den Warenbeständen umgehen zu können, denn im Gegensatz zu den leer gefegten Auslagen *Sakas.* Sie Lieferknappheit durch die ausbleibenden Nomaden war hier wohl nicht angekommen. Sola beobachtete neugierig das Treiben um sie herum. Überall waren Menschen, die in weiße Gewänder gehüllt waren, und spürte die Kühle des leichten Windes, der von den umliegenden Bergen her wehte. In ihrem kurzen Gewand fröstelte sie leicht, doch es war auch ein angenehmes Gefühl, das sie mit der Hitze von *Saka* verglich. Die Menschen *in Sendu* kleideten sich anders als diejenigen, die sie kannte. Die bunten, feinen Stoffe der Sakura-Region waren hier durch weiße Gewänder und gewickelte Tücher ersetzt worden. Es war ein Anblick, der fast etwas Erhabenes hatte und die friedliche Ruhe der Stadt unterstrich. Während Sola weiter durch die Straßen schlenderte, fiel ihr auf, dass die Menschen um sie herum leise und bedacht sprachen. Es war ungewöhnlich für einen Marktplatz, keine Verkaufsrufe zu hören und kein lautes Verhandeln zu erleben. Stattdessen herrschte eine fast magische Stille, als würden die Worte in der Luft schweben und sorgsam ausgewählt werden.

Sola trat auf einen der Pavillons zu. Bücher und Schriften lagen fein säuberlich in den Regalen und ein kleiner Mann mit weißem Bart und Glatze lächelte sie freundlich an. Tränensäcke, so groß wie reife Äpfel gaben seinem freundlichen Gesicht einen seltsam verzerrten Eindruck.

„Kann ich dir helfen?“ Er sprach so leise wie alle anderen.

Sie lächelte schüchtern zurück. „Ich wollte mich nur umschauen.“

Der Mann nickte und verbeugte sich, bevor er sich ein paar Schritte zurückzog, um ihr den Blick auf die restlichen seiner Auslagen freizugeben. Sola überflog neugierig die verschiedenen Titel. Es waren hauptsächlich Texte über die Bistums-Religion und das Leben in Einklang mit der Natur. Doch hier und da sah sie auch Schriften über Medizin und Heilkräuter. Als sie eines dieser Bücher in die Hand nahm entdeckte sie ein weiteres Buch, das versteckt darunter gelegen hatte. Es sah alt und verblichen aus. Geschwungene, feine Linien zierten den Einband. Aber der Titel war in einer ihre unbekannte Schrift geschrieben. Dennoch griff sie danach und schlug das Buch auf. Das Bild auf der ersten Seite raubte ihr den Atem. Obwohl die Ränder der Linien bereits verblassten, waren ganz deutlich zwei Engel zu erkennen, die sich gegenüberstanden. Sie blickten einander in die Augen. Der Blick war von solcher Intensität, dass Sola meinte, die Anspannung an ihrem eigenen Körper zu spüren. Die Engel hielten einander an den Händen, sodass ihre Arme einen Kreis bildeten. Hinter dem einen Engel waren eine Sonne und mehrere Planeten gemalt, während hinter dem anderen Engel das Abbild von Flammen und seltsam deformierten Kreaturen zu sehen war. Himmel und Hölle. Leben und Tod. Ohne den Schriftzug entziffern zu können, der unter das Bild geschrieben war, wusste Sola, was sie hier sah.

Sie hatte zwar nur davon gesprochen, Essensrationen zu besorgen, dennoch trat Sola wenig später mit mehreren Büchern in einem Beutel aus dem Pavillon hinaus. Der kleine Mann hatte sich mehrmals bei ihr bedankt und winkte ihr nun zum Abschied hinterher. Sie winkte ebenfalls und versuchte ihr zaghaftes Lächeln aufrecht zu erhalten. Sola war so viel Freundlich- und Höflichkeit nicht gewohnt. Als sie sich schließlich von dem Verkäufer abwand, traute sie ihren Augen nicht.

Etwas entfernt eilte ein junger Mann über die breite Hauptstraße. Ein Mann, der aufgrund seiner Hautfarbe und der dunklen Kleidung aus der Menge herausstach - ebenso wie die junge Frau, die neben ihm herlief. Sola runzelte die Stirn. Während sie Ray in den Weg trat, zog sie den Beutel höher auf ihre Schulter und verschränkte die Arme.

„Was soll das?", fragte sie. Ihre Stimme erschallte lauter als geplant. Ray sah sie überrascht an. Er schien nicht mit ihr gerechnet zu haben. „Oh, hi Sola“, stammelte er. Die Frau neben ihm war ebenfalls gestoppt und schaute Sola mit zusammen gekniffenen Augen an. Ihr Haar war in einem ungewöhnlichen lila Ton. So eine Haarfarbe hatte Sola doch bereits einmal gesehen. Sie musterte die Fremde und fühlte, wie sich ihr Magen seltsam verkrampfte. Diese Frau ähnelte stark dem Jungen, der ihren Großvater aufgesucht hatte.

Dann strecke die Fremde die Hand nach Ray aus. Ehe Sola begriff, wollte sie Ray an ihr vorbeiziehen und weitergehen. Sie spürte, wie ihr heiß wurde. Sie fühlte sich seltsam verraten und unwohl. *Bleib ruhig*, dachte Sola, *es gibt eine plausible Erklärung hierfür.*

Sola trat einen Schritt zur Seite und versperrte damit erneut den Weg. Die Unbekannte funkelte sie wütend an, während sie sich langsam zu Ray drehte. „Du hast nichts davon gesagt, dass du hier jemanden kennst.“

Beschwert sie sich tatsächlich, dass er ihr nichts von Sola erzählt hatte? Sola konnte kaum glauben, was sie hörte. Schließlich hatten sie seit Wochen zusammen das Land durchquert. Wer glaubte diese Fremde, wer sie war? Sola spürte, wie ihre Hände begannen zu schwitzen und sie musste tief durchatmen.

## Ray

Ray schaute von Nao zu Sola und wieder zurück. Ihm gefiel die Feindseligkeit zwischen den beiden nicht. „Nun ja, also Nao, das ist Sola. Sola das ist Nao.“

Sola sah Ray fragend an und mit einem gewissen Zorn, der Ray verunsicherte. Er hob entschuldigend die Hände. „Ja, ja ich weiß. Ich sollte außerhalb der Stadtmauern bleiben.“ Entschuldigend lächelte er sie an, doch Sola erwiderte sein Lächeln nicht.

„Nao hilft mir jemanden in *Sendu* zu finden, den ich wahrscheinlich kenne.“ Ray wollte nur ungern mitten auf dem Markplatz ins Detail gehen, was sie vorhatten.

„Wahrscheinlich kennst?“ Die Skepsis und der Argwohn in Solas Stimme war unverkennbar und Ray schluckte. Sie hatte ja recht. Das klang unglaubwürdig. Er versuchte, ihr mit einem Blick zu sagen, dass sie später darüber reden würden. Doch sie schien ihn nicht zu verstehen, sondern vertiefte stattdessen mit einem Runzeln, die Sorgenfalten, die sich auf ihrer Stirn gebildet hatten.

Nao sagte, mit gespielter, zuckersüßer Stimme: „Ray und ich haben noch einen Gefallen offen.“ Sie schenkte Sola ein Lächeln, das jedoch nicht ihre fliederfarbenen Augen erreichte.

Sie ergänzte: „wir kennen uns aus *Tsubiki* und sind quasi alte Freunde.“ Wie um dies zu untermalen, tätschelte sie Rays Arm. Bei der Berührung zuckten Solas Gesichtszüge. Ray schluckte und ihm war klar, dass er nie etwas wie eine Bekanntschaft aus *Tsubiki* erwähnt hatte. Warum auch? Niemals hatte er damit gerechnet Nao wiederzusehen.

„Ich werde schon keinen Ärger machen“, sagte Ray, obwohl er wusste, dass das so wahrscheinlich nicht ganz stimmte. Ray zögerte, seine grüblerische Miene verriet seine innere Zerrissenheit. Er wollte Sola nicht anlügen, aber genauso wenig wollte er sie in diese Sache hineinziehen, da er auch Nao nicht völlig vertraute. Ein leises Seufzen entwich ihm, und er trat näher an sie heran, weg von den neugierigen Blicken der weiß gekleideten Menschen, die begonnen hatten, in ihre Richtung zu schauen.

Er senkte seine Stimme, die nun kaum mehr als ein Flüstern war, um sicherzustellen, dass niemand sie belauschen konnte. Die Straßen waren voller Leben, und sie durften nicht noch mehr Aufmerksamkeit auf sich lenken

„Sola, ich treffe dich an unserem Zeltplatz. Es tut mir leid, du musst mir bitte vertrauen.“

Krampfhaft versuche Sola, nicht auszuflippen. Sie hatte geglaubt, dass sie und Ray eine ehrliche Beziehung aufgebaut hatten. Doch nun verstand sie die Welt nicht mehr. Er lehnte sich vor, seine Lippen dicht an ihrem Gesicht. „Sola, ich treffe dich an unserem Zeltplatz. Es tut mir leid, du musst mir bitte vertrauen.“ Danach sah er ihr tief in die Augen.

Auch wenn ihr die Situation nicht gefiel, wusste sie intuitiv, dass Ray sie wirklich nicht verletzen oder verraten wollte.

Sie blickte zu der anderen Frau hinüber, die ungeduldig mit dem Fuß auf dem Boden tippelte. Was die hingegen wollte, konnte Sola nicht einschätzen.

Eine Hand legte sich sanft auf Solas Schulter, und Ray neigte sich zu ihr, sodass sein Atem erneut ihre Wange streifte. Ein Schauer lief über ihren Körper, ihre Härchen stellten sich auf. Seine Worte waren kaum mehr als ein leises Flüstern: "Es ist jemand aus meinem Stamm hier in *Sendu*. Ich muss diese Person finden."

Sola blickte ihn überrascht an. Sie wusste, wie sehr ihn der Angriff auf seine Heimat belastet hatte. Er war abrupt von seiner Familie und seinen Freunden getrennt worden, und der Verbleib war für ihn eine quälende Ungewissheit. Sie verstand, wie wichtig es für ihn war, jemanden zu finden, der möglicherweise mehr Informationen hatte. Daher nickte sie zustimmend. "Pass bitte gut auf dich auf." Ray erwiderte das Nicken und ließ ihre Schulter los.

"Komm", sagte er zu Nao und deutete ihr, mit ihm mitzugehen. "Ich möchte keine kostbare Zeit verlieren." Nao nickte zustimmend. Sie hatte Sola die ganze Zeit nicht aus den Augen gelassen. Die beiden wandten sich dem Gehen zu, Ray eilte voraus. Sola blickte ihnen hinterher. Doch bevor sie sich wieder ihren Einkäufen widmen konnte, drehte sich die Fremde noch einmal zu ihr um und formte einen Satz mit ihren Lippen. Sola starrte ihr nach, als ihre lila Haare in einer Gasse verschwanden. Wer war diese Frau? Was hatte das zu bedeuten? Sola kannte sie nicht, oder? Ein Zittern durchfuhr ihren Körper, nicht vor Kälte, sondern aufgrund eines beklemmenden Gefühls in ihrem Magen. Sie konnte sich nicht irren. Die Botschaft, die die Fremde ihr übermittelt hatte, war eindeutig. „Geh zurück nach *Saka*."

## *Ray*

"Wieso hast du mir nicht gesagt, dass ihr nicht mehr allein reist?", fragte Nao mit deutlicher Anspannung in ihrer Stimme. Die Begegnung mit Sola schien sie mehr aufgewühlt zu haben, als Ray erwartet hatte.

Ray hob eine Augenbraue und entgegnete: „Du hast mich nicht danach gefragt." Ein Hauch von Ärger mischte sich in Naos Stimme, als sie erwiderte: "Du bringst sie ebenfalls in Gefahr, wenn du dich dem Gesetz widersetzt."

Ein spöttisches Lächeln huschte über Rays Lippen. "Ach, jetzt interessiert dich also das Gesetz? Soweit ich weiß, war es deine Idee, diesen kleinen Coup hier abzuziehen."

Ray blieb stehen und tippte ihr mit erhobenem Zeigefinger anklagend gegen die Brust. Seine Stimme hatte einen entschlossenen Klang, als er sagte: "Nao, du hast behauptet, dass dort drin eine Wasser-Magierin aus meinem Stamm sitzt, und die Beschreibung passt zu jemandem, der mir sehr wichtig ist. Wenn das immer noch wahr ist, dann werde ich alles tun, um sie aus dem Gefängnis zu befreien – selbst wenn das bedeutet, Sola in Gefahr zu bringen."

Erwartungsvoll schaute er Nao an, doch ihr Blick wirkte seltsam ängstlich. Dann schien sie jedoch einen Gedanken abzuschütteln und zuckte mit den Achseln. "Na gut. Ich hatte Bedenken, dass das Mädchen deine Entschlossenheit beeinflussen könnte."

Mit einem schnippischen Ruck schlug sie Rays Finger weg. "Dann lasst uns dieses Mädchen da herausholen. Aber versprich mir...", sie funkelte Ray an, "..., dass du und Sola danach von hier verschwindet."

Ray nickte, seine Miene ernst. "Wir hatten sowieso vor, weiterzuziehen."

"Gut. Denn mit dem Bischof von *Sendu* ist nicht zu spaßen", erklärte Nao und machte eine ausladende Handbewegung zu einer Gruppe schweigender, weiß gekleideter Personen, die still an ihnen vorbeihuschten. "Oder denkst du, dass diese Stadt von allein so brav und ordentlich geworden ist?"

Ray sah sich um und nahm die außergewöhnliche Sauberkeit und Ordnung der Stadt wahr. Nao lachte kurz, doch ihr Lachen klang heiser. "Ja, schau genau hin. Was du hier siehst, ist eine Stadt voller gebrochener Menschen. Sie leben in Angst und wissen, dass jedes Vergehen gegen den Willen des Bischofs Schmerz und Leid nach sich zieht." In Naos Augen glänzte Zorn und Empörung, und sie ballte die Fäuste. "Bischof Castigo ist ein abscheulicher Tyrann, und wir sollten ihn nicht mehr als nötig herausfordern." In Naos Augen glänzte nun Zorn und Empörung. Sie ballte die Fäuste.

Ein beklemmendes Gefühl durchzog Ray, je mehr er in die Gebräuche und Städte des Bistums eintauchte. Es schien ihm, dass die elitäre Spitze des Bistums aus morallosen, machthungrigen Kreaturen bestand. Dieses vermeintlich Heilige Land litt unter einem Apparat, der seine Macht skrupellos und ohne Rücksicht auf Werte missbrauchte. Nao betrachtete ihn durchdringend, als könnte sie seine Gedanken lesen. Sie seufzte und schüttelte sich, als wollte sie die Gedanken an den Bischof von *Sendu* abschütteln. Dann sagte sie leise, aber ernst: "Ja, das Bistum braucht dringend eine Reformation. Die meisten Bischöfe sind korrupt und egoistisch, aber jetzt können wir uns nicht darum kümmern." Sie zuckte mit den Achseln und fügte hinzu: "Noch nicht."

Als Ray Nao zum ersten Mal im Tanzenden Hirsch begegnete, hätte er nicht erwartet, dass sich eine so wilde Persönlichkeit hinter ihrer Fassade verbarg. Ihre starke Persönlichkeit und Entschlossenheit beeindruckten ihn. Sie erinnerte ihn ein wenig an seine kleine Schwester. Der Gedanke schmerzte in seiner Brust. Beide waren wilde und selbstständige junge Frauen, die so leicht nichts umzuhauen schien. Außer eine Armee der Dunkelheit, ergänzte er in Gedanken und spürte wie die Trauer ihn zu übermannen drohte. Er konnte jetzt nicht daran denken, was in *Wa* geschehen war, er musste sich auf das Ziel konzentrieren.

Nao schritt entschlossen durch die Straßen. Als sie um eine weitere Ecke bogen, erblickte Ray ein großes, eckiges Gebäude aus demselben Stein wie die Stadtmauern *Sendus* erbaut. Es war vollständig umrandet von einer hohen Mauer mit Stacheldraht. Die Architektur war schlicht und wenn der Draht und die Wachtürme, die die Ecken der Mauer säumten, nicht gewesen wären, wäre das Stadtgefängnis nicht weiter inmitten der anderen Gassen und Steingebäude aufgefallen.

„Wir müssen auf die andere Seite zu dem Nebeneingang des Hofes", wies Nao ihn an und Ray folgte ihr. Sie hatte ihm ihren Plan immer noch nicht ganz dargelegt, doch er spürte, dass sie genauso wenig Sympathie für die offiziellen Strukturen des Landes hatte wie er. Während sie im Schatten der Gefängnismauer weitergingen, klopfte Ray immer wieder nachdenklich gegen den weißen Stein.

„Keine offensichtlichen Schwachstellen", murmelte er.

Ohne sich zu ihm umzudrehen erwiderte Nao: „Die Schwachstellen sind überall dieselben. Sie sind in der Tat äußerst offensichtlich."

Ray zog die Augenbrauen hoch, während Nao ihre Schritte beschleunigte. „Was sind sie?"

„Die Menschen." Die junge Frau drehte sich kurz zu ihm um. Ihre violetten Augen schimmerten im fahlen Sonnenlicht.

„Die menschliche Schwäche ist es, die jede stabile Struktur zum Einsturz bringen kann."

Ray musste zugeben, dass sie nicht Unrecht hatte, dennoch widersprach diese Aussage seiner Natur. Er vertraute prinzipiell seinen Kameraden und war stets überzeugt, dass ein eingespieltes Team beinahe unbesiegbar sein konnte.

Nao fuhr fort: „Ich habe mich gestern ein wenig in der Stadt umgetrieben. Wir kommen genau zum richtigen Zeitpunkt.“

Sie bogen um eine weitere Ecke und Ray konnte einen kleinen Torbogen sehen, der in einen Innenhof zu führen schien. Nao blieb abrupt stehen und schob Ray und sich selbst in den Schatten der Mauer. Im Flüsterton erklärte sie: „Es gibt einen Wachmann, Richie Branson, der eine Schwäche für hübsche Frauen hat. Außerdem nimmt er seine Pflichten weniger ernst als die meisten anderen *Sendurer*. Das werden wir ausnutzen. Es ist gerade Schichtwechsel und er wird gleich genau dort drüben positioniert.“ Ray blickte vorsichtig über ihre Schulter. Am Seitentor herrschte reger Betrieb. Einige Männer verabschiedeten sich und verloren sich in den Gassen *Sendus*. Die anderen unterhielten sich vor dem Tor, bereit ihre Schicht zu beginnen. Ein besonders hagerer, hellblonder Mann blieb im Bogen stehen, während der Rest nach und nach verschwand. Er war nicht besonders groß, trug jedoch einen gefährlich blitzenden Säbel an seinem Gürtel. Der Mann starrte grimmig in den grauen Himmel und fluchte leise vor sich hin. Ray packte Nao am Handgelenk und zog sie ein Stück weiter in den Schatten. Seine Stimme klang besorgt, als er sagte: "Hübsche Frauen? Was hast du vor? Ich werde dich da nicht einfach vorgehen lassen."

Nao konnte sich ein Kichern nicht verkneifen. "Bist du etwa eifersüchtig?", fragte sie neckend. Ray funkelte sie wütend an. "Nein, aber dieser nette Richie sieht alles andere als gut gelaunt aus. Ich werde dich also nicht einfach dort rüber spazieren lassen und..."

"Shh shh. Ist gut", unterbrach ihn Nao und hob beschwichtigend die Hände. Dann zuckte sie mit den Achseln und fügte hinzu: "Deswegen wollte ich ja, dass du mitkommst - als großer Beschützer." Sie löste seinen Griff um ihr Handgelenk und tätschelte ihm spöttisch die Wange. Ray sah sie empört an.

„Nun schau nicht so. Willst du dich statt meiner anbiedern?", fuhr sie mit einem frechen Grinsen fort.

"Ich...", begann er zu sagen, doch Nao fiel ihm ins Wort.

"Nun hör schon auf. Ich habe ihn genau studiert, wie er gestern mit seinen Freunden in der Kneipe saß. Er ist ein dummer Kerl. Das wird kinderleicht." In ihren Worten lagen eine gewisse Überzeugung und Leichtigkeit, als würden sie lediglich planen einen Apfel zu stehlen.

Ray zuckte kurz zusammen, als er Naos derbe Sprache vernahm. Es war ein merkwürdiges Gefühl, sie hier im Schatten zu sehen, wie sie sich von ihrer feinen und vornehmen Seite entfernte. Aber gleichzeitig weckte es in ihm eine gewisse Faszination und Neugierde. Nao sah ihn nun ernst an, und der Spott war aus ihrem Gesicht gewichen. „Du kommst ja mit Ray“, sagte sie mit fester Stimme.

"Und wie genau? Soll ich etwa deine beste Freundin spielen?", fragte er und versuchte, seine Verwirrung zu überspielen. „Nein“, lachte Nao und legte den Kopf schief. „Du bist wirklich ein ganz lieber Kerl, was?“

Ray spürte, wie ihm die Röte in den Kopf stieg, als er begriff.

"Du sollst meinen Zuhälter spielen", beendete Nao seinen Satz mit einem gewissen Augenzwinkern.

Ray fühlte sich unwohl bei dem Gedanken, aber er spürte auch, dass er Nao nicht im Stich lassen konnte. Sie hatte etwas in ihm geweckt, dass er nicht ignorieren konnte. Sie hatte sein Interesse geweckt und eine Verbindung hergestellt, die er nicht erklären konnte. Seine Gedanken kreisten, während er Nao beobachtete, wie sie bereits zum Tor ging und sich an Richie vorbeischob. Ihr verändertes Auftreten und ihre Worte ließen ihn zweifeln, aber er konnte nicht anders, als ihr zu folgen. Ein Gefühl der Aufregung und Unsicherheit durchströmte ihn, während er sich darauf vorbereitete, in diese Rolle zu schlüpfen, die ihm so fremd war. Doch Nao zögerte keinen Augenblick und war bereits an dem Tor angekommen. Sie lief direkt an Richie vorbei, als sie sich überzeugend beiläufig die Haare, über die eine Schulter strich und somit ihre andere ein wenig entblößte. Über die blass nackte Schulter hinweg drehte sie sich zu Ray und setzte, nun plötzlich in einem schweren Süd-*Shizen*en Dialekt an: „Hey, hey duuu. Komm schon. Du hast gesagt noch ein Job, dann kann ich Feierabend machen. Also schlurf da nicht so rum."

Sie klimperte mit den Wimpern und zog einen Schmollmund. Gleichzeitig drehte sie sich, ebenfalls wie beiläufig ein wenig zu Richie um und schenkte ihm ein strahlendes Lächeln. Der Wasserstämmige konnte sehen, wie sich die Miene des Wachhaltenden augenblicklich aufhellte.

Nao kicherte kindlich, als Ray sie erreichte, während sie weiterhin mit ihren zarten Fingern in ihren dichten Haaren spielte. Vollkommen ungeniert musterte sie Richie. Dieser trat nervös von einem Fuß auf den anderen und versuchte ungeschickt, Naos durchdringendem Blick zu entkommen. Seine wässrigen Augen waren leicht gerötet und flimmerten fast fiebrig über ihren eng bekleideten Körper. Ray räusperte sich, als er die beiden erreichte. Er war noch nie ein guter Schauspieler gewesen. „Ja ja, Na.. äh.. Nathaly."

Nao blickte kurz zu Ray und verdrehte die Augen. Zu seiner Erleichterung schien Richie seine Anwesenheit kaum bemerkt zu haben, da er gerade seinen Blick versuchte von Naos Brüsten zu entfernen.

„Erstmal müssen wir deinen letzten Job finden. Also freu dich nicht zu früh", versuchte Ray seine autoritäre Rolle einzunehmen.

Nao verdrehte erneut die Augen – es war wohl immer noch nicht überzeugend genug. Dann drehte sie sich verspielt im Kreis und klimperte Richie mit ihren langen, dichten Wimpern an. *Ihr kindliches Kichern ist gruselig*, dachte Ray. Richie schien es zu gefallen, denn nun hatte er es aufgegeben so zu tun, als würde er wegschauen. Männer wie er waren Ray zuwider. Er betrachtete nur wie ein Stück Fleisch. Wieso schämte er sich nicht? Diese Gier, die in seinen Augen geschrieben stand, füllte Ray nur mit Missachtung. Mit diesem Gleichmut seiner Pflicht gegenüber konnte er sich und seine Kameraden in große Schwierigkeiten bringen, doch daran verschwendete Richie nicht einmal einen Gedanken. Am liebsten würde Ray ihn für seine törichte Wollust windelweich schlagen. *Konzentrier dich auf dein Ziel,* wiederholte Ray in Gedanken. Solas Worte waren wie ein Mantra geworden.

Nao war inzwischen einen Schritt näher an Richie herangetreten. Sie säuselte mit ihrem lieblichen südlichen Dialekt. „Na wie wär's denn mit diesem hier?" Dabei legte sie kokett und vorsichtig ihre Fingerspitzen an Richies Brust. Richie sah aus, als würde er jeden Augenblick an seinem eigenen Geifer ersticken. Ray sah ihn prüfend an. „Der Mann muss arbeiten. Nathaly, so wie du."

„Ach nein", quengelte Nao. Sie hatte ihre vollen Lippen trotzig verzogen.

„Aber der hier gefällt mir", sagte sie, während sie auf Richies Brust tippte.

„Der gefällt mir und ich will endlich fertig werden für heute." Nao seufzte schwer und theatralisch.

Richie schluckte.

Ray trat näher an die beiden heran. „Lass den Mann in Ruhe, er hat doch gar kein Interesse."

„Was?" Erschrocken zog Nao ihre Finger zurück und drehte mit einem Ruck und all ihren wallenden Haaren ihr Gesicht zu Richie um. „Du hast kein Interesse?" Ihre Stimme bebte und klang so ehrlich erstaunt und bedrückt zugleich, dass Ray sich das Lachen verkneifen musste. Nao war wirklich gut.

„Das tut mir so leid." Sie begann nun ein wenig zu stottern, um ihre Unsicherheit zu unterstreichen. „Ich ... ich dachte nur ... als ich eben an dir vorbeigekommen war, nun ja ... dieses Gefühl ..." Nao stockte und schlug sich die Hand vor den Mund. „Es tut mir so leid." Ihre großen Augen fixierten Richie und füllten sich ganz langsam mit dicken Krokodilstränen. „Ich dachte nur, du wärst der große Held, der meinen langen Arbeitstag endlich beenden könnte", stieß sie hinter vorgehaltener Hand hervor. Richie gaffte sie sprachlos an. Diese wunderschöne fremde Frau nannte ihn einen Helden. Das musste ja ziehen, dachte Ray. Triumphierend bemerkte er, wie Richies Blick nun vorsichtig umherwanderte, ausspähte wie weit entfernt seine Kollegen standen und ob jemand sie beobachtete. Ray trat dicht an ihn heran. „Na toll. Jetzt bringen Sie meine beste Ware zum Weinen. Allein dafür schulden Sie mir etwas." Er versuchte den Wärter so erzürnt wie möglich anzufunkeln. Richie sprach jetzt zum ersten Mal, mit einer hellen, piepsigen Stimme, die so gar nicht zu seiner Uniform passen wollte: „Ich ...?" Er blickte irritiert von Nao zu Ray und wieder zurück. „Ja, Sie. Die Kleine hier ist eine Romantikerin. Denkt immer gleich, dass jeder ihr Liebe schenken will", sagte Ray mit betonter Genervtheit. Nao schluchzte bekräftigend hinter Ray.

„Sir, ich kann nicht ... Ihre Frau, ihre ... äh ... Ich bin im Dienst." Richies Stimme war brüchig. Sie hatten ihn bereits fast überzeugt.

Ray schüttelte wütend den Kopf. Nao hängte sich an seinen Arm und fixierte Richie erneut mit ihren Kulleraugen, die inzwischen so groß waren wie der Mond, der bereits neben der Sonne am Himmel stand.

Sie säuselte mit leicht belegter Stimme: „Wie heißt du?"

Ihre samtweiche Art schien Richie vollends um den Verstand zu bringen. Ray konnte sehen, wie der Schweiß auf seiner blassen Stirn ausbrach.

„Richie", brachte er mit zitternder Stimme hervor.

„Nun Richie, möchtest du nicht vielleicht mein letzter Kunde heute sein?"

„Kunde?"

Nao kicherte und zwinkerte Richie zu. „Na du weißt schon."

Richie schluckte erneut. Nervös schaute er über seine Schulter. Dann krächzte er vielmehr als das er sprach: „Ich kann nicht."

Ray wurde ebenfalls nervös. Sie standen nun bereits eine ganze Weile an dem Tor. Bald würden andere Wärter auf sie aufmerksam werden und Richie schien nicht seine Meinung zu ändern, egal wie schwer es ihm fiel.

Nao zögerte ebenfalls kurz. Dann begann sie erneut – für Rays Geschmack ein wenig zu laut – zu schluchzen. Sie ließ Ray los und trommelte Richie mit ihren geschmeidigen Fäusten auf die Brust.

„Ach Richie. Ich kann nicht mehr. Wie kann es sein, dass du mich nicht willst?“

Richie starrte sie erschrocken an. Das kann böse enden, dachte sich Ray. Wenn Nao eine Szene machte, würden sie alles andere als unentdeckt in das Innere des Gefängnisses kommen. Doch sie hörte nicht auf. Sie überschüttete Richie weiter mit Vorwürfen. Langsam glaubte Ray zu begreifen – Nao hatte Richie nicht nur wegen seiner Schwäche für hübsche Frauen ausgesucht. Davon gab es einige Männer, aber in Richies Augen lag nun blanke Panik, er konnte mit Schuldgefühlen nicht umgehen, egal wie absurd diese waren. Wie hatte Nao ihn durch einen einzigen Abend Observation so gut einschätzen gelernt? Ray war sich sicher, dass Nao nie geplant hatte Richie wirklich zu verführen. Sie verfolgte einen anderen Plan. Er würde diese junge Frau nie wieder unterschätzen. Und trauen sollte er ihr auch nicht.

Nao weinte bitterlich und stieß unter Tränen hervor: „Niemand liebt mich. Ich bin eine arme Hure und keiner auf dieser Welt braucht mich!“

Dann packte sie, so schnell und entschlossen, sodass weder Ray noch Richie reagieren konnten, Richies Säbel und trat einen Schritt auf Richie zu, während sie sich den Säbel in ihren Magen rammte. Ihre Augen weiteten sich vor Schmerzen. Dabei hielt sie Richies Blick fest, der vor Angst und Panik geweitet war. Der Mann wurde rasant blasser, als die Frauengestalt in seine Arme sank. Rotes Blut spritze auf seine weiße Uniform. Ray stieß einen leisen Schrei aus.

Was zum Teufel machte Nao? Das sah alles andere als harmlos aus. Er geriet ebenso wie Richie in Panik und riss mit vollem Ernst an Richies Arm.

„Wir müssen etwas tun“, schrie er den Wärter an. Richie nickte, während er starr und gelähmt vor Schock auf die schwer atmende Nao hinabsah. „Schnell, Richie, verdammt.“ Ray schüttelte den Mann. Naos heißes Blut sog sich auch in seine Ärmel. Sie kicherte leise, während sie sich weiterhin stur an Richies Unterarme klammerte. Dieser hob sie hoch und gab Ray ein Zeichen ihm zu folgen. Er zischte leise Ray zu: „Schnell, uns darf niemand sehen. Wenn das jemand sieht ... oh, Gott ... Oh Gott ...“ Nun tat er Ray fast leid. Der Mann stand am Rande einer Panikattacke, in seinen Armen eine junge Frau, die sich vermeintlich seinetwegen das Leben versucht hatte zu nehmen. Richie, mit Nao in den Armen, sprintete in Richtung des Hauptgebäudes, dicht gefolgt von Ray. Immer wieder gab Richie ein Zeichen, dass sie sich kurz hinter einem Busch oder Baum im Hof ducken musste. Der Mann kannte seine Kameraden und ihre Patrouillen.

Wenig später und ungesehen, standen Richie und Ray in einem kleinen Raum, der vermutlich als Waschküche diente, wie die hunderten aufgehängten Laken verrieten. Panisch legte Richie Nao auf einen der Tische, die dort standen. Neben ihr lagen stapelweise weiße Laken, die fein säuberlich gefaltet worden waren. Er fluchte leise vor sich hin, während Tränen über seine Wangen liefen. Ray spürte, wie sein Herz rasend schlug und die Sorge um Nao ihn ergriff.

"Komm schon, Richie", sagte Ray mit einer Mischung aus Besorgnis und Entschlossenheit. "Nimm ein Laken und binde es eng um Naos Körper, damit wir die Blutung stoppen können."

Richie zitterte, aber er tat, wie ihm befohlen, und begann das Laken fest um Naos Körper zu knoten. Währenddessen raste Rays Verstand, auf der Suche nach einer Lösung für die bedrohliche Situation. Er war drinnen. Jedoch lag Nao verletzt und fast bewusstlos vor ihm und er hatte keinen Plan, wo er nach der Wasserstämmigen suchen sollte oder geschweige denn, wie er hier sicher wieder herauskommen sollte. Was hatte sie sich nur dabei gedacht?

Während Ray überlegte, wie er diese Mission unbeschadet beenden konnte, hörte er plötzlich einen dumpfen Schlag. Panisch drehte er sich um, nur um zu sehen, wie Richie bewusstlos zu Boden sank. Nao saß kerzengerade auf dem Tisch. Ray sah sie verstört an. Es war nur ein einziger, sauberer Handkantenschlag gewesen, der Richie zu Boden gebracht hatte. Nao hatte ihn genau an der richtigen Stelle am Hals getroffen und das, obwohl sievermutlich kaum Bewegungsfreiheit hatte.

Die junge Frau grinste ihn frech an. „Schau nicht so." Ray bemerkte, dass sein Mund vor Erstaunen und Ehrfurcht offen gestanden hatte.

„Hilf mir, ihn zu fesseln und ihm seine Schlüssel abzunehmen. Nao sprang leichtfüßig vom Tisch, als sei nichts gewesen. Sie knotete das Laken um ihre Taille fester zu und das Blut auf ihrer Kleidung trocknete bereits.

„Als ob ich mich für so jemanden umbringe", sagte sie tadelnd, als sie bemerkte, dass Ray sie weiterhin fassungslos anstarrte. Sie zuckte mit den Schultern. „Ich weiß, wohin man stechen darf und wohin nicht." Nao begann Richie mit weiteren Laken an das Tischbein zu fesseln. „Und außerdem", ergänzte sie. „kenne ich einen Trick schnell zu heilen." Ihre Stimme war ruhig.

„Wie? Einfach so? Eine Stichwunde?" Ray verstand gar nichts mehr. „Das erkläre ich dir ein anderes Mal. Vielleicht kommst du ja auch selbst drauf", sagte sie und zwinkerte ihm genauso kokett zu, wie zuvor Richie.

Als sie Richie schließlich eng verschnürt und geknebelt hatten, schlichen Ray und Nao auf leisen Sohlen aus dem Waschraum. Die Dunkelheit des Gefängnisses umgab sie, und Ray konnte kaum die Hand vor Augen sehen. Er spürte eine gewisse Unruhe in sich, während er Nao folgte. Er wusste nicht, wie gut er ihr vertrauen konnte. Diese unbekannte Kraft, die sie gegenüber Richie gezeigt hatte, verunsicherte ihn.

Flüsternd fragte Ray: „Woher kennst du die Wege hier unten?"

Nao lächelte leicht, und trotz der Dunkelheit spürte Ray ihre Zuversicht. „Die Mauern und Gänge sind seit Jahrhunderten unverändert geblieben.

Die Konstruktion ist logisch und pragmatisch. Es ist nur eine Frage der Orientierung.“

Ray spürte, wie sie die Worte kurz innehalten ließen, als ob sie mehr sagen wollte. Er runzelte die Stirn. Ihre Antwort hatte seine Frage nicht wirklich beantwortet, aber er vertraute darauf, dass Nao wusste, was sie tat, und fragte sich, ob sie ihm alles offenbaren würde oder weiterhin Informationen für sich behielt. Ihre Mysterien verunsicherten ihn, aber er hatte momentan keine Wahl. Er war ihr bereits bis hierher gefolgt, und es gab kein Zurück mehr.

Nao seufzte genervt und ergänzte: „Das Gefängnis stammt aus einer Zeit, als es noch üblich war, Gefangene in unterirdischen Kerkern einzusperren. Also müssen wir einfach immer tiefer hinabsteigen.“ Gemeinsam setzten sie einen Fuß vor den anderen und stiegen Stufe um Stufe hinunter in die düsteren Verliese von *Sendu*. Ray achtete darauf, dass Nao voranging, und hielt sich ein wenig im Schatten, wachsam und darauf bedacht, sie im Blick zu behalten.

Doch ein Gefühl der Vorsicht blieb bestehen, während sie gemeinsam Stufe um Stufe hinabstiegen in die düsteren Verliese von *Sendu.* Er konnte nicht leugnen, dass er Nao's Fähigkeiten und ihre wahre Natur noch nicht vollständig verstanden hatte. Obwohl er sie nicht vollkommen einschätzen konnte, hatte er das Gefühl, dass sie ihm vorerst nichts antun, würde.

# 28. Kapitel

## *Kayla*

Lady Nura knurrte leise, als Kayla zu ihr in den Hof kam. „Du bist zu spät." Kaylas Gesicht war fahl und ihre Augen lagen in tiefen Schatten. Sie hatte die ganze Nacht über geweint und war heute Morgen kaum aus dem Bett gekommen. Kayla saß mit gesenktem Blick auf einem Stein, seit ihrem Gespräch mit Brutus schmerzte ihr Herz, ihre Seele, einfach alles. Sie fühlte sich verloren und gefangen zugleich. Jeder Atemzug fiel schwer, als würden tausend Fesseln sie erdrücken.

In Gedanken versunken fragte sie sich, was sie überhaupt hier in *Reshira* tat. Was war ihr Zweck? Sollte ihr Leben wirklich nur an der Seite Kasōs verbracht werden? War das alles, was das Schicksal für sie bereithielt? Die Zweifel und die emotionale Benommenheit standen ihr deutlich ins Gesicht geschrieben. Ihr war es gleichgültig, ob Nura sie für ihre Unpünktlichkeit bestrafen würde. Alles war ihr gleichgültig.

Die Anführerin der Amazonen, Nura, musterte Kayla mit ihren gelbstichigen Augen. Die Sonne reflektierte so stark in ihrem schneeweißen Haar, dass Kayla ihre Augen mit der Hand abschirmen musste. Das blendende Weiß bildete einen krassen Kontrast zu ihrer Haut, die fast so dunkel wie Kaylas eigene war. Nura zog stets faszinierte Blicke auf sich, nicht nur wegen ihrer äußerlichen Erscheinung, sondern auch wegen ihres aufrechten, selbstbewussten Gangs und ihrer muskulösen Statur. Kayla kannte nur wenige, die so respekteinflößend waren wie die Anführerin der Amazonen.

Nura hob tadelnd den Finger und sprach mit eindringlicher Stimme: "Für mich bist du durch eine Verlobung noch kein bisschen im Ansehen gestiegen, geschweige denn im Rang." Ihre Worte drangen in Kaylas Herz und verstärkten ihre Gefühle der Unsicherheit und des Zweifels. Kayla nickte. „Es tut mir leid, es wird nicht wieder vorkommen."

Ohne Vorwarnung schnellte Nuras Hand vor und traf mit brachialer Wucht Kaylas Gesicht. Die scharfen Krallen ihrer inneren Raubkatze gruben sich tief in Kaylas Wange, hinterließen blutige Furchen. Die Pranke, die sie traf, war nicht die einer zarten Frau, sondern die eines ausgewachsenen Geparden. Nuras Tiergestalt war außergewöhnlich groß und muskulös, ihr Fell strahlend hell. Als Albino-Gepard waren ihre Flecken silbrig schimmernd, während der Grundton ihres Fells reinweiß wie frischer Schnee war.

Kayla hatte keine Chance gehabt, auszuweichen. Der Schmerz pulsierte durch ihre Wange, während das Blut in dünnen Rinnsalen herabfloss. Nura verzog keine Miene, ihre kalten Augen fixierten Kayla unerbittlich. Kayla konnte nicht einmal sagen, ob Nura jemals ihren Gesichtsausdruck veränderte. Sie war so eiskalt wie die ursprünglichen Territorien der Amazonen.

"Deine Reflexe hast du wohl noch im Bett gelassen", raunte Nura mürrisch. Kayla kämpfte darum, ihren Ärger nicht nach außen dringen zu lassen, und behielt so gut es ging ein unbewegtes Gesicht, ein Pokerface. Die Schmerzen pulsierten weiter, aber sie zwang sich, keine Regung zu zeigen.

"Kayla", erklang Lady Nuras strenge Stimme, und Kayla hob ihren Blick zu ihrer Mentorin. "Erinnerst du dich daran, was ich dir über die Tiger-Amazonen erzählt habe? Du bist eine von ihnen, ein seltener und mächtiger Nachkomme einer langen Linie. Deine Kraft ist außergewöhnlich." Kayla fühlte einen Stich der Unsicherheit in ihrem Herzen. Sie zweifelte oft an ihren Fähigkeiten und fragte sich, ob sie wirklich das Potenzial besaß, das Lady Nura in ihr sah. Dennoch wusste sie, dass sie sich bemühen musste, den Erwartungen gerecht zu werden.

"Ich erinnere mich, Lady Nura", antwortete Kayla mit leiser Stimme, während sie ihre Schläfen massierte. Nura nickte zufrieden. „Nun denn, streng dich an. Wir starten heute mit einem kleinen Wettrennen – zum Aufwärmen. Ich verrate dir nicht bis wohin. Du musst lernen, deine Kräfte trotz Ungewissheit einzuteilen und schnell zu reagieren.“ Kayla nickte.

Innerlich sträubte sie sich. Lady Nura besaß die Geschwindigkeit eines Gepards, sie war nur ein gewöhnlicher Tiger. Diese Aufgabe würde schwer und mühsam werden. Die beiden Frauen machten einen Satz nach vorne und verwandelten sich in zwei majestätische Raubkatzen.

Die Amazonen waren eine mysteriöse Rasse, halb Mensch und halb Raubkatze. Niemand kannte den Ursprung ihrer Existenz oder die Art und Weise, wie das Amazonen-Gen vererbt wurde. Kayla selbst war sich sicher, dass ihre Mutter keine Amazone gewesen war, und auch andere in ihrer Truppe hatten ähnliche Geschichten erzählt. Ihre Eltern waren schockiert gewesen, als sie plötzlich kleine Katzenohren entwickelte. Diese Ohren waren das Einzige, was die Amazonen auch in ihrer menschlichen Gestalt behielten, und Kayla fand, dass ihre Tigerohren besonders auffällig und groß waren. Viele der anderen Amazonen-Kinder wurden deswegen frühzeitig verstoßen und mussten einsam und wild aufwachsen

Lady Nura, die Anführerin der Amazonen, hatte viele dieser Mädchen aufgesammelt und großgezogen, wodurch sie von allen Seiten großen Respekt erfuhr. Obwohl Nura stets eine kühle Art an den Tag legte, hatte sie ein großes Herz, insbesondere wenn es um ihre Schwestern der Amazonen ging, auch um Kayla.

Sobald sich Kayla in einen Tiger verwandelte, fühlte sie sich sofort wacher und lebendiger. Jeder Zentimeter ihres Körpers war von kraftvollen, sehnigen Muskeln durchzogen, und ihr Blut brodelte heiß in ihren Adern. Ihre Sinne wurden schärfer, und sie spürte, wie ihre Instinkte plötzlich messerscharf waren. Es war, als ob sie in dieser Gestalt ihre wahre Natur zum Ausdruck bringen konnte. Die Umgebung wirkte auf sie intensiver und lebendiger. Die Bäume schienen näher und greifbarer zu sein, während der Wind sanft durch ihr Fell strich.

. Als Nura losrannte, folgte Kayla ihrem Beispiel und spürte, wie die Erde unter ihren Pranken erzitterte. Ihre Muskeln spannten sich an, und sie konnte die Kraft und Geschwindigkeit in jedem ihrer Schritte fühlen. Sie liebte das Gefühl der Geschwindigkeit, das ihr Herz rasen und ihre Sinne scharf werden ließ. Der Morgenwind peitschte ihr ins Gesicht, und der Staub wirbelte um sie herum, während sie mit einem tiefen, kehligen Brüllen den neuen Tag begrüßte. Die Transformation in einen Tiger ließ Kayla die Freiheit schmecken, die sie in ihrer menschlichen Gestalt nicht hatte.

Nura rannte aus dem Tor und war in nur wenigen Sekunden am Rande eines nahegelegenen Flusses. Ohne zu zögern, sprintete sie hindurch, während Kayla ihr folgte und das kalte Wasser ihr Fell durchnässte. Sie hasste Wasser. Ein leichter Schauer durchzog ihren Körper, doch sie konnte sich keine Gedanken darüber machen. Jetzt durfte sie keine Sekunde zögern. Die heutige Strecke musste lang genug sein, um ihre bessere Ausdauer auszugleichen.

Hinter dem Fluss bog Nura plötzlich nach rechts ab und rannte auf den nahegelegenen Berg zu. Kayla kannte den Berg gut. *Kazaka* war ein erloschener Vulkan. Als Kind hatte Kayla ihn wenige Male mit Brutus bestiegen, um dort Fossilien und *schöne Steine* zu suchen. Bergauf zog Nura noch einmal das Tempo an. Mit jedem Schritt bergauf spürte sie ihre Muskeln angespannt arbeiten. Der Wind heulte in ihren Ohren, während sie sich darauf konzentrierte, Nura nicht aus den Augen zu verlieren. Ihr Blick war fest auf die gefleckte Schwanzspitze gerichtet, die vor ihr hin und her wirbelte.

Der Wald, durch den die beiden Raubkatzen liefen, war dicht und undurchdringlich. Hohe Bäume ragten in den Himmel und bildeten ein grünes Blätterdach über ihnen. Die Luft war erfüllt vom Duft der feuchten Erde und des dichten Laubs. Doch je weiter sie den Berg hinaufrannten, desto spürbarer wurde eine Veränderung in der Umgebung. Die Bäume begannen allmählich nach und nach zu lichten. Die dichte Vegetation wich einem offeneren Gelände, das von vereinzelten Bäumen und Felsen geprägt war.

Lady Nura flog die Ansteigung hinauf. Kayla kniff die Augen zusammen. Sie besann sich auf ihre Atemtechnik, die Nura ihr beigebracht hatte. Kayla erhöhte ihr Tempo, um mit ihr gleichzuziehen. Der Gepard sah überrascht zur Seite, als Kayla keuchend und keuchend neben ihr auftauchte. Nura nickte ihr stolz und anerkennend zu.

Die Umgebung veränderte sich weiter, und die Bäume wurden immer weniger. Das offene Gelände bot ihnen einen atemberaubenden Ausblick auf die Landschaft unter ihnen. Sie konnten weit in die Ferne blicken, wo sich majestätische Berge und saftige Täler erstreckten. Kayla spürte, wie ihre Lungen vor Anstrengung brannten, aber sie gab nicht auf. Die klare Bergluft wehte ihnen ins Gesicht und erfrischte ihre müden Sinne. Doch Kayla wusste, dass sie keine Zeit hatte, die Schönheit der Landschaft zu bewundern. Sie musste sich auf Nura konzentrieren, die mit unerschütterlicher Entschlossenheit vor ihr herrannte.

Dann ganz abrupt stoppte Lady Nura.

Der Krater lag direkt vor ihnen. Kayla sah es nur im Augenwinkel. Zu spät.

Sie hatte sich so sehr auf ihr Tempo konzentriert, dass sie nicht erwartet hatte, so schnell anhalten zu müssen. Ihr Körper gehorchte ihr nicht, und wenn sie nicht rechtzeitig stoppen würde, würde sie in die Tiefe stürzen. Panik durchströmte sie, als sie den Abgrund vor sich sah. Sie riss ihre orangenen Tigeraugen weit auf und brüllte vor Anstrengung. Trotzdem rutschte sie weiter über den sandigen Boden auf den Abgrund zu. Ein heißer Luftzug drohte sie nach unten zu ziehen. Würde Kayla nicht rechtzeitig stoppen, würde sie fallen.

Sehr tief.

Zu tief.

Sie riss ihre orangenen Tigeraugen weit auf und brüllte. Mit all ihrer Kraft stoppte sie ihren schweren Raubkatzenkörper. Doch obwohl alle viere starr gerade aus zum Bremsen angespannt waren, rutschte sie weiter über den sandigen Boden auf den Abgrund zu.

Verzweifelt brüllte sie erneut, als sie eine Pranke spürte, die sich in ihren Körper krallte und sie gewaltsam zurückzog. Sie schlitterte quer über den

Boden, weg vom Abhang, und prallte mit lautem Getöse gegen einen der letzten Bäume im Wald. Benommen und schockiert blinzelte sie in die fleckigen Augen des Albino-Geparden, der sich über sie beugte, während sie sich langsam vor Erschöpfung zurück in ihre menschliche Gestalt verwandelte. Dann verlor sie das Bewusstsein.

Als Kayla langsam wieder zu Bewusstsein kam und die Farben der Welt langsam wieder zu ihr durchdrangen, bemerkte sie, dass die Sonne bereits tiefer stand.

Neben ihr saß Lady Nura in menschlicher Gestalt, aufrecht und in Meditation versunken, die Hände vor der Brust verschränkt. Bevor Kayla sich bemerkbar machen konnte, öffnete Nura die Augen und sprach: "Manchmal trennt eine halbe Sekunde Reaktionszeit Leben vom Tod."

Kayla schluckte schwer. Ihre Gedanken wirbelten durcheinander, während sie Nuras Worte auf sich wirken ließ. "Du, mein Kind, hast noch einen langen Weg vor dir."

Ein Gefühl der Scham überkam Kayla. Sie fühlte sich wie eine Versagerin, unfähig, den Erwartungen gerecht zu werden. Bevor sie jedoch etwas sagen konnte, unterbrach Nura sie mit einem strengen "Schweig."

Kayla verstummte sofort, ihre Worte blieben unausgesprochen in ihrer Kehle stecken. Sie senkte den Kopf, fühlte sich klein und verletzlich.

"Schweig und lausche der Natur", fuhr Nura fort. Kayla schloss die Augen und versuchte, die Geräusche ihrer Umgebung bewusst wahrzunehmen.

"Du bist als Tiger geboren", sagte Nura nach einer Weile, während Kayla langsam nickte. "In der Natur des Tigers liegt so viel mehr als nur Schnelligkeit. Du solltest nicht versuchen, etwas zu sein, was du nicht bist. Du solltest auf deine eigenen Stärken vertrauen und sie voll ausschöpfen." Nuras Stimme war klar und bestimmt, doch Kayla wollte Einwände erheben. „Aber, Sie haben doch ..."

Nura unterbrach sie energisch. "Keine Ausreden. Es ist dumm, einem Lehrer blind zu folgen, ohne zu hinterfragen, genauso wie in einen Güllegraben zu springen, nachdem man sich gewaschen hat."

Kayla schwieg, ein Gefühl der Niederlage durchströmte sie. Doch Nura fuhr fort: "Ich bin jedoch davon überzeugt, dass du in der Tat sehr gut für dich selbst denken kannst." Ihr Blick traf Kaylas Augen, und zum ersten Mal sah Nura offen und fast freundlich aus. Doch in ihren Augen lag auch etwas, das Kayla noch nie zuvor darin gesehen hatte - Müdigkeit.

"Wenn du heute eine Sache gelernt hast, dann die Notwendigkeit, für dich selbst zu denken. Du musst deinen eigenen Weg finden", fuhr Nura fort. "Es gibt unzählige Wege, auf denen du bereits vor mir hier oben gewesen wärst. Der Weg, den jemand anderes dir vorgibt, ist nicht immer der, den du gehen solltest."

Kayla hatte das Gefühl, dass sie das Ziel der heutigen Übung nicht einmal gekannt hatte. Doch bevor sie ihre Gedanken aussprechen konnte, sprach Nura weiter: "Manchmal musst du weiterdenken. Wenn du aufmerksam bist, erkennst du das Ziel oft früher, als du es erwartest."

Ein Kloß bildete sich in Kaylas Hals, als sie Nuras Worte auf sich wirken ließ. Sie spürte den Druck, der auf ihr lastete, und schluckte schwer.

Nura strich sich eine weiße Strähne aus ihrem Gesicht und fuhr fort: "Wir Amazonen sind ein stolzes Volk, und der Drang nach Freiheit fließt in unseren Adern. Ich wünsche mir nichts mehr, als dass meine Schwestern eines Tages in ihrer eigenen Freiheit leben können." „Aber…“ Kayla wollte erneut etwas einwenden, doch Nura funkelte sie wütend an. "Schweig, habe ich gesagt."

Kayla hielt den Atem an und unterdrückte den Drang, weiterzusprechen. Sie verschluckte sich fast an ihrer eigenen Zunge, so eilig war sie damit, sich selbst zum Schweigen zu bringen.

"Eines Tages wird der Tag kommen, an dem ich nicht mehr in der Lage sein werde, uns zu führen. Ich möchte, dass du dann unsere Schwestern auf den rechten Pfad bringst", sagte Nura mit einem Anflug von Trauer. Ihr Gesicht wirkte plötzlich um hundert Jahre gealtert und aus ihren Augen sprach tiefer Kummer war, der aus ihrer Seele brach. "Ich vertraue dir, dass du den Weg der Freiheit für uns findest, etwas, was mir bisher nicht gelungen ist."

Kayla sah ihre Generalin überrascht an. Was bedeuteten Nuras Worte? Zweifelte sie etwa an Samaels Regentschaft? Doch Nura fuhr fort: "Ich weiß nicht, wer Recht und wer Unrecht hat. Ich gebe dir keinen Anlass, mich des Hochverrats anzuklagen", sagte Nura, als hätte sie Kaylas Gedanken lesen können. „Ich sage lediglich, dass es mehr Wege gibt als nur einen, und du solltest denjenigen finden, der uns das Leben bringt, das wir Raubkatzen verdienen."

Ein Hauch von Unsicherheit legte sich auf Kaylas Gemüt. Sie fragte sich, ob Nura wirklich an das glaubte, woran sie bisher festgehalten hatte. Doch Nura ließ nicht locker: "Aber glaube nicht, dass Freiheit geschenkt wird oder tatsächlich 'frei' ist. Es wird vermutlich mehr von dir abverlangen, als du dir vorstellen kannst. Doch es wird es wert sein. Ich bin bereit, jeden Preis zu zahlen, den die Freiheit von mir verlangt."

Als Nura ihre Worte beendete, fühlte sich Kayla von einer Welle der Verantwortung und des Zweifels überwältigt. Die traurigen Augen ihrer Generalin spiegelten einen tiefen Kummer wider, und Kayla konnte die Last spüren, die Nura auf ihren Schultern trug. Sie wagte kaum zu atmen, während ihre Gedanken wild durcheinanderwirbelten. Ein Hauch von Hoffnung regte sich in Kaylas Innerem, doch zugleich war da auch die Furcht vor den Konsequenzen, die ihre Suche nach Freiheit mit sich bringen würde. Sie senkte den Blick, unfähig, Nura direkt anzuschauen. "Aber... Lady Nura", begann sie zögernd, "was bedeutet das? Bedeutet es, dass du nicht mehr an Samael glaubst?"

Nura seufzte und fuhr sich mit einer Hand durch ihr weißes Haar. "Es geht nicht um Glauben oder Unglauben, Kayla. Es geht darum, dass es mehr als einen Weg gibt, den wir einschlagen können." Die Generalin blickte in die weite Ferne. Dann, urplötzlich sah Nura sie mit einem Ausdruck der

Entschlossenheit an. "Es ist an dir, Kayla. Wenn die Zeit gekommen ist und ich nicht mehr hier bin, dann musst du unseren Schwestern helfen, den richtigen Weg zu finden. Du musst ihnen zeigen, dass es mehr gibt als das, was ihnen vorgegeben wird. Die Freiheit liegt nicht in den Händen eines Einzelnen, sondern in der Kraft und dem Zusammenhalt."

Kayla nickte, obwohl sie noch immer von Unsicherheit erfüllt war. Die Verantwortung, die Nura ihr übertragen hatte, wog schwer auf ihren Schultern. Doch gleichzeitig spürte sie eine innere Entschlossenheit, diesem Ruf zu folgen.

# 29. Kapitel

## *Ray*

Nao und Ray schlichen durch die dunklen Gänge des Gefängnisses, die nur von vereinzelten Fackeln erleuchtet wurden. Der Geruch von feuchtem Stein und verrottendem Holz lag schwer in der Luft. Plötzlich hörten sie leise Schritte näherkommen. Ray erstarrte und legte instinktiv eine Hand auf seinen Schwertgriff. Er sah zu Nao, die ihm bedeutete, sich zu verstecken. Sie drückten sich gegen die kalten Steinmauern und beobachteten, wie ein Wärter langsam um die Ecke bog.

Ein Wärter tauchte vor ihnen auf. Er war groß und trug eine makellos weiße Uniform, die im Dämmerlicht der Gänge schimmerte. Sein Gesicht wirkte kühl und distanziert, als ob er nur eine Marionette der Stadt *Sendu* wäre. Ray fühlte seinen Kriegerinstinkt in ihm aufsteigen. Dieser Wärter war ein Hindernis auf ihrem Weg zur Rettung der Gefangenen. Er konnte nicht zulassen, dass er sie entdeckte und Alarm schlug. Mit einem flinken Blick zu Nao, der stumm ihre Zustimmung signalisierte, bereitete sich Ray auf den Kampf vor. Der Wärter näherte sich ihnen, seine Augen scharf auf die Umgebung gerichtet. Ray nutzte die Dunkelheit zu seinem Vorteil und bewegte sich lautlos wie ein Schatten auf den Wärter zu. Als er nahe genug war, sprang er mit einem kraftvollen Satz vor und griff den Wärter von hinten an. Ein kurzer Kampf entbrannte, bei dem Ray all seine Fähigkeiten einsetzte. Er duckte sich geschickt unter den Schlägen des Wärters weg und konterte mit gezielten Treffern. Schließlich gelang es ihm, den Wärter zu Boden zu bringen und ihn außer Gefecht zu setzen.

Ray atmete schwer, während er auf den am Boden liegenden Wärter starrte. Sein Herz raste, und Zweifel durchzogen seine Gedanken. Hatte er das Richtige getan? War es notwendig, Gewalt anzuwenden, um ihr Ziel zu erreichen? Nao trat zu ihm und legte ihre Hand auf seine Schulter. "Ray, wir haben keine andere Wahl." Ray nickte langsam, als er den Blick von dem bewusstlosen Wärter abwandte. Er musste seinen Kriegergeist und seine Zweifel in Einklang bringen, um ihre Mission erfolgreich abzuschließen. Sie hatten keine Zeit für Unsicherheiten.

Nao und Ray näherten sich dem Verlies, als plötzlich ein leises Gemurmel aus den umliegenden Zellen zu ihnen drang. Die Insassen waren aufmerksam geworden und verfolgten mit neugierigen Blicken das ungewöhnliche Geschehen. Einige standen an den Gitterstäben ihrer Zellen und riefen Fragen oder Warnungen, während andere still beobachteten.

Ray spürte die Blicke auf sich und konnte die energiegeladenen Emotionen in der Luft förmlich spüren. Die meisten Insassen waren düstere Gestalten, gezeichnet von ihrer Gefangenschaft und den Qualen, die sie erlitten hatten. Doch nun war ein Hauch von Hoffnung und Aufregung zu spüren, da sie Zeuge einer möglichen Befreiung wurden.

Ein muskulöser Mann mit wildem Haar und Narben im Gesicht trat an die Gitterstäbe seiner Zelle heran und rief: "Was geht hier vor sich? Wer seid ihr?" Nao blieb ruhig und sachlich. Ohne auch nur in seine Richtung zu blicken, antwortete sie: "Wir sind hier, um jemanden zu befreien, der zu Unrecht gefangen gehalten wird."

Einige der Insassen reagierten mit skeptischem Gemurmel, während andere neugierig blieben. Ray konnte ihre Zurückhaltung verstehen. Schließlich hatten sie bereits viele enttäuschende Versprechen gehört und waren vorsichtig geworden. Ein älterer Mann, dessen Haare bereits ergraut waren, trat vor. Sein Blick war skeptisch, aber auch ein Funken Hoffnung war zu erkennen. "Es gab schon viele, die versucht haben, uns zu befreien. Was macht euch anders?"

„Ignorier sie", zischte Nao und zog Ray weiter. Doch in Gedanken versprach Ray heute nicht nur eine Person zu befreien.

Schließlich erreichten Nao und Ray eine große Tür aus Metall. Sie waren bis zur tiefsten Ebene des Kerkers vorgedrungen. An dieser Tür gab es keinen Schlitz oder ähnliches, wodurch sie in die Zelle hineinschauen konnten, – nur ein winziges Schlüsselloch. Ray spürte, wie seine Hände leicht feucht wurden, während er nervös seinen Blick über das schwere Schloss gleiten ließ. Die Zahl 372 war tief in das Metall eingraviert. Es war der Ort, an dem sie die gefangene Magierin befreien mussten. Ray konnte die beklemmende Aura des Kerkers förmlich spüren, und ein Schauder lief ihm über den Rücken. Er zitterte vor Anspannung und fühlte einen Knoten in seinem Magen, während er auf das verschlossene Verlies starrte.

„Sie geben ihr kein Wasser zu trinken, weil sie Angst haben, was sie mit ihrer Magie damit anrichten könnte. Stattdessen wird sie in dieser Zelle regelmäßig betäubt und erhält die nötige Flüssigkeitszufuhr per Injektion."

Ray starrte Nao fassungslos an.

„Ja, es ist schrecklich. Wir müssen jetzt darauf vertrauen, dass sie wach ist und uns hören kann." Nao zog ein Gefäß mit Wasser aus ihrer Tasche. „Sie muss es in das Schloss hinein bändigen und dort zu Eis werden lassen. Ist das Schloss gefroren, solltest du es aufbrechen können", erklärte sie nüchtern.

Ray starrte Nao fassungslos an. "Das ist also dein Plan?" Seine Stimme war von Zweifeln und Skepsis durchzogen. Er konnte nicht anders, als seine Bedenken zu äußern. "Und was ist, wenn sie uns nicht hört oder sie zu schwach für die Wasser-Magie ist?"

Nao funkelte ihn an, ihre Augen blitzten vor Entschlossenheit. "Hast du eine bessere Idee?" Ihre Stimme klang herausfordernd, doch Ray konnte darin auch eine Spur von Verletzlichkeit erkennen.

Ray seufzte und versuchte, seine Gedanken zu ordnen. Er wusste, dass er keine bessere Lösung hatte, aber sein Kriegerinstinkt trieb ihn dazu, alles sorgfältig zu überdenken. "Nein, aber ich war auch nicht derjenige, der dich überzeugt hat, heute hier hereinzuspazieren und eine Gefangene mitzunehmen. Wir hätten ruhig etwas Zeit nehmen können, um die Sache durchzuplanen."

Ein Moment der Stille lag zwischen ihnen, in dem die Spannung förmlich spürbar war. Ray konnte sehen, wie Nao sich innerlich aufbäumte, bereit, ihre Entscheidung zu verteidigen. Er wusste, dass er sie nicht enttäuschen wollte, aber seine Zweifel waren zu stark, um sie einfach beiseitezuschieben.

Nao zischte ihn wütend an. „Wir haben keine Zeit. Ich habe keine Zeit. Ich brauche...", ihre Stimme zitterte ebenso stark wie ihre geballten Fäuste. „Ich brauche die flüssige Träne." Ihre Stimme brach und Ray hatte schon Angst sie würde selbst in Tränen ausbrechen. Doch stattdessen stampfte Nao mit dem Fuß auf und schlug mit der Faust gegen die Metalltür. Es lautes *Kloink* war zu vernehmen. Dann war es wieder still. Naos Hand war durch den Schlag aufgeplatzt und Blut lief über ihre Knöchel. In der schwachen Beleuchtung sah es pechschwarz aus.

„Was machst du ...", fragte Ray entsetzt. Eben noch waren sie auf leisen Sohlen umhergeschlichen und jetzt machte sie so einen Lärm.

*Kloink*. Nao hatte erneut zugeschlagen.

„Ich wecke dieses Mädchen auf." Naos Stimme zitterte noch immer.

„Ja und du machst dabei jeden anderen hier auf uns aufmerksam. Verdammt nochmal", sagte Ray. Doch Nao schlug wieder und wieder gegen die Tür.

Kloink. Kloink. Kloink.

Sie erhielt keine Reaktion aus dem Inneren der Zelle. Kein Klopfen zurück, kein Wort – nicht einmal irgendein Geräusch. Ray sah, wie Naos Gesicht sich immer weiter verzerrte. Unruhig trat er von einem Bein auf das andere. Sie würden noch erwischt werden und in einer ebenso trostlosen Zelle verrotten. Er musste sie beruhigen.

Bevor Nao erneut zuschlagen konnte, packte Ray ihre Hand und drehte ihren Arm so um, dass sie sich nicht mehr bewegen konnte. Er hörte, wie sie überrascht quiekte. Dann stieß sie einen wütenden Zischer aus.

„Hey, was soll …“ Bevor Nao ihren Ausruf beenden konnte, hatte Ray sie fest an sich gedrückt. Mit sanfter Stimme sagte er: „Ich weiß, du brauchst die Flüssigkeit ganz dringend und du bist verzweifelt. Aber jetzt unvernünftig zu handeln, bringt auch nichts. Beruhige dich.“ Nao verkrampfte sich in seinen Armen. Doch ganz langsam, spürte er, wie ihre Muskeln sich entspannten und ihr Atem langsamer ging. Sie erwiderte sogar seine Umarmung.

Sanft schob er sie ein wenig von sich und sah, dass ihr Tränen über die Wangen liefen. Egal wer oder was es war, der diese Träne von ihr brauchte, es war etwas, was ihr sehr am Herzen lag und nicht warten konnte. Er konnte in ihren Augen lesen, dass diese Träne ihre letzte Hoffnung war. Ray strich ihr noch einmal sanft über den violetten Haaransatz, bevor er sie behutsam losließ. Sie errötete leicht und senkte den Blick.

Als sie wieder aufsah, waren ihre Augen glasig.

Mit entschlossener Stimme sagte sie: „Ich werde nachsehen, ob sie wirklich da drin ist und ihr das Wasser reinbringen.“

Ray runzelte die Stirn. „Wenn du reingehen kannst, dann kann sie auch rausgehen. Also wie…“

„Nein, das stimmt nicht.“ Nao sah Ray an und atmete tief durch.

„Ich vertraue dir. Du hast ein gutes Herz.“ Die junge Frau legte ihre Hand auf seine Brust, genau dort wo Rays Herz unter seinem Leinenhemd pochte. Ray legte seine Hand auf Naos und drückte sie.

„Ich vertraue dir auch, frag mich nicht wieso, aber ich tue es.“ Und das entsprach der Wahrheit. Nao lächelte, doch ihr gequälter Gesichtsausdruck verschwand nicht vollständig.

„Leider werde ich dieses Vertrauen erschüttern müssen. Denn ich bin nicht das, wofür du mich hältst und nur wenige schaffen es, jemandem wie mir zu trauen."

Ray kniff die Augen zusammen. Was meinte sie? Noch ehe er diese Frage laut stellen konnte, spürte er, wie ihre Hand plötzlich eine ungewöhnliche Wärme ausstrahlte. Erschrocken zuckte er zurück, unsicher, was nun geschehen würde. Nao lächelte ihm erneut zu und nickte ihm zu, als würde sie ihm signalisieren, dass er keine Angst haben sollte. Dann begann etwas Seltsames zu passieren.

Langsam und fließend verschwanden Naos Gliedmaßen. Ray konnte kaum glauben, was er sah. Ihre Arme rollten sich wie ein zusammengezogenes Seil zurück, gefolgt von ihren Beinen. Ihr Oberkörper schien förmlich zu schweben, während sich ihr Rumpf, ihr Hals und schließlich ihre flatternden Haare auflösten. In wenigen Augenblicken war das hübsche Mädchen, das gerade noch vor ihm gestanden hatte, komplett verschwunden.

An ihrer Stelle flatterte nun ein winziger Falter vor Ray. Seine Flügel schimmerten in einem mysteriösen Lilaton. Ray konnte nur mit offenem Mund staunen, unfähig zu begreifen, was gerade geschehen war. Doch bevor er sich sammeln konnte, flog der kleine Falter bereits auf das Türschloss zu. Ray verfolgte ihn mit den Augen, fasziniert und verwirrt zugleich.

Doch nun begriff er.

Nao war ein Formwandler!

*Nao*

Nao verwandelte sich zurück in ihre menschliche Gestalt, sobald sie die Tür passiert hatte. Sie hoffte inständig, dass die Enthüllung ihrer wahren Natur Rays Vertrauen nicht zerstören würde. Formwandler wie sie wurden oft misstrauisch beäugt, da sie sich so geschickt tarnen und verändern konnten. Sie kannte die Vorurteile, die ihnen entgegengebracht wurden, und sie hasste es. Formwandler, Wesen ohne eigene Identität, die lediglich die Gestalt anderer annehmen konnten, umgaben sie. Jede Gestalt, die sie annahm, war eine Kopie, eine Variation von bereits existierenden Wesen. Ihr Vertrauen wurde nie ihr als Individuum entgegengebracht, sondern immer nur einem ihrer vielen Gesichter.

In ihrem langen Leben waren nur wenige Menschen in der Lage gewesen, sie als Formwandlerin zu akzeptieren und wirklich zu mögen. Diese kostbaren Beziehungen zu schützen, war ihr ein dringendes Anliegen. *Deswegen muss ich die Personen, die mich kennen und trotzdem akzeptieren um jeden Preis beschützen*, dachte Nao, *koste es, was es wolle.*

Sie schüttelte ihre langen Haare, um den Staub loszuwerden, der durch den Flug durch das Schloss an ihr klebte.

In der düsteren Zelle lag eine junge Frau, zusammengerollt und regungslos. Ihre langen Haare waren kunstvoll zu einem prächtigen Zopf geflochten, doch einige Strähnen hatten sich rebellisch daraus gelöst und hingen nun unordentlich herab. Ihre blasse Haut hatte einen sanften, karamellfarbenen Ton, der sich harmonisch mit Rays Teint vermischte. Ihre Roben der Wasserstamm waren von Schmutz und Staub bedeckt. Die geschlossenen Augen verrieten nichts über ihren Zustand.

Nao hoffte inständig, dass die junge Frau nur bewusstlos war oder friedlich schlief. Sie kniete sich hin und berührte sanft die Wange der Wasser-Magierin. Die Wärme, die sie spürte, ließ Nao einen Moment lang aufatmen. Mit der anderen Hand suchte sie nach dem Puls und fand ihn schließlich. Ein erleichterter Seufzer entwich Nao.

Sie lebte.

Nao zögerte einen kurzen Moment und holte dann ihr Wassergefäß hervor. Eine der praktischen Fähigkeiten der Formwandler war es, alles, was sie bei sich trugen, mit sich zu verwandeln. Das bedeutete, dass ihre

Gegenstände sich an ihre Gestalt anpassten. Nur andere Lebewesen konnten sie nicht beeinflussen.

Nao gab der jungen Frau eine Ohrfeige. Sie reagierte nicht. Ungeduldig seufzte die Formwandlerin. Verdammt. Fieberhaft überlegte sie. Schließlich, vielleicht ein wenig zu impulsiv öffnete Nao das Gefäß und kippte kurzerhand den gesamten Inhalt in das zarte Gesicht am Boden. Die junge Frau zuckte. Blitzschnell huschte eine rosa Zunge über ihre Lippen, die gierig das Wasser aufleckte. Nao rief: „Nein, nein!“ Reflexartig klatschte sie der Magierin ihre flache Hand erneut ins Gesicht und rief: „Nicht trinken, wir brauchen das!“

Durch den Schlag schließlich vollends zurück bei Sinnen, riss die Wasserstämmige erschrocken die Augen auf. Das Wasser, das an ihren Wimpern hing, ließ ihre stechend blauen Augen noch größer wirken - wie hundert kleine Lupen, die jeden Blick erfassten. Misstrauen spiegelte sich in ihren Augen wider, während sie hastig ihre Umgebung sondierte. Sie richtete sich langsam auf und wandte sich erwartungsvoll der massiven Metalltür zu.

Doch ihre Hoffnung verwandelte sich schnell in Enttäuschung, als sie erkannte, dass die Tür immer noch verschlossen war. Verunsichert drehte sich die Magierin erneut zu Nao. Sie formte Worte mit ihren Lippen, doch es kam kein Ton heraus. Sie war stumm.

Nao versuchte, sie mit einem zaghaften Lächeln zu beruhigen, während sie vorsichtig sprach: "Hallo. Wir sind hier, um dich zu befreien."

Die Magierin blickte skeptisch zu Nao und rutschte ein Stück zurück, um etwas Abstand zwischen sich und der fremden Frau zu schaffen. Nao ließ sich jedoch nicht beirren und fuhr fort: "Ich habe Wasser. Du musst es verwenden, um das Schloss zu vereisen, damit unser Freund draußen es aufbrechen kann." Mit diesen Worten holte sie das Gefäß hervor und präsentierte es der misstrauischen Gefangenen.

Der Kopf der Wasserstämmigen zuckte in Richtung der Tür, bevor sie Nao mit zusammengekniffenen Augen genauer betrachtete. Ein Moment des

Schweigens lag in der Luft, bevor Nao langsam sprach: "Ja, ich weiß, wir kennen uns nicht." Sie hob beschwichtigend beide Arme, um zu signalisieren, dass sie keine Bedrohung darstellte. "Aber draußen wartet jemand auf dich, den du vermutlich kennst. Sein Name ist Ray, Ray Gaido."

In dem Moment als Nao seinen Namen ausgesprochen hatte, weiteten sich die Augen der Wasserstämmigen noch weiter. Ihr Mund öffnete und schloss sich, als würde sie versuchen unter Wasser zu atmen. Nao konnte förmlich spüren, wie die Aufregung der jungen Frau Besitz ergriff. Ihre Augen schimmerten feucht, dann drehte sie sich zur Tür und hämmerte dagegen.

Mit schwacher Stimme rief sie: „Ray. Ray."

Schluchzer durchzuckten sie und sie zitterte am ganzen Körper. Immer wieder rief sie seinen Namen, während sie hemmungslos weinte.

Von der anderen Seite hörte Nao ein gedämpftes: „Yuki?" Rays Stimme klang ebenso erschüttert.

Triumphierend lächelte Nao. Sie hatte also recht gehabt, die beiden kannten einander. Damit würden sie gute Verbündete für die Zukunft werden.

Nao trat dichter an die weinende Magierin heran. Sie streckte ihre Hände nach ihr aus. „Yuki ist also dein Name." Dann hielt sie sie an den Schultern, und drückte sie.

Nao spürte, wie Yukis Herz raste. Sie half ihr ihre Atmung zu beruhigen, indem sie ihr langes, tiefes Ein- und Ausatmen vormachte. Immer wieder wiederholte die Magierin Rays Name. Nao lächelte sie aufmunternd an: „Ja, Ray ist gekommen, um dich zu retten."

„Wie hatte ich je daran zweifeln können?", schluchzte die Magierin. *Ein wenig melodramatisch,* dachte Nao. Aber gut, umso besser, wenn die beiden sich anscheinend dermaßen nah standen.

„Du musst jetzt tapfer und stark für ihn sein", sagte sie mit ihrer weichsten Stimme.

Yuki atmete tief durch. Sie erwiderte Naos festen Blick und Nao konnte sehen, wie sie sich konzentrierte. Noch einmal einatmen, ausatmen. Dann straffte die junge Wasser-Magierin die Schultern.

Ohne die Spur der Schwäche von zuvor sagte Yuki: „Ich danke dir, Fremde. Tritt nun zurück."

Nao tat wie ihr befohlen. Die Wasser-Magierin formte Schnörkel mit ihren Händen, die Nao unbekannt waren. Sie schwang ihre linke Hand und spreizte die Finger in Richtung des Türschlosses. Wassertropfen erhoben sich von dem Boden und flogen wie kleine Glühwürmchen auf das kleine Loch in der Metalltür zu. Ihre Hände zitterten. Als das Wasser komplett in den Spalt geflossen war, ballte Yuki ihre rechte Hand zur Faust und ihre Lippen formten ein Wort. Ein weißer, glänzender Film breitete sich von der Öffnung aus, in der soeben das Wasser gedrungen war. Rasch war das gesamte Schloss von Eis und Frost bedeckt. Das war Rays Signal. Ein lauter Knall folgte – Rays Klinge, die gegen das Schloss von außen knallte. Ein zweiter Knall. Dann ein lautes Knirschen und die Metalltür öffnete sich einen Spalt breit. Sie hatten es geschafft!

Nao, die angespannt die Luft angehalten hatte atmete tief aus und zog hektisch die Tür auf. Sie sprang hastig aus der Zelle.

Nun standen sie da. Ray auf der einen Seite der Schwelle, Yuki auf der anderen. Wenige Sekunden starrten die beiden einander nur an. Beide mit geweiteten, geröteten Augen. Nao hatte instinktiv gewusst, als sie Ray in *Tsubiki* begegnet war, dass sie diesem Wasserstämmigen noch öfter über den Weg laufen würde. Sie hatte seinen Sinn für Gerechtigkeit sofort erkannt und deswegen war ihr auch klar gewesen, dass er sie nicht allein in dieses Gefängnis laufen lassen würde.

Sie musste zugeben, auch wenn ihre Hauptmotivation ihr eigener Zweck war, rührte sie dieses Wiedersehen. Vielleicht war sie doch menschlicher, als sie manchmal dachte.

# 30. Kapitel

## *Ray*

Es dauerte einen Moment, bis Ray realisierte, dass dies kein Traum war, aus dem er jeden Augenblick wieder erwachen würde. Er trat einen Schritt auf Yuki zu. Sie tat es ihm gleich und die beiden fielen sich in die Arme. Ray drückte das kleinere Mädchen so fest an sich, dass sie entweder vor Freude oder vor Schmerz kurz quiekte. Yuki lachte und weinte gleichzeitig, Sie drückte ihr Gesicht an Rays Brust und hielt ihn, als wolle sie ihn nie wieder loslassen. Der Wasserkrieger weinte ebenfalls. Er roch ihren Geruch, spürte ihre Haare und konnte es nicht fassen. Als Nao von einem außergewöhnlich talentierten Mädchen aus seinem Stamm geredet hatte, hatte er sich kaum getraut zu hoffen – doch nun stand sie vor ihm. Er drückte sie noch fester. Sein Herz pochte vor Aufregung und Glück. Niemals hätte er gedacht, an einem solchen Ort erneut ein Stückchen Heimat in den Armen zu halten.

Yuki flüsterte sanft: "Was ist mit deinem Gesicht passiert?" Als ihre Fingerspitzen behutsam über Rays Narbe strichen, konnte sie die feuchten Tränen spüren. Liebevoll wischte sie sie mit dem Handrücken fort. Ihre Worte klangen wie ein Versprechen: "Alles wird gut. Wir sind jetzt wieder zusammen. Alles wird gut."

Nao räusperte sich, und ihre Störung durchbrach diesen Moment der Zweisamkeit. Yuki und Ray lösten sich voneinander, doch ihre Hände hielten sich fest, als ob sie zwei kleine Kinder wären, die nicht von ihrem Spiel getrennt werden wollten.

Die Formwandlerin musterte sie beide und fuhr sichtlich unbeeindruckt fort: "Wir befinden uns immer noch tief im Inneren des Gefängnisses von Bischof Castigo." Ray nickte zustimmend. Sie sollten keine Zeit verlieren.

"Yuki", Nao blickte die Wassermagierin direkt an, "fühlst du dich stark genug, noch ein paar weitere Schlösser einzufrieren?" Die junge Magierin, die durch die Umarmung und Liebkosung von Ray neue Kraft zu schöpfen schien, nickte eifrig.

"Gut", bestätigte Nao. "Wir werden jede Zelle, die wir passieren, öffnen. Das wird genug Unruhe stiften, um unsere Flucht zu ermöglichen. Inzwischen dürften sie Richie entdeckt haben, daher ist eine lautlose Flucht ausgeschlossen."

Yuki wirbelte ihre Hand durch die Luft, um die noch an den zerstörten Schlössern haftenden Tropfen einzufangen. Das Wasser formte einen ätherischen, durchsichtigen Handschuh, der um ihre Hand tanzte. Ray zog seine Schwerter, bereit, die gefrorenen Schlösser zu zerschlagen. Ray zog seine Schwerter, bereit die gefrorenen Schlösser aufzubrechen.

Die Formwandlerin, die sie beiden wieder vereint hatte lächelte zufireden und klatschte kurz in die Hände. „Auf geht's."

Die drei rannten durch die dunklen Gänge, Rays Herz pochte wild in seiner Brust. Jeder Schritt war ein Kampf gegen die Zeit, und seine Gedanken wirbelten wie ein Sturm in seinem Kopf. Ihre einzige Chance bestand darin, so viele Schlösser wie möglich zu zerstören und das Gefängnis hinter sich zu lassen.

Die Schläge von Rays Schwertern gegen die Schlösser wurden immer schneller, während er seinem Instinkt folgte, jeder Tür den Weg in die Freiheit zu öffnen. Das Metall splitterte und klirrte bei jedem Hieb, und die Geräusche drangen wie ein Echo durch die stillen Korridore.

Die Reaktionen der Insassen waren vielfältig. Einige quietschten vor Schock, als ihre Zellentüren aufsprangen. Andere grummelten im Schlaf, irritiert von dem unerwarteten Aufruhr. Einige stürmten direkt hinaus, überwältigt von der plötzlichen Freiheit und der Möglichkeit, dem Gefängnis zu entkommen. Plötzlich tauchte ein Wärter vor ihnen auf, den Blick voller Entschlossenheit. "Ihr kommt hier nicht vorbei!", rief er ihnen herausfordernd entgegen.

Ray spürte Adrenalin durch seine Adern schießen. Ohne zu zögern, schwang er seine Schwerter, um den Wärter zu überwältigen. Der Kampf war kurz und intensiv, ein atemloser Tanz zwischen Leben und Tod. Schließlich sank der Wärter bewusstlos zu Boden, während Ray sich keuchend aufrichtete.

"Das war knapp", keuchte Nao und wischte sich den Schweiß von der Stirn. "Wir müssen weitermachen, bevor sie uns einholen."

Yuki, deren Energieniveau plötzlich wieder aufgeflammt war, lächelte breit. Ihre Bewegungen wurden flink und kraftvoll, als sie von Schloss zu Schloss eilte. Das Wasser gehorchte ihren Befehlen, um die Türen aufzubrechen, und sie schien förmlich zu strahlen vor Triumph.

Ray bewunderte ihre Stärke und ließ seine Augen durch den Flur schweifen. Immer mehr Insassen schlossen sich ihrer Flucht an und folgten ihnen in wildem Lauf. "Schneller!", rief er ihnen zu und spürte den Pulsschlag seines eigenen Herzens in den Ohren. "Wir müssen sie abschütteln!"

Die Flucht wurde zu einem chaotischen Durcheinander von klirrendem Metall, hastigen Schritten und aufgeregten Rufen. Der Flur wurde enger, die Hindernisse zahlreicher, doch sie kämpften sich tapfer voran.

Plötzlich erklang eine alarmierende Glocke, die das Gefängnis in Aufruhr versetzte. "Sie haben uns entdeckt!", rief Nao mit einer Mischung aus Furcht und Entschlossenheit. "Keine Zeit zu verlieren!"

Ray und Yuki schenkten sich gegenseitig einen entschlossenen Blick und beschleunigten ihr Tempo. Ihre Herzen hämmerten im Gleichklang, während sie sich weiter durch die dunklen Korridore kämpften, das Ziel der Freiheit vor Augen.

Die Spannung lag in der Luft, während sie dem unbekannten Ausgang entgegenstürmten. Jeder Schritt fühlte sich wie ein Kampf auf Leben und Tod an, doch sie ließen sich nicht unterkriegen. Gemeinsam würden sie dieser dunklen Gefangenschaft entkommen und dem Licht der Freiheit entgegenlaufen.

Die Wärter des Gefängnisses kamen ihnen immer näher, ihre Schritte und Flüche hallten hinter ihnen wider. Doch plötzlich tauchte vor ihnen eine Sackgasse auf - eine scheinbar ausweglose Situation.

Einer der befreiten Insassen stürmte auf sie zu und pfiff. Mit einem entschlossenen Ausdruck auf seinem Gesicht, rannte er auf eine Wand zu. Ein magischer Schimmer umgab seine Hand und mit einem kräftigen Schlag schuf er eine Öffnung in der Mauer.

"Los, durch hier!", rief er und bedeutete den anderen, ihm zu folgen.

Ray, Yuki und Nao stürmten hindurch, bevor sich die Wand wieder schloss. Sie befanden sich nun in einem verlassenen, düsteren Gang. Der Insasse atmete erleichtert auf. "Das ist ein geheimer Fluchtweg, den ich gefunden habe. Folgt mir, ich kenne den Weg!"

Mit neuer Hoffnung in ihren Augen und dem unbekannten Insassen als ihren Führer bahnten sie sich ihren Weg durch das Labyrinth des Verlieses. Ihre Herzen schlugen im Einklang mit dem Klang der Schritte, während sie gemeinsam der Freiheit entgegenstrebten.

Sie konnten bereits das Funkeln der Sterne in der ferne sehen, als Ray plötzlich aus dem Augenwinkel eine weiße Gestalt auf sie stürzen sah.

Ray spürte, wie sein Puls in seinen Schläfen pochte, während die Wache sich mit kühler Entschlossenheit auf Nao stürzte. Er konnte nicht zulassen, dass ihr etwas zustieß. Mit einem kraftvollen Sprung eilte er dazwischen. Mit einem knurrenden Schrei tauchte er ab und wehrte ihre blitzschnellen Angriffe ab, während seine Schwerter in der Luft zischten. Die Klinge der Wache glitt erneut mit tödlicher Präzision durch die Luft, und Rays Muskeln spannten sich bei jedem Abwehrmanöver an. Er fühlte den eisernen Widerstand des Kampfes, den Rausch der Schlacht, der sein Adrenalin zum Kochen brachte.

"Du wirst nicht an uns vorbeikommen!" rief die Wache mit eisiger

Stimme.

Ray schnaubte und konzentrierte sich auf jeden Schlag, jede Parade. "Das werden wir noch sehen!", erwiderte er mit einem festen Unterton.

Doch die Wache war geschickt und hartnäckig. Ein plötzlicher Hieb traf Nao, die mit einem Schmerzensschrei zurücktaumelte. Rays Herzschlag erhöhte sich, und seine Wut entflammte zu einem lodernden Feuer. Er konzentrierte sich noch mehr auf den Kampf, fest entschlossen, die Wache zu besiegen und Nao zu schützen. Die beiden Kämpfer wirbelten im entfernten Schein des Mondlichts, ihre Klingen trafen aufeinander, Funken sprühten. Rays Muskeln brannten vor Anstrengung, doch er kämpfte weiter, seine Entschlossenheit ungebrochen.

Inmitten des hitzigen Gefechts bemerkte Ray, wie Yuki, ihre Arme hob. Ihre Augen glühten vor Konzentration, während sie die Macht des Wassers zu ihren Gunsten lenkte.

"Gib nicht auf, Ray! Ich stehe dir bei!" rief Yuki ihm zu und ließ ihre Hände durch die Luft wirbeln. Plötzlich erhob sich ein spitzer Pfeil aus eisigem Wasser vor der Wache, der auf sie zu sauste und sie so für einen kurzen Moment ablenkte.

Ray nutzte die Gelegenheit und stürzte sich mit aller Kraft auf die Wache. Seine Schwerter blitzten in der Dunkelheit, als er einen mächtigen Hieb ausführte, der die Verteidigung der Wache durchbrach. Sie taumelte zurück, der Ausdruck auf ihrem Gesicht zeugte von Überraschung und Schmerz.

Mit einem letzten Angriff ließ Ray seine Schwerter auf die Wache niedersausen. Die Wache sank zu Boden, besiegt und bewusstlos.

Ray atmete schwer, sein Körper pochte vor Anstrengung. Er richtete sich auf und sah zu Yuki, die ihm mit einem stolzen Lächeln entgegenblickte. "Danke, Yuki. Du hast uns gerettet."

Yuki nickte, ihre Augen funkelten vor Stolz. "Wir sind ein Team, Ray.

Gemeinsam sind wir stark."

Als sie schließlich den großen Gefängnishof erreichten, war das Chaos bereits in vollem Gange. Wachen in weißen Gewändern strömten aus allen Richtungen auf sie zu, ihre Gesichter von Entschlossenheit und Gewalt gezeichnet. Andere Wachen sicherten die Tore und stellten sich den Gefangenen in den Weg, die verzweifelt versuchten, nach draußen zu gelangen. Diejenigen, die sich über die Mauern zu retten versuchten, wurden skrupellos von den Wachtürmen aus mit Steinen bombardiert.

"Wohin jetzt?", keuchte Yuki erschöpft.

„Da lang!" Nao drehte vom Haupthof ab und rannte in Richtung eines Teils der Mauer, der weniger einsichtig von den Beobachtungstürmen war.

„Aber wie sollen wir ...", fragte Yuki, während sie weiterrannten.

„Renn einfach", schrie Nao über den tosenden Lärm hinweg.

Die drei sprinteten auf die Steinmauer zu. Bevor Yuki oder Ray abbremsten, um nicht gegen den Stein zu rennen, sprang Nao hoch, packte jeden mit einer Hand am Kragen und verwandelte sich in einen riesigen Adler. Anstelle der Hände, die sie gepackt hatten, waren es nun Krallen, die die beiden Wasserstämmigen fest umklammerten. Es war nur ein winziger Augenblick, den sie brauchten, um die Mauer zu überqueren. Nao sank hinter der Mauer direkt wieder zu Boden und verwandelte sich zurück, sobald Ray und Yuki Boden unter den Füßen hatten. Geschockt sah Yuki sie an, sagte jedoch nichts. Sie rannten weiter, um Abstand zu dem Gefängnis zu gewinnen, in dessen Mauern nun ein erbitterter Kampf zwischen Insassen und Wärtern ausgebrochen war. Im Zick Zack liefen sie in Richtung der äußeren Stadtmauern. Es dämmerte bereits und die einbrechende Dunkelheit verhalf ihnen von Schatten zu Schatten zu rennen und so möglichst unentdeckt zu bleiben. Dann zog Nao Ray und Yuki in eine dunkle Gasse.

Mit einer überraschenden Kraft drückte sie mit einem Arm Ray gegen die

Steinmauer und mit der anderen Yuki. Ray hatte nicht reagieren können. Ihre lila Augen flackerten gefährlich in der Dämmerung. Sie zischte: „Jetzt zu deinem Teil der Abmachung, Ray."

"Hey, hey Nao", begann Ray besorgt, seine Stimme von Zweifeln durchzogen. "Sollten wir nicht erstmal von hier verschwinden..."

"Nicht jetzt", unterbrach Nao ihn bestimmt, ihre Worte hatten eine gefährliche Schärfe. Ray spürte, wie ein unbehagliches Gefühl in ihm aufstieg, noch bedrohlicher als die lauten Rufe, die aus dem Gefängnis zu ihnen drangen.

Ray schluckte und versuchte, seine Ängste zu unterdrücken. "Okay, okay", erwiderte er schließlich, unsicher über Nao's plötzliche Veränderung.

Nao ließ die beiden los, und Ray wandte sich an Yuki. "Yuki, der Preis dafür, dich aus dem Gefängnis zu holen, war, dass du deine Wasser-Magie für Nao einsetzt", erklärte er. Sein Blick traf den eifrigen Ausdruck auf Yukis Gesicht. In diesem Moment schien sie bereit, alles für Nao zu tun, dachte Ray mit einem Anflug von Besorgnis.

Plötzlich zog Nao mit einer schnellen Handbewegung sowohl eine Tränenperle als auch eine zarte, gläserne Phiole aus ihrer Tasche. Yuki starrte die beiden Gegenstände an, ihr Blick voller Neugier und Unsicherheit. „Das ist doch ..."

Die Formwandlerin zischte erneut in einem bedrohlichen Ton. „Keine Zeit verschwenden. Ich möchte, dass du mir die Alven Träne verflüssigst und hier hineinfüllst." Nao schwenkte mit der Glasphiole, in der ein Korken zum Verschluss steckte. Sie würde Yuki und Ray nicht weitergehen lassen, ohne dass ihre Abmachung geklärt wäre. Die Magierin nickte und erleichtert atmete Nao aus. Sie entkorkte das leere Gefäß und hielt mit ausgestreckten Armen sowohl die Träne als auch das Glas in Yukis Richtung.

Yuki schloss die Augen. Die Verflüssigung von Tränenperlen war keine leichte Magie. Sie öffnete ihren Stand und ging ein wenig in die Knie. Langsam hob sie die Arme und ließ sie in einer bestimmten Art und Weise, die nur Wasser-Magier kannten, die Arme kreisen. Immer und immer wieder. Ohne einen Ton zu sagen, formte sie unbekannte Worte mit ihren Lippen. Ihre Augenlider flatterten vor Konzentration. Ray und Nao starrten wie gebannt auf die kleine Perle in Naos linker Hand. Nach einem kurzen Augenblick begann diese zu vibrieren und schließlich wie von Geisterhand in die Luft zu steigen. Sie leuchtete in allen Farben des Regenbogens und verformte sich allmählich und ganz langsam. Die runde Form wurde erst länger, dann schmaler und schließlich wurde das Licht anders reflektiert als zuvor. Die glatte Oberfläche schien aufzubrechen und der harte Kern verwandelte sich in einen kleinen Strahl aus leuchtendem Wasser, der in der Luft funkelnd hin und her schwappte. Naos Augen fixierten die Flüssigkeit und wurden mit jedem Tropfen, der sich ihrer Phiole näherte, größer. Der eben noch harte Ausdruck in ihrem Gesicht wurde weich und Ray meinte so etwas wie Hoffnung und Dankbarkeit darin zu sehen. Schließlich, als alle Tropfen in die Glasflöte hineingelaufen waren, verschloss Nao diese mit dem Korken. Gehetzt schaute sie zu Ray und Yuki auf. „Danke", flüsterte sie.

Yuki, von der Anstrengung der Magie ganz blass geworden, nickte. Sie schwankte leicht. Erschrocken packte Ray ihren Arm. Diese Magie schien außerordentlich viel Kraft gekostet zu haben. Als er sich wieder zu Nao umdrehte, um sie zu fragen, wie sie am besten zurück zu ihrem Rastplatz kamen, sah er nur noch eine leere Gasse.

Aber er hatte jedoch keine Zeit, sich darüber den Kopf zu zerbrechen, denn Yuki atmete schwer in seinem Arm und die Geräusche der Wärter, wurden lauter. Hastig hob er Yukis Gewicht leicht an, damit sie besser laufen konnte und lief so schnell es mit der geschwächten Wasser-Magierin ging, los.

### *Sola*

Sola wartete angespannt an ihrem Rastplatz. Ihr Blick schweifte immer wieder in die Richtung, aus der sie Rays Rückkehr erwartete. Caleb saß ruhig neben ihr, vertieft in ein Buch über Naturmedizin, welches Sola aus der Stadt mitgebracht hatte. Schließlich entdeckte Sola Ray, wie er schnellen Schrittes auf sie zu kam. Er war jedoch nicht allein. Die junge Frau an seiner Seite war nicht die Fremde von vorhin. Es war eine weitere, ihr unbekannte Frau. Der schlanke Körper der jungen, recht kleinen Frau hielt dynamisch Schritt mit dem eilenden Ray, während ihre Brüste im Tempo wippten. Etwas verunsichert und verstohlen blickte Sola an sich selbst herab. Mit Missfallen stellte sie fest, dass sie immer noch flach und mager aussah – es hatte kein Wunder über Nacht gegeben. Als die beiden näherkamen, erkannte Sola, dass die junge Unbekannte in klassischer Wasserstammgarnitur gekleidet war. Was machte eine Wasserstämmige in dieser Gegend?

Plötzlich hörte Sola ein freudiges Grunzen neben sich, gefolgt von dem Geräusch des auf dem Boden aufschlagenden Buches. Caleb war aufgesprungen. Bevor Sola reagieren konnte, war er bereits auf Ray und seine Begleiterin zu gerannt und stand ihr nun tief verbeugt gegenüber. Sola sah, dass etwas in seinen Augen glitzerte. Die Fremde lachte und ein paar strahlend weißer, perfekter Zähne blendeten Sola. Ray lief nun noch hastiger die letzten Meter auf sie zu.

„Sola!“, rief er und winkte eifrig.

Kaum stand er neben ihr sprach er zwischen angestrengten Atemzügen: „Hilf mir packen, wir müssen unser Camp an einen anderen Ort verfrachten.“

Sola zog fragend eine Augenbraue hoch. Ray lachte. Sie hatte ihn noch nie so fröhlich gesehen. Sein Gesicht strahlte heller als die Sonne und er hatte eine so glückliche Aura. Was war geschehen? Unvermittelt packte Ray ihre Hände und zog sie unsanft auf die Füße. Er lachte immer noch. Dann, nur ganz kurz, nahm er sie in den Arm und flüsterte in ihr Ohr: „Wir haben Yuki gerettet.“ Er ließ sie augenblicklich wieder los und als Sola ihn irritiert ansah, sah sie helle Tränen in seinen Augen schimmern. Freudentränen.

Er wiederholte: „Wir haben sie gerettet. Sie ist hier. Bei uns."

Weiterhin verwirrt blickte Sola von Ray zu dem Mädchen, das nun ebenfalls neben ihnen stand. Sie lächelte. Ihr dickes, dunkles Haar und die olivenfarbene Haut ähnelten Rays. Ihre Haare waren zu einem dicken Zopf geflochten und die Spitzen hatten einen silbernen Ton, der einen starken Kontrast zu der sonst fast schwarzen Pracht darstellte. Die Augen waren groß und so tiefblau wie Rays. Fast schon schüchtern streckte sie Sola eine Hand entgegen. „Hi, ich bin Yuki. Freut mich dich kennenzulernen."

# 31. Kapitel

## *Sola*

Die nun größer gewordene Reisegruppe hatte sich an einem abgelegenen Ort niedergelassen, umgeben von einem dichten Wald und am Fuße eines majestätischen Gebirges. Die hohen Bäume spendeten Schatten und ließen nur vereinzelte Sonnenstrahlen durch ihr Blätterdach hindurchsickern. Die Luft roch nach Moos und Erde, während das Rascheln der Blätter eine beruhigende Melodie im Wind erklingen ließ.

Sie hatten sorgfältig einen Rastplatz gewählt, der weit genug von der Stadt *Sendu* entfernt war. Hier fühlten sie sich sicher, abgeschirmt vor neugierigen Augen und den nach ihnen suchenden Garden. Das Zelt war geschickt zwischen den Baumstämmen platziert, so dass sie von außen kaum zu erkennen waren. Die Reisenden hatten ihre Spuren verwischt und achtsam darauf geachtet, ihre Anwesenheit zu verschleiern. Das Lagerfeuer knisterte leise in der Mitte des Rastplatzes und spendete ihnen Wärme und Licht in der ansonsten dunklen Umgebung.

Als die Sonne langsam hinter den Gipfeln des Gebirges verschwand, malten die flackernden Flammen tanzende Schatten auf die Gesichter der Gruppenmitglieder. Die Stimmung war gedämpft, aber voller Entschlossenheit. Hier, an diesem versteckten Ort, fanden sie Zuflucht und die Möglichkeit, ihre nächsten Schritte zu planen.

Sola war besorgt über die überstürzte Abreise, besonders da sie nicht genau wusste, welche Schwierigkeiten Ray diesmal mit den Offiziellen hatte. Oder, wenn sie ehrlich zu sich selbst war, vielleicht war es auch die Tatsache, dass sie nun mit Yuki reisten. Die Geräusche des Waldes füllten die Stille, während die beiden Wasserstämmigen dicht aneinander getrennt am Feuer saßen und leise ihre Gedanken austauschten. Yukis dunklen Haare, die in einem glänzenden silbernen Ombré endeten, sahen aus wie die dunklen, tiefen Wellen des Ozeans, die von weichem, silbergrauem Schaum gekrönt waren. Seit die beiden wieder vereint waren, hatte Ray Solas Gegenwart fast ignoriert. Sie spürte, wie der Schmerz in ihrem Herzen aufstieg, während sie auf den wortlosen Austausch zwischen Ray und Yuki blickte. Seine Augen leuchteten voller Wärme und Zuneigung, wenn er Yuki ansah, während sie gemeinsam an den Feuerflammen saßen. Die leisen Gesten der Vertrautheit zwischen ihnen zeigten Solas schmerzhaft, dass sie ihm doch nicht so nahestand, wie sie dachte, dass es viel viel mehr über ihn zu wissen gab, was sie nicht wusste. Eigentlich kannte sie ihn kaum. Doch sie unterdrückte ihren Kummer und zwang sich, ein warmes Lächeln aufzusetzen, während sie den Fleischspieß behutsam über dem Feuer drehte. Schweigend drehte Sola ihren Fleischspieß über dem Feuer. Es war ein Stück Wildschwein - endlich hatte sie ihren Braten. Ein zufriedenes Lächeln stahl sich auf ihr Gesicht, als sie die wohlriechenden Aromen des frisch gegrillten Fleisches wahrnahm. Sola hatte sich besonders darauf gefreut, mit Ray darüber zu scherzen, wie sie nun endlich nicht mehr den gebratenen Fisch essen musste, der sie langsam, aber sicher langweilte. Doch zu ihrer Enttäuschung hatte er keine Worte gefunden, als sie die dunkelroten Fleischstücke aus dem Tuch ausgepackt hatte. Yuki hingegen hatte sie angewidert angesehen, ihre Miene zeugte von einem gewissen Unbehagen in Bezug auf das Fleisch. Solas Blick wanderte zu der jungen Wasser-Magierin, während sie das Fleisch behutsam über dem Feuer drehte. Sie konnte die Einstellung von Yuki verstehen - schließlich hatten sie in den vergangenen Wochen viel Zeit damit verbracht, mehr über den Glauben und das Brauchtum der Wasserstämme zu lernen.

Ein leises Rascheln durchbrach die Stille, als Caleb, der Otter, auf sie zukam. Sein Körper schwebte beinahe lautlos über den Waldboden, und das Laub gab keinen Ton von sich, als er darüber glitt. Auf seinem Rücken trug er einen Fisch, der fast genauso groß war wie er selbst. Sola starrte fasziniert auf das ungewöhnliche Bild und fragte sich, wie Caleb es geschafft hatte, einen so riesigen Fisch zu fangen.

Yuki klatschte in die Hände.

„Oh wow! Caleb! Das ist ja ein Arapaima! Mein Lieblingsfisch!"

Selbst Sola wusste, was ein Arapaima war. Denn es war einer der größten Süßwasserfische der Welt. Er kann im besten Fall bis zu zwei Meter lang werden und 100 Kilo wiegen. 100 Kilo Fisch! Wer zum Teufel sollte das nur essen. Zum Glück hatte Caleb hat nur einen kleineren dieser Spezies gefangen. Yuki strahlte über das ganze Gesicht. Dabei entstanden kleine Grübchen an ihren Wangen, die ihr ein jüngeres und unschuldiges Aussehen verliehen.

Sola runzelte die Stirn, während sie den riesigen Fisch betrachtete. Wer sollte das alles essen? Fast so, als hätte Yuki ihre Gedanken gelesen, wandte sie sich an Sola und sagte: "Keine Sorge, du musst den Fisch nicht mitessen. Ich liebe gegrillten Arapaima und könnte kiloweise davon verputzen!"

Sola spürte, wie ihr die Hitze ins Gesicht stieg und sie leicht errötete. Offensichtlich hatte Ray ihr von ihren Beschwerden über den täglichen Fisch erzählt. Ray lachte und schmeichelnd tätschelte er Yukis Arm. "Ja, die Kleine hier mag vielleicht nicht so aussehen, aber sie hat einen unglaublichen Appetit. Außerdem...", er zwinkerte Sola spöttisch zu, "freut es mich natürlich, wenn endlich mal jemand meine Fischbrat-Künste zu schätzen weiß." Sola konnte förmlich spüren, wie ihr Gesicht noch röter wurde. Natürlich schätzte sie es, wenn er für sie kochte. Bevor sie jedoch eine Antwort geben konnte, drehte sich Ray bereits wieder zu Yuki, die ohne Unterbrechung weiterplapperte.

Schweigend aß Sola ihr Wildschwein und blendete Yukis überschwängliches Geplapper aus. Sie vertiefte sich in ihre eigenen Gedanken und versuchte den Schmerz in ihrer Brust zu ignorieren. Sollten die zwei sich ihren Fisch doch schmecken lassen. Sie jedenfalls war froh ihr rotes Fleisch zu essen.

Plötzlich richtete Ray seine Aufmerksamkeit direkt auf Sola und lächelte sie über das Feuer hinweg an. "Ich glaube, wir schulden dir eine Erklärung." Er begann, Sola von dem Geschehen zu berichten, wie sie Yuki gefunden hatten und woher sie plötzlich aufgetaucht war. Sola starrte die beiden fassungslos an. "Ihr habt alle Insassen freigelassen?", fragte sie ungläubig.

Ray lachte nervös und rieb sich den Nacken. "Ja, vielleicht war das nicht gerade die klügste Idee", gab er zu.

Sola konnte ihre Besorgnis nicht zurückhalten. "Ray! Was ist, wenn unter den Insassen gewalttätige Personen waren, die nun Unheil über Unschuldige bringen?"

Der Wasserkrieger schwieg und senkte den Blick. Sola konnte sehen, dass ihm bewusst war, wie egoistisch er gehandelt hatte und dass er keinen Gedanken an die Sicherheit der Bevölkerung von *Sendu* verschwendet hatte. Seine Beklommenheit war deutlich in seinem Gesicht abzulesen.

Yuki schluckte das große Stück Fisch herunter, auf dem sie herumgekaut hatte. "Komm schon, ist das dein Ernst?", entgegnete sie fast feindselig und warf Sola einen herausfordernden Blick zu. Sola starrte zurück, verunsichert von der schroffen Reaktion. "Ja", erwiderte Sola schließlich, ihre Stimme leise und unsicher.

Die Wasserstämmige schwang ein Stück Fisch in ihren Fingern, während sie sprach. "Hast du überhaupt schon einmal etwas über Bischof Castigo gehört?", fragte sie rhetorisch und ihre Stimme hatte einen bitteren Unterton.

Nun war es Sola, die schwieg, ihre Stirn runzelte sich.

"Na, ich kann dir auf jeden Fall sagen", fuhr Yuki fort, "dass wahrscheinlich die meisten, die in seinem Privatgefängnis gefangen waren, genauso unschuldig sind wie diejenigen, die jetzt draußen frei herumspazieren."

Sola runzelte die Stirn, versuchte ihre Gedanken zu ordnen. "Aber..."

„Nichts aber“, fuhr Yuki energisch fort. "Castigo herrscht mit Willkür. Zu Beginn war ich noch in einer Gemeinschaftszelle. Eine Frau wurde gefangen genommen, weil sie ein zu starkes Parfüm aufgetragen hatte. Castigo lief ihr in der Stadt über den Weg und fühlte sich von ihrem

Geruch belästigt. Pah!" Yuki spuckte aus, in einer Art und Weise, die alles andere als damenhaft war.

"Belästigt! Von einem Parfüm! Dabei ist er derjenige, der andere belästigt. Ein Junge saß mit mir in der Zelle, weil er aufgehört hatte Klavier zu spielen, obwohl Castigo noch mehr Musik hören wollte. Der Junge war gerade einmal elf Jahre alt, als er das erste Mal auf Castigo traf, und er war musikalisch hochbegabt."

Sola konnte nicht anders, als gebannt Yuki zuzuhören. Diese Frau hatte vielleicht Feuer und das als Wasser-Magierin! Eine Welle der Empörung durchströmte sie, als sie sich vorstellte, wie der Junge gezwungen wurde, über seine Grenzen hinaus zu spielen. Yuki fuhr fort: "Eines Tages fühlte sich Castigo nach einem besonders langen Konzert. Er ließ den Jungen so lange spielen, bis seine Finger bluteten. Und als er sich schließlich weigerte, weiterzuspielen, wurde er in den Kerker geworfen. Als ich ihn kennenlernte, war er bereits seit fünf Jahren eingesperrt. Für so eine Lappalie."

Sola war von dieser Geschichte zutiefst berührt. Sie konnte sich die Qualen des Jungen nur allzu gut vorstellen und empfand eine Mischung aus Wut und Mitgefühl. Ihr Blick traf den von Yuki, und für einen kurzen Moment spürte sie tatsächlich so etwas wie eine Verbindung zwischen ihnen, eine gemeinsame Ablehnung gegenüber den grausamen Taten von Bischof Castigo.

Yuki richtete ihre Hand, die immer noch ein fettes Stück Fisch hielt, direkt auf Sola. "Denkst du etwa, dass diese Menschen besser eingesperrt bleiben sollten?"

Sola zögerte, ihr Herz schwer von den Geschichten, die sie gehört hatte. "Nein, aber..."

"Ja, vielleicht gibt es den ein oder anderen, der es verdient hat. Aber glaube mir, wenn wir auch nur eine Handvoll Unschuldiger dadurch retten konnten, dann hat es sich gelohnt", betonte Yuki mit Nachdruck.

Sola schwieg, ihre Gedanken wirbelten durcheinander. Sie konnte die Wahrheit in Yukis Worten spüren, aber sie wusste auch, dass es viele moralische Grauzonen gab, die es zu berücksichtigen galt.

Yuki ließ Sola nicht aus den Augen und forderte sie heraus. "Willst du gar nicht fragen?"

„Was?“, fragte Sola verwirrt.

„Warum ich im Gefängnis saß.“

Sola zuckte mit den Achseln, unsicher, ob sie wirklich mehr erfahren wollte. Eigentlich wollte sie kein Wort mehr von dieser ambivalenten Person hören. Ray legte Yuki eine beruhigende Hand auf die Schulter und versuchte die angespannte Stimmung zu mildern. „Yuki, zügle dein Temperament. Sola ist nicht schuld an dem, was dir zugestoßen ist. Ohne sie hätte ich es nie bis hierhergeschafft.“

Sola senkte ihren Kopf, sodass Yuki nicht sehen konnte, wie ihr eine leichte Röte in die Wangen stieg. Yuki seufzte. „Ja, ja.“ Dann nickte sie Sola zu.

„Danke. Ich weiß es zu schätzen, dass du dich um Ray gekümmert hast.“

Sola zwang sich dazu, das Lächeln der Wasserstämmigen zu erwidern, doch es fühlte sich gequält und falsch an. Caleb, der sich bisher aus den Gesprächen herausgehalten hatte, klatschte in die Hände und brachte frische Energie in die Runde. "Na also!", rief er erfreut. Die Flammen des Lagerfeuers warfen dunkle Schatten auf sein Gesicht, während sein weißes Lächeln hervorstach. "Ich möchte allerdings in der Tat wissen, weshalb du im Kerker saßt, Yuki", fügte er neugierig hinzu.

Yuki sah Sola an und begann ihre Geschichte zu erzählen. Sola lauschte aufmerksam und spürte, wie Mitleid in ihr aufstieg. Die Schilderungen von Yuki, Ray und ihrem Stamm rührten sie zutiefst. Es war einfach schrecklich, was sie durchgemacht hatten.

"Also, ich bin ganz alleine ins Bistum aufgebrochen, um Unterstützung für meinen bedrohten Stamm zu suchen", begann Yuki und wandte sich dabei abwechselnd an Caleb, Ray und Sola. "Ich habe von Bischof zu Bischof gezogen, in der Hoffnung, Gehör zu finden. Ihr wisst ja, im *Shizen* Bistum sind es die Bischöfe, die die Armeen, Krieger und die Gladiolen befehligen. Also kam ich schließlich nach *Sendu*, und Bischof Castigo war der erste, der mir eine Audienz gewährte."

Sola konnte spüren, wie die Atmosphäre im Wald sich verdichtete. Das Knistern des Feuers und das Rauschen der Blätter verstärkten ihre eigenen Gedanken und Gefühle. Sie richtete ihren Blick auf Yuki und wartete gespannt auf die Fortsetzung der Geschichte.

„Er war anfangs total begeistert von meinem Eifer und meinem Aussehen", fuhr Yuki fort und lächelte leicht. "Er lud mich zu einem Fest nach dem anderen ein und versprach mir immer wieder, nach dem nächsten Abendessen eine Entscheidung bezüglich seiner militärischen Unterstützung zu treffen."

Sola spürte einen Anflug von Wut in sich aufsteigen, als sie sich vorstellte, wie Castigo Yuki mit falschen Versprechungen lockte. Ihre Augen wanderten zu Ray, der neben Yuki stand, und sie sah, wie er mitfühlend nickte. Ihre Gefühle spielten Achterbahn zwischen Empathie und einem Gefühl der Ohnmacht.

"Aber als ich Castigo schließlich zur Rede stellte", fuhr Yuki fort, "verspottete er mich nur. Er betrachtete mich als nichts weiter als ein hübsches Spielzeug, das zu seiner Belustigung beitrug. Als ich daraufhin meine Sachen packen und abreisen wollte, ließ er mich gefangen nehmen. Er würde mich schon noch beugsam machen, was sein Abschiedsversprechen."

Ein beklemmendes Schweigen erfüllte die Nacht. Sola fühlte sich von der Dunkelheit des Waldes umgeben, als ob sie die düsteren Ereignisse von Yukis Gefangenschaft in sich aufnehmen würde. Selbst Sola verspürte das Bedürfnis umzukehren und den Bischof für seine Vergehen zur Verantwortung ziehen. Doch sie hatten ein anderes Ziel.

Caleb brach das Schweigen und brachte eine gewisse Leichtigkeit zurück. "Tatsächlich hat sie einfach den ganzen Fisch verputzt!", rief er aus und ließ ein herzhaftes Lachen erklingen. Yuki lachte mit und half Ray dabei, das Zelt aufzubauen. Die Nacht war hereingebrochen, und die Schatten des Waldes verschmolzen mit den flackernden Flammen des Feuers. Die Nacht war hereingebrochen und da sie morgen sehr früh aufbrechen wollten, sollten sie früh schlafen gehen. In dem dichten Wald war es bereits viel kühler, als Sola es gewöhnt war. In Gedanken verloren deckte sie die Glut mit Erde ab. Sie hatte den ganzen Abend über kein weiteres Wort gesagt.

Plötzlich stand Ray neben ihr.

„Hey danke", sagte er. Seine Stimme und seine plötzliche Nähe ließ sie hochschrecken. Er schmunzelte. „Ich wollte dich nicht erschrecken."

Sola zuckte mit den Schultern. „Schon gut."

„Magst du nicht in Zukunft auch im Zelt schlafen?", fragte er geradeheraus. Sie starrte ihn an. Ray grinste sie schief an.

„Ach komm schon. Du merkst doch selbst, dass es immer kälter wird, je weiter wir in das Gebirge kommen. Ich möchte nicht, dass du dich verkühlst", sagte er frustriert und knirschte laut mit den Zähnen, um zu untermalen, wie sehr ihn ihre Sturheit belastete. Dann sah er sie an. Das Mondlicht spiegelte sich in seinen Augen, die gerade unergründlich erschienen. Sein Gesicht wirkte in dem Licht weich und verletzlich aus. Wie das eines Jungen, nicht das eines Kriegers. Sola konnte ihn nicht weiter anschauen und blickte zu Boden.

Sie schluckte. „Es geht, danke", murmelte sie mehr zu sich selbst als zu ihm.

„Na gut, aber sag Bescheid, wenn es zu kühl wird. Wir haben mehr als genug Platz für dich." Seine Stimme war sanft, mit einem fast liebevollen Beiklang an Besorgnis.

Sola hob den Blick immer weiterhin nicht. Dennoch spürte sie, wie Ray seine Hand hob und ihr zaghaft durch das Haar strich. Die Berührung war so zart, dass sie sie kaum spüren konnte, aber alles in ihrem Körper fühlte sich plötzlich elektrisiert an. Ihr Herz klopfte. Sie hob den Kopf und realisierte erst jetzt, wie nah Ray wirklich stand. Mit gehobenem Kopf konnte sie seinen Atem auf ihren Wangenknochen spüren. Er blickte sie direkt an und als ihre Blicke sich trafen fühlte es sich an, als wollte Solas Herz aus ihrer Brust springen. Ihr Atem stockte.

„Hey Ray, kommst du? Ich bin müde." Yukis Stimme durchschnitt die angespannte Stille. Sie zerriss den Moment und tat Sola fast körperlich weh.

„Ja, sofort!", rief Ray zurück. Er legte Sola eine Hand auf den Kopf. Es war fast ein Flüstern, als er sagte: „Ich verspreche dir, ich pass auf dich auf."

Dann drehte er sich um und stieg in die kleine Öffnung des Zeltes, in dem Yuki, bereits ihren Platz eingenommen hatte. Sola starrte ihm hinterher. Ihre Lippen waren trocken und in ihrem Kopf drehte sich alles. Was war nur los mit ihr? Ihr Brustkorb fühlte sich seltsam beengt an. Sie musste einen klaren Kopf bekommen. Irgendwas lief hier gehörig in die falsche Richtung.

Sola lief einige Schritte. Ihre eigene Verwirrung, die ihren Geist und Körper zum Schwanken brachte, verängstigte sie. Noch nie hatte sie sich grundlos so schlecht gefühlt. Was war dieses Gefühl bloß?

Etwas abseits setzte sie sich auf einen kleinen Felsen. Vor ihr lag der Berg, den sie morgen erklimmen würden. Sie musste den Kopf recken, um seine Spitze sehen zu können.

Ob sie wohl bis nach ganz oben steigen müssten? Sola kannte sich hier nicht aus. Sola fühlte sich plötzlich ganz klein und verloren. Sie fragte sich, ob es doch ein Fehler gewesen war, mit Ray und Caleb mitzugehen. Erschrocken über ihre eigenen Emotionen schloss sie die Augen, um so die heißen Tränen, die in ihnen aufgestiegen waren zu unterdrücken.

„Na? Kannst du nicht schlafen?“

"Wie bist du immer so lautlos, Caleb?", fragte Sola mit leichtem Ärger in der Stimme, da sie den Otter schon wieder nicht gehört hatte. Der kleine Tiergeist kicherte verstohlen und ließ eine Ahnung von Geheimnissen in der Luft hängen. "So einfach verrate ich meine Tricks nicht."

"Dann eben nicht", erwiderte Sola, die gerade nicht in der Stimmung für Scherze war.

"Was machst du hier draußen?", fragte Caleb neugierig und mit einem Hauch Sorge in der Stimme, ähnlich zu Ray zuvor. Sie zuckte mit den Achseln, noch immer von ihren eigenen Gedanken gefangen.

Sie hörte ein Rascheln und öffnete ihr linkes Auge. Der Otter hatte sich ein wenig umständlich neben sie auf den Stein bugsiert. Nun starrte er ebenfalls den aufsteigenden Berg vor ihnen an. Er seufzte. „Na das wird ziemlich anstrengend, du solltest wirklich schlafen Sola.“

"Du schläfst doch auch nicht", erwiderte Sola gereizt.

"Im Gegensatz zu dir, meine Liebe, bin ich um einiges leichter und fitter“, scherzte der Otter und knuffte Sola in die Seite.

Sola öffnete nun beide Augen und starrte den Otter finster an. "Hast du mich gerade dick und unsportlich genannt?"

Caleb versuchte, die Situation zu entschärfen, und hob beschwichtigend beide Pfoten. "Nein, nein, um Gottes willen! Du bist sehr schlank und sportlich, das sagt zumindest Ray", sagte er verschmitzt und zwinkerte Sola zu.

Sola errötete erneut. *Verdammt,* dachte sie. Bei ihrer blassen Haut war auch jede Scham direkt ein loderndes Feuerwerk. Sie drehte ihren Kopf zur Seite, in der Hoffnung, dass Caleb ihre Gefühlsregung so nicht sehen konnte.

"Du machst dir Sorgen wegen Yuki, nicht wahr?", fragte Caleb schließlich und traf damit einen wunden Punkt.

Viel zu schnell antwortete Sola nervös: "Was? Nein. Was meinst du?" Sie biss sich auf die Lippen, während Caleb leise kichernd gluckste

. "Ach ja, ich habe ein feines Näschen für sowas, weißt du?" Er stupste Sola mit der Nase leicht an, und nun musste auch sie leise kichern. Dieser Otter war schon etwas Besonderes. Klüger und gewitzter als die meisten Wesen, die sie kannte.

"Ach, ich weiß auch nicht", gestand Sola schließlich und ließ ihre Unsicherheit durchblicken. "Es ist nur ..."

"Du musst mir nichts erklären, Sola", unterbrach Caleb sie sanft und lächelte warmherzig. "Ich denke nur, dass es dir vielleicht hilft, wenn ich dir erzähle, wer Yuki ist. Ich glaube nämlich, dass unser lieber Ray vor lauter Aufregung einfach vergessen hat, das zu erwähnen."

Sola schnaubte leicht verärgert. Sie wollte nun wirklich keine Geschichte darüber hören, wie nahe Yuki und Ray sich tatsächlich standen. Es genügte ihr, die beiden so miteinander zu sehen. Aber sie konnte nicht leugnen, dass eine gewisse Neugier in ihr aufkeimte.

„Yuki ist eine der gutherzigsten, aufrichtigsten und loyalsten Personen, die ich kenne“, fing Caleb an, ohne auf Solas Antwort zu warten. Sola verdrehte unbemerkt die Augen.

"Du wirst lernen, sie zu schätzen, und sie wird lernen, dich zu schätzen, da bin ich mir ganz sicher", fuhr Caleb fort. Sola spürte, wie er versuchte, Frieden in der Gruppe zu stiften, doch ein großer Kloß in ihrem Hals ließ nicht zu, dass sie sich entspannte.

„Sie kann manchmal geschwätzig und anstrengend sein…“, fügte er grinsend hinzu. Sola schnaubte ein wenig zu verächtlich.

Der Otter ließ sich jedoch nicht beirren und fuhr fort, Sola von Yukis Qualitäten zu überzeugen. "Ich spreche aus Erfahrung, Sola. Yuki hat ein Herz aus Gold und würde für ihre Freunde und Familie durchs Feuer gehen. Glaub mir, du wirst sie schätzen lernen, genauso wie sie dich schätzen wird, wenn du es zulässt."

Sola runzelte die Stirn und betrachtete Caleb skeptisch. "Geschwätzig und anstrengend? Das klingt nicht gerade nach einer angenehmen Gesellschaft", murmelte sie möglichst leise. Doch Caleb hatte sie natürlich gehört und knuffte sie in den Arm, bevor er beschwichtigend die Pfote hob. "Oh, das ist nur ein kleiner Teil ihres Charakters. Du musst verstehen, dass sie ihre Begeisterung und Lebendigkeit manchmal einfach nicht zügeln kann. Aber das bedeutet nicht, dass sie nicht auch ruhig und einfühlsam sein kann. Yuki ist ein vielschichtiger Mensch, genauso wie du es bist."

Sola spürte, wie ihre Abwehr langsam bröckelte und ein Hauch von Neugier in ihr aufkeimte. Caleb schien wirklich davon überzeugt zu sein, dass Yuki und sie eine gute Verbindung finden könnten. Calebs dunkle Augen glänze im fahlen Mondlicht und Sola nickte schließlich stumm, in der Hoffnung, dass Caleb damit seine Lobeshymne beenden würde.

"Sie ist eine unglaublich begabte Wasser-Magierin", fuhr der Otter jedoch fort, "und hätte im südlichen Wasserstamm eine bedeutende Rolle gespielt. Leider wurde ihr dieses Schicksal durch die Ereignisse vereitelt. Sie hat viel verloren, genau wie du." Der Otter tätschelte liebevoll Solas Hand.

Sola biss sich auf die Lippe. Natürlich wusste sie das. Sie seufzte und ließ die Worte des Otters auf sich wirken. Sie konnte nicht leugnen, dass sie Mitgefühl für Yuki empfand. „Das Einzige, was sie jetzt noch hat, ist Ray. Und das kam so unverhofft, dass beide nun erstmal froh sind einander wieder zu haben", ergänzte Caleb. Der Satz verursachte ein erneutes Gefühl des Schwindels in Sola.

„Du kannst dir nicht vorstellen, wie sehr es ihm geschmerzt hat, als er sie vermeintlich verloren hatte. Er hat oft im Schlaf geweint. Manchmal hat er sogar ihren Namen gerufen. Ihren und den seines Vaters."

Ein Stich der Eifersucht durchzuckte Solas Herz, als sie Caleb zuhörte. Sie konnte sich nicht vorstellen, wie es sich anfühlen musste, so sehr von jemandem vermisst zu werden. Sie schluckte und ihre Gedanken überschlugen sich förmlich. So nahe standen die beiden sich also. War sie etwa eine Geliebte? Vielleicht sogar eine Verlobte?

„Das musst du verstehen, Sola. Immerhin ist sie die letzte Familie die Ray hat."

Nun wurde Sola hellhörig. Sie drehte sich überrascht zu Caleb um. Der Otter grinste sie schräg an. „Ja, genau, du hast richtig gehört."

Sola dämmerte es so langsam und sie kam sich plötzlich furchtbar ignorant vor. Die Nähe, die Freude, die Ähnlichkeit – wie hatte sie das übersehen können?

Caleb sprach ihren Gedanken schließlich aus.

„Yuki ist Rays kleine Schwester."

## Ray

Ray wälzte sich hin und her. Einerseits war er unglaublich erleichtert darüber seine Schwester wiederzuhaben. Doch irgendetwas hatte in Solas Blick gelegen, dass ihn heute Nacht einfach nicht losließ. Sie sah so verloren, so einsam aus. Ein starkes Verlangen hatte Ray durchzogen, sie fest in die Arme zu nehmen und ihr zu versichern, dass alles gut werden würde. Aber er hatte es nicht getan. Unsicherheit, wie nah er ihr kommen konnte, wie viel Nähe sie gerade zulassen würde, hielt ihn zurück. Denn er wusste, dass er in ihr eine Gefährtin gefunden hatte, die unersetzlich war und er würde alles dafür tun, dass er sie nicht verlor.

*Krank werden, soll sie jedoch auch nicht,* dachte er. So trat er entschlossen in die Nacht hinaus, das dickste seiner Felle auf dem Arm. Sola lag zusammengerollt im Gras.

Ihr helles Haar leuchtete im Mondschein und sah aus wie ein heiliger Schein. Sie hatte ihre Arme fest um sich selbst geschlungen und Ray konnte sehen, wie jeder freie Zentimeter ihrer Haut mit Gänsehaut bedeckt war. Er schüttelte den Kopf. *Dieses sture Mädchen,* dachte er.

Es war bereits viel zu kalt draußen. Ray ging einen Schritt näher zu ihr und legte das Fell behutsam über ihren dünnen Körper, sodass es sie möglichst gut bedeckte. Er zupfte noch an den Ecken des Fells, um es richtig zu positionieren, als Sola ihre Augen einen Spalt breit öffnete. Das Gold ihrer Iris schimmerte wie die Sterne am Himmel.

Mit einem liebevollen Lächeln sah er sie an und flüsterte: "Schlaf weiter, Dummerchen."

# 32. Kapitel

## *Nao*

Nao setzte sich an das Bett des Kranken. Dieses Mal in Gestalt eines schlanken Mannes. Derselbe Mann, der noch vor wenigen Monaten an dem Krankenbett von Herold Amare gesessen und seine Hand gehalten hatte.

Nun hielt sie eine jüngere Hand.

Eine Hand, die zitterte und krampfte. Ein manisches Zucken, dass den gekrümmten, ausgehungerten Körper des jungen Mannes immer wieder durchfuhr. Der Kranke lag wimmernd auf einem Haufen Decken, die er von sich gestrampelt hatte. Seine Augen waren weit aufgerissen und starrten in die Leere. Der Geifer lief über seine ausgemergelten Wangen. Durch seinen Zustand sah er um einiges älter aus als seine 21 Jahre. Er schluchzte laut auf.

Diese angst- und schmerzverzerrten Geräusche waren wie Nägel, die sich in Naos Herz bohrten. Ihre Finger zitterten, als sie versuchte, ihren zuckenden Freund zu halten.

Sie flüsterte leise seinen Namen, um ihn zu beruhigen: „Zeno. Zeno."

Dabei streichelte sie dem Jungen zärtlich über den Handrücken. Zeno schien diese Berührung gar nicht wahrzunehmen. Seine Augen, die fast denselben Ton wie Naos hatten, fixierten keinen festen Punkt im Zimmer. Sein Blick wandelte in einer Dunkelheit, die für Nao unsichtbar war.

Nao schluckte. Es ging Zeno jeden Tag schlechter.

Die Alven Träne in ihrer Tasche war ihre letzte Hoffnung. Sollte dieses Mittel ihn nicht heilen, würde Nao ihn vom Leid erlösen müssen. Trotz ihres langen Lebens hatte Nao noch nie ein Opfer des Todeskusses so lange um das Überleben kämpfen sehen. Doch Zeno war ein Kämpfer und sie würde ihm helfen, diesen dunklen Ort, an dem er gefangen war, zu verlassen.

Sie wusste, dass nur eine reine Seele von einer Alven Träne geheilt werden konnte und alle anderen, die die Flüssigkeit zu sich nahmen, sterben würden.

Beides ist eine Besserung, dachte sie.

Sie wusste, dass Zenos Tod sie zerreißen würde, doch ihn so leiden zu sehen war noch schlimmer. Egal wie diese Behandlung also ausging, es würde Zeno an einen besseren Ort führen. Das war das Wichtigste für sie. Sie war selbst erstaunt. Sie hatte nicht geahnt, dass sie so fühlen konnte. In all den Jahren. Zeno war ihr bester Freund. Er war einer der wenigen Menschen, der ihr wahres Selbst kannte und sie akzeptierte. Er war immer für sie da gewesen, selbst in ihren dunkelsten Stunden. Nun musste sie für ihn da sein.

Nao griff nach den abgenutzten Stricken, die neben dem Bett am Boden lagen. Ihre Hände zitterten leicht, während sie den Jungen fest ans Bett band. Ein leises Flüstern entkam ihren Lippen: "Verzeih mir, Zeno."

Dann begann sie den Jungen an dem Bett fest zu schnüren.

Nao strich durch das verschwitze Haar ihres Freundes. Seine Stirn war heiß von dem fiebrigen Wahn und Zeno wimmerte leise bei jeder Berührung. Er musste Qualen durchleben, die sich Nao nicht einmal vorstellen konnte. Qualen schlimmer als die Schuldgefühle, die Nao selbst plagten, die sie jede Nacht heimsuchten und sie kein Auge mehr zu machen ließen.

Sie strich sanft durch sein verschwitztes Haar, das von fiebriger Hitze durchzogen war. Jede Berührung ließ ihn leise wimmern, und Nao konnte erahnen, welch unvorstellbare Qualen er durchleiden musste. Qualen, die sie sich selbst nicht einmal vorstellen konnte. Die Schuldgefühle, die sie selbst plagten, waren schon schlimm genug. Sie verfolgten sie jede

Nacht und raubten ihr den Schlaf.

Es war ihre Entscheidung gewesen, Zeno mit in die Sakura-Region zu nehmen. Sie hatte ihn allein gelassen, um Herold aufzusuchen, und er war den umherstreifenden Schattenelfen zum Opfer gefallen. Die Gewissheit, dass sie ihn nicht beschützen konnte, lastete schwer auf Nao. Die Schuldgefühle fraßen an ihr und ließen ihre Fäuste sich ballen. Es war persönlich geworden. Der Krieg betraf sie nun auch. Samaels Armee war zu weit gegangen, und sie würden dafür bezahlen

Doch im Moment lag ihre erste Priorität darin, Zeno zu heilen. Nao setzte sich vorsichtig neben ihn auf das Bett und legte seinen blassen Kopf auf ihren Schoß. Ein Gefühl der Verantwortung und Fürsorge durchströmte sie. Sie würde alles in ihrer Macht Stehende tun, um ihn zu retten und seine Schmerzen zu lindern. In diesem Moment gab es nur sie beide, und sie würde nicht zulassen, dass das Böse sie noch weiter trennte. Seine lila-rosa Augen waren weit aufgerissen.

Nao konnte das Frösteln nicht mehr unterdrücken, während sie hoffte, dass dieser starre Blick in Zenos Augen bald verschwinden würde. Mit ihren Knien fixierte sie vorsichtig seinen Kopf, während das Zittern des Kranken nun auch durch ihren eigenen Körper pulsierte. Eine Mischung aus Angst und Hoffnung erfüllte sie, als sie mit einer Hand Zenos Mund offenhielt und mit der anderen die Phiole mit der leuchtenden Flüssigkeit öffnete, die sie, seit *Sendu* nicht mehr von sich gegeben hatte.

Die Phiole, gefüllt mit ihrer letzten Hoffnung.

Nao beugte sich ein wenig näher zu Zenos Kopf herunter, und ihr lila Haar fiel in sanften Strähnen auf ihre Stirn. Tränen stiegen ihr in die Augen und unbemerkt tropften sie auf das blasse Gesicht in ihrem Schoß. Es waren Tränen der Verzweiflung und gleichzeitig der bedingungslosen Liebe, die sie für Zeno empfand.

Vorsichtig ließ sie den Inhalt der Phiole, die flüssige Alven-Träne, in Zenos Mund tröpfeln. In der festen Position, in der sie ihn gehalten hatte, musste er reflexartig schlucken. Ein röchelndes Geräusch entkam seinem

Mund und seine Augen flackerten. In diesem Moment konnte Nao nur hoffen, dass ihre Bemühungen Früchte tragen würden und Zeno von seinen Qualen befreit werden konnte. Ein furchtbares Krächzen entfuhr seiner Kehle.

„Bitte, bitte", flüsterte sie leise und nahm seinen Kopf in ihre Hände.

Zenos Lider flatterten, sein Gesicht wurde abwechselnd rot und weiß. Wieder und wieder röchelte und keuchte er, als würde er ersticken.

War das seine Seele, die mit dem Fluch der Alven kämpfte?

Nao spürte wie Zenos Körper verkrampfte und seine Gliedmaßen begannen unkontrolliert zu zittern. Die Seile, die ihn hielten, strafften sich.

Plötzlich schrie Zeno. Es war ein langgezogener, unmenschlicher schriller Ton. Gleichzeitig drückte er seinen Rücken unnatürlich hoch in ein Hohlkreuz, dass ihn von der Matratze hob. Er versuchte mit seinen Armen unkontrolliert zu fuchteln, doch die festen Riemen hielten ihn fest und schnitten tief in sein blasses Fleisch.

Nao war wie betäubt. Sie konnte nichts tun als bekümmert auf dem Laken neben seinem Freund zu sitzen und mitanzusehen, wie sich dieser vor Schmerzen mit unmenschlicher Kraft umherwand.

„Und wenn du heute stirbst, so nimm mich mit dir", flüsterte Nao. Die Tränen flossen ihr unkontrolliert über die Wangen. Zeno bäumte sich weiter auf und das Seil an seinem linken Oberarm zerriss. Seine Faust schnellte vor und krachte polternd gegen die Wand. Zeno schrie weiter.

Urplötzlich erstickten seine Schreie und Zeno brach zusammen.

Ebenso plötzlich wie die Hölle hereingebrochen war, wurde es ganz still im Raum. Zeno brach zusammen. Nao konnte die aufsteigende Panik in sich spüren, als Zenos Augen sich langsam in ein tiefes Schwarz verwandelten. Mit zunehmender Langsamkeit schlossen sich seine Lider, und sein Kopf sank leblos zurück auf Naos Schoß. Das war der Moment, in dem Nao einen schrillen Schrei ausstieß, der von Verzweiflung und tiefster Trauer erfüllt war.

Ihre Finger tasteten hastig nach Zenos Puls, aber es war nichts zu spüren. Ihr Herzschlag beschleunigte sich und ihr Atem stockte.

Nichts.

Panik überflutete sie, als sie erkannte, dass der Junge von Sekunde zu Sekunde blasser wurde, während sich die Kälte des Todes bereits auf seinen Wangen abzeichnete. Sie strich sanft über seine kupferroten Haare, die sein zartes Gesicht umrahmten.

"Nicht", flüsterte Nao gebrochen. "Nein, bitte nicht." Ihre Stimme war ein Flehen, das in der Dunkelheit des Waldes verhallte. Verzweifelt versuchte sie, sich an jeden einzelnen Moment der Zeit mit Zeno zu erinnern, an seine strahlenden Augen, sein freudiges Lachen und seine warme Umarmung. Sie wollte ihn nicht verlieren, nicht auf diese grausame Weise.

Langsam schloss Nao die Augen, ihre Lippen formten stumme Gebete und ihre Hände ruhten schwer auf Zenos regungslosem Körper. In diesem Moment konnte sie nur hoffen und beten, dass ein Wunder geschehen würde und Zeno wieder ins Leben zurückkehren würde.

Hatte sie gerade ihren besten Freund getötet? War es egoistisch, jetzt wütend und traurig zu sein? Doch Nao konnte keine Freude, keine Erleichterung spüren, weil er von seinen Qualen erlöst worden war. Sie hatte sich nie einem Menschen so nah gefühlt wie Zeno. In ihrem endlosen, banalen Leben war es Zeno gewesen, der die Sonne für sie zum Scheinen gebracht hatte. Würde sie nun mit ihm untergehen? Nao dachte daran, wie er Zeno das erste Mal begegnet war.

Es war eine gefühlte Ewigkeit her.

Nao hatte am Abgrund ihrer selbst gestanden. Sie war am Ende und wollte nicht mehr. Formwandler waren mit einem viel zu langem Leben gesegnet, oder verflucht, wie es Nao erschien. Ihr Körper konnte nicht altern. Ihre Wunden heilten, indem sie eine gesunde, unverwundete Gestalt annahmen. Sie waren die Kreaturen, die von dem Himmel auf Erden übriggeblieben waren. Sie waren der beschämende Abklatsch der himmlischen Unsterblichkeit. Unsterblichkeit war einsam. *Ihre* Identität war einsam.

Es war an jenem Tag, als Nao zum ersten Mal auf Zeno traf, dass sie ihre Müdigkeit, immer die Überlebende zu sein, nicht mehr ertrug.

Sie stand am Rand einer tiefen Schlucht im Akashi-Gebirge und blickte hinab. Was wohl geschehen würde, wenn sie ihren verwundeten Körper nicht mehr verwandeln würde? Was wäre, wenn sie einfach in die Tiefe stürzte und in einer Form bleiben würde, die dort unten verblutete? Niemand würde sie vermissen. Und vielleicht, ganz vielleicht würde sie dann endlich sterben.

Doch noch bevor ihr Fuß den Boden unter ihm verlor, durchzuckte ein Schrei die Stille. "Nein!" Die Worte hallten in ihren Ohren wider und ließen sie zusammenzucken.

Noch bevor Nao sich orientieren konnte, wer da schrie, spürte sie eine kleine speckige Hand, die ihre Hand umgriff. Sie war heiß und klebrig. Verstört öffnete Nao ihre Augen und starrte auf ihre Hand.

Ein kleiner Junge mit roten Haaren stand neben ihr. Seine Pausbäckchen waren gerötet und riesige Kulleraugen schauten zu Nao hinauf. Ihre Farbe glich der Sonne, die in einem Meer violetter Sommerastern reflektierte. Sommerastern, betupft von der Feuchtigkeit des Taus, denn die Augen des Jungen waren gefüllt mit dicken Tränen. Seine Hand hatte Naos fest umklammert und er schluchzte. Trotz der Reinheit seines kindlichen Blickes, betrachtete Nao den Jungen nur geringschätzig. *Ein Rotzbengel der Nomaden, der seine Mama verloren hat,* dachte sie.

Sie versuchte, seine Hand von den Speckpfoten zu lösen.

Doch anstatt loszulassen, nahm der Junge die zweite Hand hinzu und heulte noch lauter. Wütend fauchte Nao: „Was soll das? Ich bin nicht dein Vater. Such den gefälligst woanders." Der Junge zog geräuschvoll die Nase hoch und sagte leise: „Ich suche meinen Papa nicht."

„Dann halt deine Mutter." Nao blickte ihn finster an. Der Junge schüttelte den Kopf. Weitere Tränen flossen über die runden Kinderwangen.

„Wieso heulst du dann?", fragte Nao barsch.

„Ich will nicht, dass du das tust." Während er das sagte, blickte der Kleine Nao weiter mit seinen ehrlichen Augen an. Er zuckte nicht zusammen, er zwinkerte nicht und er drehte sich nicht weg. Er sagte einfach die Wahrheit.

Nao zuckte zusammen. Sie starrte den Jungen fassungslos an. „Du ... was...?"

Der Junge schluchzte erneut geräuschvoll und wiederholte mit gepresster Stimme: „Du darfst das nicht machen."

Nao wurde schwindelig. Der Junge weinte wegen ihr? „Aber ...", Nao konnte ihre Satz nicht beenden, denn sie spürte, wie ihre Stimme versagte.

An jenem Tag hatte Zeno ihr Leben nicht nur gerettet, sondern auch für immer verändert. Der kleine Wind-Magier hatte erkannt, was sie war, noch bevor Nao es ihm erklärte. Und anstatt sich von Nao abzuwenden, hatte Zeno ihr das Gefühl gegeben, etwas Besonderes zu sein.

Der kleine Junge hatte gejauchzt, wenn Nao für ihn ein Löwe oder Greif geworden war. Er hatte gekichert, wenn sie sich in die Tochter seines Nachbarn verwandelt hatte, und er hatte Nao in jeder ihrer Formen Zuneigung und Respekt entgegengebracht. Nao hatte zuvor ein paar aufrichtige Freundschaften gehabt, jedoch war keine von langer Dauer gewesen. Herold beispielsweise musste irgendwann zurück in die Zivilisation. Andere Freunde hatten irgendwann einfach genug von Naos stetig wandelnder Identität gehabt und wieder andere vergaßen sie mit dem Alter.

Nur Zeno nicht. Zeno wuchs heran und hielt an ihrer Freundschaft fest. Sie wurden unzertrennlich und Nao konnte Zeno beistehen, als er schwere Zeiten durchmachte. Sie wurden füreinander Fels und Hafen.

Während die Bilder der Vergangenheit langsam vor ihrem inneren Auge verblassten, wurde der grausame Schmerz in Naos Brust langsam von einer unmenschlichen Taubheit abgelöst. Sollte dies nun vorbei sein? Sollte Nao wirklich wieder allein sein?

Nao schluchzte laut – so wie jener kleine Junge damals.

Dann, ganz plötzlich, fühlte sie etwas. Einen schwachen Hauch.

Er durchfuhr Nao als hätten sie soeben hundert Klingen durchbohrt.

Es war ein schwacher, sanfter Atemhauch.

Atem der ihre Hand, die noch immer an Zenos Gesicht lag, strich.

Nao traute sich kaum, ihre Augen zu öffnen. Doch da war das Gefühl erneut.

Ein schwacher Atem.

Mit einer Hand fühlte Nao Zenos Hals. Ein Puls.

Warme Hoffnung stieg in ihr auf und sie zog rasch ein Messer hervor, durchtrennte die Seile. Dann zog sie Zeno in ihre Arme. Der schwache Körper bebte. Er lebte!

„Danke." Es war so leise, doch es klang in Naos Ohren nach wie das ohrenbetäubende Dröhnen von Himmelsglocken. Sie weinte erneut. Dieses Mal vor Glück. Nao würde Zeno nicht loslassen. Sie würde hierbleiben und ihn halten, bis er sich erholt hatte.

# 33. Kapitel

## *Sola*

Ray rollte seinen Schlafsack fein säuberlich zusammen. Während sie ihr Lager abbauten, hatte er Yuki von ihren letzten Monaten erzählt. Sola deckte schweigend die Feuerstelle mit Gräsern und Zweigen ab und hörte den beiden zu.

„...als aller erstes müssen wir also diesen Brief an Izuya Riki in der Gladiolen Akademie bringen. Hoffentlich wird er sich uns danach anschließen. Im besten Fall mit einer Armee. Mit ihnen werden wir in Richtung der *Naka-Wüste* aufbrechen, wo sich derzeit tausende Männer und Frauen der rot-schwarzen Allianz sammeln. Um diesem Krieg ein Ende zu bereiten, ist der erste Schritt, Samaels Armee zu besiegen. Wir werden keinen ausgeglichenen Kampf haben und zahlenmäßig wahrscheinlich weit unterlegen sein. Doch ich bin mir sicher, dass das Überraschungsmoment auf unserer Seite sein wird. Doch ohne eine eigene Armee, können wir nicht in diese erste Schlacht ziehen“, erklärte Ray gerade. Yuki legte nachdenklich den Kopf schief, ihre Augen funkelten voller Sorge. "Und du glaubst, dass Izuya einfach so mitkommt und seine Männer überzeugen lässt?", fragte sie skeptisch.

Ray zuckte resigniert mit den Schultern und sah müde aus. "Uns bleibt nichts anderes übrig, als darauf zu hoffen. Wir haben keine andere Wahl."

Yuki seufzte und ergänzte: „Nachdem ich aus *Wa* geflohen bin, hatte ich einen ähnlichen Plan. Ich hatte mich auf den Weg zu der Gladiolen Akademie gemacht und wollte sie ebenfalls um Hilfe bitten. Unbewusst hatten wir also das gleiche Ziel vor Augen.“

Ray hob eine Augenbraue und grinste schelmisch. "Na also, du hattest also auch vor, mit leeren Händen aufzutauchen und auf Hilfe zu hoffen."

Yuki errötete leicht und ihre Stimme wurde leiser. „Naja ... Um *Wa* zu rächen, ist mir alles recht. Ich wollte darauf vertrauen, dass ich einen mächtigen Mann damit überzeugen würde, ihm meine Hand als Gemahlin zu versprechen.“

Ray starrte sie fassungslos an. „Bitte was?“

Yuki lachte beschämt und senkte den Blick. "Ja, nun ja, das war zumindest mein Plan. Aber als es dann ernst wurde und tatsächlich ein alter Mann Interesse an mir zeigte, habe ich kalte Füße bekommen. Castigo zu heiraten, war dann doch etwas zu viel..."

Ray seufzte und schüttelte den Kopf. "Dich kann man auch wirklich nicht allein lassen, Schwesterchen."

Yuki lachte erneut, während Ray ihr liebevoll den Kopf tätschelte. Sola beobachtete die Szene und spürte, wie sich die Eifersucht von gestern Nacht in ihr auflöste. Sie beschloss, Yuki eine Chance zu geben und ihr Vertrauen zu schenken.

"Naja, jetzt habe ich immerhin zwei Bräute und ein Haustier zu bieten. Vielleicht lässt sich darauf jetzt jemand ein", scherzte Ray mit einem schiefen Grinsen.

Zeitgleich riefen Yuki, Sola und Caleb ein empörtes „Hey!“.

Ray lachte so herzlich auf, wie Sola ihn noch nie lachen gesehen hatte.

Ja, er war nun deutlich glücklicher. Wärme erfüllte sie, als sie ihn so sah. Sie wünschte sich aus tiefem Herzen, dass sein Glück von Dauer sei und sie diesen dunklen Tagen ein Ende bereiten konnten.

„Aber apropos Haustier ...“, sagte Sola und schaute Yuki fragend an.

„Ja?“

„Wieso hast du denn keinen Caleb?“

„Hast du mich auch gerade Haustier genannt?“ Caleb verschränkte gekränkt die pelzigen Arme. Yuki und Ray kicherten. „Ach ja, das wäre schön. Aber nein, das *Nakame*-Ritual wird in unserem Stamm nur von den Männern durchgeführt. Wir Frauen sind mit Wasser-Magie geboren und fokussieren uns in unserem Training darauf, während die männlichen Wasserkrieger und ihre *Nakames* gemeinsam die Waffenkunst erlernen. Dafür ist ein Partner wichtig."

Yuki lächelte Sola warm an: „Ich erzähle dir gerne mehr, wenn dich unsere Kultur interessiert." Sola erwiderte das Lächeln. Ihre anfängliche Abneigung kam ihr plötzlich furchtbar kindisch und alles andere als gerechtfertigt vor.

Diese drei Wasserstämmigen waren nun ihre Familie und sie würde sie mit Leib und Seele verteidigen.

Plötzlich spitzte Caleb die Ohren und zischte.

Sofort verstummten alle.

„Da kommt jemand", flüsterte Caleb. Flink zog er seinen Dolch und ging in die Hocke, bereit, den Eindringling anzuspringen. Auch Ray legte seine Hand an die Griffe seiner Katanas.

Es raschelte erneut im Gebüsch direkt neben ihrem Rastplatz.

Yuki machte eine langsame Handbewegung. Ganz vorsichtig und ruhig. Nur eine Sekunde später klatschte mit einem lauten Platsch ein Schwall Wasser, das sie von dem Tau auf den Blättern der Bäume gesammelt hatte, nieder. Es traf das Gebüsch, indem der vermeintliche Eindringling kauern musste.

Ein schriller Schrei ertönte.

„Verdammter Mist", ertönte es.

Ein weiteres Rascheln.

Dann ein jämmerliches: „Jetzt ist alles dreckig, verdammt nochmal, Yuki!"

Überrascht davon, dass derjenige, der sich dort versteckt hielt ihren

Namen kannte, ließ Sola die Glefe sinken und schaute Yuki überrascht an. Diese stöhnte leise auf und verdrehte die Augen.

Fluchend und keuchend krabbelte ein Junge aus dem Gebüsch. Er rappelte sich vor der Gruppe auf und klopfte sich verärgert den Dreck von seinem schneeweißen Hemd und der weißen Leinenhose. Sein kastanienbraunes Haar war zu einem ordentlichen Scheitel gekämmt, jedoch pitschnass von Yukis Wasserschwall. Er hatte feine Gesichtszüge und seine schmale Figur ließ ihn jünger aussehen, als er wahrscheinlich war. Eine Augenklappe verdeckte sein rechtes Auge, das andere war ängstlich und erzürnt geweitet. Er trug einen riesigen Rucksack auf dem Rücken, der breiter war als der Junge selbst. Es sah fast so aus, als würde er jeden Augenblick unter dem Gewicht zusammenbrechen.

Verwirrt von dem seltsamen Auftritt ließ Ray seine Schwerter langsam sinken. Seine Augen wanderten zwischen Milo und Yuki hin und her, während eine Mischung aus Skepsis und Neugierde seine Miene zeichnete. "Wer bist du?", fragte er schließlich.

Yuki seufzte und schlug sich mit der Handfläche gegen die Stirn. "Oh Mann, Milo, was machst du denn hier?", entfuhr es ihr.

Dieser starrte Yuki an. „Ich komme mit dir."

Die Wassermagierin zog eine Augenbraue hoch und schüttelte den Kopf. "Bist du verrückt geworden?" Der Junge riss sein einzig sichtbares Auge noch weiter auf und schritt auf Yuki zu. Ray spürte erneut die Anspannung in sich und griff reflexartig nach seinen Schwertern, doch Yuki gab ihm mit einer Geste zu verstehen, dass er sie gesenkt halten sollte. Es schien keinen Grund zur Sorge zu geben.

"Ja, Yuki. Ja, ich bin verrückt geworden!", rief Milo aus und gestikulierte wild mit den Händen. "In diesem verdammten Gefängnis wurde ich gequält. Tag um Tag. Ich konnte vor Angst nicht schlafen, vor Angst nicht essen. Ja verdammt, ich bin verrückt geworden!"

Sola schaute nervös zwischen Milo und Yuki hin und her. Das Verhalten passte so gar nicht zu seinem ordentlichen Äußerem, dachte Sola. Doch nun wirkte der Junge tatsächlich ein wenig durchgeknallt, und ihre Unsicherheit wuchs. Doch Yuki nahm sein Verhalten gelassen hin. Sie rollte die Augen und machte eine ausladende Handbewegung, um ihn zu beruhigen.

„Ich wurde gequält, Tag um Tag. Konnte nicht schlafen vor Angst, konnte nicht essen vor Angst. Ja verdammt, ich bin verrückt geworden!“ Seine Stimme bebte und untermalte seine aufgewühlte Gestik.

"Komm mal runter, Milo. Wir sind hier nicht allein", sagte sie ruhig. "Bevor du deinem Wahnsinn erliegst, beruhige dich und stell dich ordentlich vor."

„Jawohl!“, rief Milo aus und deutete einen fast militärischen Salut gegenüber Yuki an. Rays skeptischer Blick verriet sein Misstrauen. Caleb legte den Kopf schief und betrachtete den schmächtigen Jungen skeptisch. Milo kniff das Auge zusammen und straffte die Schultern. Dann senkte er höflich den Kopf und stellte sich vor: "Mein Name ist Milo, Emilio Suta. Ich möchte mich euch anschließen."

Ray beobachtete den schmächtigen Jungen skeptisch und konnte seine Zweifel nicht verbergen. Er kratzte sich am Hinterkopf und fragte widerwillig: "Okay, danke Milo. Aber weshalb, wenn ich fragen darf? Weißt du überhaupt, wohin wir wollen?"

„Nein, Sir“, sagte er erneut übermäßig höflich.

Sola beobachtete die Interaktion zwischen Milo, Yuki und Ray aufmerksam. Ein Gefühl der Unsicherheit legte sich wie ein Schleier um ihr Herz. Da stand dieser junge Mann, der plötzlich behauptete, sich ihnen anschließen zu wollen. Sein selbstbewusstes Auftreten wirkte beinahe zu perfekt, zu einstudiert. Sola spürte, wie sich eine leichte Anspannung in ihr aufbaute, während sie versuchte, seine wahren Absichten zu ergründen.

Yuki verdrehte die Augen ein weiteres Mal. „Lass das. Ray ist kaum älter als du und alles andere als ein Sir.“ Die Wassermagierin schien dem jungen Mann gegenüber keinerlei Misstrauen zu hegen.

„... kaum älter als du?“, wiederholte Ray sichtlich verblüfft und runzelte die Stirn. Sola erkannte, dass Ray jedoch anders dachte. Sein skeptischer Ausdruck verriet, dass er Milo nicht so einfach vertrauen würde. Und auch Caleb, der sonst so neugierig und offen war, schien zurückhaltend zu sein. Sola fühlte sich hin- und hergerissen zwischen der Hoffnung, dass Milo eine Bereicherung für ihre Gruppe sein könnte, und der Angst, dass er ihnen schaden könnte.

„Wie alt bist du denn?“

„Siebzehn.“

Der magere Junge wirkte deutlich jünger, stellte Sola fest. Er stand nun erneut kerzengerade da, als müsste er ihnen beweisen, dass er für ihre gemeinsame Reise gewappnet sei. Seine Art wirkte seltsam fehl am Platz und Sola beschloss, Milo vorerst mit vorsichtiger Distanz zu begegnen. Sie würde seine Handlungen genau beobachten und aufmerksam darauf achten, ob seine Worte und Taten übereinstimmten. Ihr Instinkt riet ihr zur Wachsamkeit, und sie war entschlossen, ihre Gefährten zu beschützen.

*Ray*

"Dann bist du genauso alt wie Yuki und Sola", stellte Ray fest und Überraschung klang in seiner Stimme wieder. Aus dem Augenwinkel sah sie, wie Caleb ebenfalls verblüfft den Mund öffnete.

Der Wasserkrieger ließ seinen skeptischen Blick über Milo gleiten. Er spürte weiterhin eine Mischung aus Misstrauen und Vorsicht in seinem Innersten. Als Krieger hatte er gelernt, nicht jedem Fremden blind zu vertrauen, und dieses Misstrauen war tief in ihm verwurzelt. Trotzdem konnte er nicht ignorieren, dass Yuki diesem Jungen vertraute, und das brachte ihn ins Grübeln. Diese kicherte ein wenig trat nun auf Milo zu, stupste ihn freundschaftlich an. „Komm schon Milo. Das hier ist nichts für dich. Geh nach Hause“, sagte sie mit sanfter Stimme. Der Junge versteifte sich. Er presste die Lippen zusammen, sodass nur noch ein Strich zu sehen war. Entschlossen blickte er Yuki an und machte keine Anstalten zu gehen.

Die Wassermagierin seufzte. „Wieso bist du mir gefolgt?“

Seine Hände zitterten ein wenig, während er versuchte, seine Gedanken in Worte zu fassen. "Naja ... also. Ich hatte die ganze Zeit über Angst. Panik. Ich ...", seine Stimme bebte leicht, und er fand es schwer, seine Ängste offen auszusprechen.

„Ja, das hatten wir doch bereits“, sagte Yuki ungeduldig.

Entschlossen griff Milo Yukis Hand und kniete nieder. Caleb stieß einen leisen Pfiff aus. Ray beobachtete die Szene mit einer Mischung aus Misstrauen und Überraschung. Unbeirrt fuhr der Junge fort: „... bis du kamst. *Du* hast mich verteidigt.“ Seine Augen glänzten vor Anerkennung und Dankbarkeit. „*Du* hast mich verteidigt, obwohl du mich nicht kanntest. *Du* hast dafür gesorgt, dass ich in Ruhe gelassen wurde. Ich möchte bei dir bleiben, weil ich an meiner Seite keine Angst mehr habe.“

„Ähh ...“ Yuki wusste nicht so recht, was sie sagen sollte. Und auch Ray war verunsichert. Er konnte förmlich die Anspannung in der Luft spüren, als Milo seine Worte mit leidenschaftlichem Ausdruck sprach. Seine Augen glänzten vor Anerkennung und Dankbarkeit, und Ray konnte nicht leugnen, dass diese Worte eine gewisse Wirkung auf ihn hatten.

Sola lehnte sich zu Ray hinüber und flüsterte spöttisch: „War das gerade ein Liebesgeständnis?“ Rays Miene verhärtete sich, während er die Situation analysierte. „Ich hoffe für ihn, dass es das nicht war.“ Es konnte doch nicht sein, dass Milo so schnell eine solche Bindung zu Yuki aufgebaut hatte. Er hoffte insgeheim, dass es nicht mehr als ein flüchtiger Moment der Dankbarkeit war, den Milo mit seinen Worten ausdrücken wollte.

Ray runzelte die Stirn, als er auf Milo und Yuki zutrat. Sein Blick war von einer Mischung aus Misstrauen und Skepsis geprägt. Er legte Milo eine Hand auf die Schulter und seine Worte trugen einen Hauch von Warnung in sich. „Junge, das ist natürlich sehr nett von dir. Aber was wir vorhaben, wird alles andere als ein sicherer Spaziergang.“ Rays Stimme verriet seine Bedenken und seine Vorsicht, als er Milo darauf hinwies, dass ihre Mission mit großen Gefahren verbunden war.

Milo erhob sich und zum ersten Mal trafen sich seine Blicke mit Rays. Rays Augen bohrten sich förmlich in Milo, während er versuchte, die Wahrhaftigkeit in den Worten des jungen Mannes zu ergründen. In seinem Inneren tobte weiterhin ein Kampf zwischen Misstrauen und der Bereitschaft, Milo eine Chance zu geben.

„Ich weiß“, sagte Milo entschlossen. „Ich bin nicht stark, ich bin nicht geschickt und bin definitiv kein Krieger. Aber ich bin nicht dumm. Ich weiß, wer ihr seid, und ich kann mir denken, dass ihr das Auslöschen eures Stammes nicht einfach so hinnehmt.“

Ray nickte langsam. Ein Funken von Anerkennung blitzte in seinen Augen auf, denn Milo schien zumindest eine Ahnung von ihrer Situation zu haben. Doch dennoch blieb das Misstrauen in Rays Gedanken bestehen. „Nun sind wir aber auf der Suche nach starken Verbündeten, nach Kriegern, die Seite an Seite mit uns in den Krieg ziehen ...“, entgegnete Ray mit einer gewissen Zurückhaltung.

„Mit allem Respekt“, unterbrach Milo Ray. „Für einen Krieg braucht ihr mehr als Krieger.“

Rays Blick blieb fest auf Milo gerichtet, während er fortfuhr: „Und was bringst du an den Tisch?“ Seine Stimme klang skeptisch, fast herausfordernd. Er konnte nicht einfach seine Skepsis beiseiteschieben, doch er war auch offen für die Möglichkeit, dass Milo möglicherweise etwas zu bieten hatte.

Milo straffte erneut seine Brust und versuchte, sein Können zu betonen. „Ich kann kochen, waschen, flicken, nähen, musizieren und alles, was das

Herz begehrt. Außerdem kenne ich mich in der Medizin aus. Wenn ihr mich mitnehmt, werdet ihr stets versorgt sein." Rays skeptischer Blick wanderte über Milo, während er dessen Worte aufnahm. Eine gewisse Zweifelhaftigkeit lag in Rays Augen, als er versuchte herauszufinden, ob Milo wirklich die Fähigkeiten besaß, die er behauptete.

Caleb grunzte leise, und Rays Blick blieb auf Milo gerichtet. Er musterte den Jungen verblüfft, doch Milo zeigte keinerlei Anzeichen von Zurückhaltung. Sein ernster und entschlossener Blick traf direkt auf Ray. Rays Miene blieb ausdruckslos, während er versuchte, den jungen Mann einzuschätzen und seine Worte zu überprüfen. Sola die die Szene schweigend beobachtet hatte zog plötzlich die Luft ein und flüsterte: „Seine Hände..." Es war kaum lauter als das Rauschen des Windes gewesen. Dennoch hatte Milo blitzschnell reagiert und schnell die Finger verschränkt. Jedoch war auch Ray nicht entgangen, dass Milo eine Geschichte der Qual und des Leidens mit sich trug und die Innenseite seiner Hände von tiefen, hässlichen Narben geziert war.

Ray sah Milo direkt in die Augen und stellte eine Frage, die ihm auf der Zunge lag. „Du bist der Klavierspieler, nicht wahr?" Rays Stimme war so entschlossen, dass es einer Tatsache näherkam als einer Frage. Milo schaute ihn für ein paar Sekunden irritiert an, bevor sich ein breites Lächeln auf seinem Gesicht ausbreitete. Er wirbelte zu Yuki herum und fragte: „Du hast ihnen also bereits von mir erzählt?"

„Ray ...", stöhnte Yuki genervt, während Milo vor Freude in die Hände klatschte. Dabei rutschte sein Hemdsärmel ein wenig weiter über den Arm und enthüllte weitere, tiefe Narben, die sich über seine Arme erstreckten.

Ray höre Sola laut schlucken und in der Tat, war der Anblick erschreckend. Der Junge musste immer und immer wieder geschunden worden sein. Hatte er so auch sein rechtes Auge verloren? Sola, zupfte Ray am Ärmel. In ihren Augen glänze Mitgefühl und sie nickte im zaghaft zu.

Er seufzte, aber nickte nun ebenfalls. „Nun gut. Du darfst mit uns reisen, aber..." Rays Worte waren von einer Mischung aus Zögern und Reserviertheit geprägt. Ein Jauchzen der Freude unterbrach ihn, als Milo sich plötzlich auf ihn stürzte und ihn umarmte. „Danke!", rief der Junge voller Dankbarkeit aus.

Ray war überwältigt von dieser Geste der Nähe und der Emotionen. Er räusperte sich, um seine Gedanken zu sammeln und fuhr fort: „Aber es gibt Bedingungen." Rays Stimme war nun wieder deutlich ruhiger. Milo löste sich von ihm und sah Ray erwartungsvoll an.

„Erstens, du bist körperlich vielleicht nicht der Stärkste, doch wir werden in einem flotten Tempo weiterwandern. Du musst Schritt halten können", erklärte Ray mit einem gewissen Maß an Strenge in seiner Stimme. Seine Augen verrieten seine Zweifel, ob Milo mit der Anforderung Schritt halten konnte. Milo nickte eifrig, bereit, sich anzupassen und sein Bestes zu geben. Doch Rays Miene verriet weiterhin eine gewisse Skepsis und ein Beharren auf seine Vorbehalte. Es war noch nicht genug, um Rays Misstrauen vollständig zu überwinden.

„Zweitens...", fuhr Ray fort und ein Grinsen erschien auf seinem Gesicht. „Wirst du uns heute Abendessen kochen. Danach..." Ray machte eine Geste zu Caleb, Sola und Yuki. „...werden wir abstimmen, abhängig davon, ob es uns schmeckt. Wenn du nicht kochen kannst, sehe ich keinen Nutzen darin, dich mitzuschleppen."

Milo grinste breit. „Verstanden." Doch Rays Misstrauen war immer noch präsent, während er abwartete, ob Milo seinen Worten auch Taten folgen lassen konnte.

## *Jacob*

Eine weiche Hand strich ihm sanft über den Nacken. Jacob zuckte zusammen und bekam eine Gänsehaut. Er war in den alten Geschichtsbüchern über die Beziehungen und Bündnisse des Königreichs vertieft gewesen. Das glockenklare Kichern, was seiner Reaktion folgte, erkannte er sofort. Flink griff er nach ihrer Hand und zog sie mit einem Ruck um den Stuhl herum auf seinen Schoß.

Kana lachte und legte ihm die Arme um den Hals. Ihre blonden Haare fielen ihr offen und wild über die schlanken Schultern, die nur von dünnen hellblauen Trägern bedeckt waren. Sie strahlte Jacob an Ihre türkisenen Augen spiegelten den Mond, der bereits aufgegangen war und sanft in die Palastbibliothek hereinschien.

“Was schleichst du denn so rum?”, fragte Jacob neckisch.

“Ich bin fast getrampelt, aber du warst einfach viel zu vertiefst in ...” Kana drehte sich auf Jacobs Schoß um und blickte neugierig auf das alte Buch, das aufgeschlagen auf dem dunklen Ebenholztisch lag. “... in Geschichte. Wie langweilig.” Sie zog ihre vollen Lippen zu einem Schmollmund. “Das machst du also, anstatt mit Eric und mir in die Stadt zu gehen.”

Jacob seufzte und fuhr sich durch die Haare. Natürlich wäre er viel lieber mit den beiden in die Stadt gegangen, doch es ging ihm nicht aus dem Kopf, dass das *Shizen* Bistum den Angriff der rot-schwarzen Allianz auf das Königreich zuließ. Die beiden Länder waren schon über Jahrhunderte durch diverse Pakte und Bündnisse verbunden. Außerdem hatten Kenshin und Vincit eine ganz persönliche Bindung. Er suchte verzweifelt nach einem schriftlichen Beweis dafür, dass dieser Verrat nicht rechtens war und ein alter Friedensvertrag explizit eine unterlassene Hilfeleistung als Vertragsbruch erachtete. Bisher ohne Erfolg. Die Könige und Erzbischöfe hatten viel über private, nicht gut dokumentierte Absprachen gehandhabt. Fatal in einer solchen Lage.

Kana drehte sich ihm erneut zu. Sie strich Jacob zärtlich über die Wange und die Stirn, die er in Falten gelegt hatte. “Was besorgt dich so?”

“Nichts.” Jacob schüttelte den Kopf, doch sein Blick war weiterhin starr geradeaus gerichtet. Es schien als würde er die blonde Frau in seinem Schoß gar nicht wahrnehmen.

Nun war es Kana, die seufzte und ein wenig verdrossen aufstand. Jacob reagierte nicht. Geräuschvoll räusperte sie sich und riss ihn so aus der fernen Welt, in die er gewandert gewesen schien. Er sah sie so überrascht an, als hätte er schon wieder vergessen, dass sie eben noch auf seinem Schoß saß.

“Machst du dir etwa Sorgen, wegen deiner Vorsehung? Sprich mit mir Jacob. Ich sehe doch, dass nicht alles in Ordnung ist. Mit mir kannst du sprechen.”

Jacob lächelte sie an. “Ich weiß Kana, danke. Du bist wie eine Schwester für mich und dafür bin ich unglaublich dankbar.”

Sie verdrehte die Augen. “Können wir das ganze Geschwister-Sein nicht mal langsam hinter uns lassen?” Jacob lachte nur.

Kana setze sich wieder – dieses Mal auf den Stuhl neben Jacob. Sie stützte ihren Arm auf, legte ihren Kopf in die Hand und sah den jungen Druiden mit großen Augen an.

Jacob ballte seine Hand zu einer Faust, öffnete sie wieder und wiederholte die Bewegung. Dabei starrte er Gedanken verloren darauf, als würde diese Bewegung Antworten auf seine Fragen bringen.

“Oh man, du machst mich noch ganz kirre. Das wird schon alles", sagte Kana besorgt und versuchte Jacob mit einer Handbewegung zu beruhigen.

“Du weiß nicht, wovon du sprichst“, erwiderte Jacob mit ruhiger, aber entschlossener Stimme. Auf seiner Stirn zeichnete sich eine deutliche Sorgenfalte ab.

“Ach nein? Ich denke, dieser Samael ist wirklich lange dabei seine Streifzüge durchzuführen und was kam bisher bei uns an?” Sie sah ihn herausfordernd an. “Richtig, nichts. Vertrau der Kraft, die uns von oben schützt, Jacob.” Kana griff nach seiner Hand, die sich weiterhin unaufhaltsam öffnete und schloss. Sie war kalt. Ganz anders als ihre warmen, weichen Hände.

“Wir werden den richtigen Weg schon finden", fügte sie hoffnungsvoll hinzu. “Vielleicht hat Eric recht, und ich hätte eurem Vater nicht ...", begann Jacob nachdenklich, bevor er von Kana unterbrochen wurde.

“Shh!" Kana legte einen ihrer langen, schlanken Finger vor seine Lippen, um ihm das Schweigen aufzuerlegen. “Hör mir zu, Jacob", bat sie ihn dringlich. Jacob hielt inne.

“Du hast eine unglaubliche Gabe", fuhr Kana fort und betonte ihre Worte. “Du siehst was sein wird und was sein kann. Niemand von uns kann das. Es war absolut richtig mit Vater darüber zu reden, denn in der Zukunft, die du gesehen hast, überleben wir doch, nicht wahr?”

Jacob nickte.

“Und unsere Heimat bleibt unbeschadet?”

Jacob nickte erneut.

“Na siehst du? Also sollte Vater sich an den Plan halten, der diese Zukunft mit sich bringt. Und wie könnte er das, wenn du nicht mit ihm reden würdest?”

Jacob schwieg, in seinen Augen lag dennoch tiefe Trauer.

“Na siehst du”, sagte Kana mit entschlossener Stimme. “Es ist uns ein Weg bestimmt. Und du wirst uns helfen, ihn zu finden.” Sie lächelte triumphierend. Jacob wusste, dass sie glaubte, fest daran, dass der Himmel ihnen helfen würde, die richtigen Entscheidungen zu treffen. Und zum ersten Mal, beneidete er sie um ihren eisernen Glauben.

“Kana”, Jacob flüsterte heiser. Die blasse Haut, die sich über sein müdes Gesicht spannte, war genauso fahl, wie das Mondlicht, dass die beiden umhüllte. “Diese Zukunft, die ich gesehen habe, die ich gespürt habe, ist kein glückliches Ende. Es ist erst der Anfang.”

# 34. Kapitel

## *Ray*

Milo hielt die kleine Reisegruppe nicht auf. Sie hatten bereits viele Höhenmeter überwunden und nun blickte er voller Begeisterung über den *Shigen*-Pass. Der höchste Punkt war beinahe erreicht und von ihrem neuen Rastplatz aus hatten sie eine atemberaubende Aussicht. Das Meer schimmerte bereits am Horizont und der Hafen, der sie zur Gladiolen Akademie bringen würde, war dort hinten zu sehen.

Während die anderen hauptsächlich darauf bedacht waren, das Gebirge so effizient wie möglich zu durchqueren, konnte Milo sich nicht von der Faszination der Natur lösen. Immer wieder entfernte er sich von der Gruppe, um die Umgebung zu erkunden. Sträucher, Kräuter und Bäume zogen seine Aufmerksamkeit auf sich, und er sammelte emsig die Schätze der Natur ein. Rays misstrauischer Blick auf den wachsenden Rucksack des Jungen blieb nicht unbemerkt, aber Milo konterte mit einem verschmitzten Grinsen. "Du hast dir ein Festmahl gewünscht, da muss ich ausreizen, was das Gebirge zu bieten hat", erklärte er augenzwinkernd.

Als die Gruppe schließlich ihre Zelte aufbaute, forderte Milo Caleb auf, ihn beim Fischfang für die Hauptspeise zu begleiten. Caleb willigte ein, ahnte jedoch nicht, dass Milo genaue Anweisungen geben würde, wie er die Fische im nahegelegenen Bach fangen sollte. Unzählige Fische mussten wieder freigelassen werden, bevor Caleb endlich diejenigen fing, die Milo für das Abendessen verarbeiten wollte. Anfangs nervös, blühte Caleb im Laufe des Tages auf. Das Planen eines wichtigen Abendessens und das Zusammentragen von Ressourcen schien genau in seine Welt zu passen.

Trotz seiner zusätzlichen Rundgänge hielt er Schritt, so wie er es versprochen hatte. Er hatte sogar noch Zeit, hier und da Yuki die wunderschönen Gebirgsblumen zu zeigen und ihr eine besonders schöne, zartblaue Wildrose zu schenken. Yuki kicherte, aber winkte bloß ab, als Ray sie deswegen tadelte. Sie nahm die Avancen des Jungen nicht ernst, meinte sie. Und auch Milo schien es eher als eine Art Spiel zu sehen, denn er war nicht bedrückt oder beschämt, wenn Yuki ihn lachend zurückwies, sondern reagierte mit ironischen, noch übertriebeneren Gesten.

Ray musste sich eingestehen, dass dieser neue Gefährte zu einer entspannteren Atmosphäre beitrug und ihr Alltag sich nun nicht mehr hauptsächlich um Krieg und Zerstörung drehte.

Schließlich saßen die fünf Gefährten gemeinsam um ein knisterndes Feuer und Milo reichte ihnen Schalen, gefüllt mit dampfendem Fisch-Curry. Danach riss er Stücke von einem fladenartigen Brot ab, welches er – sehr zum Erstaunen der anderen – in einem Erdloch gebacken hatte. Er hatte die letzten Stunden damit verbracht, die Erde rings um ihr Lager herum zu begutachten und schließlich an einer Stelle nahe dem Bach geschickt ein Loch gegraben. In dieses Loch hatte er dann Teig gelegt, welchen er anschließend mit der lehmigen Erde wieder zugeschüttet hatte. Danach hatte er um diesen Teig-Lehm Klumpen herum eine Art Graben gebuddelt in welchem er trockene Äste gesammelt und angezündet hatte. Die Hitze, die rings herum um den abgedeckten Teig entstanden war, hatte das Brot schließlich gebacken. Ray und die anderen hatten seine Aktivität mit großen, neugierigen Augen beobachtet und das Geschick des Jungen war beeindruckend gewesen.

Bevor Ray in den saftigen Teig beißen konnte, welchen er tief in seine Curry Schale getunkt hatte, schmatzte Caleb bereits neben ihm und stieß einen anerkennenden Pfiff aus. Yukis Augen wurden ganz feucht, und zwar nicht von dem Rauch des Feuers, sondern vor Freude. „Ich habe lange nicht mehr so etwas leckeres gegessen!"

Gierig biss auch Ray zu. In seinem Mund breitete sich eine wahre Geschmacksexplosion aus. Einerseits erinnerte es ihn an Curry, was er in Städten und Restaurants bekam, andererseits hatte dieses Gericht etwas so fremdartiges und exotisches an sich, dass er es mit nichts vergleichen konnte. Es war scharf und würzig und nur nach zwei Bissen spürte er, wie

Wärme seinen gesamten Körper füllte, doch es war gleichzeitig nicht zu scharf. Er kaute schweigend, während Yuki und Sola Milo bereits mit Komplimenten überschütteten.

„Also so kann ich auch weiterhin Fisch essen.“, sprudelte es aus Sola heraus.

Milo grinste. „Ich bin auch sehr geübt in rein vegetarischen Gerichten. Oder mit rotem Fleisch ... oder ...“

Ray blendete das belanglose Gespräch aus. Er schloss die Augen und genoss das leckere Curry. Es erinnerte ihn dunkel an eine längst vergessene Erinnerung. Was war das bloß? Und welcher Geschmack war es, der ihn so nostalgisch werden ließ?

Caleb stupste Ray mit der Schnauze an. Seine Augen waren glasig und er hatte ein beseeltes Lächeln auf seinem Otter-Gesicht.

„Das ist Yuran-Wurzel. Erinnerst du dich?“

Ray schluckte. Yuran-Wurzel. Diese Pflanze gab es auch im südlichen Wasserstamm. Ein Aberglaube besagte, dass sie Glück und Gesundheit brächte. Außerdem hatte sie eine angenehm süßliche Note, ähnlich wie Zimt, weswegen sie beliebt zur Zubereitung von Nachspeisen war. Angeblich hatte seine Mutter diesen Geschmack geliebt und einen besonders süßen, klebrigen Gries-Pudding damit zubereitet. Er selbst konnte sich daran kaum erinnern. Doch die wenigen Abende, an denen sein Vater Zeit für ihn und Yuki hatte, hatte er ihnen davon erzählt und gesagt, dass ihre Mutter ihn einzig und allein mit diesem Pudding verzaubert hätte. Er hatte glänzende Augen bekommen und sich immer wieder daran versucht mit dem vergilbten Rezept seiner verstorbenen Frau den Pudding für seine Kinder nach zu kochen. Die Ergebnisse waren stets katastrophal, entweder zu süß, zu wässrig oder auf der Feuerstelle verbrannt. Jedoch waren diese Abende dennoch einer der schönsten Erinnerungen aus Rays früher Kindheit. Sie drei hatten so gelacht und es waren so fröhliche Abende. Ray und Yuki hatten jedes Mal die süße Masse trotz der Fauxpas runtergewürgt, sei es nur um zu sehen, wie ihr

Vater sie freudestrahlend anlachte und versprach, den Pudding nächstes Mal besser hinzubekommen. Vater. Er war ein so stolzer, starker und ehrwürdiger Mann gewesen und dennoch so liebevoll und verspielt, wenn er mit seinen kleinen Kindern war.

„Schmeckt es dir nicht?“, fragte Milo zerknirscht, als er Rays schmerzverzerrten Gesichtsausdruck sah. Yuki blickte ihn mitfühlend an. Sie wusste, woran ihn der Geschmack erinnerte, und erklärte den anderen: „Unsere Mutter liebte Yuran-Wurzel. Der Geschmack weckt Erinnerungen.“

Calebs warme Pfote drückte Rays Hand, der versteinert in seinen Schoß schaute. Er wollte nicht aufblicken, wollte nicht in die mitleidenden Gesichter seiner neuen Freunde schauen. Ray atmete tief ein und aus und versuchte die schweren Gedanken abzuschütteln.

Sola räusperte sich und sagte: „Ich denke, Milo, dass du es als Kompliment sehen solltest, dass dein Gericht solche Gefühle auslöst.“

Milo verzog das Gesicht, er fühlte sich eher unwohl als geschmeichelt.

Mit sanfter Stimme fuhr Sola fort: „Ich glaube, wir haben alle schweren Verluste durchmachen müssen. Für mich ...“ Sie räusperte sich erneut und errötete leicht. „... schmeckt dieses Essen nach Heimat. Es schmeckt, wie etwas, dass man in einem richtigen zuhause bekäme – nicht wie unser sonstiger Fraß, der immer nur verdeutlicht hat, dass wir kein zuhause mehr haben und irgendwo im Nirgendwo auf einem Weg sind, dessen Ziel nicht besonders rosig ist.“

Ray blickte nun doch auf und sah Sola an. Sie lächelte ein schwermütiges, aber wunderschönes Lächeln, das sich tief in sein Bewusstsein einbrannte. Sein Herz begann schneller zu schlagen, als er ihre Worte hörte.

„Ich bin vielleicht nicht diejenige mit den besten oder meisten Worten von uns, aber ...“ Sola errötete noch mehr. Sie senkte den Kopf und fuhr an Milo gewandt fort: „... Ich denke mit dir an unserer Seite, können wir uns wieder ein wenig mehr menschlich fühlen. Menschen mit Gefühlen und mit einem Zusammenhalt. Ich habe meine gesamte Familie verloren, doch das …“ Sie zeigte auf das dampfende Curry „… und ihr …“ Trotz ihres gesenkten Kopfs sah Ray, dass kleine Tränen über Solas blasse Wangen liefen. Sein Magen krampfte sich zusammen.

„…das alles gibt mir Hoffnung. Hoffnung, dass wir ein neues zu Hause aufbauen werden. Ihr seid nun meine Familie.“

Ray fühlte eine Welle der Rührung und der Verantwortung über sich kommen. Er spürte, wie sich seine Kehle zuschnürte. „Ach verdammt nochmal“, sagte Yuki, während sie sich mit einer Hand die geröteten Augen rieb. Ihr liefen ebenfalls die Tränen über die Wangen. Sie gab Sola einen kleinen Klaps auf den Oberschenkel. „Was bringst du mich denn jetzt zum Heulen? Ich kenn dich doch gar nicht.“ Sola streckte ihr die Zunge hinaus und die beiden Mädchen begannen gleichzeitig zu lachen und zu weinen, während sie sich in die Arme fielen. Ray biss sich auf die Lippe, um nicht ebenfalls in diese Melodramatik einzustimmen, dabei hielt er die kleine Pfote seines besten Freundes jedoch so fest gedrückt, dass er vermutlich genauso rührselig aussah wie die beiden schluchzenden Mädchen.

Milo sah überrascht von einem zum anderen und kratzte sich am Hinterkopf. Doch in seinen Augen lag ebenfalls eine gewisse Freude und Hoffnung, als er sagte: „Ok notiert: Keine Yuran-Wurzeln mehr, sonst werden wir die traurigste Einheit, die je ein Kriegsfeld betreten hat.“

Yuki stieß ihn nun ebenfalls an und zog ihn ungefragt mit in die Umarmung. „Hey!“ Milo konnte sich nicht wehren und war zwischen zwei lachenden und heulenden Mädchen gefangen. Er sah hilfesuchend zu Ray hinüber.

Nachdem der kitschige Teil des Abends vorüber war, wuschen sie rasch die Schüsseln in dem Bach und bereiteten sich auf die Nacht vor. Ray trat auf Milo zu. „Hey, ich wollte nur sagen“, Ray grinste breit, „du hast den

Test bestanden, Kumpel. Willkommen in unserem Team.“

Milo grinste breit und schlug in die ausgestreckte Hand ein. Yuki, die neben ihnen ihre Schüssel reinigte, fragte: „Und du bist sicher, dass dich nichts in *Sendu* hält?“ Milo lachte mit bitterem Unterton. „Familie, Freunde?“ Er schüttelte das haselnussbraune Haar. „Also nach dem, was ich heute mitbekommen habe, haben wir wohl alle eine Sache gemeinsam; wir sind verdammt einsame Waisen.“ Yuki starrte Milo entsetzt an. Der Mond reflektierte in ihren weit aufgerissenen Augen. Auch Sola, Ray und Caleb hatten inngehalten. „Noch zu früh für Witze?“ Yuki holte aus und gab Milo einen sanften Klaps. „Du bist unmöglich!“ Milo hob entschuldigend die Hände. „Tut mir leid, bitte nicht schlagen, meine Herrscherin und Meisterin.“ Er verbeugte sich ironisch. Yuki verdrehte die Augen. „Wir haben einen verdammten Komiker aufgenommen.“

# 35. Kapitel

## *Nao*

Trotz seiner schweren letzten Wochen war Zeno schnell wieder zu Energie gekommen und hatte seitdem Nao mit Fragen bombardiert. Nachdem er selbst den Todeskuss durchleben musste, wollte er, dass er und Nao etwas unternahmen, um diesen Krieg zu beenden. Denn aufgrund des Krieges wurden Missetaten wie der jener Soldaten in der *Sakura* Region nicht weiterverfolgt. Die Nationen waren militärisch so auf Samael konzentriert, dass die sonstige Kriminalverfolgung darunter litt. Die Völker litten.

Zeno wollte, dass Frieden einkehrte. Da die Jiyū Nomaden sich strikt aus den Konflikten heraushielten und abwarteten, konnten Zeno er sich nicht an sein eigenes Volk um Unterstützung wenden. Erstmal nicht. Die Nomaden waren stets darauf bedacht, ihren eigenen Gewinn zu maximieren und zurzeit war noch nicht gewiss, wie der Krieg ausgehen würde. Keiner wusste genau, was Samael vorhatte. Es kursierten bisher nur Gerüchte. Deswegen hatte Zeno Nao bereits mehrmals bedrängt, dass er sie sein Wissen und seine Gabe nutzen sollte, um Samael zu Fall zu bringen. Doch Nao hatte sich geweigert. Bis jetzt. Nao hatte sich entschieden.

Nachdem Zeno mit in den Krieg gezogen worden war, war es an der Zeit, diese dunklen Stunden zu beenden. Sie wusste, dass es kein normaler Krieg war und dass die Menschen allein Samael nicht bezwingen würden. Auch wenn sie gedacht hatte, dass es ihr egal sei, wenn die Menschheit in die ewige Dunkelheit gerissen wurde, so wusste sie nun, dass es töricht gewesen war. Dieser Krieg betraf sie alle.

Und wenn sie verhindern wollte, dass Zeno in eine unheilvolle Zukunft gerissen wurde, dann musste sie handeln. Zeno lauschte Nao aufmerksam, während sie ihm die Geschichte längst vergangener Tage erzählte. Die Geschichte von der Trennung des Himmels und der Erde. Die Geschichte von Samael und Auriel.

Nao atmete tief durch. „Die Zeit des Erinnerns ist gekommen. Wie du weißt, erschien ein junger Mann – von stürmischem Gemüt und barbarischer Grausamkeit. Einfach so tauchte er auf. Aus dem Nichts und mit einer Brutalität, die seines gleichen suchte. Die Klinge seines Schwertes brachte mit nur mit einem Kratzer den Tod. Er verkündete, er sei Samael selbst – erwacht aus seiner Lethargie und bereit, die irdischen Bewohner zu unterwerfen. Als Engel sei es in seiner Natur über die irdischen Geschöpfe zu herrschen und diese zu führen. Wer ihm gehorsam folgte, würde belohnt werden und mit ihm die neue Weltordnung erleben."

Nao verdrehte die Augen. Eine Geste, die im flackernden Licht der Kerzen gespenstisch und unheilvoll aussah. „Es war der Anfang einer neuen Zeitrechnung." Sie lächelte schief. „Samaels Erscheinen war ein neuer Nullpunkt. Ein Wandel unserer Weltordnung. Eine Zeit nach dem Erwachen.

Denn Samaels Entschlossenheit und die Furcht, die er verbreitete, weckte uns auf. Uns alle. Er und seine Gruppe Anhänger, seine schwarze Armee brachte Dunkelheit mit sich, wie sie nie zuvor gesehen wurde. Das Gleichgewicht zwischen Dunkelheit und Licht geriet seit jeher ins Wanken und dieser Krieg bestimmt nun unseren Alltag – das Gefühl von Angst und Schrecken ist Teil eines jeden von uns geworden. Die Dunkelheit ist seit jeher auf dem Vormarsch."

Ihre Augen flackerten wie wild. Mit einem einzigen langen Atemausstoß blies sie die Kerzen aus, sodass sie von undurchdringlicher Dunkelheit umgeben waren.

„...Das Gleichgewicht zwischen Dunkelheit und Licht geriet ins Wanken. Dieser Krieg bestimmt nun unseren Alltag – das Gefühl von Angst und Schrecken ist Teil eines jeden von uns geworden."

Ihre Augen flackerten wie wild. Dann, mit einem einzigen langen

Atemausstoß, blies Nao die Kerzen aus, sodass sie und Zeno von undurchdringlicher Dunkelheit umgeben waren

„Genau wie jetzt. Wenn einzig und allein die Macht der Dunkelheit erwacht, wird sie unsere Welt irgendwann verschlucken. Es wird all das, was wir kennen, zerstören. Eine Welt, in der es der Dunkelheit gelingt, die Alleinherrschaft zu erreichen, ohne dass der Gegenpol - das Licht - ebenfalls herrscht, ist nichts als das hier." Nao konnte ihre Bewegung selbst nicht sehen, wusste aber, dass die Vibration der Luft Zeno zeigen würde, dass sie so eben eine ausladende Bewegung machte.

„Ich verstehe nicht ganz ...", flüsterte Zeno. „Wenn deine Geschichte wahr ist, dann müsste Samael tausende von Jahren alt sein."

„Oder er ist eine Wiedergeburt. Ich weiß es nicht." Nao seufzte. „Doch ich weiß, dass Samael der personifizierte Tod ist. Auriel hingegen ist das Leben. Da sie Jahrtausende im Einklang auf dieser Welt lebten, gab es einen ausgeglichenen Zyklus zwischen Leben und Tod."

„Das ist es doch, was Samael seinen Anhängern verspricht, den Zyklus zu durchbrechen und ihnen damit das ewige Leben schenken", überlegte Zeno laut. „Oder wäre es eine Art ewiger Tod? Ich bin verwirrt."

„Ewigkeit in jeglicher Form ist nicht erstrebenswert, glaub mir", erwiderte Nao eindringlich. Zeno zögerte kurz und sagte dann, etwas leiser: „Ewiges Leben wäre doch ganz in Ordnung."

Nao schlug mit der Faust auf den Tisch. Aufgrund der Dunkelheit wirkte der harte Schlag lauter und durchdringender. Sie konnte spüren, wie Zeno durch das laute Geräusch zusammenzuckte. Ein sanftes Vibrieren durchzog den Tisch, der zwischen ihnen lag. Die Formwandlerin sagte verbittert: „Glaube mir. Du möchtest nicht ewig leben."

Zeno schwieg. Der Schmerz und die Qual in Naos Stimme schienen ihn zum Schweigen gebracht zu haben. Nao hatte ihm nie ihr wahres Alter genannt. Doch Zeno musste wissen, dass es an eine Ewigkeit grenzte. Er kannte den Schmerz und die Dunkelheit, die sich des Öfteren über Nao legte, wie ein unsichtbarerer Schleier. Undurchdringlich und kalt.

„Was sind also unsere Möglichkeiten, das Ganze aufzuhalten?“ Zeno legte die Stirn in Falten und die roten Strähnen fielen ihn ins Gesicht. Nao schwieg.

Sie trommelte nervös mit seinen Fingerspitzen auf dem Holztisch.

„Was wäre, wenn wir Auriel finden würden und ihn bitten, ebenfalls zur Macht zu greifen, sodass die beiden wieder ebenbürtig sind?“, überlegte der Junge.

„Ich persönlich kann den Gedanken nicht leiden von dem Menschgewordenen Tod und dem Leben beherrscht zu werden. Engel sind furchtbar egoistische Wesen. Sollten diese beiden Wesen über unsere Welt herrschen, so schneide ich mir eigenhändig das Herz aus dem Leib.“ Nur bei dem Gedanken an diese gefiederten Narzissten wurde es Nao übel. Sie hatte nie verstanden, wie Menschen auf die Idee kamen, jene Wesen zu verehren. Der Himmlische Glaube des Lichts, die Religion, die genau das tat, war ihrer Meinung nach der armseligsten Glaubensrichtung der Menschheit. Blindes Vertrauen in Wesen, die sich kein bisschen um die Menschheit scherten.

Nao sprach mit solcher Ernsthaftigkeit, dass Zeno ihren Worten Glauben schenken musste, er erschauderte.

„Was willst du dann?“, fragte er zögerlich.

*Der Junge ist zu gut,* dachte Nao. Sie wusste, dass sie mit ihrem Vorschlag die Naivität und die Reinheit der Seele Zenos belasten würde. Er war nicht wie sie. Zeno glaubte stets an das Gute. Doch hier gab es nichts mehr Gutes. Würden sie gemeinsam diesen Krieg aufhalten wollen, so würden sie nicht zurückschrecken dürfen. Sie musste Zenos Glauben an das Gute zerstören, um ihn letzten Endes zu schützen.

„Sie vernichten.“ Es fiel ihr schwer, diese Worte auszusprechen.

„Wenn keiner mehr das Leben oder den Tod beeinflussen kann, so sollte der natürliche Rhythmus aufrechterhalten werden." Nao sprach so voller Hass und Abneigung, dass sie wusste, dass Zeno sie so nicht kannte. Doch sie konnte es nicht länger unterdrücken. Das war es, was sie fühlte. Hass.

Zeno schluckte und ein Schauer durchlief seinen Körper.

„Wir können doch aber nicht allein ..."

Nao griff nach Zenos Hand. Er zuckte zusammen, als ihre eiskalten Finger sich um seine schlossen.

„Hör mir zu, Zeno. Ich möchte dich nie wieder in Gefahr bringen", sagte Nao bestimmt und erklärte weiter: „Ich wollte ehrlich zu dir sein, deswegen habe ich diese Geschichte mit dir geteilt. Ich möchte, dass du weißt, dass ich für meine Überzeugung kämpfe. Aber ich werde das ohne dich tun. Ich könnte nicht ertragen, wenn dir erneut etwas zustößt." Zeno lachte auf, doch sein Lachen war kalt und unglücklich. „Glaubst du, ich möchte so etwas noch einmal erleben?", fragte er rhetorisch und drückte ihre Hand fester.

„Nein, natürlich nicht", erwiderte sie entschlossen.

„Aber genauso wenig möchte ich, dass andere so etwas erleben müssen. Es soll niemand mehr grundlos sterben. Und das mit der Ewigkeit? Nun ... ich spüre, wie qualvoll ein ewiges Leben wie deines zu sein scheint. Ich habe dich bereits an deinem Tiefpunkt gesehen, Nao", fuhr Zeno fort und nun war es Nao, die bei seinen Worten erschauderte.

„Ich möchte nicht, dass unsere Welt sich ändert und in die ewige Dunkelheit oder das ewige Licht fällt. Das klingt furchtbar. Und deswegen werde ich dir bei deinem Plan helfen", erklärte er entschlossen. „Du kannst Samael nicht allein bezwingen und ich auch nicht. Wir werden zusammenarbeiten müssen, ob es dir gefällt oder nicht."

„Aber ..."

„Kein aber. Außerdem ...", Zeno kicherte leise. „... hast du doch gesagt, dass du nur selten einen so starken Wind-Magier wie mich kennengelernt hast.“

Nao nickte, auch wenn sie wusste, dass Zeno sie nicht sehen konnte. „Einen Element-Magier deines Formates, gibt es nur alle Tausend Jahre.“

„Na dann ist das ja wohl ein ziemlich guter, erster Verbündeter“, sagte Zeno schmunzelnd. Ein Lächeln huschte über Naos Gesicht. Zeno war unglaublich. Er hatte so ein großes Herz. Sie glaubte ihm direkt, dass er aus reiner Liebe für seine Mitmenschen diese Katastrophe verhindern wollte. Nao gestand sich ein, dass ihre Gründe viel egoistischer waren. Sie wollte, dass Zeno ein erfülltes, endliches Leben hatte. Und sie schwor sich, wenn Zeno die Augen zum letzten Mal schloss, sie mit ihm gehen würde. Vielleicht würde die Zerstörung des letzten Engelsbluts auf Erden auch ihre Existenz endlich machen. Das war zumindest ihre egoistische Hoffnung. Sie wünschte sich nichts mehr als die Sterblichkeit eines Menschen.

Zeno löste seine Hand aus Naos. „Das heißt also, wir haben folgende Aufgaben. Erstens ...“

Die Formwandlerin konnte sich bildlich vorstellen, wie der Wind-Magier seinen Zeigefinger erhob.

„... müssen wir Auriel finden. Zweitens; die beiden Engel ... wie hast du es genannt?“

Nao wusste genau, dass Zeno ihn bereits beim ersten Mal verstanden hatte. Doch ihr Freund vermochte es nicht, selbst auszusprechen, was ihr Plan war. Leben auslöschen. Egal mit welchem Zweck, das war etwas, das Zeno zutiefst zuwider sein mochte. Dass er dennoch hier saß und mit Nao einen Plan schmiedete genau dies in die Tat umzusetzen, zeigte, dass er nicht mehr der naive kleine Junge war, der Nao einst gerettet hatte. Er war bereit Opfer zu bringen, um sein Volk und seine Welt zu retten.

„Vernichten“, sagte Nao mit ruhiger Stimme. Ihr machte diese Vorstellung deutlich weniger aus.

„Das ist doch ein Klacks. Sind ja schließlich nur die beiden einzigen Engel auf Erden, die wir da besiegen wollen." Zeno lachte nervös, während Nao sich zurücklehnte und die Augen schloss. Ihr war bewusst, dass dies alles andere als einfach werden würde. Sie hatten keine Ahnung wer oder wo Auriel war. Lebte er überhaupt noch? Falls ja, wieso hatte er seinen Bruder noch nicht aufgehalten? Nach wem oder was mussten sie suchen? Außerdem hatte Zeno recht, wie würden nicht allein gegen die Macht des Himmels kämpfen können. Sie brauchten eine Armee an Verbündeten.

Wieder überlegte Zeno laut: „Wenn wir alte Aufzeichnungen von Familien und Stammbäumen finden, finden wir vielleicht eine Spur von Auriel. Ein Name, ein Geburtsdatum – irgendetwas."

„Das müssten Chroniken sein, die Tausende von Jahren alt sind."

„So etwas gibt es. Ich weiß, dass das frühere Flammen-Kaiserreich[4] auf jeden Fall solche Chroniken geführt hat. In den Tiefen der Bibliothek von *Liones* gibt es Schriften die Jahrtausende alt sind. Mein Vater hatte die Theorie, dass aufgrund des sehr strengen, militärischen Naturells die Flammenstämmigen schon immer besessen davon waren, alles akribisch zu vermerken. Dort werden die schriftlich festgehaltenen Ahnenbäume vermutlich am weitesten zurückgehen. Ich bin nicht sicher, ob die anderen Nationen ähnliches besitzen."

Zustimmend nickte Nao, obwohl er es nicht sehen konnte. „Du hast Recht. Das Bistum hat vor knapp 200 Jahren seine ältesten Schriften aufgrund eines Feuers in der Hauptstadt verloren. Eine Tragödie."

„Wirklich? Davon wusste ich gar nichts. Woher …?"

Die Formwandlerin lachte leise: „Purer Stolz. Die Erzbischöfe sind noch

[4] Das Flammen-Imperium war früher ein Kaiserreich. Ein Militärputsch beendete die aristokratische Staatsform, nur um die ehemalige Kaiserfamilie mit einer nun militärisch geprägten Familie abzulösen. Offiziell wurden die Imperatoren zwar durch ihre militärische Laufbahn ausgewählt und so nicht rein aufgrund ihres Blutes zu Herrschern. Jedoch führte die Tatsache, dass der Imperator die Macht hatte, seinen eigenen Erben im Militär zu befördern dazu, dass erneut eine einzige Familie bereits über ein Jahrhundert herrschte.

immer beschämt, dass sie ihre heiligen Schriften nicht besser beschützt haben. Nie würden sie der Welt offenbaren, was damals geschehen ist. Es war der damalige Erzbischof selbst, der ein rauschendes Fest gab, es artete aus und eines führte zum anderen."

Ein erneutes Kichern entfuhr ihr. Der Rothaarige sprach seine Frage nicht aus. Doch Nao konnte seinen bohrenden Blick spüren. Er fragte sich bestimmt, woher Nao all diese Informationen hatte. Verschmitzt lächelte Nao. Manche Dinge, musste der Junge nicht wissen.

„Eine wirklich peinliche Angelegenheit", schloss Nao ihre Geschichte. Dann fuhr sie fort: „Die Wasserstämmigen neigen nicht zu Aufzeichnungen, aufgrund ihres Glaubens an die Reinkarnation sind sie überzeugt davon, dass die wichtigen Erinnerungen in ihrem spirituellen Wesen erhalten bleiben. Und ihr, raffgierigen Windblütler, habt eure wertvollsten Schriften vermutlich schon vor langer Zeit an das Imperium verkauft."

Sie hörte ein leises Grunzen von der anderen Seite des Tisches. Ein kleines Geräusch der Amüsiertheit. „Ein gutes Geschäft war traurigerweise schon immer die höchste Priorität unseres Händlervolkes."

Zeno schloss Naos Überlegungen ab, indem er mit dem letzten Volk fortfuhr: „Das Königreich des Lichts könnte ebenfalls Informationen für uns haben, ich habe gehört, dass die Bibliothek in Schloss *Sora* von ähnlichen Ausmaßen wie die Staatsbibliothek in *Liones ist*. Jedoch ist sie der Königsfamilie und ihren Gästen vorenthalten ist. Ein veralteter Brauch, wenn du mich fragst. Gegeben, dass das Flammen-Imperium jedoch von Samael und Kasō geführt wird, wäre das Königreich vielleicht dennoch ein besserer Anlaufpunkt."

„Ich denke mit der richtigen Tarnung werden wir schneller und sicherer in *Liones* vorankommen als in Sora", bemerkte Nao mit entschlossener Stimme.

Hörbar überrascht fragte Zeno: „Wieso das?"

Nao zögerte einen Moment, bevor sie antwortete: „Nun ja, König Kenshin ist nicht unbedingt mein bester Freund."

„Wie sollte er dich erkennen? Du bist ein Formwandler", entgegnete Zeno verwirrt. „Druiden erkennen mich in jeder Form, und wie ich gehört habe, hat Kenshin immer einen an seiner Seite", erklärte Nao und spürte erneut Zenos durchdringenden Blick in der Dunkelheit.

„Wie kommt es, dass der König dich so wenig mag, dass er nicht bereit wäre, uns im Kampf gegen Samael zu unterstützen? Er ist der Einzige, der sich öffentlich gegen Samael ausgesprochen hat." Skepsis schwang in seiner Stimme mit. Er hatte recht. König Kenshin publizierte regelmäßige Berichte über den Krieg und rief die Nationen dazu auf, gemeinsam gegen die rot-schwarze Allianz vorzugehen. Jedoch ohne viel Reaktion seitens der Wind-Nomaden und dem *Shizen* Bistum.

„Gleichzeitig hat das Königreich ein großes Militär und ist somit derzeit Samels wichtigster Widersacher. Eigentlich sollte es in seinem Interesse sein, uns zu helfen. Was hast du getan, dass sein persönliches Gefallen an dir dermaßen gering ausfällt?", wollte Zeno nun wissen. Seine Unruhe ließ ihn mit den fingern auf dem Tisch trommeln.

Nao grinste vergnügt, doch sie versuchte sich ihre Freude bei der Erinnerung nicht anhören zu lassen: „Sagen wir so, ich habe mich schon immer sehr gut mit seiner Familie verstanden. Vor allem mit seiner Mutter." Die Sonne musste inzwischen aufgegangen sein, denn ein leichter Lichtschimmer ließ inzwischen Schemen erkennen. So erkannte Nao, wie der Rothaarige die Augen aufriss und ausrief: „Bitte was?"

„Und mit seiner Frau."

„Du machst Witze!", erwiderte er entgeistert.

„Vielleicht auch noch mit seinem ältesten Sohn. Es ist eine wirklich unglaublich attraktive Familie."

Nao beobachtete Zenos Reaktion genau. Der Wind-Magier senkte den

Blick und sie meinte Schamesröte in seinem Gesicht zu sehen.

Dann sagte Zeno zögerlich: „Dann reisen wir wohl zunächst nach *Liones*."

# 36. Kapitel

*Ray*

"Ist das dein Ernst?", fragte Yuki mit ungläubigem Blick, als sie den Jungen mit der Augenklappe ansah. Milo zog einen Schmollmund und bekräftigte: "Ja klar." Yuki verdrehte die Augen und seufzte: "Du bist unmöglich!" Ray, der gerade die Feuerstelle ausgetrampelt hatte, wurde auf das Gespräch aufmerksam und fragte irritiert: "Was ist los?" Er schaute abwechselnd zwischen Yuki und Milo hin und her. Dann bemerkte er das neue, sorgfältig aufgebaute Zelt hinter Milo.

"Ah, perfekt. Jetzt haben wir zwei Zelte. Das ist optimal, jetzt wo der Winter hereinbricht und wir in kühlere Gegenden kommen. Danke, Milo", lobte Ray und klopfte dem deutlichen Kleineren anerkennend auf die Schulter. Tatsächlich spürte Ray die aufkommende Kälte des Gebirges bereits. Sie hatten *Sendu* schon lange hinter sich gelassen und waren nun in den höheren Regionen unterwegs. Die nächsten Tage würden sie wohl schneebedeckte Hänge durchqueren müssen.

Milo streckte seine Arme und gähnte. "Ja, es wird kälter. Und ich bin hundemüde. Ich werde jetzt schlafen gehen."

„Okay“, stimme Ray zu und ergänzte: „Sollen wir in meinem Zelt schlafen und überlassen deines den Mädchen?“

„Nein, ich schlaf mit Yuki in einem Zelt.“ Milo errötete nicht mal sondern sah Ray mit ernster Miene an.

„Bitte was?“, fragte Ray scharf und zog die Luft ein.

Milo erklärte seine Entscheidung mit einer gelassenen Miene, und Ray spürte, wie er sein Kiefer begann zu mahlen. Mit engen Augen starrte er den Jungen an. „Du schnarchst und der Otter riecht nach Tier. Sola wäre bestimmt auch ganz angenehm, aber ich glaube da hättest du etwas dagegen.“ Er zuckte unbeeindruckt mit den Schultern. „Yuki und ich haben im Gefängnis schon in einer Zelle geschlafen, ich mag ihre Gesellschaft und sie riecht nach frischen Rosen.“ Yuki stöhnte laut auf, und Ray starrte den Jungen fassungslos an, empörte Gedanken schwirrten in seinem Kopf umher. Er wusste nicht, was er an seiner Aussage am schlimmsten fand. „Also erstens, ich schnarche nicht. Zweitens Caleb ist sehr sauber und riecht auch nach frischen ... was auch immer und Sola ...“, nun wurde er leicht rot um die Nase. „Sola sollte einfach nicht mit so einem ungehobelten Typen wie dir in einem Zelt schlafen müssen.“

„Ich schlafe draußen.“

Er stockte, als er bemerkte, dass Sola neben ihnen stand, ihr Gesichtsausdruck völlig ausdruckslos. Hatte sie Milos Bemerkung gehört? Ray fühlte sich verunsichert, als er tief Luft holte und entschlossen erklärte: "Und ich werde ganz sicher nicht zulassen, dass du meine kleine Schwester belästigst." Milo zuckte erneut mit den Schultern. "Dann schlafe ich eben allein in meinem Zelt.“ Ray konnte die Frustration kaum zurückhalten und rief aus: "Du spinnst..."

Plötzlich hob Yuki beschwichtigend die Hände und versuchte, die Situation zu entschärfen. "Lass gut sein, Brüderchen", sagte sie sanft und zwinkerte Ray aufmunternd zu. "Es ist schon in Ordnung. Milo hat recht mit dem Schnarchen, und wir haben tatsächlich im Gefängnis lange in einer Zelle gelebt."

Milo grinste selbstgefällig, und Ray seufzte. Er spürte immer noch eine gewisse Empörung, aber er wollte seine Schwester nicht weiter bedrängen. Vielleicht musste er lernen, sich mit der neuen Dynamik in ihrer Reisegruppe abzufinden und seine Gefühle in den Griff zu bekommen. Bevor sie in das ordentliche Zelt krochen, drehte sich Yuki noch einmal um und meinte mit einem selbstbewussten Grinsen: "Außerdem, werde ich mit so einem Rotzbengel allemal fertig." Ray seufzte erneut, aber ein kleines Lächeln huschte über seine Lippen, obwohl er innerlich hin und her gerissen war. Sie würde in der Tat mit jedem von ihnen hier fertig werden, das wusste er.

Caleb kroch bereits in das zweite Zelt, und Sola tastete die Erde mit einer Hand ab, um eine gemütliche, möglichst warme Stelle zu finden. Ray beobachtete sie besorgt. Sie war so stur, und er wusste, dass sie es schwer hatte, ihre Gefühle offen zu zeigen.

„Heute Nacht schlafe ich draußen. Du kannst im Zelt mit Caleb schlafen", erklärte Ray entschieden, während er versuchte, seine Sorge um sie zu verbergen. Sola sah ihn überrascht an, und er konnte sehen, dass sie über seine Worte nachdachte. Er lächelte sanft und fügte hinzu: „Ich will nicht, dass du krank wirst."

Ihre Augen blitzten kurz auf, und dann senkte sie den Blick. Es war schwer für sie, sich Hilfe anzunehmen, das wusste er. Doch er wollte sie beschützen, genau wie sie ihn beschützte.

„Aber ...", begann Sola, doch Ray ließ sie nicht zu Ende sprechen, sondern legte ihr sanft eine Hand auf die Schulter.

„Kein aber", sagte er bestimmt, während er ihre Widerständigkeit spürte.

Sola blieb in ihrer Hocke und überlegte sichtlich angestrengt. Ray setzte sich behutsam neben sie auf die feuchte Erde und streckte seine Beine aus, bereit, ihr Zeit zum Nachdenken zu geben. Er fühlte sich warm ums Herz, wenn er sie so ansah, wie sie versuchte, ihre Gefühle zu sortieren. Der Boden unter ihm war feucht und kalt. Das würde nicht sehr gemütlich werden. „Ray ...", sagte sie zögernd, und er spürte ihre Unsicherheit.

„Schon gut. Ich weiß, dass es dir unangenehm ist, wenn ich ebenfalls im Zelt schlafe", unterbrach er sie liebevoll.

Sie biss sich auf die Lippe und schien innerlich zu kämpfen. Er lächelte schief und spürte, wie sehr sie ihm ans Herz gewachsen war und wie sehr er sie beschützen wollte. Um seinen Worten Nachdruck zu verleihen, streckte er sich auf dem Boden es. *Verdammt,* dachte er. Es war wirklich kalt. Wie kam sie nur auf die Idee hier freiwillig schlafen zu wollen?

Solas Herz pochte so laut, dass sie Angst hatte, er könne es hören. Er lag ausgesteckt vor ihr und grinste sie an, als sei nichts dabei. Wie konnte er nur so selbstlos sein? Und wie konnte sie nur so egoistisch sein und von ihm verlangen, draußen in der Kälte zu schlafen? Wovor hatte sie Angst? Hatte sie wirklich Angst, er könne die Situation ausnutzen? Wie lächerlich sie war. Sie war doch in der Lage sich zu verteidigen, sollte Ray doch zu nahekommen – warum also hatte sie so Herzrasen bei dem Gedanken, neben ihm zu liegen? Hatte sie vielmehr Angst vor sich selbst? Seine Nähe machte sie nervös.

„Na dann gute Nacht." Ray verschränkte die Arme auf der Brust und schloss die Augen. Sola hatte sich immer noch nicht bewegt und starrte ihn wie versteinert an. Das Mondlicht strahlte ihn an. Die eine Seite seines Gesichts war so schön und perfekt wie das Gesicht eines Engels, die andere überzogen mit der langen Narbe. Irgendwie fand Sola nicht, dass diese Narbe ihn entstellte. Im Gegenteil. Es spiegelte wider, dass er vieles durchgemacht hatte und dennoch hatte er so oft ein Lächeln auf den Lippen. Seine langen Wimpern hinterließen noch längere dunkle Schatten auf seinen hohen Wangenknochen. Seine Lippen voll und rosig. Er war wirklich gutaussehend, musste Sola sich eingestehen – war sie deswegen so nervös? Was sie so oberflächlich?

Egal was es war, sie musste es überwinden. Sie konnte ihn nicht hier draußen schlafen lassen. Sie waren ein Team.

Entschlossen griff Sola Rays Hand. Sie war bereits deutlich abgekühlt.

Überrascht von der Berührung öffnete Ray seine Augen. In seiner Iris tanzten hundert Blau-Schattierungen gemeinsam mit den leuchtenden Reflektionen des Mondlichts. Es war ein hypnotisierender Strudel aus Eis und Wasser. Dieses Blau sah im Mondschein so tief aus, dass Sola sich darin verlieren konnte. Sie schluckte. Es fühlte sich an, als würde sie in den tiefsten See der Welt blicken. Dort unten, am Grund dieses Sees waren Geheimnisse, Gedanken, Gefühle, die sie nicht ergründen konnte aber sie dennoch faszinierte. Sie blickte in eine Welt, die so facettenreich und gleichzeitig so einfach war, dass es ihr die Sprache verschlug. Sie konnte nichts sagen, sondern hielt nur Rays intensivem Blick stand. Dann fiel ihr auf, wie merkwürdig es sein musste, dass sie einfach seine Hand genommen hatte und ihn nun anstarrte, ohne ein Wort zu sagen.

„Komm mit", flüsterte sie schließlich.

Hand in Hand krochen sie in das kleine Zelt, in dem Caleb bereits leise vor sich hin schnurrte. Wie ein Kätzchen lag er zusammengerollt in einer Ecke und stieß immer wieder einen sanften Vibrationston aus, sobald er ausatmete. Es war spürbar wärmer in dem Zeltinneren und die Felle boten einen warmen Untergrund. Sola schluckte. Es war wirklich nicht viel Platz.

Ungeschickt legte sie sich in die Ecke und schob die Decke Ray zu, der sich – viel eleganter als sie – bereits neben sie in die Mitte des Zelts gelegt hatte. Er flüsterte leise: „Nimm du sie." Doch sie schüttelte den Kopf und ließ ihn nicht aus den Augen. Er war so nah. Ihr Herz schlug immer noch viel zu laut und sie wusste, dass selbst, wenn sie es versuchen würde, sie nicht einschlafen konnte.

*Ray*

Ray breitete die Decke aus, seine Gedanken immer noch bei Solas hartnäckiger Sturheit. Er wickelte eine Seite um sich und schob die andere Seite über Solas schlanken Körper. Sie zitterte, und obwohl sie es nicht zugeben würde, war ihr kalt. Egal wie stur sie war, er würde sie nicht frieren lassen. Sie hielt inne, als er die Decke nun auch um sie wickelte. So lagen sie nebeneinander, einander zugewandt. Es war nicht einmal eine Hand breit Platz zwischen ihnen, doch die Nähe fühlte sich richtig an. Ray hatte den Eindruck, dass Solas gesamte Präsenz in diesem dunklen Zelt förmlich strahlte. Ihre helle Haut, ihre hellen Haare und diese goldenen Augen – alles schien in der Finsternis zu fluoreszieren. Sie zitterte immer noch, und ihr Blick hielt ihn fest. Es war eine Reaktion, die er selbst nicht vorhergesehen hatte. Doch als er sie so sah, konnte er nicht anders. Seine Arme gehorchten keiner rationalen Logik mehr. Mit einer schnellen Geste hatte er sie im Arm. Er zog sie dicht an sich heran, als wolle er sie vor allem beschützen, was noch kommen mochte. Sie war so leicht, so dünn, so zerbrechlich. Er spürte den Drang, sie zu umsorgen und ihr Halt zu geben. Vorsichtig legte Sola ihren Kopf auf seiner Brust, und er spürte ihre warmen Atemzüge auf seiner Haut. Ein warmer, inzwischen vertrauter Geruch stieg ihm in die Nase, als ihre hellblonden Haare sein Gesicht kitzelten. Sein Herz schlug schnell, und er wusste, dass sie es hören konnte, doch er würde sie nicht loslassen. Er spürte, wie ihre Nähe ihn mit einem Gefühl des Glücks umschloss. Es war seltsam und doch vertraut zugleich, sie so nah bei sich zu haben. Sie gab ihm Hoffnung und Stärke in einer Welt, die oft so dunkel und ungewiss erschien.

Familie, das hatte sie ihn genannt. Und tatsächlich fühlte es sich manchmal so an, als seien sie eine kleine, zusammengewürfelte Familie auf dieser abenteuerlichen Reise. Ray wusste, dass sie ihm wichtig war, mehr als er vielleicht zugab. Sie war nicht nur seine Schwester, sondern auch eine Vertraute, eine Freundin und jemand, der ihm zeigte, dass er nicht alleine war.

Die Dunkelheit des Zeltes umhüllte sie, aber Ray spürte, wie sie sich gegenseitig Trost und Sicherheit gaben. Für einen Moment vergaß er die Gefahren und Unsicherheiten, die vor ihnen lagen, und konzentrierte sich nur auf das warme Gewicht in seinen Armen. Sie war ein kostbares Gut, und er würde sie beschützen, so gut er konnte. In dieser Umarmung fand Ray Frieden und Ruhe, und er wusste, dass er Sola nicht nur vor der Kälte, sondern auch vor allem, was noch kommen mochte, beschützen würde. Gemeinsam würden sie diese Herausforderungen meistern, als Familie, die füreinander da war.

# 37. Kapitel

## *Nao*

Nao hatte sich in einen durchschnittlichen Mann des Flammenimperiums verwandelt. Sie hatte nun dunkle Haut und glatte schwarze Haare. Selbst ihre geliebten, violetten Augen hatte sie dieses Mal dunkel gefärbt, sodass sie nicht auffiel. Für Zeno war es deutlich schwieriger, sich unter das Volk zu mischen. Nao hatte ihm geholfen, typische Flammen-Imperiums Kleidung zu finden, die Zeno passte. Dazu hatte sie ihm eine weite Kutte gegeben unter welcher Zeno sein rostfarbenes Haar verbergen konnte.

So schlichen die beiden Freunde nun durch die Straßen der imperialen Hauptstadt *Liones*. Die systematisch an die natürlichen Gegebenheiten angepasst worden war. In der Mitte der Stadt, auf einer Anhöhe, thronte die Festung *Reshira*, umgeben von einem Ring niedriger Bauten inmitten der staubigen Steppe. Die Anhöhe der Festung wurde ehrfürchtig gemieden und ihr Umriss legte sich unheilvoll auf den Rest der Stadt. Nördlich der Festung, innerhalb des unbebauten Ringes ragte der Vulkan *Kazaka* hinter *Reshira* auf. Die Seite der Stadt, die südlich der Festung lag, war in saubere Quadrate eingeteilt und das höhere und mittlere Bürgertum lebte hier. Florierende Märkte und Kulturanlagen waren schon in der frühen Imperial Zeit auf dieser Seite des Vulkans errichtet worden. Dies war die „Sonnenseite". Die Schattenseite, die nicht nur aufgrund des sozialen Unterschieds, sondern auch wegen der geographisch unpraktischen Lage so genannt wurde, lag hinter *Kazaka* und beherbergte die einfachen Bauern und Gerber. Nao hatte das Elend dort, im Schatten des erloschenen Vulkans, bereits mit eigenen Augen gesehen und verachtete jeden einzelnen Imperator dafür, dass sie diese Ungleichheit nicht bekämpften. Nao würde Zeno diesen Teil der Stadt nicht zeigen. Die Bibliothek war ohnehin ein architektonisches Prachtstück und gehörte somit zur Sonnenseite *Liones*.

Zeno hatte die Kapuze tief ins Gesicht gezogen, dennoch wusste Nao, dass er sich unwohl fühlte. Immer wieder sah er sich ängstlich um. Sie verstand ihn, denn das letzte Mal, dass ihr Freund hinter den Grenzen des Flammen-Imperiums gewesen war, war einer der schlimmsten Tage seines Lebens gewesen. Konzentriert blickte Nao ihren Freund an. War es ein Fehler gewesen ihn mitzunehmen? Machte ihm diese Konfrontation zu sehr zu schaffen? Zenos Worte von letzter Nacht hallten in ihren Gedanken nach.

„Ich kann mich nicht ein Leben lang hinter dir verstecken. Wenn wir diese Welt, retten wollen, dann muss auch ich meinen Beitrag leisten. "

Als sie um die Ecke bogen, prallte Zeno plötzlich von etwas zurück. Nao, die direkt hinter ihm gelaufen war, stieß mit ihm zusammen. Ein kurzer Moment der Überraschung durchzuckte sie beide, während sich ihre Körper leicht gegeneinanderdrückten. Durch den Zusammenprall rutschte Zenos Kapuze von seinem Kopf und fiel herunter. Seine rostfarbenen Haare leuchteten wie Flammen in der Sonne, als würden sie seine innere Unruhe und Verletzlichkeit nach außen kehren. Nao spürte den Impuls, ihm zu helfen, aber ihre Hände zitterten plötzlich ungeschickt. Sie versuchte hilflos, die Kapuze wieder hochzuziehen, aber der dunkle Umhang glitt ihr immer wieder aus den Fingern.

„Verdammt", fluchte Nao frustriert. Die Person, gegen die Zeno versehentlich gelaufen war, fluchte ebenfalls leise, was ihre Unzufriedenheit ausdrückte. Zenos Blick war gesenkt, und Nao wusste, dass er keine zusätzliche Aufmerksamkeit erregen wollte. Schnell schritt sie an ihm vorbei, und wollte ihn hinter sich herziehen, um aus dieser unangenehmen Situation zu entkommen. Doch bevor sie nach Zenos Ärmel greifen konnte, stellte sich ihnen eine unbekannte Person provokant in den Weg.

Ein intensiver Blickaustausch zwischen Nao und der Fremden folgte, und für einen Augenblick schien die Zeit stillzustehen. Nao konnte nicht anders, als sich von der unerklärlichen Faszination der Frau gefangen nehmen zu lassen, während sie gleichzeitig eine undefinierbare Gefahr spürte, die von ihr ausging. *Sie ist gefährlich*, schoss ihr durch den Kopf. *Wir sollten verschwinden.*

In diesem Augenblick entschied Nao instinktiv, ihrer Intuition zu vertrauen. Doch bevor sie auch nur ein Wort sagen konnte oder sich an der Frau vorbeidrängen könnte, durchbrach die Fremde die Stille mit einer Stimme in der gleichzeitig freudigen Überraschung und ein Hauch ängstlicher Schock mitschwang. „Was …? Das kann nicht sein. Ich kenne dich doch.“ Sie zeigte mit einem Finger auf Zeno, ihre Augen weit aufgerissen.

Der Rothaarige zog scharf die Luft ein, während Nao die Frau nun intensiver musterte. Sie war zweifellos jung und hübsch, aber etwas an ihrem Auftreten und ihrer Ausstrahlung wirkte eigenartig. Nao spürte eine Mischung aus Neugier und Misstrauen, als sie die Unbekannte genauer in Augenschein nahm.

Hinter der Frau murmelte Zeno endlich: „Das muss ein Missverständnis sein.“ Er schaffte es nun selbst, sich die Kapuze wieder über den Kopf zu ziehen, wohl in der Hoffnung, sich zu verstecken oder zumindest etwas unerkannter zu sein. Doch die Fremde ließ ihn nicht einfach gehen und packte ihn unsanft, um ihn zu sich herumzuwirbeln. Ehe Nao begriff, was geschah, hatte die Frau sich zwischen die beiden Freunde gedrängt und zwang Zeno, sie anzusehen.

Nao beobachtete die Szene und erkannte zu ihrer eigenen Verwunderung den Gesichtsausdruck Zenos. Er schien die Frau zu kennen, und sein Gesicht zeigte eine Mischung aus Freude, Ungläubigkeit und gleichzeitig Vorsicht. Seine Augen funkelten, als ob er in einem Strudel von Erinnerungen gefangen war.

Die Unbekannte lächelte plötzlich warmherzig, und ihre Augen strahlten vor Wiedersehensfreude. „Das kann doch nicht sein! Zeno! Oh man, du hast dich ja kein bisschen verändert.“ Ihre Stimme war lebhaft und mitreißend, und es schien, als wäre sie von Zenos Anwesenheit regelrecht elektrisiert.

Die Stimme der Frau war unglaublich laut, und Nao spürte, wie ihre Nervosität wuchs. Sie konnten sich keine auffälligen Szenen leisten, vor allem nicht hier in den belebten Straßen von *Liones*. Vorsichtig trat Nao einen Schritt näher und zischte leise: „Was soll das hier? Wir müssen weiter." Sie versuchte, Zenos Arm zu packen, um ihn wegzuziehen, aber die Frau ließ ihn nicht los. Zeno war sichtlich überfordert und stammelte nur: „Ich äh, hi. Ja, stimmt, ich sehe wirklich noch sehr jung aus." Nao konnte ihre Augenbraue spüren, die sich vor Verärgerung zusammenzog. "Zeno, wer ist das?", flüsterte sie mit leicht genervtem Unterton, während ihr Herz schneller schlug, weil sie instinktiv spürte, dass diese Begegnung weit mehr zu bedeuten hatte, als es den Anschein hatte.

Zeno wirkte etwas unbeholfen, als er sich aus der Umarmung der jungen Frau löste. Sein Herz schien wild zu klopfen, und er strich nervös durch sein rotes Haar. „Können wir vielleicht ..." Er suchte nach Worten, schien aber gleichzeitig verlegen und freudig überrascht zu sein.

Die Unbekannte schien seine Gefühle zu spüren und verstand sofort. Sie ließ Zeno los und griff nun auch nach Naos Hand, die so verwundert war, dass sie sich nicht wehrte. Die Fremde zog die beiden Freunde in eine enge Gasse und führte sie um zwei weitere Ecken. Bald waren sie außer Sichtweite für die Passanten der Stadt. In dem kleinen, unauffälligen Hinterhof, in den sie die beiden zielstrebig führte, herrschte eine unheimliche Stille. Die engen, mit Kopfstein gepflasterten Gassen umgaben den kleinen Platz wie stille Zeugen vergangener Tage. An den Wänden hingen vereinzelte Laternen, deren flackerndes Licht spärliche Schatten warf und die Szene in ein geheimnisvolles Dämmerlicht tauchte.

Kaum waren sie außer Hörweite der Menschenmengen, lachte die Frau herzlich und fiel Zeno erneut um den Hals. „Ich kann es nicht glauben, wow." Ihre Begeisterung war förmlich greifbar, und Nao spürte eine Mischung aus Eifersucht und Misstrauen in sich aufsteigen.

Nao räusperte sich und stampfte leicht mit dem Fuß auf, um ihre Anwesenheit kundzutun. Die junge Frau ließ Zeno wieder los, dessen Wangen nun dieselbe Farbe wie seine Augen hatten; eine Mischung aus orange und violett – wie die aufgehende Sonne. Die Fremde streichelte ihm vertraut über die Wange, und Nao beobachtete diese Geste mit einer unbestimmten Eifersucht. „Dich würde ich überall wiedererkennen. Solche Haare und solche Augen gibt es nicht zweimal.“ Ihre Worte klangen vertraulich, fast schon zu intim.Nao spürte, wie sich ihr Magen verkrampfte. Sie wusste nicht, wer dieses Mädchen war und es gefiel ihr nicht, wie vertraut sie mit Zeno umging. Ein unangenehmes Gefühl der Unsicherheit durchzog sie, und sie fragte sich, welche Geschichte zwischen den beiden steckte. Beschlossen, ihre Gefühle in den Griff zu bekommen, blieb sie wachsam und versuchte zu ergründen, was als nächstes passieren würde.

Die Umgebung schien sich an die Szene anzupassen, als wäre sie Teil des Geheimnisses, das zwischen den dreien schwebte. Die alten Gemäuer der umliegenden Häuser zeugten von vergangener Pracht und Geschichte, während rankenartige Pflanzen über verwitterte Mauern kletterten und dem Ort einen Hauch von Wildheit verliehen. Einige Fenster waren mit Vorhängen verhangen, andere zeigten abgedunkelte Silhouetten, die neugierig aus dem Verborgenen beobachteten. Die Umgebung atmete den Charme vergangener Tage, doch hinter der idyllischen Fassade verbarg sich etwas Geheimnisvolles, das Nao ein mulmiges Gefühl verlieh.

Die junge Frau schien sich in dieser Umgebung wohlzufühlen, als wäre sie hier zuhause. Ihre Augen steiften die Gemäuer wie die Silhouetten alter Freunde, und ihre Gesichtszüge strahlten eine tiefe Verbundenheit aus. Nao konnte nicht anders, als von einer unbestimmten Eifersucht erfasst zu werden. Sie fühlte sich wie ein Eindringling in dieser vertrauten Kulisse. Und auch in diesem Dreiergespann.

Zeno hatte endlich seine Sprache wieder gefunden. „Nao, das ist eine alte Freundin von mir. Beziehungsweise, naja, ich habe auf sie einige Male aufgepasst, als sie klein war.“ Er lachte kurz auf. „Sie ist inzwischen ein wenig gewachsen.“

„Auf mich aufgepasst? Das war’s? Ich dachte wir seien Freunde gewesen!“ Die junge Frau stemmte die Hände die Hüfte, um ihre gespielte Empörung zu unterstreichen. Zeno grinste schief. „Naja, du warst ein nerviges kleines Kind, was mich nicht in Ruhe gelassen hat. Während ich gerade dabei war, ein großer starker junger Mann zu werden.“

Das Mädchen zog einen Schmollmund und Zeno lachte. Sie hatte schöne, volle Lippen. Nao musste den Drang unterdrücken, sich in ein noch schöneres Mädchen zu verwandeln. Nun stand sie hier, als ein absolut durchschnittlich aussehender Mann und Zeno wurde von einer durchaus überdurchschnittlichen Frau angemacht. Das gefiel ihr ganz und gar nicht. Zeno schien zu spüren, dass Nao sich unwohl fühlte, und legte ihr beruhigend eine Hand auf die Schulter, bevor er fortfuhr: „Naja, auf jeden Fall Nao, das ist Kayla, die einzige Amazone, die ich je kennenlernen durfte, und temperamentvoller als die meisten Frauen, die ich sonst kenne.“ In einem Flüsterton fügte er an Nao gewandt hinzu: „Die ein oder andere Formwandlerin zählt vielleicht nicht.“

Diese Worte beruhigten Naos Gefühlschaos ein wenig und sie straffte die Schultern. Wäre doch gelacht, wenn so eine daher gelaufene ihr die Show stehlen würde. Kayla lächelte Nao an und streckte ihr ihre Hand entgegen. Erst jetzt bemerkte Nao die pelzigen Ohren, die zwischen ihren dunklen, dichten Locken hervorlugten. Tiger-Ohren. Das war interessant, sie hatte schon mehrere Jahrzehnte keine Tiger Amazone mehr kennengelernt. Sie schlug ein und erwiderte ihr Lächeln. „Und jetzt erzähl Zeno! Ich habe dich ein halbes Leben nicht mehr gesehen. Wie kann das sein? Ich bin ja so froh. Das heißt ihr wart damals nicht in *Ceceres*?“ Zenos Lächeln erstarb und seine Gesichtszüge gefroren. Kayla verstummte abrupt. „Doch, Kayla. Wir waren da.“

Nao biss sich auf die Lippen. In Gedanken verfluchte sie diese Begegnung bereits. Nun war genau das geschehen, was sie vermeiden wollte; Zeno wurde noch mehr an jenen Schicksalstag erinnert als ohnehin schon.

Zenos Eltern hatten zu den Jiyū Nomaden gehört. Sie hatten vom Handel gelebt und zu den weitverbreiteten reisenden Händlern des Wind-Volkes gehört. ihre Handelsroute hatte sie regelmäßig nach *Ceceres* geführt. Er hatte Nao einmal erzählt, dass der kleine Wüstenort einer seiner liebsten Aufenthaltsorte, während der langen Reisen war. Er hätte dort einen Freund gefunden. Dieser Freund musste wohl Kayla sein, dachte Nao nun.

Nao wusste, dass das Leben als Sohn einer Nomaden-Händler Familie nicht immer leicht war, denn man blieb nie lange an einem Ort. So hatte Zeno nur wenig Freunde gehabt. Deswegen hatte es Nao damals gefreut zu hören, dass Zeno auch andere Freunde hatte. Sie hatte Zeno ab und zu als Vogel auf die Reisen seiner Eltern begleitet, um mit ihm zu spielen. Dennoch hatte Zeno ihr immer öfter von diesem Freund in *Ceceres* erzählt und sie immer seltener dorthin mitgenommen.

Auch an jenem Tag vor zehn Jahren. Nao erinnerte sich an das Glänzen in Zenos Augen, als er ihr erklärte, er hätte ein besonderes Buch ausgesucht, dass er seinem Freund zur Einschulung schenken wollte. Ein Märchenbuch zum Lesen lernen. Es hatte viele Bilder und er freute sich schon darauf das Jauchzen und Lachen zu hören. Nao erinnerte sich so genau daran, denn es war das erste Mal, dass sie so etwas wie Eifersucht verspürte. Ja, sie hatte Jahrhunderte gelebt ohne sich um die Gunst eines anderen zu scheren. Doch als sie plötzlich merkte, dass sie sich Zenos Zuneigung teilen musste, hatte sie ein seltsames Stechen verspürt.

Doch Zeno hatte das Buch nie überreichen können.

Die schwarze Armee hatte *Ceceres* angegriffen und die meisten Bewohner abgeschlachtet. Vor Zenos Augen wurden Menschen geköpft, erschlagen oder am lebendigen Leib verbrannt. Die Krieger des Todesengels hatten kein Erbarmen gezeigt. Auch nicht, als sie seine Eltern, die verzweifelt versuchten, ihren Sohn zu schützen, von ihm losrissen und vor seinen Augen ermordeten. Zeno hörte, wie sein Vater ihm zuschrie, er solle wegrennen und seine Mutter, die vor Qual nur noch röchelte. Zeno hatte seitdem Naos Seite nur selten verlassen.

Kayla sah Zeno mit traurigem Blick an. Ihre Worte rissen Nao aus ihren Gedanken und trieben sie zurück zur Gegenwart. An Zeno gewandt fragte sie: „Deine Eltern?" Ihre Stimme war rau. Kayla schien jenen Tag ebenfalls vor Augen zu haben.

„Sie sind gestorben." Zeno räusperte sich, um seine trockene Kehle zu befeuchten. „Oder besser gesagt: wurden abgeschlachtet."

Kayla schluckte. Sie sagte leise: „Aber du lebst. Du wurdest verschont."

Nun lachte Zeno heiser auf. „Verschont? Soll das ein Witz sein? Meinst du wirklich, die, die *Ceceres* damals überfallen haben, hätten auch nur eine Menschenseele verschont?"

Kayla schwieg, ihre Augen hatten sich geweitet. Zeno fuhr unbeirrt fort: „Nein, ganz sicher nicht. Das waren Monster. Ich hatte Glück, so wie du vermutlich auch." Er ballte die linke Hand zur Faust und zog mit der rechten Hand an Naos Ärmel, um sie näher zu sich heranzuziehen. „Beziehungsweise mein Glück war ein Freund, der stärker war als die Gewalt, die mich verschlingen wollte."

Nao spürte, wie sie leicht errötete. Sie war damals Zenos Familie nach *Ceceres* gefolgt, ohne ihm davon zu erzählen. Als kleine Fliege war sie zwischen den Obstkörben mitgekommen. Wenn Zeno wüsste, wie oft sie ihm so unauffällig gefolgt war, würde sie vermutlich in seiner Achtung sinken. An diesem Tag wollte sie außerdem jenen Freund sehen. Kayla. Jetzt wusste sie, wer dahinterstand.

Damals war es Schicksal, dass Nao ihrem Freund gefolgt war.

Sie war es gewesen, die Zeno verteidigt hatte, die sogar einen Arm im Kampf für ihn verloren hatte und ihn anschließend sicher zurück nach Ukiyo[5] zurückgebracht hatte. Einen plötzlich sehr einsamen, gebrochenen Jungen, der so bitterlich weinte, dass Nao beinahe selbst

---

[5] *Ukiyo* ist die Hauptstadt der Jiyū Nomaden, welche hoch oben im Akashi Gebirge lokalisiert ist. Der Name *Ukiyo* ist ebenso bedeutsam für die Nomaden, wie es *Wa* für die Wasserstämmigen ist. Es spiegelt ihre Lebensweise wider und bedeutet so viel wie die schwebende Welt, losgelöst von den Mühen des Lebens. So wie auch die Nomaden gelöst von der Ordnung der restlichen Welt leben und Ihr Element die Luft sie zum Schweben bringt.

Tränen vergossen hätte. Ein Gefühl, dass sie bis dahin nicht kannte.

## *Kayla*

Plötzlich nahm Kayla eine Veränderung in Zenos Haltung wahr. Er spannte sich an und sah sie nun skeptisch an. Die anfängliche Freude war aus seinem Gesicht gewichen. Sein Blick war scharf und Kayla spürte, dass er nicht mehr der naive, nette Junge von früher war. Sie wurde nervös.

„Wie kommst du da drauf, dass sie mich verschont hätten?", fragte Zeno mit plötzlicher Wachsamkeit in der Stimme.

Kayla stieg Hitze ins Gesicht. „Äh ... ja also, weil ... ja, weil du nun mal lebst."

Zeno hob eine Augenbraue. „Du doch auch."

Sie lachte nervös auf – hoch und schrill – und winkte ab. Eine Geste, die viel zu schnell und heftig war, als dass es natürlich gewirkt hätte. Sie kam sich seltsam ertappt vor und schämte sich auf einmal für ihre letzten Jahre. Jahre, die sie Seite an Seite mit jenen geschlafen hatte, die *Ceceres* zerstört und Zenos Eltern getötet hatten. „Nun ja weißt du, das war auch einfach pures Glück."

Ganz leise, aber sehr bestimmt sagte Zeno: „Wenn du dich auf ihre Seite gestellt hast, dann werde ich dir das niemals verzeihen, Kayla."

Er klang so ernst und eiskalt, dass es sich wie ein Stich mit einem Eiszapfen direkt ins Herz anfühlte. Seine Augen strahlten Argwohn aus.

Kayla lachte erneut nervös – noch schriller.

Zeno ignorierte es und fuhr mit ernster Stimme fort: „Diese Allianz ist eine Macht, die unsere Welt zerstören. Sie werden unsere Welt in ihrer Unreinheit und mit unseren Fehlern nie akzeptieren. Sie werden morden, bis jeder, der ihnen missfällt gefallen ist. Sie ..." Er sagte es so, als sei es eine unausweichliche Tatsache. Sein Gesicht war blass geworden und

Kayla spürte, dass Zeno ihr misstraute.

Kayla wich einen Schritt zurück. Bevor Zeno weitersprechen konnte, zog der andere Mann Zeno zur Seite und sagte mit ruhiger Stimme. „Es reicht, Zeno."

Kayla wollte ihn dankbar anlächeln, doch der Fremde würdigte sie keines Blickes. Stattdessen strich er Zeno übers Haar. Danach erst nickte er Kayla zu: „Es hat uns gefreut dich wiederzusehen Kayla, aber wir müssen jetzt weiter."

Ohne ein weiteres Wort zog er Zeno mit sich fort. Bevor sie hinter der nächsten Ecke verschwunden waren, drehte sich Zeno noch einmal zu Kayla um. Sie sah, wie ihm die Tränen über die Wangen liefen.

# 38. Kapitel

## *Ray*

Seit jener Nacht schliefen Sola und Ray gemeinsam im Zelt. Sie schöpften Kraft und Energie voneinander. Caleb war die veränderte Stimmung sofort aufgefallen, doch er sagte nichts, sondern lächelte seine beiden Freunde morgens nur wissend an, wenn sie nach ihm aus dem Zelt kamen.

Am Anfang war Sola deshalb errötet, doch inzwischen ignorierte sie es. Zu sehr genoss sie die nächtliche Nähe, um aus Scham davon abzulassen.

Diese zusätzliche, pulsierende Energie schien die Gruppe zu beschleunigen und sie hatten in nur wenigen Tagen nun fast die Spitze des *Shigen Passes* erreicht. Es waren anstrengende Tage und jeder Einzelne von ihnen wusste zu schätzen, dass Milos Ankunft ihnen besseres Essen bescherte.

Als die Gruppe schließlich den Gipfel erreichte, offenbarte sich ihnen eine völlig andere Welt. Hier oben waren keine Bäume mehr, nur eine kahle, eisige Ebene, die sich bis zum Horizont erstreckte. Ein kalter Wind fegte über die Gipfelkuppe und schnitt durch die Kleidung, als wäre er ein eisiges Messer. Ray zog seine Kapuze fester über den Kopf und fröstelte.

Die Sicht war klar und weitreichend. Am Horizont glitzerte das Wasser in der Ferne und schuf ein wunderschönes Panorama. Die Sonne spiegelte sich auf der Oberfläche des Meeres wider und erzeugte ein funkelndes Schimmern, das die Augen blendete.

„Wie schön", hauchte Sola, während sich über ihre Arme eine Gänsehaut zog. Ray nickte, doch trotz der beeindruckenden Aussicht spürte Ray eine seltsame Unruhe in der Luft. Die Stille war unheimlich und beinahe bedrohlich. Kein Vogel zwitscherte, kein Blatt raschelte im Wind. Es war, als wäre die Welt hier oben erstarrt.

Yuki zog ihre Schultern hoch und rieb sich die Arme, um sich vor der eisigen Kälte zu schützen. "Was für ein ungemütlicher Ort", sagte sie und zog ihren Umhang enger um sich. Milo nickte zustimmend. "Ja, hier oben sind die Bedingungen sehr rau und lebensfeindlich. Wir sollten uns beeilen und den Gipfelkammweg möglichst schnell überschreiten."

Sie machten sich auf den Weg, den schmalen Pfad entlang, der über die karge Ebene führte. Der eisige Wind peitschte um sie herum und brachte ihre Wangen zum Glühen. Ray spürte die Kälte bis in die Knochen, aber er war froh, dass sie in Bewegung waren und sich wärmten.

Plötzlich jedoch unterbrach Yuki ihren Schritt und starrte auf den Boden. "Was ist das?", fragte sie und beugte sich hinunter.

Ray folgte ihrem Blick und entdeckte ein seltsames, buntes Ei, das halb im Schnee vergraben war. Es leuchtete in verschiedenen Farben und wirkte wie ein lebendiges Kunstwerk. "Das ist aber merkwürdig", murmelte er und trat näher heran. Es war so unerwartet und schön in dieser kargen, eisigen Umgebung.

Milo, der neben ihm stand, runzelte ebenfalls die Stirn und betrachtete das Ei besorgt. Im Gegensatz zu Ray schien er es jedoch zu erkennen. Eine tiefe Sorgenfalte machte sich auf seinem Gesicht breit. „Was ist los?“, fragte Ray.

"Das ist ein Unkōdrachen-Ei", sagte der Jüngere schließlich zögerlich. Fragend schaute Yuki zu ihm auf. Mit ernster Miene fuhr er fort: "Wir sollten uns beeilen und den Gipfelkammweg möglichst schnell überschreiten. Unkōdrachen sind äußerst gefährlich und territorial."

Die Warnung ließ die Gruppe aufhorchen, und die anfängliche Faszination für das Ei wich einer angespannten Stimmung. Yuki hielt das Ei immer noch in ihren Händen, aber ihre Miene war ernst geworden.

"Sollen wir es nicht lieber hierlassen?", fragte Sola mit besorgtem Blick. "Wir wollen keine Schwierigkeiten mit den Unkōdrachen bekommen."

Doch Yuki zögerte und blickte unsicher von einem zum anderen. "Aber es ist so schön", sagte sie leise. "Ich habe noch nie ein so buntes Ei gesehen."

Ray spürte, wie sich seine Kehle trocken anfühlte. "Vielleicht sollten wir Milo vertrauen. Yuki lass das Ding los. Es könnte zu gefährlich sein, es mitzunehmen", sagte er bestimmt. Manchmal war seine kleine Schwester wirklich anstrengend. Er kannte diese Wesen nicht, doch ungern würde er ihre Mission aufgrund von einem schönen Mitbringsel in Gefahr bringen.

Milo nickte zustimmend. "Ja, es wäre besser, wenn wir uns beeilen und den Gipfelkamm möglichst schnell überschreiten. Unködrachen sind unberechenbar, und wenn sie ihr Ei in Gefahr sehen, werden sie uns angreifen."

Widerwillig stimmte nun auch Yuki zu und die Gruppe machte sich hastig auf den Weg den Gipfelkamm zu überqueren und zurück zum dichteren Wald zu gelangen. Schweigend. Milos Worte hatte ein mulmiges Gefühl ausgelöst.

Plötzlich hörten sie ein seltsames Geräusch, das immer lauter wurde, bis sie schließlich zu einem ohrenbetäubenden Kreischen anschwoll, das durch Mark und Bein drang. So etwas hatte Ray noch nie gehört. Während er sich die Hände auf die Ohren presste, dreht er sich suchend um. Am Horizont erkannte er eine Wolke winziger Wesen, die in enormer Geschwindigkeit näher zu kommen schienen. Neben ihm japste Milo entsetzt auf. Das mussten also Unködrachen sein. Die Erde bebte unter ihren Füßen, und Rays spürte, wie die Aufregung durch seinen Körper kroch. Sein Herz beschleunigte und seine Muskeln spannten sich erwartungsvoll an.

„Nicht umdrehen! Rennt!“, schrie Milo und trieb die Gruppe an. In seiner Stimme klang so eine entsetzte Panik mit, dass Rays Füße sich automatisch wieder in Bewegung setzten und beschleunigten. Doch das Chaos brach bereits über sie herein.

Das stetig lauter werdende, unheilvolle Kreischen wurde begleitet von einem so kräftigen Flügelschlagen, dass ein gewaltiger Wind aufkam. Rays Haare wirbelten wild um sein Gesicht, und er kämpfte darum, nicht von den kräftigen Schlägen der Drachen weggepustet zu werden. Der Wind wurde zu einem ohrenbetäubenden Heulen, das sich zu dem Kreischen mischte und jegliche Sinne benebelte. Rays Gleichgewicht schien durch diese gewaltige Geräusch- und Windkulisse aus den Fugen gehoben zu sein und er strauchelte, während er versuchte sich weiter vorzukämpfen.

Plötzlich hörte er einen lauten Schrei hinter sich. Yuki hatte ihre Hände erhoben, und eine eisige Barriere entstand zwischen ihnen und den angreifenden Drachen. Das Eis hielt den Wind etwas in Schach und schützte sie vor den schlimmsten Auswirkungen der Flügelschläge.

"Lauft schneller!" rief seine Schwester und konzentrierte sich weiter auf die Eismagie, um die Barriere aufrechtzuerhalten.

Milo und Sola nutzten die Gelegenheit und sprinteten über den Gebirgskamm, den Blick auf den Wald gerichtet, der nur ein Stück weiter wieder begann. Rays Herzschlag beschleunigte sich, als er sah, dass drei kleinere Drachen vor dem dichten Gestrüpp innezuhalten schienen und abdrehten. Doch er selbst konnte nicht weglaufen. Er musste Yuki unterstützen und sie zu beschützen. Caleb schien dasselbe zu denken, denn der Otter stand dicht neben ihm, den Dolch gezückt.

Aus dem Nichts tauchten weitere Unkōdrachen auf und stürzten sich auf die beiden. Diese Wesen waren kaum größer als der Ottertiergeist, aber unglaublich aggressiv und ihre Krallen blitze gefährlich spitz in der Sonne auf.

Ray zückte seine Klingeln und wirbelte herum, um eines der Tiere mit einem geschickten Angriff abzuwehren. Doch ihre schuppige Haut war so fest, dass die Langschwerter nur mit einem dumpfen Aufprall abprallten. Verdammt. Ray versuchte es erneut und wich gleichzeitig den scharfen Krallen aus, die sich um ein Haar in seine Wange gegraben hätten. Er spürte, wie sich die Panik in ihm ausbreitete, als er realisierte, dass seine

Klinge erneut nicht einmal einen Kratzer verursachte. Gleichzeitig peitschten nun erneut Sturmböen um ihn, sodass er sich kaum aufrecht halten konnte und er immer wieder ins Straucheln geriet. Während der drohte das Gleichgewicht zu verlieren, zögerte Yuki keine Sekunde. Sie sandte einen eisigen Schwall auf einen der Drachen. Die Kreatur erstarrte in einem Eispanzer, doch schon bald schmolz das Eis wieder, und der Drache brüllte vor Wut. Sie schienen kein Feuer zu speien, doch ihre Körper strahlten dennoch eine Hitze aus, der kein Eis lange standhielt.

Das kreischende Wesen preschte haarscharf an ihm vorbei und allein die knappe Berührung der Schwanzspitze brennte in Rays Gesicht. Erschrocken fuhr er sich mit der Hand über die Wange. Warmes Blut quoll aus dem Schnitt, den der Drache hinterlassen hatte. Nur die kleinste Berührung dieser Viecher schnitt durch seinen Körper wie Butter. „Caleb“, zischte Ray, während er erschrocken feststellte, dass auch von dem braunen Fell seines Gefährten rote Rinnsale tropften. „Wir müssen hier weg!“ Der Otter nickte wie betäubt, während er einer Kralle auswich und versuchte seinen Dolch in den schmächtigen Rumpf eines anderen Drachen zu stoßen. Doch auch diese Klinge prallte mit einer Lächerlichkeit ab, dass der Wasserkrieger nicht anders konnte, als aufkeimende Verzweiflung zu verspüren.

*Diese Dinger sind so klein,* dachte Ray, *und gleichzeitig so gefährlich, es war unfassbar*. Er hatte noch nie zuvor von ihrer Existenz gehört. Bevor er sich überlegen konnte, wie sie dem aggressiven Schwarm entkamen, stürzten sich zwei weitere auf ihn. Erneut versuchte er, die schuppige Haut der Drache mit seinen Schwertern zu treffen. Dieses Mal nicht einmal in dem Versuch sie zu durchstoßen, sondern lediglich die todbringenden Spitzen von sich fernzuhalten. Seine Langschwerter waren nutzlos gegen diesen robusten von Natur hervorgebrachten Panzer.

Es wurden immer mehr.

Immer wieder schossen eisige Ranken aus dem Boden und wickelten sich um die Drachen, um sie in Schach zu halten. Aber es waren immer nur

Sekunden, die sie ihnen brachte. Nun drehte sich auch Yuki verzweifelt zu ihrem großen Bruder um. "Wir müssen hier weg!" keuchte sie. Ihre Blicke trafen sich, voller Entschlossenheit. Gemeinsam stürzten sie sich in einen verzweifelten Sprint, ihre Schritte von den kreischenden Drachen begleitet. Der Boden schien unter ihren Füßen zu erzittern, als die Drachen mit ihren gewaltigen Flügeln einen Wirbelwind erzeugten, der den Sturm um sie herum verstärkte.

Die fliegenden Ungeheuer umkreisten sie weiterhin unaufhaltsam, gefährlich nah. Rays Herz pochte wild in seiner Brust, als er sich umschaute und sah, wie die kleinen Drachen von allen Seiten auf sie einstürmten. Die scharfen Krallen und funkelnden Augen der Kreaturen wirkten wie ein Albtraum, der sich in die Wirklichkeit geschlichen hatte. Ein Schauer lief Rays Rücken hinunter, als er die Beine in die Hand nahm und versuchte zu entkommen. Blut pulsierte heiß an seiner Wange, und er spürte, wie seine Kräfte schwanden.

Der Wind peitschte um sie herum, die kreischenden Drachen flogen bedrohlich nahe, und die Hitze ihrer Körper brannte in der Luft. Der Boden schien unter ihren Füßen zu schwanken, als sie eilig in Richtung der rettenden Bäume rannte. Ein rettender Zufluchtsort, am Rande des Gebirgskamms, fast in greifbarer Nähe. Rays Lungen brannten, als er sich vorwärts kämpfte, den Drachen und ihrem kreischenden Toben trotzend. Die Luft war erfüllt von einem wilden Durcheinander aus Flügelschlägen und verzweifeltem Atem, als sie endlich den Schutz der Bäume erreichten.

Urplötzlich schienen die Tiere abzudrehen, als die Baumkronen die Freunde verdeckten. Ihre Flügel trugen sie zurück in den Himmel, während ihr schrilles Kreischen allmählich verblasste.

Rays Herz pochte wild, als Caleb, Yuki und er im Schutz der Bäume ihr Tempo verlangsamten. Schließlich lehnte er sich schwer atmend gegen einen Baumstamm, spürte, wie seine Knie vor Erschöpfung zitterten. Der Wasserkrieger atmete tief durch, als er spürte, wie sein Puls allmählich wieder normal wurde.

Milo und Sola eilten zu ihnen, ihre Gesichter gezeichnet von Sorge und Erleichterung. Ohne zu zögern umarmte Milo Yuki, während Sola sich ungewöhnlich eng an Ray schmiegte. Der Wind rauschte sanft durch die Blätter der Bäume, und Rays Herzschlag verlangsamte sich allmählich. Er atmete tief durch, seine Lungen füllten sich mit frischer Luft, dem Duft von Solas Haar und ein Gefühl der Dankbarkeit durchströmte ihn. Sie schienen alle wohlauf zu sein.

"Verdammt", keuchte Ray, während er seinen Freunden einen müden, aber entschlossenen Blick zuwarf. "Das war knapp." Yuki lächelte leicht, und ihr Blick trug die Spuren der gemeinsam überstandenen Prüfung. "Aber wir haben es geschafft", sagte sie leise, ihre Stimme erfüllt von Erleichterung.

Zustimmend nickte ihr Bruder und zog erneut tief Luft ein, um das Zittern seiner Gliedmaßen zu bekämpfen. Schließlich, als sich sein Atem völlig beruhigt hatte war Milo einen skeptischen Blick zu.

"Was zum Teufel waren das für Wesen?", fragte er, fast vorwurfsvoll.

Milo zuckte leicht mit den Schultern. "Wie gesagt, das waren Unkōdrachen. Eigentlich sind es recht liebenswerte Kreaturen."

"Liebenswert?", entfuhr es Yuki ungläubig, ihre Augen funkelten.

"Ja, liebenswert", erwiderte Milo, seine Stimme nun etwas zögerlich. "Nun ja, normalerweise. Zur Brutzeit sind sie etwas... anders."

"So liebenswert wie du, wenn du hungrig bist", scherzte Ray und konnte sich ein Grinsen nicht verkneifen.

Milo schnaubte leise und schüttelte den Kopf. "Naja, zur Brutzeit eben nicht. Sie sind territorial und verteidigen ihr Revier mit allem, was sie haben."

"Angeblich sind sie jedoch mit Musik zu besänftigen", fügte er hinzu, sein Blick wanderte zwischen seinen Freunden hin und her, während er bereits abwehrend die Hände hob. Caleb starrte Milo mit großen Augen an. "Und das sagst du uns erst jetzt? Dafür hätte ich 100 Lieder gesungen."

„Ich hatte Angst!“

Ein befreiendes Lachen brach aus ihnen heraus, ein Klang der Erleichterung und Freude. Die Anspannung der vergangenen Momente löste sich ein wenig.

Ray blickte Milo an, immer noch schmunzelnd. "Woher weißt du eigentlich so viel über diese Drachen?"

Milo zuckte erneut mit den Schultern, ein verschmitztes Lächeln auf den Lippen. „Ich bin viel gereist.“

Ray runzelte die Stirn. Diese Antwort befriedigte ihn nicht. Doch er war zu erschöpft, um weiter zu bohren. Er würde schon noch eine Gelegenheit finden, diesem Jungen auf den Zahn zu fühlen. Für heute, würde er ihn ziehen lassen.

„Nun gut“, seufzte er stattdessen, während er seine Arme streckte. „Lasst uns weitergehen.“

Die Sonne brach langsam durch die Blätter, ihre warmen Strahlen berührten sanft ihre Haut. Die sanfte Berührung tat gut und geleitete die Freunde den weiteren Weg entlang.

# 39. Kapitel

*Ray*

Der Pfad führte sie nun sanft bergab, während sie durch duftende Wälder streiften, die sich in ihrem Herbstkleid aus warmen Goldtönen und leuchtendem Rot präsentierten. Bäche schlängelten sich ihren Weg durch das dichte Grün, ihr Plätschern begleitet von den sanften Melodien der Natur. Lichtungen öffneten sich wie versteckte Oasen, auf denen das Sonnenlicht in zarten Strahlen tanzte und die klaren Gewässer glitzern ließ. Hier und da begegneten ihnen Tiere, deren Anblick die Magie des Augenblicks noch verstärkte – flinke Eichhörnchen, die über Baumwipfel huschten, stolze Maishähne, die in geordneten Reihen umherstolzierten, elegante Segelenten, die auf spiegelglatten Teichen ihre Kreise zogen. Und selbst ein neugieriger Wolpertinger lugte aus einem Buschwerk hervor, sein fantastisches Geweih in den Himmel ragend.

Mit jedem Schritt wurde der Wald lichter, die Bäume gaben allmählich den Blick auf den Horizont frei. Die Sonne glänzte in voller Pracht über den Baumkronen und warf warme Schatten auf den Boden. Die Natur schien sich zu öffnen und die Freunde in ihre schützenden Arme zu nehmen, während sie dem Ziel ihrer Reise näherkamen.

„Ich kann nicht mehr“, beschwerte sich Yuki schließlich. Nicht nur ihre Beine waren schwer und schmerzten. Rays Augen brannten vor Müdigkeit. Yuki strich sich durchs Haar. Es war verknotet und dreckig, da sie seit mehreren Tagen keinen Ort mehr zum Baden gefunden hatten.

„Hör auf zu jammern Yuki, wir müssten bald *Guretopoto* erreichen“, sagte Ray. Auch wenn er ebenfalls erschöpft von der Reise war, so konnte und wollte er sich nicht länger vor der rot-schwarzen Armee verstecken, sondern zurückschlagen. Und mit der Erreichung von *Guretopoto*, eine der drei größten Städte im *Shizen* Bistum, kam er diesem Ziel näher. Aufgrund der Lage an der Küste war die Stadt ein wichtiger Kreuzpunkt für den Handel und für das Militär des Bistums. Gleichzeitig lag in diesem Ort der Schiffsanleger für die Fähre, die auf die Gladiolen-Insel und zur Akademie führte. Ihrem ersten Etappenziel.

„Ich kann dich tragen“, schlug Milo vor.

„Mach dich nicht lächerlich, Schwächling“, feixte die Wassermagierin scherzhaft. Milo schnaubte verärgert. Trotz seiner schwächlichen Körpermaße hatte er im Gegensatz zu Yuki – die immer mal wieder zurückgefallen war - jederzeit Schritt gehalten und nicht einmal wegen des Tempos gemurrt.

Caleb stoppte und hob seine Schnauze. Er schnupperte aufgeregt. „Du hast recht Ray“, sagte er dann vergnügt. „Wir sind bald da.“

Aufgeregt wedelte er mit seinem Schwanz, wie ein Hund, der sich über etwas freut. „Ich rieche das Meer.“ Seine Augen leuchten. Nahe dem Wasser fühlten sowohl Ray als auch der Otter sich wohler als in dem kühlen, steinigen Dickicht des *Shigen-Passes*.

„Gott sei Dank“, stieß Yuki aus.

„Das Meer?“, fragte Sola. „Wie kannst du das denn riechen?“

Caleb grinste sie an. „Na ich habe einen viel besseren Geruchssinn als ihr Menschen.“ Sola runzelte die Stirn. „Ja natürlich, aber ich meinte, wie riecht das Meer?“

Yuki und Milo drehten sich verdutzt zu ihr um. Sie war den Tag über schweigend ein Stückchen hinter ihnen gelaufen. Es gab Tage, da wurde ihr das dauerhafte Geplapper von Yuki und Milo zu viel. Dann genoss sie es, mit ein wenig Abstand für sich allein zu gehen.

„Wie das Meer riecht?“, fragte Ray sie. Er sah sie genauso überrascht wie die anderen an. Sie errötete leicht. Nervös schob sie eine hellblonde Strähne hinter ihr Ohr und flüsterte: „Ja. Ich weiß nicht, wie das Meer riecht.“

Ray lächelte sie an. Er hatte sie nie danach gefragt, doch nun, wenn er darüber nachdachte, hatte sie nie davon erzählt die *Sakura-Region* oder gar *Saka* je verlassen zu haben. Die warme Region lag mitten in dem *Shizen Bistum* und somit war es nur verständlich, dass sie das Meer nicht kannte. Für Wasserstämmige, die ganz natürlich die Nähe von besonders wilden Gewässern genossen, war dies kaum vorstellbar.

„Du wirst es riechen lange bevor du das Meer überhaupt sehen kannst", erklärte Ray. „Ich kann es gar nicht genau beschreiben. Es riecht salzig. Vielleicht ein wenig nach Algen und auf jeden Fall frisch."

Ray beobachtete Sola genau, während er ihr vom Meer erzählte. Ihre Hände zitterten leicht, als sie nervös mit den Fingern spielte. Ihre Augen wanderten suchend umher, als könnten sie das Meer bereits in der Ferne erspähen.

Er lächelte aufmunternd und trat einen Schritt näher. Sanft legte er seine Hand auf ihre Schulter und spürte, wie ihre Anspannung ein wenig nachließ. "Ich bin sicher, es wird dir gefallen", sagte er und versuchte, sie zu beruhigen. Sola nickte leicht, aber ihre Augen verrieten immer noch eine gewisse Nervosität. Ray wusste, dass es für sie eine neue Erfahrung war und dass sie sich unsicher fühlte. Doch er war froh, dass sie hier war, dass sie diesen Teil der Welt mit ihm entdeckte.

Er lächelte erneut und Seite an Seite schirrten sie langsam weiter den Weg entlang. Das Rauschen des Meeres wurde lauter, und die salzige Meeresluft wehte ihnen entgegen. Rays Herzschlag beschleunigte sich, als er spürte, wie auch seine eigene Aufregung stieg. Es war, als würde er das Meer zum ersten Mal sehen, durch Solas Augen.

## Sola

Ray sollte recht behalten. Schon bald konnte auch Sola es riechen. Ein seltsam frischer und gleichzeitig herber Geruch stieg ihr in die Nase. Doch sie konnte es nicht nur riechen, sie konnte es auch hören. Kreischende Vögel und rauschende Wellen. Und Schmecken. Das Salz benetzte ihre

Lippen, noch bevor sie Seite an Seite mit ihren Freunden auf eine der gepflasterten Straßen trat, die zu der vor ihnen aufragenden Stadt führte. Solas Herz klopfte vor Aufregung, nicht weil sie ihrem Ziel zum Greifen nahe waren, sondern weil sie es kaum erwarten, konnte diese weite, unendliche Wassermasse zu sehen. Sie stellte sich vor, dass das Meer die gleiche Farbe hatte wie Rays Augen, wenn er sie im Mondschein anblickte. Tiefes, sattes und geheimnisvolles blau, dass ihr die Sprache verschlug. Sie musste sich zusammenreißen, dass sie nicht direkt, wie ein kleines Mädchen losrannte.

„Lasst uns gleich zum Hafen gehen, wir sollten noch heute auf die Gladiolen-Insel übersetzen. Wir können uns dort eine Unterkunft und etwas zu essen suchen, doch ich möchte so früh wie möglich mit Izuya sprechen“, sagte Ray. Die anderen nickten. Milo, der schon einmal auf der Insel gewesen war, hatte ihnen unterwegs erzählt, dass es dort ebenfalls einen kleinen Fischerort gab. Der Junge schien bereits in vielen Ecken des Bistums gewesen zu sein. Der Fischerort konnte nicht mit der Größe und der wirtschaftlichen Umtriebigkeit *Guretopotos* mithalten, doch für eine Unterkunft und ein warmes Mahl reichte es wohl.

Sie durchstreiften die belebten Straßen *Guretopotos* und bahnten sich beharrlich ihren Weg zum Hafen. Die Stadt war ein lebendiges Gewirr aus Menschen, und es erforderte ihre ganze Konzentration, nicht von den bunten Eindrücken abgelenkt zu werden. Die Häuser waren kunstvoll mit leuchtenden Farben bemalt, die in der strahlenden Sonne geradezu aufleuchteten. Überall waren riesige Wandgemälde von exotischen Fischen zu sehen: prächtige Purpur-Prachtbarsche, blau-rote Neonsalmler und strahlend orangefarbene Clownfische. Die Farbenpracht der Stadt spiegelte die lebendige Schönheit des Meeres wider.

Zusätzlich zu den farbenfrohen Häusern schmückten bunte Flaggen die Straßen. Zwischen den Gebäuden waren Kordeln gespannt, an denen die Wappen der sechs Regionen des Bistums flatterten und im Meereswind hin und her tanzten. *Guretopoto* stellte seinen Stolz als Dreh- und Angelpunkt des Landes zur Schau.

Sola konnte sich nicht zurückhalten und sah sich staunend um. Die Stadt war so aufregend und anders als alles, was sie bisher kannte. Ihre Augen leuchteten vor Begeisterung, und ein freudiges Kribbeln durchströmte ihren Körper. Sie fühlte sich lebendig und voller Energie, als ob sie Teil eines faszinierenden Abenteuers wäre.

Doch trotz all der Aufregung spürte sie auch eine leichte Nervosität in sich aufkeimen. Die Ungewissheit dessen, was sie noch auf der Reise erwarten würde, machte ihr ein wenig Sorge. Würde Izuya sie empfangen? Ihnen zu hören? Sie wusste außerdem, dass es gefährlich werden würde und sie mit jedem Tag der Konfrontation mit der rot-schwarzen Armee näherkamen.

Sie wünschte sich, sie hätten mehr Zeit, um in einer der gemütlichen Kneipen zu verweilen und die wärmende Sonne auf ihrer Haut und den erfrischenden Wind in ihren Haaren zu spüren. Doch die Zeit drängte, und so setzten sie ihren Weg zum Hafen fort, immer begleitet von der pulsierenden Energie der Stadt. Sola hoffte, dass sie diese lebhafte Stimmung mit sich tragen und in schwierigen Momenten daran denken könnte, um sich Mut zu machen.

Als die kleine Gruppe den Hafen erreichte, verschlug es Sola erneut den Atem. Der Geräuschpegel war ohrenbetäubend. Von allen Seiten eilten Menschen über Stege auf riesige Boote zu. Sie riefen einander Befehle, Begrüßungen oder Witze zu. Kisten wurden verladen und Leinen losgemacht. Es war ein einziger, kunterbunter Trubel, der die Luft erfüllte und die Sinne überflutete.

Doch was Solas Augen zum Leuchten brachte, waren nicht nur die geschäftigen Menschen und die beeindruckenden Boote, sondern das Glitzern, das sie dahinter sah. Die inzwischen tiefstehende Sonne verfing sich im himmelblauen Wasser, das drohte über einige der hölzernen Stege zu schwappen, während es in einem unendlichen Rhythmus gegen das Ufer drängte. Ein funkelndes Lichtspiel tanzte auf den Wellen und zauberte ein magisches Funkeln auf die Wasseroberfläche.

„Das Meer“, flüsterte sie, voller Ehrfurcht ob dieser wundersamen Schönheit.

Nun lief sie doch eilig auf das rauschende Wasser zu. Beinahe jubelnd erreichte sie den nächsten Steg, der in die blaue Unendlichkeit hinausragte. Beide Arme reckte sie in die Luft, als wollte sie das Meer umarmen. Die Gischt der Wellen streifte ihre Haut und hinterließ erfrischende Tropfen. Ein befreites Lachen entkam ihr, während sie das prickelnde Salzwasser auf ihren Lippen schmeckte.

Der Geschmack, der Geruch, die Geräusche – all das war für sie pure Lebensfreude. Sie fühlte sich plötzlich so frei und lebendig wie nie zuvor. Endlich war sie am Meer, ein Ort, von dem sie immer geträumt hatte. Hier verschmolzen die Grenzen zwischen Land und Wasser, Realität und Traum.

Als sie sich zu ihren Freunden umdrehte, sah sie, dass sie nachblickten. Ihre Augen leuchteten vor Freude, und sie warteten abseits des Steges, um sie in diesem magischen Moment nicht zu stören. Ray strahlte sie an, und sein lächelnder Blick ließ ihr Herz höherschlagen. Die Sonne tauchte ihn in ein warmes, goldenes Licht, das seine braunen Augen zum Leuchten brachte. Als Sola seinen Blick auffing, stieg ihr das warme Blut ins Gesicht, doch dieses Mal nicht aus Scham, sondern aus purer Lebensfreude. Sie winkte ihm zu, während sie ebenfalls über das ganze Gesicht strahlte. Ray rannte auf sie zu und hob sie überraschend hoch, als wollten sie den Moment für immer festhalten und sich gemeinsam in diesem Glück verlieren.

Sola erschrak, als sie plötzlich den Halt unter sich verlor und von dem Wasserstämmigen durch die Luft gedreht wurde. Die Welt um sie verschwamm für einen kurzen Moment, doch die Freude in Rays Augen ließ sie alle Bedenken vergessen. Sein fröhliches Lachen erfüllte die Luft und mischte sich mit dem Rauschen des Meeres. Er schien fast genauso begeistert von ihrem Glück wie sie selbst.

Als er sie vorsichtig absetzte, schloss er sie fest in seine Arme. Das warme

Gefühl seiner Nähe umfing sie wie eine liebevolle Umarmung. In diesem Moment fühlte sie sich geborgen und geliebt, als ob nichts Schlimmes in der Welt existieren würde. Er flüsterte ihr ganz leise zu: „Wenn das alles überstanden ist und wir einen Moment Zeit haben, bringe ich dich zum Strand. Dann kannst du das Meer so richtig erleben." Seine Worte waren wie ein Versprechen für eine bessere Zukunft, für Tage voller Glück und Freiheit.

Seine raue Stimme und sein liebevolles Versprechen ließen Solas Herz höherschlagen. Ihr Blick glitt über die funkelnden Wellen, und ein Lächeln breitete sich auf ihrem Gesicht aus. Auch, wenn die Tage teilweise dunkel und frustrierend waren, hatte sie endlich ein Heimatgefühl gefunden. Diese kleine Gruppe, die sie nun ihre Freunde nannte, war ihr Halt, ihre Familie geworden. In ihren Augen spiegelte sich tiefe Dankbarkeit und Liebe für jeden Einzelnen von ihnen. Sie war so glücklich. Glücklich über das hier und jetzt, über die unbeschwerte Leichtigkeit dieses Augenblicks. Dieser winzige Moment war so wunderbar, dass Sola sich schwor, ihn für immer im Herzen zu bewahren, als Erinnerung an das Gefühl von Gemeinschaft und Geborgenheit, dass sie in dieser unruhigen Welt gefunden hatte. Und während das Rauschen des Meeres ihre Sinne umfing, wusste sie, dass sie mit ihren Freunden alles schaffen konnte, was das Schicksal ihnen auch bringen mochte.

Ein wenig abseits von den Stegen, die zu den großen Handelsfrachtern führten, entdeckten sie schließlich eine kleine rote Hütte, auf der das Wappen der Gladiolen abgebildet war, sowie ein Schriftzug: „Gladiolen-Fähre". Eilig gingen sie darauf zu. Hinter einem hüfthohen Tresen saß eine kleine Frau. Sie hätte hundert Jahre alt sein können, so runzelig und alt sah sie aus. Ihr Haar war weiß und klebte ihr feucht von der Meeresluft am Kopf fest. Ihr Blick war starr auf die Wellen gerichtet, die unweit ihrer Hütte gegen einen Bootssteg schwappten.

„Fünf Fahrkarten bitte", sagte Yuki und strahlte die Frau an. Diese runzelte ihre faltige Stirn noch weiter, sodass ihr Gesicht nun aus nichts anderem mehr bestand als tiefen Furchen.

Mit krächzender Stimme fragte sie barsch: „Wer seid ihr? Ihr seid keine Auszubildenden, das sehe ich direkt."

Yuki lächelte sie noch breiter an. „Nein, da haben sie recht. Wir sind Freunde."

„Freunde?" Ihre Stimme unterstrich ihr weit vorangeschrittenes Alter. Sie klang wie eine Tür aus Stahl, die seit Jahrzehnten nicht geölt worden war.

Die Wassermagierin nickte und lächelte weiterhin geduldig.

„So so", grummelte die Alte und schielte argwöhnisch über ihren Tresen hinweg. „Es darf aber nur Familie rüberfahren. Das Training ist zurzeit sehr wichtig", sagte die Alte und verschränkte die Arme.

Sola sah, dass Yuki kurz überlegte. Dann beugte sie sich zu der Alten herunter und zwinkerte ihr zu: „Ich bin quasi Familie von einem der Generäle, wenn Sie verstehen, was ich meine."

Die Alte hob eine Augenbraue und zischte ein grimmiges Geräusch aus. Sie machte keinerlei Anstalten die Tickets herauszurücken. Yuki seufzte und drehte sich ratlos zu den anderen um. Sola zuckte mit den Schultern. Sie war nicht wirklich gut darin Fremde zu umgarnen.

Es war Ray, der nun mit ernster Miene den Tresen trat und Sola beobachtete, wie er die Alte nun mit zusammen gekniffenen Augen fixierte. „Hören Sie, es geht um unseren Freund Izuya Riki. Ich weiß nicht, ob sie ihn kennen."

Die Alte löste ihre Arme und musterte den Wasserstämmigen aufmerksam. „Um den guten Izu?"

Ray nickte. Die Ernsthaftigkeit in seiner Stimme schien die Alte nervös zu machen, denn sie begann mit ihren knochigen Fingern auf den Tresen zu trommeln, während sie krächzte: „Was ist mit ihm?"

„Wir kommen aus seiner Heimat Tsubiki und haben leider schlechte Nachrichten für ihn. Wir wollten das Ganze nicht publik werden lassen, deswegen verzeihen Sie bitte die Ansprache meiner Schwester. Doch es ist wirklich dringend. Sie wirken wie eine anständige Dame auf mich und das Wohlsein meines Freundes liegt Ihnen am Herzen, das kann ich Ihnen ansehen."

Betroffen nickte die Alte.

„Wir vertrauen ihnen, deswegen bin ich ehrlich. Es ist ein familiäres Unglück geschehen und es ist nur fair, ihm direkt davon zu berichten, also lassen Sie uns bitte hinüberfahren."

Eine ihrer Runzeln entspannte sich. Die Alte schien sich geschmeichelt zu fühlen, als Ray erwähnt hatte, dass er ihr vertraute. Sie hing an seinen Lippen und nickte ihm bestätigend zu, während er noch einige Sätze mit ihr wechselte, die Sola nicht mehr mitbekam.

Danach drehte er sich triumphierend mit fünf Tickets zu ihnen um und sagte: „Die gehen auf Madame Kyoei und sie wünscht uns viel Erfolg und Stärke für unsere weitere Reise." Yuki verdrehte die Augen, während sie ihrem Bruder ein Ticket aus der Hand riss. Sie murmelte leise: „Alte Schreckschraube."

# 40. Kapitel

## *Sola*

Wenig später hielt sich Sola fest an der Reling des Schiffes, während ihre Beine leicht zitterten. Der salzige Wind peitschte ihr ins Gesicht und ihre Haare wirbelten wild umher. Vor ihr erstreckte sich ein endloses Meer, dunkel und geheimnisvoll. Die Wellen türmten sich auf und brachen in weißen Gischt an der Seite des Bootes. Es war noch viel aufregender als sie es sich vorgestellt hatte. Das Meer zeigte seine raue, unbezähmbare Seite, und sie spürte die ungeheure Kraft, die darin lag.

Das Schiff glitt geschmeidig über die tobenden Wellen, als würde es mit der Natur eins sein, als würde es das Spiel der Elemente beherrschen. Sola konnte nicht anders, als fasziniert auf das wilde Wasser zu starren. Es war eine majestätische Schönheit, aber auch eine beängstigende Urgewalt. Sie fühlte sich klein und gleichzeitig lebendig wie nie zuvor. Das Gefühl von Freiheit und Abenteuer durchströmte sie, und sie wusste, dass sie genau am richtigen Ort war. Die goldene Gladiole auf den Segeln des Schiffes glänzte im Sonnenlicht und wirkte wie ein Symbol der Hoffnung und des Glücks auf hoher See. Sie spürte, wie das Schiff sanft unter ihr schwankte, als würde es sie sanft wiegen und ihr versichern, dass es sie sicher durch diese unbekannten Gewässer tragen würde. Doch trotz des Zauberhaften, das das Meer umgab, war Sola sich bewusst, dass es nicht zu unterschätzen war. Die Naturgewalt des Ozeans war allgegenwärtig und beängstigend. Es war, als würde das Meer nur gnädig sein, solange es wollte. Die düstere Vorstellung, dass dieses unvorstellbar große Gewässer jedes Boot, jeden Menschen und jedes Wesen einfach verschlingen könnte, ließ einen Schauer über ihren Rücken laufen.

In diesem Moment wurde Sola klar, dass sie sich in einer Welt des Wunders und der Gefahr befand. Eine Welt, in der sie sich lebendig fühlte, aber auch demütig vor der Macht der Natur stand. Sie war bereit, alles zu erkunden, was das Meer zu bieten hatte, aber sie wusste auch, dass sie mit Vorsicht und Respekt vorgehen musste. Mit diesem Bewusstsein und einem Herz voller Abenteuerlust genoss sie jeden Augenblick auf hoher See, bereit für das, was das Meer ihr noch zeigen würde.

Sola zitterte bei diesem Gedanken. Als Kind hatte sie oft von der unbändigen Gewalt der Feuer-Magier gehört und das Feuer war in ihrem Kopf stets das zerstörendste Element aller gewesen. Doch jetzt, wo sie diese dunkle stürmende Masse unter sich sah, wurde ihr klar, dass es lediglich dem friedliebenden, spirituellen Gemüt der Wasser-Magier zu schulden war, dass ihr Element nicht als das wütendste bekannt war. Denn das, was sie hier unter sich sah, zeigte ihr nur zu gut, zu was das Wasser im Stande sein konnte, wenn es nur wollte.

Nachdenklich wanderte ihr Blick von der unruhigen Wasseroberfläche zu Yuki, die sich fröstelnd die Arme um den Leib geschlungen hatte und ebenfalls auf das weite Meer hinausblickte. Ihre blauen Augen spiegelten dieselbe Unruhe wie ihr Element wider. Sola fragte sich, welche Macht wohl wirklich in ihr steckte. Sie vermochte ein solch aufbrausendes Element zu beherrschen.

Solas Blick wanderte weiter. Milo saß auf dem hölzernen Boden des Decks, grün im Gesicht und sichtlich damit zu kämpfen sich nicht zu übergeben. Caleb und Ray standen kerzengerade weiter vorne und blickten der Insel entgegen, auf die sie zu steuerten.

Sola lächelte. Noch vor einigen Wochen hatte Ray sich nicht so fokussiert durchsetzen können. Er hatte sich verändert, war gewachsen an der Aufgabe, die vor ihm lag. Ray würde diese Rebellion gegen Samael, diesen Krieg für Gerechtigkeit anführen und sie würde ihm folgen. Bei diesem Gedanken fragte sie sich, ob ihre gemeinsame Reise sie ebenfalls verändert hatte.

War auch sie an ihrer Aufgabe gewachsen? Wäre Herold Amare stolz auf sie? *Ach Großvater,* dachte sie, ich bin am Meer. *Ich bin am Meer und werde die Welt verändern.*

## *Ray*

Das Boot schwankte und tanzte auf den erbarmungslosen Wellen, und in Rays Herz tobte ein Sturm der Gefühle. Sola strahlte, als sie sich zu ihnen umdrehte, und ihr Lächeln erwärmte sein Herz, als wäre es eine sanfte Brise inmitten des stürmischen Meeres. "Wir haben es fast geschafft", stieß sie zufrieden aus, während sie sich neben Yuki auf die verwitterte Holzbank niederließ. Ray nickte zustimmend, doch in seinem Innersten rumorte es wie ein gewaltiger Strudel.

Während seine Freunde begannen, ihre beanspruchten Gliedmaßen von sich zu strecken und fröhlich plaudernd auf dem Deck zu entspannen, knirschte Ray mit den Zähnen und spürte, wie sich keine seiner Muskeln lockerte. Das raue Holz der Reling grub sich unangenehm in seine Handflächen, und er drückte fest dagegen, um den aufgewühlten Gefühlen ein Ventil zu geben.

*Wir haben es fast geschafft*, hallte es in seinen Gedanken nach.

*Nein,* dachte er und eine tiefe Falte machte grub sich in seine Stirn. *Das ist erst der Anfang.*

In seinen Gedanken versunken, blickte er hinaus auf den Horizont, während die ferne Insel sich wie ein dunkler Schatten abzeichnete, düster und bedrohlich. Die raue Meeresbrise peitschte ihm ins Gesicht, und er spürte, wie sie ihm die Tränen aus den Augen trieb. Die gnadenlose Natur des Ozeans und die Weite der Welt zeigten ihm deutlich, wie unbedeutend und machtlos er eigentlich war.

Er presste die Lippen zusammen, um das unaufhörliche zermürbende Knirschen seines Kiefers zu unterdrücken, während die Sehnsucht nach Rache erneut und heftig in ihm aufkeimte und ihn körperlich und seelisch beanspruchte.

Ray schloss die Augen, suchte Klarheit in diesem stürmischen Meer der Emotionen. Er musste einen Weg finden, das Verlangen nach Vergeltung zu kanalisieren, ohne von ihm verzehrt zu werden. Die kräftezehrende

Fahrt auf dem schaukelnden Boot spiegelte die Zerrissenheit in ihm wider.

Mit zusammengebissenen Zähnen spürte er, wie der rohe Schmerz in seiner Brust zunahm, und er nahm ihn bewusst an, wie eine peitschende Welle, die über ihn hinwegrollte. Er musste den Schmerz akzeptieren, um ihn in eine Kraft umzuwandeln, die über die Rache hinausreichte.

Als er die Augen wieder öffnete und den gnadenlosen Blick auf das Meer richtete, mischten sich salzige Gischt und Tränen, die er bisher zurückgehalten hatte. Er war entschlossen, einen Weg nach vorne zu finden, um aus den dunklen Schatten seiner Vergangenheit herauszutreten und einen neuen Kurs zu setzen.

Das Boot schaukelte erneut, und Ray taumelte leicht, stützte sich an der Reling ab. Die körperliche Unannehmlichkeit war nichts im Vergleich zur emotionalen Turbulenz, die ihn zu verschlingen drohte.

Ray holte tief Luft, ließ die salzige Luft in seine Lungen strömen, als würde sie die letzten Überreste von Zweifel und Unsicherheit wegspülen. Er wusste, dass die Reise noch lange nicht vorbei war, dass dies erst die erste Etappe war.

Mit einem neu erwachten Sinn für Zielstrebigkeit drehte er sich um, bereit, sich seinen Freunden anzuschließen. Er war entschlossen, allem zu begegnen, was auf sie zukommen mochte, und fest entschlossen, einen Weg zu finden, der zu Heilung und Gerechtigkeit führen würde - nicht nur für sich selbst, sondern für all jene, die unter Samael litten.

Es war gut, dass er diesen Schmerz und diese Gefühle hatte, dass er die Last bewusst wahrnahm. Es war ein Zeichen, dass sein Herz noch immer pochte und es einen Fleck Reinheit in ihm gab. Denn diese Qual, die er verspürte, war der Schmerz der Rache. Und Rache sollte keinen Spaß und keine Freude bringen.

Nur Schmerz.

# Epilog

Nao und Zeno bahnten sich ihren Weg durch die dichte Menge des Flammenvolkes, eine lebendige Ansammlung von Gestalten, die in den Farben des Feuers gehüllt waren. Zwischen den flackernden Roben und den schimmernden Haarschleiern wirkte Zeno mit seinem strubbeligen roten Haar wie eine faszinierende Verlängerung des flammenden Spektakels um ihn herum. Seine Blicke irrten rastlos umher, immer auf der Suche nach einer Bedrohung, die vielleicht nur in seinem Geist existierte. Nao spürte seine innere Unruhe und musste sich zügeln nicht ungehalten zu sein. Doch statt ihn für sein auffälliges Verhalten zu schelten, hielt sie ihn dich bei sich, während sie sich der ältesten Bibliothek des Landes näherten.

Die Begegnung, die seine Unruhe geweckt hatte, ließ auch die andere Seite erzittern. Der Anblick des Horizonts, den sie von der Festung aus erblickte, entlockte Kayla normalerweise ein Lächeln. Die Abendsonne tauchte das Imperium in ein goldenes Licht, und der Anblick der weiten, sich erstreckenden Lande vermittelte ein Gefühl von Freiheit und Unendlichkeit. Doch heute war alles anders. Die Mauern, die sie umgaben, schienen sie zu erdrücken, zu ersticken. Raubten ihr jeden Atem. Jene Mauern, die von Wesen heimgesucht wurden, die Familien geraubt und ermordet hatten.

Ein Schauder lief über ihren Rücken, als sie an sein Gesicht dachte. Seine Miene spiegelte tief verwurzelte Angst und Schrecken wider. reichte

Die Erinnerung an seinen Blick, den sie jetzt in ihrer inneren Sicht wiedererlebte, schien etwas in ihr zu entfesseln. Ein tiefes, unheimliches Grollen wurde in ihr geweckt, vergleichbar mit dem unaufhaltsamen Aufziehen einer Naturkatastrophe. Es bebte in ihr, wie wenn die Kräfte der Erde selbst sich erheben würden – eine unaufhaltsame Energie, die alles in ihrem Pfad zu verschlingen und zu verändern drohte.

Kayla biss sich auf die Lippen und wischte sich hastig die Tränen aus den Augen. Als ihre Gestalt im Fensterglas verschwommen erschien, flüsterte sie leise zu sich selbst: „Es wird Zeit..."

Die Worte trugen eine Mischung aus Entschlossenheit und Besorgnis in sich, als würde sie sich auf etwas Unausweichliches vorbereiten, das vor ihnen lag. Sie wiederholte: „Es wird Zeit..."

„..., dass sich etwas verändert...", sagte Nao und legte Zeno beruhigend die Hand auf die Schulter.

„...und ich werde diese Veränderung bringen", murmelte Ray, den schwankenden, blauen Horizont fixiert.

**– ENDE –**

Fortsetzung Band 2 der Gefallenen Engel Reihe:

*Schmerz der Dunkelheit*

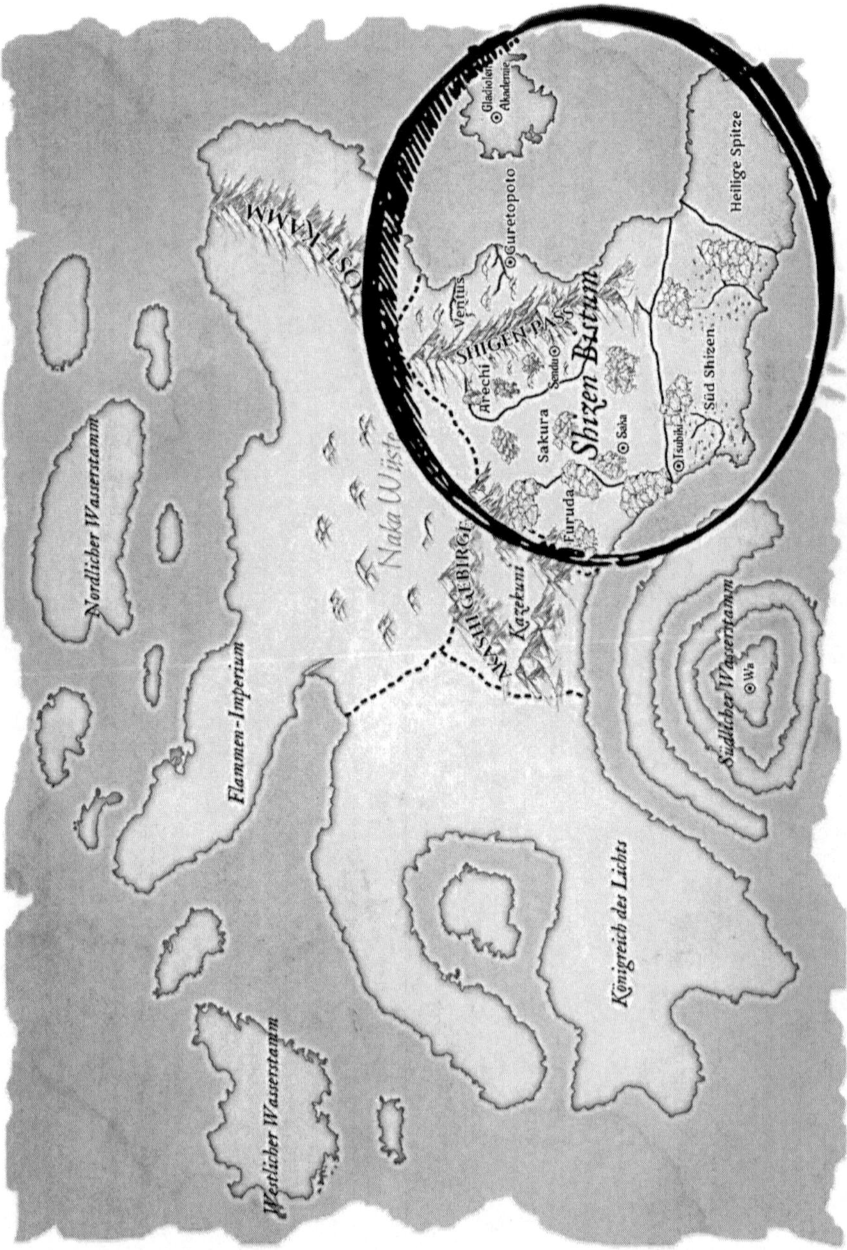
Nordlicher Wasserstamm
Flammen-Imperium
Naka Wüste
OST-KAMM
Westlicher Wasserstamm
Königreich des Lichts
Südlicher Wasserstamm
Wa
NASHI GEBIRGE
Kazekuni
Furuda
Sakura
Saka
Shizen Bistum
Arechi
Sendu
SHIGEN-PASS
Ventus
Guretopoto
Gladiolen
Akademie
Heilige Spitze
Süd Shizen
Tsubiki

# Danksagung

Hey ihr fantastischen Menschen!

Wisst ihr, was genauso unglaublich ist wie Drachen, Elfen und Zauberer? Mein erstes Buch! Ja, ihr habt richtig gehört - ich habe tatsächlich ein ganzes Buch geschrieben! Wer hätte das gedacht? Aber jetzt mal im Ernst, ich kann es selbst kaum glauben, aber ich habe es wirklich geschafft. Und ihr seid daran nicht unschuldig! Deshalb möchte ich euch allen von ganzem Herzen danken!

Meine **unglaublichen Eltern**, ihr seid einfach die Besten! Schon seit meiner Grundschulzeit habt ihr mich ermutigt zu schreiben und euch geduldig meine abenteuerlichen Geschichten angehört. Eure Unterstützung hat meine Fantasie beflügelt und mich dazu gebracht, dieses Buch zu schreiben. **Mama**, du warst dabei immer an meiner Seite, hast jedes einzelne Wort mit großer Sorgfalt gelesen und dabei nicht nur Rechtschreibfehler ausgemerzt, sondern auch meine Kreativität immer weiter befeuert. Deine Liebe zum Detail und deine ehrliche Begeisterung für meine Ideen haben mir das Vertrauen gegeben, mein Buch zu Ende zu bringen.

**Lucas,** vielen Dank, dass du mir tapfer bei meinen Monologen und verrückten Ideen zuhörst und mich bei allem unterstützt. Das ist nicht selbstverständlich!

**Vanessa**! Danke, dass du mit mir meine allererste Buchidee durchdiskutiert und mir geholfen hast, meine Gedanken zu sortieren. Deine Begeisterung und Unterstützung haben mich immer wieder inspiriert.

**Jonas**, mein nerdiger Partner in Crime! Wir haben so viele wilde Diskussionen über Animes, Mangas und andere fantastische Welten geführt. Dein Enthusiasmus zu diesen Geschichten hat mich dazu gebracht, meinen eigenen Weg als Autor zu gehen. Hier passt auch **Wadan** ganz gut dazu - ein ziemlich ähnlicher Chaot wie Jonas und ich.

Mit seiner Hartnäckigkeit hat er mich immer wieder nach meinem Buch gefragt, bis ich es ihm endlich zum Lesen gegeben habe. Euer Interesse hat mich daran erinnert, dass ich diese Geschichte teilen möchte, und dafür bin ich euch dankbar.

**Marc** – auch ein wahrer Held! Mit der Geschwindigkeit eines Blitzes hat er sich durch 500 Seiten gekämpft, obwohl Jugendfantasy normalerweise nicht so sein Ding ist. Aber nicht nur das, er hat mich auch immer wieder ermutigt und mir zugeflüstert, dass ich es schaffen kann. Danke, Marc, dass du an mich geglaubt hast, als ich es selbst manchmal nicht getan habe!

**Laetitia**, deine künstlerische Magie hat mein Buch zum Leben erweckt! Danke, dass du mir bei der kreativen Entwicklung meiner Cover geholfen hast.

**Alina**, meine Lektorin, du hast das Buch auf ein ganz neues Level gehoben. Deine klugen Anmerkungen und sorgfältigen Verbesserungen haben dem Werk den letzten Feinschliff verliehen und es zu etwas Besonderem gemacht.

Und nicht zu vergessen, möchte ich mich von ganzem Herzen bei **jedem einzelnen Leser** bedanken. Es ist ein unglaublich aufregendes Gefühl zu wissen, dass meine Worte nun euren Händen liegen.

Danke, danke, danke - an meine Familie, meine Freunde, meine lieben Eltern, meine inspirierenden Diskussionspartner und jeden einzelnen Leser, der Teil dieser wunderbaren Reise war. Ihr alle habt meinen Traum verwirklicht und mein Buch zu dem gemacht, was es jetzt ist. Ich bin euch unendlich dankbar und freue mich darauf, euch in neuen Welten mit neuen Geschichten zu begeistern.

In tiefer Dankbarkeit und mit einem Herzen voller Freude, eure Tony

PS: Ich würde mich riesig freuen, euch bei Band 2 der *Gefallenen Engel*-Reihe wieder mit auf die Reise nehmen zu dürfen.

Printed in Poland
by Amazon Fulfillment
Poland Sp. z o.o., Wrocław

25312670R00248